D1368517

LES
DESSERTS

LES DESSERTS

Texte original de Lorenza de Medici Stucchi
Adaptation française de Nicolas Blot

GRÜND

Adaptation française de Nicolas Blot
Texte original de Lorenza de Medici Stucchi
Ont participé à la réalisation de cet ouvrage : Maria Luisa Viviani,
Giorgio Seppi et Fulvio Ariani

Première édition française 1991 par Librairie Gründ, Paris
© 1991 Librairie Gründ pour l'adaptation française
ISBN : 2-7000-5770-8
Dépôt légal : août 1991
Édition originale 1988 par Arnoldo Mondadori Editore S.p.A.
sous le titre original *Il grande libro dei dolci*
© 1988 Arnoldo Mondadori Editore S.p.A.
Photocomposition : Compo 2000, Saint-Lô
Imprimé en Espagne par A.G.T.
D. L. TO: 1147-1991

Note

Suivez les photographies des recettes filmées étape
par étape de haut en bas, en commençant
par la colonne de gauche. Sauf indication contraire,
les recettes sont prévues pour six personnes.

SOMMAIRE

La confection de mets sucrés, sous sa forme la plus simple, remonte à la plus haute antiquité. Des bas-reliefs gravés il y a plus de trente siècles dans la pierre du tombeau de Ramsès III, à Louxor, en Égypte, font en effet apparaître un assortiment de gâteaux, probablement préparés à l'aide d'un mélange de farine de blé, de fruits, de miel et d'épices. Ces ingrédients de base n'ont pratiquement pas changé depuis — farine, beurre, sucre, œufs, fruits (frais ou secs) et parfums naturels —, et leur savant mélange permet de créer de succulents desserts, souvent magnifiques, pour le plaisir du palais et des yeux.

Au commencement était le pain, qui ne ressemblait guère à ce que nous appelons ainsi aujourd'hui. On préparait une pâte à pain sans levain, en mélangeant de la farine complète fort grossière à de l'eau, que l'on faisait cuire dans l'âtre ou dans un four primitif. Ce mélange de farine et d'eau était parfois enrichi de miel, de lait et de fruits, lorsqu'on confectionnait d'appétissantes offrandes pour s'attirer la faveur des dieux.

UNE QUESTION DE GOUT

Les anciens Égyptiens avaient coutume de façonner de petits morceaux de pâte en forme d'animaux, et de présenter ces figurines cuites en offrandes votives. Les anciens Grecs furent les premiers à élaborer des gâteaux dignes de ce nom, préparés à base de miel, d'amandes, de figues et de raisins secs. Parmi les recettes du IVe siècle avant J.-C. figurent celle du « basyma », petit pain sucré composé de farine, de miel, de fromage et de figues sèches, et celle du « gastristis », galette sucrée comprenant des œufs, de la cannelle, des noix, des amandes et du fromage. Le fromage de chèvre ou l'huile d'olive jouaient alors le même rôle que le beurre aujourd'hui, conférant certainement aux gâteaux une saveur puissante, qui surprendrait sans doute nos palais, mais dont la popularité persista néanmoins plusieurs siècles durant. La distinction entre aliments sucrés et salés n'était pas toujours très nette au temps de la Rome antique : vinaigre, miel, poisson, légumes, fromage et fruits entraient en effet indifféremment, mais selon des proportions qui variaient, dans la composition de desserts et de plats principaux. Le goût des mets sucrés tel que nous l'entendons aujourd'hui apparut beaucoup plus tardivement, et son origine se situe en Extrême-Orient, principalement en Chine méridionale et en Inde, où la canne à sucre poussait à l'état sauvage. Lorsque les Arabes colonisèrent la Sicile et l'Espagne, ils apportèrent avec eux la maîtrise de l'utilisation du sucre en cuisine. Par la suite, les croisades contribuèrent au développement du commerce du sucre, et, ainsi, à la satisfaction d'une demande croissante de cette substance exotique en Europe.

Vers l'an mille, des confiseurs exerçaient déjà leur art, qui préparaient le massepain, friandise gastronomique si onéreuse que seuls les nantis avaient la chance de pouvoir la déguster. Certains contrats passés entre les doges de Venise et les marchands arabes, qui subsistent encore de nos jours, prouvent que d'importantes quantités de sucre de canne étaient importées en Europe.

Les Siciliens mirent au point leurs propres recettes de pâte d'amandes et de friandises à base de fruits. La plupart d'entre elles ont survécu. C'est en grande partie aux pâtissiers des cours seigneuriales et aux ordres religieux que l'on doit la diffusion en Europe de l'art du pâtissier et du confiseur. Ils créèrent, en effet, d'innombrables délices telles que le panpepato, sorte de beignet sucré. Il est intéressant de noter que, à une époque où les fours fermés n'étaient pas encore répandus, les cuisiniers des monastères, qui faisaient tout cuire dans un foyer ouvert, commencèrent à enfermer certains ingrédients dans une enveloppe de pâte, inventant ainsi tourtes et pâtés.

Les pâtisseries contenant des œufs datent du XIIIe siècle. Voici (traduite en langage moderne) une recette extraite d'un manuscrit culinaire du XIVe siècle, dont l'auteur est demeuré anonyme : « Prends quelques amandes, émonde-les et pile-les pour les réduire en pâte ; humecte avec de l'eau très chaude ; fais chauffer un peu de lait avec des miettes de pain ou de la farine ; ajoute des jaunes d'œufs très frais ; incorpore progressivement le mélange aux amandes, avant d'ajouter du safran, du sucre et un peu de sel. »

A partir du XVᵉ siècle, un nombre croissant de recettes de gâteaux et de desserts apparaissent dans des textes culinaires. Dans son *Livre de l'art culinaire*, Martino da Como inclut un chapitre intitulé : « La façon de préparer divers pâtes, gâteaux et sucreries », dans lequel il évoque un gâteau aux cerises, un dessert aux marrons, une crème renversée au millet frit, un gâteau de riz aux amandes et un massepain, ainsi que des tourtes aux légumes ou à la viande. Dans le chapitre suivant, « Des beignets de diverses sortes », il donne des recettes de beignets d'amandes, de figues, de riz et de pommes : « Lavez et essuyez très soigneusement les pommes, faites-les cuire à l'eau bouillante ou dans la cendre ; ôtez le trognon. Mélangez la chair de pomme cuite et molle avec un peu de levure et de farine, et de sucre ; formez des beignets et faites frire dans de la bonne huile. »

Quant à Cristoforo da Messisbugo, cuisinier du duc de Ferrare, il consacre tout un chapitre de son traité d'art culinaire (rédigé en 1549) à « divers types de gâteaux » : gâteau aux pommes allemand enrichi de beurre et de sucre ; tourte aux nèfles ; tartes aux pêches, aux poires et aux pommes. Quelques années plus tard, Bartolomeo Scappi décrit des ustensiles de pâtissier, notamment des tamis et des moules à gâteaux ; il mentionne également un « saupoudrage de sucre râpé » (les pains de sucre, en forme

de cônes élancés, étaient vendus par les marchands d'épices).

Les desserts servis dans les banquets des cours seigneuriales et royales devinrent bientôt l'occasion de véritables spectacles, mis en scène par des architectes, des cuisiniers, des marchands de sucre et d'épices. Un banquet de baptême chez les Médicis comprenait un vaste choix de merveilleux mets salés, suivis de confiseries glacées, sur lesquelles des lis (emblème de la cité de Florence) étaient sculptés en bas-relief ; de petits paniers emplis de petites gelées de fruits ; de gâteaux en forme d'anneaux ; de mannes d'osier regorgeant de fruits ; de biscuits ; de gaufrettes ; de grosses gelées moulées et d'une pièce centrale de pâte de sucre gravée...

En 1600, lorsque Marie de Médicis épousa Henri IV, l'intendant de sa maison consigna par écrit tous les préparatifs : il mentionne des statues de sucre et des maquettes d'édifices en pastillage. Un grand nombre de boîtes pleines de confiseries et sucreries furent envoyées en France avec la jeune reine, qui contenaient notamment « ...des tortues multicolores, des animaux de massepain, des dauphins, des poissons, des coquillages, et plusieurs variétés de lis, tout cela fait en sucre... ». Ce luxe, cette magnificence furent imités par ceux qui n'appartenaient pas aux cercles princiers : la bourgeoisie prospère servait des versions simplifiées de ces friandises. Vers la fin du XVIIᵉ siècle, les premières recettes de « sucre en cuisine pâtissière, confiserie et friandises [...] de la manière de préparer les gâteaux de sucre », et de confection de tourtes ou de tartes proches de celles que nous connaissons furent publiées en allemand.

C'est à cette époque que commença à se développer le goût moderne des mets sucrés. Le sucre était exporté massivement du Brésil, de Cuba et du Pérou vers l'Europe. La sève cristallisée de la canne à sucre était raffinée à Anvers, à Amsterdam, à Dresde et à Nantes, puis vendue à ceux qui avaient les moyens de l'acheter. Le prix de cette denrée était encore très élevé, ce qui la mettait hors de portée de la majorité de la population, mais ce goût nouveau était malgré tout bien établi.

Au cours du XVIIᵉ siècle, un autre produit fit son apparition, en provenance des colonies espagnoles d'Amérique du sud : le chocolat. La vogue de cette substance exotique se répandit de l'Espagne vers la France, l'Allemagne et l'Italie (au royaume de Naples), cependant que les théologiens tentaient de déterminer si le fait de boire une tasse de chocolat constituait une rupture du jeûne. En 1678, la première licence de chocolatier fut accordée à Turin. Au XVIIIᵉ siècle, les Autrichiens furent pris d'une véritable folie du chocolat, bientôt imités en cela par les citoyens des États-Unis d'Amérique, nouvellement indépendants.

Au XVIIIᵉ siècle, la qualité de la pâtisserie s'améliora considérablement. On commençait à trouver plus facilement des ingrédients tels que le sucre et le chocolat, et d'énormes progrès dans la conception des fours et des fourneaux étaient réalisés, permettant de réussir des recettes complexes. En 1719, le cuisinier de l'évêque de Salzbourg publia un ouvrage qui contenait trois cent dix-huit illustrations présentant des techniques avancées de confection et de décoration des pâtisseries. En France, La Varenne publia deux livres qui établirent les fondations de l'art du pâtissier : *Le Pâtissier françois* et *Le Parfait Confiturier*, suivis par *Le Pâtissier pittoresque* de Carême. *Il cuoco Piemontese perfezionato a Parigi* (« le cuisinier piémontais formé à Paris »), publié en 1766 en Italie, comprenait une importante partie consacrée à la pâtisserie. Au début du XIXᵉ siècle se produisit une révolution dans la manufacture du sucre. Alors que, en réaction au blocus continental imposé par Napoléon, la marine britannique interdisait l'importation en France de sucre de canne, un chimiste du nom d'Achard reprit les recherches dans le domaine des produits de remplacement là où un chimiste berlinois, Marggraf, s'était arrêté, et il parvint à extraire des quantités commerciales de sucre d'une certaine espèce de betterave. La production en masse de l'une des principales matières premières de la confiserie permit l'accès aux saveurs sucrées à tous. Il existait depuis toujours une tradition de confection de pâtisseries et confiseries maison, qui faisait appel à l'emploi du miel, mais bientôt la majorité de la population européenne allait pouvoir savourer des spécialités jusqu'alors réservées aux plus fortunés. La confiserie et toutes les friandises sucrées faisaient enfin leur entrée dans la vie quotidienne.

Une certaine notion de sybaritisme semble s'attacher depuis toujours à la consommation de desserts, pâtisseries, confiseries, biscuits et bonbons — à ce qui est considéré comme une absorption de nourriture frivole et superflue, dépourvue des connotations positives associées au fait de manger pour se nourrir et satisfaire ainsi une faim saine et honnête. Ces friandises étaient jadis réservées aux grandes occasions, aux jours de fête et de célébration, et cette tradition s'est perpétuée jusqu'à aujourd'hui. Lorsqu'on sert un gâteau ou une confiserie dont la préparation se révèle élaborée, la nature festive de l'occasion s'en trouve soulignée : il n'est, pour s'en convaincre, que de penser au gâteau d'anniversaire, à la pièce montée de mariage, à la bûche de Noël ou à l'œuf de Pâques en chocolat.

Les premières confiseries n'étaient guère que des variations sur le thème du pain, auquel on ajoutait, avant la cuisson, du miel, du lait, des amandes, des raisins secs, du beurre ou des œufs. D'autres ingrédients vinrent s'ajouter ultérieurement, parmi lesquels le sucre et le chocolat. Progressivement, les pâtissiers transformèrent des préparations simples et sans prétention en œuvre d'art d'une grande complexité. Au XVIIIe siècle, les pâtissiers empruntèrent, adaptèrent et combinèrent les découvertes réalisées par leurs prédécesseurs et leurs contemporains pour élargir le champ de ce secteur relativement nouveau de l'art culinaire. A partir du XIXe siècle, à mesure que la production de denrées s'accroissait et que davantage de foyers connaissaient la prospérité, les gâteaux, desserts et friandises se taillèrent une place de choix dans la vie quotidienne des familles, tout en continuant d'être considérés comme des plaisirs superflus. Aujourd'hui encore, une part de gâteau, un beignet ou une sucrerie portent la promesse de quelque moment de délectation inoubliable.

LA PRÉSENTATION

En matière de pâtisserie, la présentation est presque aussi importante que le goût. Quiconque a contemplé les gâteaux et friandises exposés de manière alléchante dans la vitrine d'une pâtisserie conviendra que le fait de les dévorer des yeux, dans une attente déjà pleine de satisfaction, joue un rôle préparatoire au plaisir. L'odorat est également sollicité. Il existe des arômes ensorcelants, qui ne manquent jamais d'attirer les passants à l'intérieur du magasin : senteur de vanille, parfum de pâte en train de cuire, odeur de croissants chauds, etc.

La consistance, enfin, a beaucoup d'importance : le crémeux d'une garniture contrastant pleinement avec le croquant d'une nougatine, le croustillant d'un nappage de caramel ou la légèreté d'un biscuit. Il est important de choisir avec soin le plat de service. Le verre, la porcelaine, l'argenterie, la terre cuite, voire l'osier, contribuent à l'attrait exercé par des gâteaux ou des confiseries. Les gâteaux, beignets ou biscuits les plus simples doivent à l'évidence être présentés différemment que les créations les plus élaborées des artistes es sucreries. Un sachertorte (gâteau au chocolat autrichien), par exemple, est d'une grande élégance sur une assiette montée de cristal, avec à ses côtés une pelle à gâteau d'argent, alors qu'un rustique plat de

terre cuite conviendra parfaitement à un panettone italien aux noix et aux raisins secs. Hormis les préférences personnelles, qui sont bien souvent le meilleur des guides, il existe certaines conventions : pour les crèmes glacées — agrémentées ou non de fruits, de crème et de décorations en sucrerie —, les crèmes renversées, les gelées de fruits et toutes sortes de desserts habituellement présentés individuellement et dégustés à la cuillère, les petites et profondes coupes ou coupelles de cristal sont les mieux adaptées. Les grands gâteaux fourrés devraient être servis sur un plat d'argent, lequel sera éventuellement recouvert d'une serviette de table d'un blanc immaculé ou d'un napperon de dentelle. En général, on confie à l'invité que l'on souhaite honorer la responsabilité de couper la première part, à l'aide d'une pelle à gâteau. S'il s'agit d'un diplomate ou d'un pouding, l'hôte se servira à l'aide d'une grande cuillère en argent. Il convient de s'attribuer une portion appropriée sans pour autant détruire l'attrait visuel qu'exerce le dessert sur les autres convives. Si un tel honneur vous échoit et que vous n'avez pas suffisamment confiance en vous pour couper la première part, n'hésitez pas à demander l'aide de la maîtresse de maison.

Les assiettes à dessert sont habituellement de petite taille. Les fourchettes et cuillères qu'on utilise pour savourer les gâteaux et autres desserts, en argent gravé ou repoussé, sont « miniaturisées » et souvent ornementées. Les couteaux n'ont pas leur place ici. Les fourchettes à dessert semblent passées de mode et rejetées par la majorité, qui les considère comme trop raffinées, mais elles peuvent être à la fois élégantes et utiles. Toutefois, si on dispose de serviettes de table et si le gâteau n'est pas trop friable ou crémeux, il est parfaitement accep-

table de manger un gâteau avec les doigts.

On peut pousser le raffinement jusqu'à présenter les assiettes sur des napperons, bien qu'on rencontre ces derniers plus fréquemment dans les salons de thé. Batiste ou lin blanc brodé, traditionnels et élégants, sont les tissus les mieux adaptés à cet usage.

Il vaut mieux éviter les sets de table en plastique tressé, qu'ils soient blancs ou d'une autre couleur : outre son caractère peu esthétique, le plastique semble, en effet, communiquer une odeur et un goût déplaisants aux délicates créations que l'on pourrait y déposer.

LA DÉCORATION

Le sens des couleurs et des proportions, de l'imagination à revendre : cela suffit pour mener cette tâche à bien. Tracer un plan de la décoration avant de se mettre au travail se révèle souvent très utile. Enfin, savoir à quel moment il faut s'arrêter est très important : une décoration trop riche et surchargée est susceptible de produire l'effet contraire à celui escompté et de détourner l'attention de l'attrait intrinsèque du produit fini.

La décoration peut être abordée comme un problème d'échelle et de géométrie : vous disposez d'un espace donné dans lequel exercer votre imagination, vous devez donc adapter vos idées à la forme de la « toile », qu'elle soit ronde, carrée, rectangulaire ou autre. La couleur joue un rôle essentiel en matière de pâtisserie. On ne peut guère se tromper en jouant la carte du blanc, qui fait ressortir à la perfection les décorations en teintes pastel — rose, vert très pâle ou bleu pâle. Un nappage de chocolat noir présente un aspect très tentant, d'une merveilleuse richesse, de même que les garnitures de chocolat d'un ton plus clair. Les tons durs des couleurs primaires (rouge, jaune et bleu) sont à éviter à tout prix, comme les couleurs secondaires trop vives (vert électrique, par exemple). Quant aux couleurs psychédéliques, elles suffiront bien souvent à faire perdre l'appétit au plus affamé des convives.

Lorsque vous vous lancerez dans la conception d'une décoration de gâteau, n'oubliez pas que des motifs en papier sulfurisé, en aluminium ou en plastique, peuvent être une aide précieuse pour la réalisation. Vous trouverez les deux derniers dans les magasins spécialisés en équipement ménager ; si vous utilisez du papier-parchemin ou du papier sulfurisé, une paire de ciseaux conviendra. La décoration d'un gâteau plat exige plus de patience que d'habileté, mais lorsqu'il s'agit de décorer une pâtisserie ronde ou en forme de coupole, en revanche, il vaut mieux posséder une certaine expérience. Un équipement spécial est nécessaire pour obtenir l'effet désiré. En premier lieu, une série de spatules, qui vous permettra d'étaler les glaçages, les nappages de crème fouettée, de crème au beurre, de fondant... Choisissez des spatules rigides et d'autres, plus souples, adaptées aux diverses consistances. Il faut également des poches à douille de tissu, de papier ou de fibre synthétique, et au moins six embouts de tailles et formes différentes. Il est recommandé de s'entraîner, afin d'acquérir suffisamment de dextérité et de pouvoir s'en tirer élégamment lorsque le moment de réaliser vos motifs décoratifs sera venu. Une bonne manière de se faire la main consiste à tracer à la douille les lettres de l'alphabet, en majuscules et en script. Un présentoir à gâteaux pivotant vous sera très utile : il évite, en effet, les mouvements maladroits autour du gâteau, mais il n'est pas indispensable.

L'un des matériaux de base de la décoration est ce que l'on appelle parfois « chocolat de couverture », mélange de cacao, de beurre de cacao et de sucre que l'on peut acheter en bloc et faire fondre au bain-marie. Ce chocolat, toutefois, est moins facile à travailler que le chocolat pâtissier, dont la teneur en graisses est élevée et que l'on achète généralement en plus petites quantités. Si vous êtes novice, sachez que le chocolat de couverture se travaille plus aisément et plus longtemps lorsqu'on l'additionne d'un peu de sirop de sucre épais.

La feuille de chocolat compte parmi les décorations les plus satisfaisantes que puisse exécuter un néophyte : choisissez une petite feuille aux nervures prononcées — les feuilles de rosier conviennent parfaitement ; rincez-la à l'eau froide et séchez-la très soigneusement (cela est essentiel, sinon, une réaction indésirable se produirait entre le chocolat et l'eau). Frottez délicatement la feuille à l'aide d'un papier absorbant imbibé d'huile de paraffine, qui est sans odeur. Posez la feuille sur le fond d'une assiette retournée, ou sur n'importe quelle surface légèrement convexe, et recouvrez-la de chocolat fondu. Laissez reposer pendant quelques heures avant d'enlever la feuille, en vous assurant que le chocolat a complètement durci.

Vous pouvez acheter de petits moules d'aluminium ou de plastique et y verser du chocolat fondu pour obtenir de petits disques ou plaques lisses ou cannelés, figurant de petits sujets, des animaux ou toutes sortes de formes. Il est également possible d'étaler une couche de chocolat fondu sur une feuille de papier sulfurisé très résistant et, au moment où le chocolat commence à prendre, d'y découper diverses formes, à l'aide de petits emporte-pièce. En passant le fil d'un couteau à la surface de la feuille de chocolat complètement durcie et refroidie, vous obtiendrez de longs copeaux enroulés ressemblant à des cigarettes russes. Si vous débordez d'énergie, et ne manquez pas de patience, lancez-vous dans la confection de perles de chocolat, précieuses lorsqu'il s'agit de décorer un entremets ou un dessert, et que vous pourrez conserver quelque temps dans une boîte hermétique : cassez le chocolat en morceaux, puis réchauffez-le pour le malaxer alors qu'il est ramolli, mais non liquéfié. Passez cette pâte au tamis à l'aide d'une grande cuillère de bois : c'est à ce moment qu'intervient la patience... Laissez refroidir et durcir.

La pâte d'amandes est l'une des substances les plus anciennes traditionnellement employée en décoration pour recouvrir la surface d'un gâteau (qu'elle soit ou non elle-même recouverte d'un glaçage) — elle doit, alors, être abaissée aussi finement que possible. Une feuille de pâte ronde ou ovale sera plus facile à étendre. Si vous saupoudrez cette pâte de sucre glace, vous éviterez que le rouleau à pâtisserie n'adhère. Découpez ensuite la pâte selon la forme du gâteau que vous souhaitez recouvrir. La réalisation de formes en pâte d'amandes — fleurs fruits, sujets et animaux, que l'on colore ensuite pour obtenir un aspect réaliste — n'est pas aussi facile qu'on pourrait l'imaginer.

Les esprits aventureux tenteront de confectionner une rose en beurre : plongez de petites noix de beurre dans de l'eau glacée, pétrissez-les, en plongeant de temps en temps les doigts dans l'eau, afin qu'ils restent froids eux aussi, puis aplatissez-les entre deux pièces de tissu très fin. Ces petits disques vont constituer les pétales de la rose. Il est indispensable de les maintenir au froid si vous désirez réussir. Les roses en beurre peuvent être utilisées pour décorer des préparations sucrées ou salées. Un chapitre de cet ouvrage est consacré aux crèmes, sauces et glaçages. La pâtisserie est « habillée » selon l'occasion ou la saison — simple repas familial ou dîner de gala, repas léger en été, plus riche et plus lourd en hiver. Le sucre mérite une mention spéciale, car il constitue le produit le plus utilisé en matière de pâtisserie et de desserts en général. Le sucre raffiné, qui contient jusqu'à 98 % de saccharose, fond à la température ambiante si on le mélange à la moitié de son poids en eau : 10 cl d'eau peuvent absorber 200 g de sucre. Lorsqu'on fait chauffer le sucre seul, il fond à 160° et se transforme en une masse vitreuse appelée sucre d'orge. Si la température est portée à 220°, le sucre brunit, devient amer et atteint le stade où on l'appelle caramel. Quand on fait chauffer du sucre additionné d'eau, sa densité se modifie graduellement. Pour mesurer la température du sirop, on emploie un pèse-sirop — les professionnels utilisent un saccharimètre, afin de mesurer la densité du sirop jusqu'au stade du grand cassé.

Le premier stade est atteint lorsque le sirop de sucre parvient à ébullition : il est dit à la nappe ; en cuisant, le sucre prend l'aspect d'un voile légèrement effiloché : c'est le stade du petit lissé.

Suit le stade du grand lissé : effleurez la surface du sucre bouillant d'un index bien sec. Réunissez le pouce et l'index, puis écartez-les : un fil élastique de sucre se forme. Ce phénomène se produit, normalement, lorsque la température du sirop atteint 102-103°. A mesure que la température augmente, le sirop passe par le stade du petit perlé, puis par celui du grand perlé, à 107-109°. Si on plonge alors une boucle de métal dans le sirop et qu'on la retire, on obtient une fine pellicule que l'on peut transformer en bulle, en soufflant doucement. Lorsque le sirop est à la plume (115,5°), cette pellicule forme des fragments semblables à des plumes. Vient ensuite le stade de la pastille : le sirop de sucre tend à blanchir et à se cristalliser quand on presse une goutte entre le pouce et l'index, avant d'écarter les doigts.

Le sirop devient alors nettement plus épais ; le stade du petit boulé est atteint à 116-118° : une goutte de sirop plongée dans un peu d'eau glacée forme une boule transparente très élastique lorsqu'on la manipule. Au stade du grand boulé (121-124°), c'est une boule beaucoup plus ferme qui se forme. Viennent ensuite le petit cassé (130-135°) et le grand cassé (146-149°) — ces deux valeurs sont indiquées sur le pèse-sirop. Le stade du caramel est atteint lorsque le sucre se colore ; si on le laisse brûler, ce caramel devient très foncé, perd sa saveur sucrée et dégage des fumées âcres.

Le sucre filé est abondamment utilisé en décoration. Les professionnels emploient un instrument spécial, le fouet à filer le sucre, qui ressemble à une boule de fils métalliques munie d'un manche. Toutefois, un fouet à l'extrémité coupée ou même une fourchette peuvent convenir. Portez le sucre, l'eau et une pincée de crème de tartre au début du stade du caramel (155°), puis laissez refroidir une minute ou plongez la casserole dans de l'eau froide pendant quelques secondes. Le fouet à filer est plongé dans le sucre, qui est alors « filé » entre deux bâtonnets légèrement huilés. La préparation doit s'effectuer au dernier moment, juste avant d'être utilisée, car le sucre qui a bouilli a tendance à absorber l'humidité et à se transformer en sirop de caramel. La nougatine peut être découpée en formes et utilisée pour réaliser des décorations du plus bel effet ; le caramel destiné à cet usage est préparé avec 300 g de sucre semoule et une cuillerée à soupe de jus de citron. Lorsque le sucre est coloré, baissez le feu et ajoutez 130 g d'amandes hachées tiédies. Remuez rapidement et énergiquement avant d'ôter la casserole du feu. Versez sur une plaque de marbre ou un plan de travail légèrement huilé. Laissez refroidir, puis réchauffez au four à 150° avant de travailler la nougatine, qui peut être abaissée (pas trop finement) à l'aide d'un rouleau à pâtisserie.

Vous pouvez également être tenté de réaliser vous-même des fleurs confites : il suffit de plonger, à quatre reprises, des fleurs ou des pétales frais dans un sirop de sucre épais, en veillant à bien les laisser sécher à chaque fois. Les violettes, que l'on utilise traditionnellement pour décorer les confiseries à base de marrons glacés, peuvent être conservées de cette manière.

Un moyen extrêmement simple et efficace de décorer un gâteau consiste à découper votre propre pochoir ou à utiliser un napperon en dentelle de papier, que vous placerez sur le gâteau avant de saupoudrer de sucre glace. Enlevez ensuite le papier délicatement, et vous obtiendrez un joli motif.

LES CRÉATEURS DE LA PÂTISSERIE MODERNE

Le nom de Carême, qui évoque l'abstinence et la privation, est, de façon pour le moins inappropriée, celui d'un cuisinier qui acquit une renommée mondiale grâce à ses somptueuses créations. Le pape Léon X avait ainsi appelé l'un de ses ancêtres, cuisinier lui aussi, parce qu'il avait préparé une délicieuse soupe à l'occasion d'un repas de carême.

Marie Antoine Carême naquit le 8 juin 1784, cinq ans avant la Révolution. Dix-septième enfant d'un ouvrier miséreux, il fut abandonné à l'âge de neuf ans. Le chef d'une petite auberge eut pitié de lui, et il ne tarda pas à découvrir en son protégé un cuisinier bourré de talent et d'imagination. Carême bâtit sa réputation de pâtissier dans l'une des meilleures maisons parisiennes, la pâtisserie Bailly. Ses arcs de triomphe, ses statues et ses édifices de pastillage — une pâte de sucre très dure, utilisée en confiserie — lui valurent rapidement une enviable renommée. « Les beaux-arts comptent cinq branches, avait-il coutume de déclarer : la peinture, la poésie, la musique, la sculpture et enfin l'architecture, qui a pour branche principale la pâtisserie. » Carême étudia les monuments grecs et romains au département des estampes de la Bibliothèque nationale, avant de créer des répliques détaillées en pastillage, exécutées dans le style néo-classique alors en vogue.

Carême s'intéressait non seulement à l'histoire de l'art, mais aussi à celle de la cuisine : il s'efforça sans relâche de percer les secrets de chefs depuis longtemps disparus. Bientôt, il put s'installer à son compte, rue de la Paix. Il proposait dans son établissement toutes les friandises habituelles, mais il créait également de nombreuses recettes originales, qui occupaient une place de choix dans d'importants banquets et réceptions. Dans les milieux diplomatiques et aristocratiques du monde entier, il représentait le maître que tous rêvaient d'imiter : artiste culinaire, Carême avait en outre une manière très érudite d'aborder la gastronomie. Tandis qu'il travaillait à ses fourneaux, il conservait à portée de main un grand registre à reliure de cuir dans lequel il notait le moindre détail, l'observation la plus anodine. Il se targuait d'ailleurs de cette bonne habitude qui était la sienne de prendre note de toutes les variantes de ses recettes — pas un jour ne s'écoulait sans qu'il n'introduisît des changements et des innovations. Dans tout ce qu'il préparait, Carême nourrissait la conviction qu'il existait une méthode pour atteindre la perfection.

En 1818, il publia *Le Pâtissier royal parisien*, où il exposait une nouvelle philosophie : les aliments ne devaient jamais être camouflés par des ingrédients d'une nature étrangère à la leur, ni soumis à des excès et surcharges de décoration. Carême soutenait que la cuisine fine française, qui était alors reconnue en tant que critère d'excellence dans le monde entier, avait trouvé sa pleine justification avec la Révolution de 1789. Davantage d'hommes et de femmes s'étaient trouvés à même d'exercer leur droit à la jouissance des bonnes choses de la vie. Il n'y avait qu'un pas de la quantité à la qualité : au moment où la monarchie fut restaurée en France, la bourgeoisie comme l'aristocratie goûtaient les plaisirs de la table.

Les théories politiques de Talleyrand, l'évêque devenu révolutionnaire, puis ministre des Affaires étrangères de Napoléon, avant d'être celui de Louis XVIII, au service duquel le grand cuisinier s'était placé, influencèrent beaucoup Carême. Jusqu'à l'instauration de l'Empire, ce dernier prépara de fabuleux banquets pour Talleyrand, puis il devint chef cuisinier de la maison impériale, avec l'entière responsabilité des achats et des menus. Son autorité et son statut social dépassaient alors ses rêves les plus fous. Son heure de gloire, comme celle de Talleyrand, d'ailleurs, sonna lors du congrès de Vienne : les trésors d'art culinaire et de diplomatie qui y furent déployés conduisirent les délégués à réviser leur opinion sur la France, alors considérée comme une puissance abattue et démoralisée par la défaite militaire. Empereurs, ministres, plénipotentiaires et ambassadeurs, tous séduits par les plaisirs gastronomiques que leur offrait le négociateur français, y virent une éclatante affirmation du prestige de la France.

De toutes les créations de Carême, celle qui rencontra le plus grand succès fut sa coupe de fruits : des fruits frais coupés en petits dés étaient arrosés de kirsch et placés dans des gobelets ou des coupelles de cristal ; de la crème glacée et de la crème fouettée sucrée étaient ajoutées, ainsi qu'un peu de sirop de myrtilles, le tout étant surmonté d'un enrobage en sucre en forme de coupole, décoré de petites cerises confites.

Malgré les propositions extrêmement tentantes que lui firent le tsar de Russie et le roi d'Angleterre, Carême choisit de demeurer à Paris — même si, de temps à autre, il effectuait de brefs séjours à l'étranger. Il mourut de manière on ne peut mieux appropriée, tandis qu'il goûtait les quenelles de sole qu'un ami avait préparées pour lui, en 1833. Ses dernières paroles furent pour critiquer le mariage de l'assaisonnement et de la sauce : « La prochaine fois, vous devriez... » Il ne put achever sa phrase. Talleyrand déclara que les générations à venir chercheraient en vain un nouveau Carême ; il se pourrait bien qu'il ait eu raison.

L'influence française dans le domaine de la pâtisserie maintint sa prépondérance au XIXe siècle, qui vit une part toujours plus importante des classes moyennes prendre l'habitude de bien manger. Les préceptes pratiques de Carême et les théories de Brillat-Savarin étaient inculqués à de nombreux chefs au cours de leur formation. A partir de la Belle Époque, le nombre des plats servis lors des repas familiaux diminua, cependant que la haute cuisine et la cuisine paysanne se taillaient une place de choix dans le cadre d'un éclectisme culinaire nouveau, bien adapté à la philosophie des nouvelles classes dominantes. Cette phase de transition eut le bonheur de susciter un zélateur de talent en la personne d'Auguste Escoffier, qui se fit le défenseur d'une simplification des méthodes de préparation et de présentation des mets, et mit en exergue les saveurs et la valeur nutritionnelle des denrées. Ayant exposé son credo, Escoffier entreprit de mettre ses convictions en pratique au cours de ses voyages à travers l'Europe et le monde. A partir de 1883, ses créations furent présentées dans de grands hôtels tels que le Savoy de Londres, le Ritz-Carlton de Paris et le Plaza de New York. Il fut à l'origine de nombreuses recettes qui font aujourd'hui partie intégrante du patrimoine international de la grande cuisine. L'une des créations les plus célèbres d'Auguste Escoffier est celle de la pêche Melba, créée au Savoy de Londres pour la célèbre soprano australienne Nellie Melba, à l'occasion de la première de l'opéra de Wagner *Lohengrin*. En voici la version originale, qui nous rappellera ce que devrait être ce dessert, et que trop souvent il n'est pas.

Faites fondre 100 grammes de sucre dans un demi-litre d'eau et portez à ébullition avec une gousse de vanille fendue en deux. Pelez les pêches, coupez-les en deux et ajoutez-les au sirop. Laissez refroidir. Mettez un kilo de framboises fraîches dans une casserole ; saupoudrez de 100 g de sucre et faites cuire sans ajouter de sucre. Passez au chinois et laissez refroidir. Prenez une grande coupe [Escoffier employait une coupe de cristal et d'argent en forme de cygne], étalez au fond une livre de crème glacée, puis disposez les pêches par-dessus, côté creux vers vous. Remplissez la cavité de la pêche avec de la purée de framboises et réfrigérez juste avant de servir.

PATISSERIES ET DESSERTS NATIONAUX

Chaque pays a sa spécialité. Au fil des siècles, nombre de ces tartes, poudings, gâteaux et friandises ont pris place dans les célébrations qui marquent les fêtes traditionnelles et autres grandes occasions. Certains sont très riches, voire un peu lourds, et mériteraient d'être consommés seuls au cours de la journée, avec du café, du thé ou un verre de vin doux, et non pas à la fin d'un copieux repas. On notera que la levure et la pâte d'amandes jouent fréquemment un rôle important dans leur confection.

Massepain

Cette pâte d'amandes sucrée, mélange d'amandes pilées et de sucre, était fort appréciée de ceux qui avaient les moyens de se l'offrir dans l'Europe du XVIe siècle ; à cette époque, chaque région mit au point sa propre recette de cette préparation connue depuis l'Antiquité romaine. Par tradition, on confectionnait du massepain coloré aux fruits pour la Toussaint et le jour des Morts.

Pain de millet

Décrit dans le *Tacuinum Sanitatis* — vade-mecum domestique rédigé vers la fin du XIVe siècle — comme l'aliment de base des bûcherons et des charbonniers. « Mangé chaud, au sortir du four, il a une certaine saveur sucrée. »

Colomba

Selon la légende, le roi des Lombards Alboïn aurait été mêlé à la création de ce gâteau. En 572 après J.-C., ayant enlevé la cité de Pavie à l'issue d'un siège de trois ans, il confisqua tous les biens des habitants et déclara son intention d'emmener avec lui les douze plus belles jeunes filles. L'une d'elles, prise de désespoir devant cette perspective, chercha le réconfort dans la cuisine, où elle prépara, à l'aide de farine, d'œufs et de sucre, un gâteau en forme de colombe.

Panettone

L'origine de ce pain italien au levain, sucré, en forme de dôme, est très ancienne. Des ingrédients furent ajoutés à la pâte à pain ordinaire pour la fête du solstice d'hiver, puis, progressivement, des versions légèrement différentes de cette pâtisserie apparurent dans les contrées, au gré des denrées locales disponibles. La recette la plus utilisée aujourd'hui fut consignée au XIXe siècle par le gastronome Pellegrino Artusi. De nos jours encore, les Italiens du Nord dégustent le panettone en hiver, et en particulier à Noël.

Plum-pudding

Il suffit de prononcer le nom de ce gâteau pour susciter chez les Britanniques des images de Noëls victoriens, de feu ronflant dans la cheminée, de fête traditionnelle. On retrouve la trace du plum-pudding au Moyen Age. Ses qualités de conservation ne sont plus à vanter ; elles sont dues à la quantité de fruits secs que contient ce gâteau, qui se bonifie si on le consomme un an environ après sa confection. On le fait chauffer lentement, pendant plusieurs heures, au bain-marie, avant de le servir chaud, flambé au cognac ou au rhum, avec du beurre parfumé ou une crème anglaise.

Crêpes Suzette

Deux restaurants revendiquent, sans qu'il soit possible de donner raison à l'un plus qu'à l'autre, être le lieu où est né ce dessert : d'aucuns affirment que Henri Charpentier, chef au Café de Paris à Monte-Carlo, l'aurait créé en l'honneur du prince de Galles ; d'autres assurent que tout le mérite en revient au chef du Mariveaux, à Paris, qui aurait ainsi nommé sa création en l'honneur de Suzette, une artiste de l'Opéra.

Apple pie

Les premiers colons de l'Amérique du Nord devaient subvenir à leurs besoins, aussi était-il important que les femmes fussent de bonnes cuisinières : en effet, la nourriture était souvent rare, et il fallait que celle que l'on trouvait fût bien cuisinée, sans gaspillage. Au fil des ans, de délicieuses tourtes aux pommes en vinrent à représenter tout ce qu'il y avait de meilleur dans l'esprit pionnier. L'apple pie semble encore être de nos jours le symbole de ce qu'il y a de plus cher au cœur de nombreux Américains. Une certaine Catherine Parson en aurait créé la version définitive, en 1898.

Blanc-manger

Le nom de cette recette très ancienne est éloquent — les ingrédients traditionnellement utilisés pour le confectionner donnent à ce dessert une merveilleuse apparence d'un blanc immaculé. Au XIXe siècle, Pellegrino Artusi dressait de ces ingrédients la liste suivante : des amandes, de la gélatine pour que le dessert prenne, du sucre et de l'eau de fleur d'oranger.

Sachertorte

Franz Sacher (premier pâtissier du prince de Metternich) créa, en 1832, ce célèbre gâteau de Savoie garni de confiture et entièrement enrobé d'un glaçage de chocolat, qui connut un extraordinaire succès. Franz communiqua son savoir-faire à son fils Eduard, qui s'établit à son compte en créant à Vienne l'hôtel Sacher, dont la réputation ne tarda pas à s'étendre au monde entier.

Brioches

Confectionnées avec une riche et tendre pâte levée, les brioches sont une invention française. On les appelait également « gâteaux des apôtres », peut-être parce que leur forme rappelle les chapeaux que portaient jadis les curés.

Baba

La première personne qui savoura ce gâteau léger imbibé de sirop de sucre parfumé à l'eau de rose fut le roi polonais exilé en France Stanislas Leczinski, en 1740. Stanislas, qui adorait les histoires de Schéhérazade, les Mille et Une Nuits, décida d'appeler la création de son chef « Ali Baba », nom qui fut ultérieurement abrégé en baba. Ce dessert connut une grande popularité à la cour de Louis XV, son gendre.

Madeleines

Autre délice créé pour le roi Stanislas, cette fois par une vieille gouvernante de sa résidence de campagne à Commercy. Stanislas aimait tant les madeleines qu'il en envoyait en quantités généreuses à sa fille, Marie Leczinska,

reine de France. La recette fut améliorée au XIXe siècle par les frères Julien, pâtissiers parisiens, qui ajoutèrent du beurre aux autres ingrédients, et créèrent ainsi le gâteau immortalisé par Proust.

Saint-honoré

Ce gâteau fut créé par les mêmes frères Julien (voir ci-dessus), responsables de nombreuses inventions fort savoureuses au répertoire des recettes de la pâtisserie française.

Savarin

Après qu'un ingrédient, le beurre, a été ajouté à la pâte du baba, celle-ci est cuite dans un moule à savarin ; le gâteau levé est ensuite imbibé de sirop parfumé au rhum et peut être nappé d'un glaçage à l'abricot. Ce dessert doit son nom au célèbre gastronome français Jean-Anthelme de Brillat-Savarin.

Les conserves de fruits permettent d'emmagasiner
les couleurs de la nature,
ses arômes et ses goûts extraordinaires ; confectionnées à la belle
saison, vous profiterez des aliments
à des prix très avantageux. Les
fruits peuvent être caramélisés,
additionnés d'un sirop de sucre,
confits ou réduits en confitures. Ces
préparations stoppent le processus
de pourrissement. C'est une grande
satisfaction pour une maîtresse de
maison de choisir des pêches, des
prunes, des abricots, des poires et
du raisin, afin de mettre en pots
cette perfection qu'offre la nature à
la meilleure saison, pour en profi-
ter pendant de longs mois. Du
sucre, quelques pots à confitures,
des casseroles profondes de tailles
diverses, une balance, un tamis de
crin, des couteaux en acier inoxydable bien aiguisés et des cuillères
en bois suffisent. Avec une connais-
sance rudimentaire des règles de
base à observer, vous obtiendrez
d'excellents résultats.

ORANGES CARAMÉLISÉES

Épluchez les oranges et ôtez soigneusement la membrane blanche à l'aide d'un couteau bien aiguisé. Les oranges caramélisées sont idéales pour décorer les gâteaux et les desserts au chocolat.

Temps : 1 heure
Très facile

3 oranges
100 g de sucre semoule
2 cuillerées à soupe de jus de citron
1 cuillerée à soupe d'huile d'amandes douces

Lorsque vous pelez les oranges, essayez de ne pas percer la membrane qui enveloppe la chair. Séparez chaque orange en quartiers, que vous ferez sécher sur du papier absorbant. Faites fondre le sucre avec le jus de citron dans une casserole à fond épais, à feu vif. Dès que le sirop commence à dorer, baissez le feu et ajoutez les quartiers d'orange. Remuez-les délicatement pendant quelques secondes avec une cuillère en bois, puis posez-les sur une grande assiette huilée, en veillant à bien les séparer les uns des autres. Laissez refroidir.

ANANAS CARAMÉLISÉ

Garnissez ce dessert rafraîchissant d'un peu de crème fouettée.

Temps : 30 minutes
Très facile

1 ananas
100 g de sucre semoule
2 1/2 cuillerées à soupe d'eau

□ *Pour éviter que le caramel ne durcisse trop, on peut ajouter au sucre un peu de jus de citron, de vinaigre ou de beurre. Sortez les fruits du caramel avant que celui-ci ne durcisse, en vous aidant d'une pince à épiler enduite d'huile d'amandes douces ; laissez refroidir en espaçant les fruits sur une assiette ou une plaque légèrement huilée.*

□ *Pour stériliser un bocal vide, plongez-le dans l'eau, portez à ébullition et laissez bouillir pendant quelques minutes. Pour stériliser des fruits au sirop, des tomates (légume très acide) ou des conserves, mettez les bocaux hermétiquement fermés, bien droits, dans une grande casserole et recouvrez-les d'eau. Portez à ébullition et laissez bouillir pendant 25 minutes. Ajoutez de l'eau bouillante si besoin est. Laissez refroidir complètement les bocaux avant de les sortir de l'eau. Des conserves peu sucrées peuvent se garder pendant un an, à condition de stériliser les bocaux.*

□ *Pour faire du caramel, utilisez une casserole en acier inoxydable assez profonde. Lorsque le sucre est doré à point, retirez la casserole du feu et plongez-la aussitôt dans une casserole d'eau bouillante, en veillant à ce que celle-ci ne déborde pas dans le caramel. Ainsi, le caramel restera liquide le temps d'y plonger les fruits ; chaque morceau caramélisé est ensuite placé sur une assiette huilée, afin que le caramel durcisse. Tenez les fruits par la queue dès que cela est possible, ou utilisez une fine aiguille ou une pince à épiler. Si le caramel commence à durcir, remettez la casserole sur le feu pendant une ou deux secondes.*

□ *Les fruits peuvent être conservés dans un sirop de sucre porté à ébullition pendant 2 minutes, puis filtré et refroidi. La proportion de sucre varie selon les fruits : les poires et les pêches en nécessitent une moins grande quantité, contrairement aux framboises et aux cerises. La liste ci-dessous indique la quantité de sucre qu'il convient d'ajouter à un litre d'eau :*

Abricots	*250 g*
Poires	*350 g*
Demi-pêches épluchées	*500 g*
Prunes	*600 g*
Framboises	*600 g*
Fraises	*600 g*
Cerises	*800 g*
Groseilles	*800 g*

1 cuillerée à soupe de jus de citron
1 cuillerée à soupe d'huile d'amande douces

Épluchez l'ananas et ôtez la partie ligneuse du centre à l'aide d'un couteau bien aiguisé ou d'un vide-pomme, afin de lui conserver un bel aspect. Découpez l'ananas en tranches de 1 cm d'épaisseur environ, que vous essuierez avec du papier absorbant. Faites cuire le sucre avec l'eau et le jus de citron à feu moyen jusqu'à ce que le sirop soit légèrement doré. Ajoutez les tranches d'ananas, remuez et retournez-les délicatement. Étalez-les sur une assiette ou un plan de travail huilé. Laissez refroidir.

FRAISES CARAMÉLISÉES

Choisissez des fraises moyennes ou grosses, pas trop mûres, afin qu'elles ne se désagrègent pas. Ces confiseries permettent de donner une touche finale très réussie à des desserts au citron.

Temps : 30 minutes
Très facile

300 g de fraises
100 g de sucre semoule
1 cuillerée à soupe de vinaigre blanc
1 cuillerée à soupe d'huile d'amandes douces

Équeutez les fraises, épongez-les délicatement avec un linge humide et laissez-les sécher. Faites chauffer le sucre et le vinaigre dans une grande casserole, à feu vif, jusqu'à ce que le mélange commence à dorer. Baissez le feu, ajoutez les fraises et remuez délicatement avec une cuillère en bois. Dès que le caramel devient plus foncé, sortez les fraises de la casserole et déposez-les sur une assiette ou un plan de travail huilé. Attendez que les fraises soient bien froides pour les servir.

MARRONS GLACÉS

Temps : 1 heure
Facile

18 marrons
200 g de sucre semoule
50 cl d'eau
1 feuille de laurier
1 gousse de vanille, ou quelques gouttes d'extrait
1 clou de girofle
1 cuillerée à soupe de beurre
1 cuillerée à soupe d'huile d'amandes douces

Prévoyez un ou deux marrons supplémentaires, afin de remplacer éventuellement ceux qui se briseraient au moment où vous les débarrasserez de leur peau. Ébouillantez les marrons pendant 2 minutes, égouttez-les et épluchez-les pendant qu'ils sont chauds. Faites dissoudre la moitié du sucre dans l'eau. Hors du feu, ajoutez les marrons, le laurier, la vanille et le clou de girofle. Couvrez et laissez mijoter, à feu doux, pendant 20 minutes.

Sortez les marrons de la casserole et disposez-les sur un linge. Faites dorer le reste du sucre et le beurre à feu doux. Hors du feu, plongez les marrons un par un dans le caramel, puis laissez-les sécher sur une assiette huilée.

NOUGATINE

Cette délicieuse confiserie sera utilisée, écrasée, pour garnir un dessert glacé, des fruits ou des gâteaux. Vous pouvez remplacer les amandes par des noisettes.

Temps : 35 minutes
Très facile

200 g d'amandes entières, mondées
150 g de sucre semoule
3 cuillerées à soupe de jus de citron
1 cuillerée à soupe d'huile d'amandes douces

Étalez toutes les amandes en couche sur une plaque et faites-les dorer au four préchauffé à 190° pendant 5 minutes environ. Faites dissoudre le sucre avec le jus de citron dans une casserole, sans cesser de remuer avec une cuillère en bois. Dès que le sirop brunit, ajoutez les amandes chaudes et poursuivez la cuisson, sans cesser de remuer, jusqu'à ce que le caramel ait foncé un peu plus. Versez le mélange sur un marbre ou un plan de travail huilé. A l'aide d'un couteau huilé, formez un rectangle de 2 cm d'épaisseur environ. Découpez-le en morceaux avant qu'il ait complètement refroidi.

CARAMELS AU CAFÉ

En général, on les fait durcir dans de petits moules, mais on peut également verser le caramel dans un moule rectangulaire et le découper en carrés avant qu'il ait complètement refroidi.

Temps : 45 minutes
Très facile

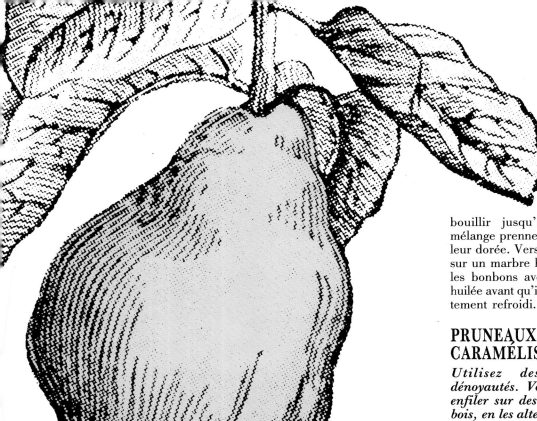

COINGS
■ Les coings ne se consomment pas crus. Une fois cuits, leur parfum et leur arôme apportent une note très agréable à de nombreux desserts et conserves.

bouillir jusqu'à ce que le mélange prenne une belle couleur dorée. Versez de petits tas sur un marbre huilé. Détachez les bonbons avec une spatule huilée avant qu'ils aient complètement refroidi.

PRUNEAUX CARAMÉLISÉS

Utilisez des pruneaux dénoyautés. Vous pouvez les enfiler sur des brochettes en bois, en les alternant avec des noix, des dattes, des figues et des abricots séchés, puis faire caraméliser les brochettes.

Temps : 30 minutes
Très facile

300 g de pruneaux, dénoyautés
100 g de sucre semoule
2 cuillerées à soupe de jus de citron
1 cuillerée à soupe d'huile d'amandes douces

Si vous rincez les pruneaux avant de les utiliser, épongez-les bien, afin que le caramel colle aux fruits. Faites cuire le sucre avec le jus de citron, à feu moyen, et ajoutez les pruneaux dès que le caramel commence à dorer. Remuez. Lorsque le caramel est légèrement foncé, sortez les pruneaux de la casserole et étalez-les sur un plan de travail huilé, en veillant à bien les espacer.

Vous pouvez caraméliser de cette façon de nombreux autres fruits séchés, ainsi que les noix et les noisettes.

ÉCORCE D'ORANGE CONFITE

Veillez à bien débarrasser l'écorce de la membrane blanche amère. L'écorce de citron ou de cédrat peut être confite de la même façon.

Temps : 30 minutes + temps de trempage
Très facile

500 g d'écorce d'orange
400 g de sucre semoule
2 cuillerées à soupe d'huile d'amandes douces

Découpez l'écorce d'orange en fines bandelettes ; plongez-les dans une jatte d'eau chaude, de façon qu'elles soient entièrement couvertes, et laissez-les tremper toute une nuit.

Le lendemain, égouttez-les soigneusement. Mettez-les dans une casserole avec le sucre et remuez jusqu'à ce que le sirop soit au stade du petit boulé. Disposez les écorces sur un plan de travail huilé et séparez-les à l'aide d'une pince à épiler huilée. Lorsqu'elles sont froides, mettez-les dans un bocal en verre.

PATE DE COINGS

Les coings dégagent un délicieux arôme. Jadis, on les plaçait dans les armoires à linge pour parfumer les draps.

Temps : 1 heure
Très facile

1 kg de coings bien mûrs
700 g de sucre semoule
1 cuillerée à soupe d'huile d'amandes douces

Choisissez de beaux coings, fermes et jaune foncé, et essuyez-les avec un linge humide. Mettez-les dans une casserole avec suffisamment d'eau pour les recouvrir et laissez mijoter jusqu'à ce que la chair soit bien

BONBONS A LA MENTHE ET AU CITRON

Enveloppez ces délicieux bonbons rafraîchissants dans du papier sulfurisé, puis dans des petits papiers de couleur vive, ou bien mettez-les dans des bocaux de verre hermétiques. Leur jolie forme permet de les utiliser comme éléments de décoration. Pour cette recette, utilisez de préférence une casserole à bec.

Temps : 40 minutes
Très facile

150 g de sucre semoule
2 cuillerées à soupe d'eau
10 gouttes d'essence de menthe
2 cuillerées à soupe de jus de citron
1 cuillerée à soupe d'huile d'amandes douces

Faites fondre le sucre dans l'eau et laissez mijoter à feu doux pendant 2 minutes. Ôtez la casserole du feu. Ajoutez l'essence de menthe et le jus de citron. Remettez à feu vif et laissez

150 g de sucre semoule
10 cl de café très fort
10 cl de lait
1 cuillerée à soupe de miel
1 cuillerée à soupe d'huile d'amandes douces

Faites fondre le sucre dans une casserole, au bain-marie. Faites-le bouillir pendant 2 minutes, puis ajoutez les autres ingrédients. Portez le mélange de nouveau à ébullition, à feu doux. Versez-le dans de petits moules, ou dans un grand moule carré, préalablement huilés et laissez durcir. Coupez les caramels en carrés ou en rectangles à l'aide d'un couteau huilé.

Ces caramels se conservent à l'abri de l'air.

tendre. Égouttez les coings et
passez la pulpe au tamis. Dans
une casserole, portez la purée de
coings et le sucre à ébullition.
Laissez cuire pendant 20 minutes, en remuant avec une cuillère en bois. Versez la pâte sur
4 à 5 cm d'épaisseur dans un
plat rectangulaire, un plat à gratin par exemple, et lissez la surface avec une spatule.

Laissez sécher en plein soleil
pendant dix jours (la nuit, ren-
trez le plat dans une pièce bien
aérée). La pâte doit être ferme,
mais pas sèche. Enveloppez-la
dans du papier sulfurisé.
Coupez-la en carrés que vous
roulerez dans du sucre en poudre avant de servir.

CERISES CONFITES

*Temps : 30 minutes
    + temps de repos
Facile*

1 kg de cerises
500 g de sucre semoule
50 cl d'eau

Lavez et épongez les cerises,
équeutez-les et dénoyautez-les.
Préparez un sirop en faisant fondre la moitié du sucre dans
l'eau, ajoutez les cerises et laissez mijoter pendant 10 minutes.
Versez la préparation dans une
jatte non métallique et laissez
reposer pendant 2 jours.

Ajoutez le reste du sucre,
remettez le tout dans la casserole et faites bouillir pendant
2 minutes. Laissez reposer dans
la jatte pendant 2 jours. Écumez
la surface pendant les périodes
d'ébullition.

Posez les cerises sur un grand
tamis huilé, afin qu'elles s'égout-
tent et sèchent. Conservez-les
dans des bocaux hermétiques.
Roulez-les dans du sucre en
poudre avant de servir.

Vous impressionnerez vos amis et parents en leur servant ces délicieuses brochettes particulièrement originales. Choisissez de préférence des abricots et des pruneaux n'exigeant pas de trempage préalable.

6 abricots secs
6 pruneaux
6 dattes
12 noix
200 g de sucre semoule
2 cuillerées à soupe d'eau
1 cuillerée à soupe de jus
   de citron

Enfilez les fruits sur six petites brochettes en bois. Prévoyez quelques noix supplémentaires pour remplacer éventuellement celles qui se casseraient lors de cette opération.

Faites fondre le sucre avec l'eau dans une casserole en cuivre ou en acier inoxydable, puis ajoutez le jus de citron.

Lorsque le sirop commence à caraméliser, déposez les brochettes dans la casserole, bien à plat, à l'aide d'une pince. Retournez-les aussitôt, afin que les fruits soient bien enduits de caramel. Cette opération ne doit pas prendre plus d'une minute en tout.

Retirez les fruits de la casserole.

Disposez les brochettes sur une assiette froide, légèrement badigeonnée d'huile d'amandes douces.

Présentez les brochettes en les plantant dans un pamplemousse. Outre son effet décoratif, cette présentation permet de faire sécher les fruits correctement.

*GELÉE
DE GROSEILLES
■ Délicieuse, facile
à préparer et superbe
à regarder. Variez
les goûts et les couleurs
en confectionnant
de la gelée de cerise,
de prune, de pêche,
d'abricot ou de kiwi.*

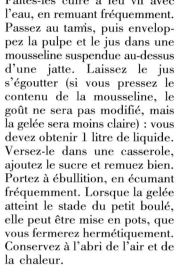

GELÉE
DE MANDARINE

*Un goût délicat, très raffiné.
Utilisez cette recette pour
confectionner de la gelée de
raisin, d'orange, de citron ou
de pamplemousse.*

*Temps : 40 minutes
Très facile*

2 kg de mandarines juteuses
1 kg de sucre semoule
25 cl d'eau

Pressez les mandarines : vous
devez obtenir 1 litre de jus. Faites chauffer le sucre et l'eau
dans une casserole jusqu'à ce
que le sirop atteigne le stade du
petit boulé. Ôtez la casserole du
feu, ajoutez le jus de mandarine,
faites chauffer de nouveau le
mélange, sans cesser de remuer
jusqu'à l'ébullition. Filtrez dans
un tamis très fin. Versez la gelée
dans des pots pendant qu'elle est
encore tiède.

GELÉE DE MURE

*Délicieuses telles quelles dans
des salades de fruits rouges,
cuites avec des pommes ou
accompagnées d'un peu de
crème et de sucre, les mûres
sont également excellentes
sous forme de gelée.*

*Temps : 1 heure
Très facile*

1,5 kg de mûres
10 cl d'eau
1 kg de sucre semoule
jus de citron

Choisissez de belles mûres noires ; rincez-les soigneusement,
égouttez-les et mettez-les dans
une casserole avec l'eau. Portez
à ébullition et laissez mijoter

pendant 10 minutes. Passez-les
au tamis. Réservez la pulpe et
le jus, et jetez les pépins. Faites
cuire le sucre et le jus de citron
à feu doux, en remuant et en
écumant régulièrement, jusqu'à
ce que le sirop atteigne le stade
du petit boulé. Ajoutez la pulpe
de mûres filtrée et remuez
jusqu'à ce que la préparation
atteigne l'ébullition. Versez la
gelée dans des pots stérilisés
chauds que vous fermerez hermétiquement. Conservez-les
dans un endroit frais et sec.

Cette recette peut être utilisée
pour confectionner de la gelée
d'ananas, de coing et de kiwi.

GELÉE
DE GROSEILLES

*Temps : 30 minutes
Très facile*

2 kg de groseilles bien mûres
10 cl d'eau
1 kg de sucre semoule

Choisissez des groseilles bien
mûres. Rincez-les et débarras-

sez les des plus grandes tiges (les
autres resteront dans le tamis).
Faites-les cuire à feu vif avec
l'eau, en remuant fréquemment.
Passez au tamis, puis enveloppez la pulpe et le jus dans une
mousseline suspendue au-dessus
d'une jatte. Laissez le jus
s'égoutter (si vous pressez le
contenu de la mousseline, le
goût ne sera pas modifié, mais
la gelée sera moins claire) : vous
devez obtenir 1 litre de liquide.
Versez-le dans une casserole,
ajoutez le sucre et remuez bien.
Portez à ébullition, en écumant
fréquemment. Lorsque la gelée
atteint le stade du petit boulé,
elle peut être mise en pots, que
vous fermerez hermétiquement.
Conservez à l'abri de l'air et de
la chaleur.

CONFITURE
DE PÊCHES

*Les pêches jaunes se prêtent
mieux que les blanches à la
confection de confitures, car
leur goût est généralement
plus prononcé. Choisissez de
beaux fruits bien mûrs, car les
pêches ne mûrissent pas après
leur cueillette.*

*Temps : 30 minutes
    + temps de repos
Très facile*

1 kg de pêches
500 g de sucre semoule
le zeste d'un citron
1 pincée de cannelle en poudre

Plongez les pêches dans de l'eau
bouillante pendant 1 minute,
égouttez-les et pelez-les. Coupez-
les en deux, ôtez le noyau et
hachez la chair en petits dés que
vous mettrez dans une jatte avec
le sucre. Couvrez d'un linge et
laissez reposer pendant 12 heures dans un endroit frais.

Versez le mélange dans une casserole, ajoutez le zeste de citron et la cannelle, et faites cuire jusqu'à ce que la gelée soit prise (102-105° pour cette recette). Ôtez le zeste de citron et mettez en pots stérilisés. Fermez hermétiquement. Conservez dans un endroit frais et sec.

CONFITURE DE COINGS

Ce fruit, immangeable cru, est un véritable délice lorsqu'il est cuit. Il est excellent sous forme de gelée ou de confiture.

Temps : 30 minutes
+ temps de repos
Très facile

1 kg de coings
1 kg de sucre semoule

Lavez, essuyez et épluchez les coings. Ôtez le cœur et les pépins. Coupez les fruits en fines tranches et mettez-les dans une jatte. Ajoutez le sucre, remuez, couvrez et laissez reposer toute une nuit.

Versez cette préparation dans une casserole et laissez mijoter pendant 30 minutes, jusqu'à ce que la gelée soit prise. Mettez en pots stérilisés, que vous fermerez hermétiquement. Conservez dans un endroit frais et sec.

CONFITURE DE TOMATES VERTES

Temps : 1 h 30
+ temps de repos
Très facile

1 kg de tomates vertes
800 g de sucre semoule
le jus d'un citron, filtré

Choisissez de belles tomates assez grosses. Lavez-les, essuyez-les, équeutez-les et coupez-les en fines rondelles. Mettez-les dans une jatte non métallique et ajoutez le sucre. Remuez bien, couvrez et laissez reposer pendant 24 heures.

Versez le mélange dans une casserole en acier inoxydable, puis ajoutez le jus de citron filtré. Laissez mijoter pendant 1 heure environ, en remuant de temps en temps, jusqu'à ce que la préparation épaississe et atteigne le stade du petit boulé. Mettez en pots et fermez-les hermétiquement. Conservez dans un endroit frais et sec.

MARMELADE DE CAROTTES

Grâce à leur teneur élevée en sucre, les carottes se prêtent à la préparation de marmelades et de gâteaux. Elles sont riches en vitamine E, ainsi qu'en carotène, substance excellente pour la peau.

Temps : 1 heure
+ temps de repos
Très facile

1 kg de carottes
250 g de sucre semoule
le zeste d'un citron

Pelez et coupez les carottes en dés. Mettez-les dans une jatte avec le sucre. Remuez et laissez reposer toute une nuit.

Versez le contenu de la jatte dans une casserole, portez à ébullition, puis laissez mijoter à feu doux pendant 1 heure. Passez cette préparation au tamis. Faites cuire la purée avec le zeste de citron jusqu'à ce qu'elle soit bien épaisse. Mettez en pots et fermez-les hermétiquement.

LA PECTINE

Cette substance permet aux confitures et gelées de prendre. Pommes, groseilles et prunes étant très riches en pectine, elles prennent facilement lors de la cuisson. Il faut souvent en ajouter aux autres fruits pour que la gelée ou la confiture durcisse correctement. On peut la remplacer en faisant cuire quelques quartiers de pomme, dont on n'aura ôté ni la peau ni le cœur, dans une mousseline, avec la confiture jusqu'à ce qu'elle ait pris.

CONFITURE DE POTIRON

Le potiron se prête à de nombreuses préparations, sucrées ou salées. Il entre également dans la composition de certaines confitures, dès lors qu'il s'agit d'ajouter du volume, car son goût se marie bien avec celui d'autres fruits.

Temps : 1 heure
+ temps de repos
Très facile

2 kg de potiron
400 g de sucre semoule
le jus et le zeste
  d'un citron, râpé
1 gousse de vanille, ou quelques gouttes d'extrait

Pelez le potiron, ôtez les graines et la partie fibreuse, puis coupez la chair en petits dés. Ajoutez le sucre, le jus de citron, le zeste râpé et la gousse de vanille fendue en deux dans le sens de la longueur. Laissez reposer toute une nuit dans une grande jatte.

Versez le contenu de la jatte dans une casserole et portez à ébullition. (Si vous utilisez de l'extrait de vanille, ajoutez-le à ce moment.) Faites cuire en remuant fréquemment, jusqu'à ce que la confiture soit bien épaisse. Retirez la gousse de vanille avant de mettre en pots.

**CONFITURE
DE TOMATES VERTES**
■ *Étonnamment sucrées,
les tomates vertes sont
riches en vitamine C
et en sels minéraux,
excellents pour la santé.
Servez-les en salade
ou utilisez-les pour
confectionner
des confitures
ou des condiments.*

CONFITURE D'ORANGES ET DE DATTES

*Temps : 1 heure
Très facile*

6 oranges
1 cuillerée à soupe de jus
  de citron
200 g de sucre semoule
1 1/2 cuillerée à soupe de rhum
200 g de dattes

Pelez les oranges, coupez-les en
rondelles transversalement et
mettez-les dans une casserole.
Ajoutez le jus de citron, le sucre
et le rhum. Faites cuire pendant
15 minutes, en remuant de
temps en temps, puis ajoutez les
dattes. Laissez cuire à feu doux
encore 10 minutes environ et
tamisez le mélange. Remettez la
confiture sur le feu et faites
bouillir à feu moyen, en remuant
continuellement, jusqu'à ce
qu'elle soit cuite. Mettez en pots
stérilisés.

CONFITURE DE FIGUES ET DE CITRON

***Utilisez de préférence des
citrons provenant de culture
biologique, car les engrais
pulvérisés sur les fruits rendent la peau plus amère.***

*Temps : 2 heures
Très facile*

1 kg de figues fraîches
1 kg de citrons
500 g de sucre semoule

Lavez les figues, épongez-les et
ôtez la tige. Mettez-les dans une
casserole. Piquez la peau des
citrons et blanchissez-les à l'eau
bouillante pendant 5 minutes,

LES COMPOTES

*Les compotes de fruits sont
extrêmement faciles à réaliser :
il suffit de passer de la confiture au tamis ou au mixer et
d'ajouter une petite quantité de
cognac, de vin doux ou de
liqueur, mais jamais de sucre.*

trois fois de suite. Coupez-les en
fines tranches et ôtez les pépins.
Ajoutez-les aux figues, remuez
et faites cuire à feu doux pendant 1 heure.

Passez les fruits au moulin à
légumes ou mixez-les rapidement dans un mixer, de façon
que le mélange comporte des
morceaux. Remettez-les dans la
casserole, puis ajoutez le sucre,
sans cesser de remuer. Faites
cuire à petits bouillons, en
remuant fréquemment, jusqu'à
ce que la confiture prenne.
Versez-la dans des bocaux stérilisés, chauds et parfaitement
secs. Recouvrez la surface d'un
rond de papier sulfurisé, préalablement humecté avec un peu
de cognac (facultatif). Fermez
hermétiquement.

CONFITURE D'ABRICOTS AU MUSCAT

Temps : 30 minutes
Très facile

1 kg d'abricots
250 g de sucre semoule
le zeste d'un citron, râpé
25 cl de muscat (beaumes
  de Venise, frontignan, mireval)
  ou de vin Santo
1 cuillerée à café de cannelle
  en poudre

Lavez, épongez et dénoyautez les abricots. Mettez-les dans une casserole avec le sucre, le zeste de citron, le vin et la cannelle, et portez à ébullition à feu doux. Faites cuire pendant 10 minutes, en remuant fréquemment. Égouttez et passez les abricots au tamis. Remettez-les dans la casserole et poursuivez la cuisson jusqu'à ce que la confiture prenne. Versez-la dans des pots stérilisés chauds. Recouvrez la surface avec des ronds de papier sulfurisé, préalablement trempés dans du rhum ou du cognac (facultatif). Fermez les pots hermétiquement. Conservez à l'abri de la chaleur, de l'humidité et de la lumière.

VIN SANTO

Cet excellent vin italien, qui peut être plus ou moins doux, est obtenu à partir de grains de raisin à demi secs. On le fait veillir en foudre. A défaut, vous pouvez utiliser du vin de muscat (beaumes de Venise, frontignan ou mireval).

CONFITURE
D'ABRICOTS
AU MUSCAT
■ Ce fruit aux mille
facettes qu'est l'abricot
se prête à la préparation
d'un très grand nombre
de desserts, confitures
et entremets.

PRUNEAUX A LA GRAPPA

Choisissez les plus gros pruneaux possible, dénoyautés ou non. Vous pouvez remplacer la grappa par du cognac, du rhum ou du calvados.

Temps : 5 minutes
    + temps de repos
Très facile

1 kg de pruneaux
1 l de grappa ou de marc

Lavez les pruneaux, épongez-les et remplissez-en des bocaux, sans trop les tasser. Recouvrez-les de grappa. Fermez et laissez reposer pendant 10 jours dans un endroit frais et sombre. Les pruneaux auront absorbé une partie de l'alcool, il faudra donc en ajouter un peu. Vérifiez régulièrement le niveau de liquide et ajoutez de l'alcool si besoin est, jusqu'à ce que les pruneaux soient complètement détrempés. Ils se conservent alors indéfiniment ou presque.

Vous pouvez remplacer les pruneaux par des figues séchées, des raisins, des pêches et des abricots secs.

ABRICOTS AU COGNAC

Choisissez des abricots à peine mûrs, sucrés mais fermes. Vous pouvez remplacer les clous de girofle par une pincée de cannelle en poudre.

Temps : 30 minutes
    + temps de repos
Très facile

1 kg d'abricots
500 g de sucre semoule
2 clous de girofle
10 cl de cognac

Essuyez les abricots avec un linge humide, dénoyautez-les et répartissez-les dans deux bocaux. Mettez la moitié du sucre et un clou de girofle dans chaque bocal. Fermez et laissez reposer pendant 10 jours, en retournant les pots plusieurs fois, matin et soir. Laissez reposer dans un endroit ensoleillé si possible. Au bout des 10 jours, ajoutez le cognac, fermez les bocaux hermétiquement et laissez reposer pendant un mois avant de déguster.

CERISES AU COGNAC

Choisissez des cerises à la chair bien ferme. Les griottes peuvent convenir, à condition d'augmenter la quantité de sucre. Vous pouvez remplacer le cognac par un autre alcool de votre choix.

Temps : 30 minutes
    + temps de repos
Très facile

1 kg de cerises
500 g de sucre semoule
10 cl d'eau
50 cl de cognac

Lavez et épongez les cerises. Coupez les tiges de façon qu'il en reste 1 cm environ. Préparez un sirop léger en faisant cuire le sucre et l'eau pendant 10 minutes environ. Remplissez les bocaux de cerises et versez le sirop jusqu'à mi-hauteur. Ajoutez suffisamment de cognac pour recouvrir les fruits. Fermez hermétiquement et conservez les cerises dans un endroit sec et frais pendant au moins un mois avant de déguster.

RAISINS SECS
AU COGNAC
■ Servez une petite
quantité de raisins secs
au cognac en digestif.
Cette recette peut se
réaliser avec des raisins
de Corinthe
ou des raisins de Smyrne.

RAISINS SECS AU COGNAC

Temps : 10 minutes
*   + temps de repos*
Très facile

500 g de raisins de Smyrne
10 cl d'eau
250 g de sucre semoule
20 cl de cognac

Faites tremper les raisins secs
dans de l'eau tiède. Égouttez-les
et faites-les sécher rapidement
sur du papier absorbant avant de
les mettre dans des pots. Préparez un sirop léger en faisant
bouillir l'eau et le sucre pendant
quelques minutes. Remplissez-
en les pots jusqu'à mi-hauteur.
Ajoutez suffisamment de cognac
pour recouvrir les raisins. Fermez hermétiquement et conservez dans un endroit frais et sec.
Ces raisins peuvent se déguster
au bout d'un mois.

FIGUES AU SIROP

Choisissez de très belles figues,
à peine mûres et très fermes,
sinon elles risqueraient de se
désagréger au cours de la
cuisson.

Temps : 1 heure
Très facile

1 kg de figues
500 g de sucre semoule
50 cl d'eau
2 clous de girofle
1 gousse de vanille, ou quelques
    gouttes d'extrait
1 pincée de cannelle en poudre
2 cuillerées à soupe de jus
    de citron

Disposez les figues en une seule
couche, tiges vers le haut, dans
une grande casserole. Mélangez
le sucre avec l'eau, les épices et

□ Pour réussir vos conserves, il est important de choisir des fruits d'excellente qualité, à peine mûrs. Rincez les pots et les couvercles à l'eau très chaude additionnée d'une pincée de soude, puis laissez-les bien sécher. Il est préférable de changer les caoutchoucs des couvercles chaque fois que vous utilisez les pots. Les fruits ne doivent être lavés, pelés et dénoyautés qu'au moment de la mise en pots, sinon ils risqueraient de noircir. Utilisez un couteau bien aiguisé en acier inoxydable. Tassez délicatement les fruits et secouez doucement le bocal après avoir versé le sirop, afin d'éliminer toute bulle d'air. Fermez les pots et stérilisez-les.

□ Les fruits destinés à être confits doivent également être d'excellente qualité. Il convient de les peler et de les dénoyauter juste avant de les plonger dans le sirop, qui sera parfaitement clair. Il existe des paniers spécialement conçus à cet effet, qui permettent de plonger les fruits dans le sirop et de les laisser reposer, sans avoir à les manipuler, pendant 12 heures dans un endroit tiède, couverts d'un linge.

□ Qu'il s'agisse de préparer des conserves de fruits au sirop, des confitures ou des compotes destinées à être mises en pots, les fruits doivent être bien rincés, y compris les framboises et les mûres, puis délicatement épongés dans un linge ou du papier absorbant. Les temps de cuisson peuvent varier, car ils dépendent de l'humidité des fruits utilisés. Le mélange en ébullition doit être écumé régulièrement, pour éviter l'accumulation de mousse, et remué à l'aide d'une grande cuillère en bois. Lorsque la préparation est cuite, versez-la dans des pots que vous fermerez hermétiquement. Vous pouvez utiliser à cet effet de la paraffine, un rond de papier sulfurisé ou de cellophane.

□ La proportion de sucre par rapport aux fruits joue un rôle essentiel dans la qualité et les propriétés de conservation des confitures. Si elles sont insuffisamment sucrées, une pellicule de moisissure risque de se développer à la surface ; trop sucrées, elles deviennent écœurantes. La tendance actuelle à préférer des produits peu sucrés signifie qu'il faut généralement avoir recours à la stérilisation. Choisissez des pots d'une contenance maximale de 500 g, afin que la confiture, une fois ouverte, n'ait pas le temps de s'abîmer avant d'être consommée.

□ Le pèse-sirop constitue la méthode la plus sûre pour vérifier que la confiture est cuite. Vous pouvez le remplacer par une cuillère en métal froide : prélevez une cuillerée de confiture et faites-la retomber dans la bassine. Si elle tombe en formant un fil ou de petites gouttes, la cuisson doit être poursuivie pendant quelques minutes. Si, au contraire, elle s'étale dans le liquide bouillant, la confiture est à point. On peut également juger du degré de cuisson en versant une grosse goutte de confiture sur une assiette froide : la perle doit rester formée. Dans certains cas, on fait cuire les fruits pendant quelques minutes dans le sirop, puis on les retire à l'aide d'une écumoire, afin de laisser le sirop atteindre le degré de cuisson nécessaire. Il suffit alors de replonger les fruits dans le sirop, de porter le tout à ébullition, puis de mettre en pots. Les fruits ainsi préparés conservent davantage leur goût.

le jus de citron. Versez ce liquide sur les figues et faites cuire à feu très doux, sans remuer, pendant 20 minutes. Laissez refroidir avant de placer les figues, à l'aide d'une écumoire, dans des pots stérilisés. Filtrez le sirop et le jus de la casserole, puis versez-le sur les figues. Fermez les pots lorsque le contenu est bien froid.

RAISIN AU COGNAC

Temps : 20 minutes
+ temps de repos
Très facile

1 kg de raisin blanc
150 g de sucre semoule
1 bonne pincée de cannelle
  en poudre
4-5 gouttes d'extrait de vanille

2 clous de girofle
50 cl de cognac ou de grappa

Rincez soigneusement le raisin dans de l'eau froide. A l'aide d'une paire de ciseaux très coupants, détachez chaque grain de la grappe, de sorte qu'il ne reste qu'un petit morceau de tige. Piquez chaque grain avec une aiguille, en plusieurs endroits, et mettez-les dans des pots stérilisés. Ajoutez la moitié du sucre et de la cannelle, l'extrait de vanille, les clous de girofle, puis versez le cognac par-dessus.

Fermez hermétiquement et conservez dans un endroit sombre et sec pendant deux mois environ. Retournez les pots de temps en temps, afin que les saveurs se mêlent bien.

Servez ces raisins en fin de repas. Vous pouvez utiliser le liquide en guise de liqueur.

Les crèmes servies au dessert, faciles à préparer et délicieuses, ont des origines très simples. De tout temps, on les a considérées comme des mets sans prétention, confectionnés en un clin d'œil et appréciés de toute la famille. Les ingrédients employés sont généralement présents dans toutes les cuisines. Leur création est sans doute le fruit du hasard, lorsqu'une mère de famille ingénieuse essaya, il y a des siècles, de préparer un plat nourrissant apprécié des enfants. Les crèmes maison, réalisées avec des œufs frais, du lait ou de la crème, offrent un goût infiniment meilleur que celui des préparations instantanées du commerce.

CRÈME AU BEURRE

On peut parfumer cette crème avec du café ou une liqueur, que l'on ajoutera très lentement, afin d'éviter que la préparation ne tourne. On utilise la crème au beurre pour fourrer des gâteaux.

Temps : 40 minutes
Très facile

200 g de beurre
1 blanc d'œuf
100 g de sucre semoule

Sortez le beurre du réfrigérateur, afin qu'il se ramollisse légèrement, puis battez-le jusqu'à ce qu'il devienne clair et aéré, au batteur électrique ou au fouet. Montez le blanc en neige, ajoutez le sucre et continuez de battre pendant quelques minutes. Incorporez ce mélange au beurre, à l'aide d'une cuillère en métal, afin que le blanc ne retombe pas.

CRÈME AU BEURRE AU CHOCOLAT

Une crème riche et voluptueuse à souhait, qui convient pour fourrer ou glacer des gâteaux.

Temps : 45 minutes
Très facile

120 g de beurre
2 jaunes d'œufs
150 g de sucre semoule
120 g de chocolat pâtissier

Battez le beurre énergiquement jusqu'à ce qu'il soit clair et crémeux. Incorporez les jaunes d'œufs un par un et continuez de battre pendant 2 ou 3 minutes. Ajoutez le sucre et battez le mélange pendant encore

□ *Il existe de nombreuses recettes de crèmes, dont le goût et la consistance n'ont rien à voir avec ceux des préparations instantanées du commerce. La crème anglaise, confectionnée avec des œufs et du lait ou de la crème, se déguste tiède ou froide, en accompagnement de nombreux desserts. Elle est particulièrement recommandée avec les fruits ou/et les gâteaux secs. Elle peut comporter de la gélatine. Elle constitue la base de nombreuses crèmes glacées.*

□ *Dans la crème pâtissière, l'agent épaississant principal est la farine, mais on peut ajouter un peu de gélatine. Les jaunes d'œufs jouent également un rôle dans l'obtention d'une consistance épaisse et onctueuse. Comme la crème anglaise, la crème pâtissière doit cuire à feu très doux et faire l'objet d'une surveillance constante, afin que les œufs ne coagulent pas et que la préparation ne tourne pas. La cuisson au bain-marie permet d'éviter ce type de problème. La crème pâtissière sert à fourrer des petits choux, des beignets et autres éclairs.*

□ *Le sabayon épaissit grâce à la seule présence des jaunes d'œufs, qui donnent à cette préparation une consistance très légère et aérée. Il doit impérativement être cuit au bain-marie, si on veut s'assurer qu'il ne tournera pas.*

□ *Les crèmes au beurre et les beurres parfumés ne présentent aucun problème de cuisson.*

□ *Le sirop de sucre constitue la base de nombreuses sauces. On commence par faire bouillir 500 g de sucre avec 50 cl d'eau pendant 10 minutes exactement. La sauce sera de consistance moins épaisse si on emploie un tiers de sucre pour deux tiers d'eau. Le sirop est ensuite versé, en un mince filet, sur les fruits (fraises, framboises, abricots), préalablement réduits en compote au mixer ou passés au tamis. La sauce cuira jusqu'à obtention de la consistance souhaitée, de préférence au bain-marie si on veut éviter qu'elle n'attache ou ne brûle au fond de la casserole. Elle est ensuite filtrée à travers un tamis très fin. Le coulis obtenu, chaud ou froid, accompagne de nombreux desserts, gâteaux et pâtisseries.*

□ *Les glaçages apportent une touche finale à un grand nombre de gâteaux, quelle que soit leur taille ou leur forme. Il s'agit d'un mélange de sucre, d'eau, d'un arôme et éventuellement d'un colorant alimentaire, que l'on étale sur toute la surface du gâteau. Les glaçages à base de beurre ne présentent pas un aspect aussi lisse et ne durcissent pas aussi bien que les glaçages à base de sucre.*

10 minutes. Cassez le chocolat en morceaux et faites-le fondre au bain-marie, à feu doux. Hors du feu, continuez de remuer le chocolat jusqu'à ce qu'il ait refroidi, puis incorporez-le au mélange.

CRÈME AU BEURRE AU CAFÉ

Voici une version très riche qui permet de fourrer ou de glacer d'excellents gâteaux.

Temps : 45 minutes
Très facile

1 jaune d'œuf
65 g de sucre semoule
30 g de farine
5 cl de café très fort
20 cl de lait
150 g de beurre
1 cuillerée à soupe de sucre en poudre
1 cuillerée à soupe de cognac

Battez le jaune d'œuf avec le sucre semoule jusqu'à ce que le mélange soit très pâle et que le sucre soit bien dissous. Ajoutez la farine, puis le café chaud. Versez le lait et faites cuire à feu très doux ou au bain-marie jusqu'à ce que la préparation commence à épaissir. Continuez de remuer jusqu'à ce que la crème soit froide, afin d'éviter la formation d'une peau. Dans une jatte, travaillez le beurre avec le sucre en poudre jusqu'à ce que le mélange soit clair. Versez la crème petit à petit et parfumez avec le cognac.

CRÈME ANGLAISE
A LA GÉLATINE

■ *Pour prendre correctement, ce dessert doit être réfrigéré pendant au moins 6 heures. Cette crème peut accompagner des gâteaux ou des tartes aux fruits, ou être servie dans des coupes que vous garnirez d'ananas au sirop, de cerises et d'angélique confites.*

CRÈME AU BEURRE AU CITRON

Une autre crème délicate avec laquelle on fourre les gâteaux. Pour obtenir une crème à l'orange, remplacez le jus de citron par du jus d'orange.

Temps : 40 minutes
Très facile

10 cl de jus de citron
3 jaunes d'œufs
200 g de sucre semoule
100 g de beurre

Filtrez le jus de citron. Battez les jaunes d'œufs avec le sucre jusqu'à ce que le mélange soit bien clair. Versez progressivement le jus de citron. Coupez le beurre, à température ambiante, en dés que vous incorporerez un par un dans le mélange, sans cesser de battre. Conservez cette crème dans un endroit frais jusqu'au moment de l'utiliser.

CRÈME ANGLAISE A LA GÉLATINE

Temps : 20 minutes
Facile

4 jaunes d'œufs
100 g de sucre semoule
50 cl de lait
le zeste d'un citron, râpé
2 cuillerées à soupe de gélatine
  en poudre, ou 4 feuilles

Battez les jaunes d'œufs et le sucre dans une jatte résistant à la chaleur pendant 5 minutes environ. Versez le lait et ajoutez le zeste de citron. Faites dissoudre la gélatine comme il est indiqué sur l'emballage. Mettez la jatte contenant les jaunes d'œufs au bain-marie et faites

épaissir à feu doux, sans cesser de remuer. Hors du feu, ajoutez la gélatine. Remuez bien jusqu'à ce que la crème commence à refroidir. Laissez-la prendre.

MOUSSE AU CHOCOLAT EN POUDRE

Cette mousse riche et légère présente l'originalité d'être préparée avec du chocolat en poudre. Servez-la dans des coupes individuelles ou dans

un grand plat en cristal. Si vous la réfrigérez pendant au moins 6 heures, elle se démoulera assez facilement. Vous pouvez remplacer le chocolat par 3 cuillerées à soupe de café soluble ou par le zeste finement râpé d'une orange ou d'un citron.

Temps : 30 minutes
*   + temps de réfrigération*
Très facile

120 g de beurre
8 cuillerées à soupe
  de chocolat en poudre
4 œufs

Faites fondre le beurre dans une grande jatte, au bain-marie. Ajoutez le chocolat. Retirez du feu et laissez refroidir. Séparez les jaunes d'œufs des blancs et ajoutez les jaunes un par un. Battez les blancs en neige et incorporez-les à la préparation au chocolat. Versez la mousse dans des coupes individuelles ou dans un grand plat et mettez au réfrigérateur pendant 2 heures avant de servir.

CRÈME ANGLAISE

Temps : 20 minutes
Facile

50 cl de lait
4 jaunes d'œufs
100 g de sucre semoule
quelques gouttes d'extrait
  de vanille

Portez le lait à ébullition, retirez-le du feu et réservez. Battez les jaunes d'œufs avec le sucre et l'extrait de vanille pendant 5 à 10 minutes, jusqu'à ce que la préparation fasse le ruban. Ajoutez le lait et faites cuire ce mélange au bain-marie, sans cesser de remuer, jusqu'à ce que la crème commence à épaissir. Ne la laissez surtout pas bouillir. Passez-la au chinois et servez-la froide ou chaude.

CRÈME ANGLAISE
■ Cette crème parfumée à la vanille, à base de jaunes d'œufs et de lait, est aussi bonne tiède que froide. Elle accompagne de nombreux desserts, mais est également délicieuse telle quelle, avec quelques gâteaux secs et de petits morceaux de fruits (oranges, fraises et pêches notamment).

CRÈME AU CHOCOLAT

Idée gourmande pour un dessert express : disposez quelques morceaux de génoise au fond d'une coupe, arrosez d'un peu de liqueur et nappez le tout de crème au chocolat.

Temps : 35 minutes
Facile

50 cl de lait
le zeste d'une orange
quelques gouttes d'extrait
   de vanille, ou un morceau
   de gousse
4 jaunes d'œufs
100 g de sucre semoule
100 g de chocolat à cuire

Versez le lait dans une casserole avec le zeste d'orange et le morceau de gousse de vanille fendu en deux, si vous n'utilisez pas d'extrait, puis portez à ébullition. Ôtez du feu. Battez les jaunes d'œufs avec le sucre et l'extrait de vanille jusqu'à ce que le mélange soit clair et mousseux. Versez progressivement le lait tiède. Mettez la jatte au bain-marie et remuez constamment avec une cuillère en bois. Faites fondre le chocolat dans un autre bain-marie avec une cuillerée à soupe d'eau tiède, sans cesser de remuer. Dès que la crème commence à épaissir, ajoutez le chocolat fondu et mélangez bien.

CRÈME PATISSIÈRE A LA LIQUEUR

La crème pâtissière est idéale pour garnir des gâteaux, des beignets et des choux, mais on peut également la servir telle quelle, accompagnée de fraises, d'oranges ou de kiwis coupés en rondelles. (Voyez aussi la recette filmée page suivante.)

Temps : 20 minutes
Très facile

4 jaunes d'œufs
100 g de sucre semoule
1 cuillerée à soupe de zeste
   d'orange, râpé
30 g de farine
50 cl de lait
1 cuillerée à soupe de liqueur,
   au choix

Battez les jaunes d'œufs et le sucre au fouet pendant 5 à 10 minutes. Ajoutez le zeste d'orange râpé. Incorporez progressivement la farine, en remuant avec une cuillère en bois, puis versez le lait chaud et la liqueur. Faites chauffer à feu doux jusqu'à ce que le mélange commence à bouillir, laissez mijoter pendant 2 minutes, puis laissez refroidir, en remuant fréquemment, afin d'éviter la formation d'une peau à la surface de la crème.

MOULE A BABA
■ *Gravure du XVIIe siècle.*

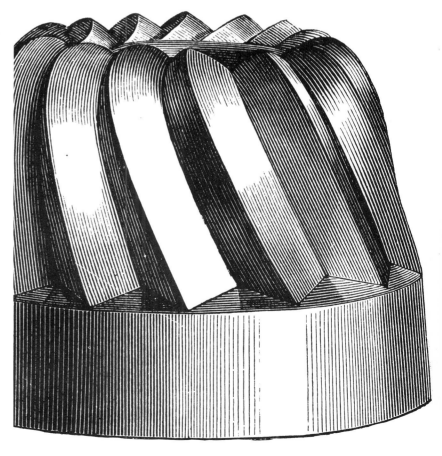

Cette délicieuse crème constitue une excellente garniture de gâteau, mais peut également être dégustée telle quelle. Sa préparation est simple et rapide : 20 minutes environ.

4 jaunes d'œufs
100 g de sucre semoule
1 cuillerée à soupe de zeste d'orange, râpé
30 g de farine
50 cl de lait chaud
2 cuillerées à soupe de Grand Marnier

Battez les jaunes d'œufs avec le sucre jusqu'à ce que le mélange soit léger et aéré. (Utilisez un fouet manuel ou, pour plus de rapidité, un batteur électrique.)

Ajoutez le zeste d'orange et parsemez la préparation de farine tamisée, sans cesser de battre.

Versez le lait en mince filet, sans cesser de fouetter le mélange. Ajoutez le Grand Marnier.

Faites cuire, sans cesser de remuer, à feu très doux jusqu'à ce que la crème commence à frémir. Laissez mijoter, en remuant, pendant 2 minutes.

Ôtez du feu et remuez la crème fréquemment pendant qu'elle refroidit, afin d'éviter qu'une peau ne se forme à la surface.

Si vous servez la crème pâtissière en dessert, présentez-la dans de petites coupes et décorez-la.

CRÈME AU CITRON
■ Présentez cette crème
chaude à part, dans
une saucière, pour
accompagner un dessert,
ou laissez-la refroidir
dans de petits ramequins,
avant de la décorer
de quartiers d'orange
et de crème fouettée.

CRÈME SAINT-HONORÉ

La moitié de cette crème est parfumée avec du cacao en poudre.

Temps : 30 minutes
Très facile

1 cuillerée à soupe de gélatine
  en poudre, ou 3 feuilles
3 jaunes d'œufs
100 g de sucre semoule
30 g de farine
25 cl de lait
quelques gouttes d'extrait
  de vanille, ou 1 cuillerée
  à soupe de sucre vanillé
1 blanc d'œuf
25 cl de crème fouettée
  ou de crème fraîche épaisse
3 1/2 cuillerées à soupe
  de cacao en poudre amer

Faites dissoudre la gélatine selon les indications portées sur l'emballage. Battez les jaunes d'œufs et le sucre pendant 5 à 10 minutes, jusqu'à ce que le mélange soit clair et mousseux. Ajoutez la farine tamisée, petit à petit, puis versez le lait chaud. Faites cuire à feu doux, sans cesser de remuer, jusqu'à ce que la crème épaississe. Retirez du feu, ajoutez la gélatine et continuez de remuer jusqu'à ce que le mélange commence à refroidir. Parfumez avec l'extrait de vanille ou le sucre vanillé. Lorsque la crème est froide et qu'elle commence à prendre, incorporez le blanc d'œuf monté en neige ferme. Mettez la moitié de la crème dans une jatte et parfumez-la avec le cacao tamisé.

FRANGIPANE

Temps : 30 minutes
Très facile

50 cl de lait
1 pincée de sel
2 œufs + 2 jaunes
100 g de sucre semoule
30 g de farine
quelques gouttes d'extrait
  de vanille
30 g de beurre
60 g de macarons, émiettés,
  ou d'amandes en poudre

Portez le lait à ébullition avec le sel, puis filtrez-le. Dans une casserole, battez les œufs avec les jaunes d'œufs et le sucre. Mélangez avec la farine, puis versez le lait. Faites cuire à feu doux, sans cesser de remuer, jusqu'à ce que le mélange épais-sisse. Dès que la crème commence à bouillir, retirez-la du feu. Ajoutez l'extrait de vanille, le beurre et les macarons émiettés ou les amandes en poudre.

CRÈME AU CITRON

Temps : 30 minutes
Facile

25 cl de jus de citron, filtré
le zeste de 2 citrons,
  finalement râpé
4 jaunes d'œufs
100 g de sucre semoule
1 blanc d'œuf
25 cl de crème fouettée

Mélangez le jus de citron avec le zeste râpé. Battez les jaunes d'œufs avec le sucre pendant 10 minutes dans une jatte supportant la chaleur. Ajoutez le jus et le zeste de citron. Mettez la jatte au bain-marie et faites cuire, sans cesser de remuer avec une cuillère en bois, jusqu'à ce que le mélange épaississe légèrement. Pour juger du degré de cuisson, passez un doigt sur le dos de la cuillère recouverte de crème : il doit laisser une trace nette. Battez le blanc d'œuf, incorporez-le à la crème, puis ajoutez la crème fouettée.

CRÈME PATISSIÈRE
AUX FRUITS
■ Légère et digeste, la
Maïzena est un ingrédient
très utile pour la
cuisinière, qui devrait
toujours en avoir en
réserve. Utilisée pour la
confection d'une crème,
elle apporte velouté
et légèreté.

CRÈME PATISSIÈRE AUX FRUITS

Temps : 40 minutes
Très facile

LES BLANCS D'ŒUFS

Pour que des blancs d'œufs montent bien en neige, incorporez-leur une pincée de sel : ils seront plus fermes et blancs. Ajoutez le sucre très progressivement, lorsque les œufs sont déjà bien épais. N'attendez pas trop toutefois, car les blancs risqueraient de se dessécher et de former des grumeaux. Des œufs en neige correctement battus adhèrent au récipient et ne tombent pas lorsqu'on retourne celui-ci.

4 jaunes d'œufs
130 g de sucre semoule
30 g de Maïzena
50 cl de lait
quelques gouttes d'extrait
  de vanille
2 pêches
2 cuillerées à soupe de jus
  de citron

Battez les jaunes d'œufs avec 70 g de sucre jusqu'à ce que le mélange soit très clair et mousseux. Ajoutez la Maïzena tamisée, puis le lait chaud. Faites cuire à feu doux, sans cesser de remuer avec une cuillère en bois. Lorsque la crème a épaissi, ôtez-la du feu, ajoutez l'extrait de vanille et remuez pendant qu'elle refroidit légèrement. Versez-la dans une jatte et mettez-la au réfrigérateur, après l'avoir couverte d'un film adhésif, afin d'éviter qu'une peau ne se forme à la surface.

Faites blanchir les pêches, pelez-les, dénoyautez-les et coupez-les en rondelles dans une jatte. Sucrez-les, arrosez-les avec le jus de citron, remuez et laissez reposer pendant 10 minutes. Passez au mixer ou au tamis. Mélangez la purée de pêches à la crème réfrigérée. Servez dans une coupe en cristal ou dans des ramequins individuels et décorez de fruits frais.

CRÈME PATISSIÈRE

La crème pâtissière sert à fourrer un certain nombre de gâteaux, ainsi qu'à garnir les fonds de tarte aux fruits. Grâce à la présence de la farine, cette crème a moins tendance à tourner que la crème anglaise.

Temps : 20 minutes
Très facile

4 jaunes d'œufs
100 g de sucre semoule
30 g de farine
50 cl de lait

Battez les œufs et le sucre au fouet jusqu'à ce que le mélange soit clair et crémeux. Ajoutez progressivement la farine tamisée, puis versez le lait chaud, en mince filet, sans cesser de battre. Faites cuire à feu doux, en fouettant, et ôtez la casserole du feu dès que la crème commence à bouillir.

SABAYON

Cette curieuse façon de mesurer les ingrédients avec les coquilles d'œufs utilisés est très pratique : en effet, la

taille des œufs variant toujours, on est assuré, grâce à
ce procédé, de réussir ce délicieux dessert qui nous vient
d'Italie (« zabaglione » chez
nos voisins transalpins).

Temps : 30 minutes
Facile

6 jaunes d'œufs
6 demi-coquilles de sucre
6 demi-coquilles de vin cuit
  (porto, marsala, xérès, madère)
1 blanc d'œuf (facultatif)

Battez les jaunes d'œufs avec le
sucre au fouet pendant au moins
10 minutes. Ajoutez le vin, sans
cesser de fouetter. Mettez la jatte
dans un bain-marie frémissant et
battez la préparation jusqu'à ce
qu'elle ait doublé de volume.
Elle doit être très légère et mousseuse. Les œufs ont tendance à
coaguler si la température du
bain-marie est trop élevée. Servez chaud, avec des biscuits, ou
faites refroidir le sabayon, sans
cesser de battre. Vous pouvez
incorporer le blanc d'œuf en
neige ferme dans la crème froide
et la garnir de quelques fraises
des bois.

SABAYON
AUX MACARONS

Vous pouvez remplacer les
macarons par un autre type
de biscuits aux amandes.
Garnissez cette crème en
posant un biscuit entier sur le
dessus.

Temps : 30 minutes
Facile

6 jaunes d'œufs très frais
6 demi-coquilles de sucre
6 demi-coquilles de madère
  ou de porto

Vous pouvez remplacer le vin Santo par n'importe quel autre bon vin de muscat (beaumes de Venise ou frontignan, par exemple). Ce dessert, qui peut être servi en tant que sauce, simple à réaliser, ne vous demandera que 30 minutes de préparation.

6 jaune d'œufs
6 demi-coquilles de sucre
6 demi-coquilles de vin Santo,
   ou d'un autre vin de muscat

Battez les jaunes et le sucre pendant 10 minutes, jusqu'à ce que le mélange soit clair, mousseux et volumineux.

Ajoutez le vin, sans cesser de battre.

Faire cuire la crème au bain-marie. Fouettez-la constamment jusqu'à ce qu'elle ait augmenté de volume. Ne la faites pas trop cuire, car elle risquerait de tourner.

Si vous souhaitez un sabayon plus léger, mais moins traditionnel, vous pouvez le laisser refroidir et incorporer les blancs d'œufs montés en neige ferme.

Présentez le sabayon dans des coupelles et garnissez de quelques biscuits et autres éléments décoratifs, au choix.

SABAYON AU CAFÉ
■ *La recette de base du sabayon peut être parfumée avec de la liqueur ou du vin doux. Un blanc moelleux ou du champagne conviennent également lorsque vous souhaitez apporter une touche élégante à votre dessert.*

6 biscuits aux amandes, finement écrasés
1 pincée de cannelle en poudre

Battez énergiquement les jaunes d'œufs avec le sucre jusqu'à ce que le mélange soit pâle et ait augmenté de volume. Continuez de battre pendant que vous incorporez progressivement le madère ou le porto, puis les biscuits écrasés et la cannelle. Faites cuire au bain-marie, en remuant constamment. Retirez la casserole du feu dès que le sabayon a épaissi. Ne poursuivez pas la cuisson après ce stade, car il risquerait de tourner.

SABAYON AU CAFÉ

Temps : 30 minutes
Facile

6 jaunes d'œufs
6 demi-coquilles de sucre
6 demi-coquilles de café noir très fort
quelques grains de café, pour décorer

Battez les jaunes d'œufs et le sucre pendant 5 à 10 minutes, jusqu'à ce que le mélange soit clair, puis ajoutez progressivement le café, sans cesser de fouetter. Faites cuire au bain-marie, en remuant constamment, jusqu'à ce que le mélange ait doublé de volume et bien épaissi. L'eau doit frémir de façon régulière, mais ne jamais bouillir : le sabayon risquerait de tourner si la température était trop élevée. Lorsque la crème est bien épaisse, ôtez-la du feu et servez-la chaude ou froide (voir recette précédente). Présentez le sabayon dans des coupelles et décorez de grains de café.

LA CRÈME

C'est la partie grasse du lait dont on fait le beurre. Il ne faut pas la battre trop longtemps. Utilisez-la aussitôt. Lorsqu'une recette comporte de la crème fleurette, vous pouvez utiliser de la crème fraîche classique ou de la crème allégée. La crème épaissira plus rapidement si vous la fouettez lorsqu'elle sort du réfrigérateur.

GANACHE

Utilisez cette sauce pour garnir des gâteaux, notamment les bûches de Noël. Comme elle a tendance à durcir rapidement, il vaut mieux l'utiliser aussitôt, avant qu'elle ait le temps de prendre.

Temps : 10 minutes
Très facile

300 g de chocolat pâtissier
25 cl de crème fraîche épaisse

Râper le chocolat. Portez la crème à ébullition. Ajoutez le chocolat dans la crème, puis ôtez du feu. Remuez jusqu'à ce que le chocolat soit fondu et que la sauce soit tiède. Utilisez-la aussitôt.

CRÈME CHANTILLY
■ La chantilly, véritable
« reine des crèmes »,
s'utilise telle quelle, mais
permet surtout de décorer
et de garnir une multitude
de desserts. Sortez
la crème juste avant
de la fouetter : vous
la préparerez ainsi plus
rapidement.

CRÈME CHANTILLY

Temps : 10 minutes
Très facile

50 cl de crème fraîche épaisse,
  très froide
50 g de sucre glace
2-3 gouttes d'extrait
  de vanille

Mettez la crème, la jatte et le
fouet au réfrigérateur pendant
plusieurs heures avant de commencer la recette. Battez la
crème jusqu'à ce qu'elle soit
bien ferme, puis ajoutez le sucre
glace tamisé et l'extrait de
vanille. Réfrigérez jusqu'au
moment de servir.

CRÈME CHANTILLY AU CAFÉ

Cette variante est excellente
telle quelle, décorée de quel-
ques grains de café. Servez-la
dans des coupes ou des verres
à pied. Du zeste d'orange ou
de citron remplacera avan-
tageusement le parfum au
café.

Temps : 15 minutes
Très facile

1 l de crème fraîche épaisse,
  très froide
60 g de sucre glace
2 cuillerées à soupe d'extrait
  de café ou de café soluble

Mettez la crème, la jatte et le
fouet au freezer pendant
15 minutes avant de battre la
crème. Incorporez le sucre glace
et le café. Réfrigérez jusqu'au
moment de servir.

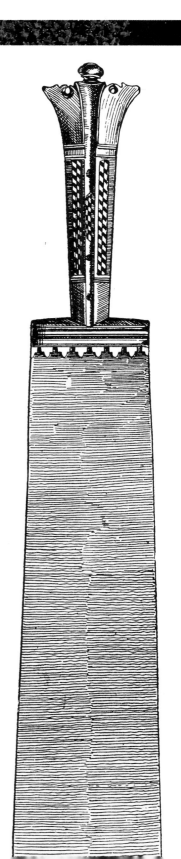

SAUCE A LA VANILLE

Chaude, cette sauce est délicieuse avec de la glace ou du pouding ; tiède ou froide, elle s'associe à merveille aux fruits frais.

Temps : 20 minutes
Très facile

25 cl de lait ou de crème
  allégée
25 cl de crème allégée
1 jaune d'œuf
50 g de sucre semoule
quelques gouttes d'extrait
  de vanille

Faite chauffer le lait et la crème à feu très doux. Battez le jaune d'œuf avec le sucre jusqu'à ce que le mélange soit clair et mousseux. Ajoutez la crème et le lait chauds en mince filet, sans cesser de battre le mélange, puis l'extrait de vanille. Si vous souhaitez servir cette sauce froide ou tiède, continuez de remuer, afin d'éviter la formation d'une peau à la surface.

SAUCE AU CAFÉ

Cette sauce au café servie chaude est un véritable régal avec de la glace au chocolat ou à la vanille. Elle accompagne également à merveille les desserts aux noisettes.

Temps : 20 minutes
Très facile

25 cl de lait
25 cl de crème allégée
5 cuillerées à soupe de café noir
   très fort, ou 1 cuillerée
   à soupe de café soluble
1 jaune d'œuf
50 g de sucre semoule

Faites chauffer le lait, la crème et le café à feu très doux. Battez énergiquement le jaune d'œuf avec le sucre de 5 à 10 minutes, jusqu'à ce que le mélange éclaircisse. Continuez de battre pendant que vous versez un mince filet de lait et de crème chaude. Filtrez la sauce avant de la servir chaude.

SAUCE AU CHOCOLAT

Cette sauce, servie chaude, accompagne de nombreux desserts. Elle est particulièrement recommandée avec de la glace à la menthe, à l'orange ou à la framboise.

Temps : 10 minutes
Très facile

200 g de chocolat amer
1 cuillerée à soupe de beurre
25 cl de crème fraîche
3 cuillerées à soupe de sucre

Râpez le chocolat et faites-le fondre au bain-marie avec le beurre. Ajoutez la crème et le sucre, et faites chauffer le mélange, sans cesser de remuer. Présentez cette sauce chaude dans un bol ou une saucière.

LES SAUCES AUX FRUITS

Très simples à préparer : pelez des fruits frais, passez-les au mixer ou au tamis, puis ajoutez un peu de sirop préparé avec du sucre dissous dans un peu d'eau. Les sauces aux fruits sont délicieuses avec de la glace, des desserts ou des gâteaux un peu secs.

SAUCE AUX FRUITS

Temps : 10 minutes
Très facile

100 g de sucre semoule
2 cuillerées à soupe d'eau
500 g de framboises
   ou de groseilles
3 cuillerées à soupe de beaumes
   de Venise, de xérès doux
   ou de marsala doux

Faites chauffer le sucre avec l'eau portée à ébullition pendant 1 à 2 minutes. Mettez les fruits, le vin et ce sirop dans un mixer, et mixez jusqu'à ce que la sauce soit bien lisse. Vous pouvez parfumer la préparation avec une pincée de l'un des ingrédients suivants : cannelle, muscade, zeste d'orange ou de citron râpé.

Préparez cette sauce avec d'autres fruits, tels qu'abricots, kiwis, cerises, et servez-la pour parfumer et colorer de nombreux desserts.

SAUCE AUX FRUITS
■ *Tous les fruits rouges peuvent entrer dans la composition de délicieux coulis et sauces, qui accompagnent à merveille les glaces, le blanc-manger et le gâteau de riz.*

SAUCE AU CITRON

Cette sauce très épaisse ressemble à de la confiture. Ajoutez-en avec parcimonie à des pêches cuites au four ou servez-la avec un gâteau au chocolat pour lui donner un peu de moelleux.

Temps : 20 minutes
Très facile

100 g de sucre semoule
4 cuillerées à soupe d'eau
   chaude
le zeste d'un citron, râpé
10 cl de jus de citron
60 cl de jus d'orange
2 jaunes d'œufs
1 cuillerée à soupe de kirsch

Faites chauffer le sucre et l'eau jusqu'à ébullition, en remuant constamment. Ajoutez le zeste de citron râpé, puis les jus de citron et d'orange, sans cesser de remuer. Ôtez du feu. Dans une jatte, battez les jaunes d'œufs avec le kirsch. Ajoutez le sirop de sucre en mince filet, sans cesser de battre. Filtrez la préparation et servez-la dans une saucière.

GLAÇAGE AU SUCRE ET A L'EAU

Voici l'une des façons les plus simples et les plus rapides pour décorer un gâteau.

100 g de sucre glace
2 1/2 cuillerées à soupe d'eau
quelques gouttes de colorant
   alimentaire (facultatif)

Tamisez le sucre dans une jatte et ajoutez l'eau, en mélangeant avec une cuillère en bois. Le

SUCRE GLACE
■ L'un des ingrédients
les plus couramment
utilisés en pâtisserie,
indispensable pour glacer
et décorer des gâteaux.

Temps : 20 minutes
Facile

200 g de sucre en morceaux
2 cuillerées à soupe d'eau
1/2 cuillerée à café de crème
   de tartre

Mettez le sucre dans une casserole avec l'eau. Ajoutez la crème de tartre et portez à ébullition, en écumant régulièrement. Faites cuire le sirop jusqu'au stade du petit ou du grand boulé (116-117°). Aspergez un marbre ou un plan de travail d'eau glacée et versez-y le sirop. Lorsqu'il a légèrement refroidi, glissez une spatule courte et large sous les bords et ramenez le fondant vers le centre. Travaillez ainsi sur tous les bords et recommencez jusqu'à ce que le fondant blanchisse et devienne opaque. Pétrissez-le : vous obtiendrez une boule qui se conservera dans un bocal hermétiquement fermé. Lorsque vous devez utiliser le fondant, faites-le réchauffer dans une casserole, afin de pouvoir l'étaler.

Temps : 5 minutes
Très facile

100 g de sucre glace
1 cuillerée à soupe de liqueur,
   au choix
1 cuillerée à soupe d'eau

Tamisez le sucre dans une jatte, ajoutez progressivement la liqueur, puis l'eau. Mélangez bien, afin d'obtenir un glaçage lisse et parfaitement malléable.

GLAÇAGE AU CHOCOLAT

Un superbe glaçage brillant et satiné, idéal pour les gâteaux au chocolat et les profiteroles.

Temps : 10 minutes
Très facile

glaçage doit rester très épais, mais encore malléable. Colorez-le selon vos besoins.

GLAÇAGE ROYAL

Ce glaçage ressemble à du fondant, mais il est beaucoup plus simple à confectionner. Il est très pratique pour tracer un motif avec une poche à douille munie d'un embout très fin.

Temps : 10 minutes
Très facile

1 blanc d'œuf
200 g de sucre glace
2 cuillerées à café de jus
   de citron

Battez le blanc d'œuf en neige ferme, puis ajoutez le sucre, petit à petit. Arrosez de jus de citron. Couvrez la jatte d'un linge humide si vous n'utilisez pas le glaçage aussitôt.

GLAÇAGE FONDANT

Cette pâte à base de sucre se caractérise par son magnifique brillant. On peut y ajouter de la liqueur ou du chocolat pour lui donner du goût. Cette recette de glaçage, moins facile à préparer que les précédentes, mérite vraiment que vous fassiez un petit effort. Ce glaçage se conserve bien.

LE SUCRE GLACE

Ce sucre extrêmement fin, très raffiné, est couramment utilisé en pâtisserie. Il en faut une très petite quantité pour sucrer de la crème ou des blancs d'œufs, pour la confection de meringue par exemple. On l'emploie aussi pour sucrer des glaçages n'exigeant pas de cuisson et pour décorer.

GLAÇAGE A LA LIQUEUR

Voici une autre recette extrêmement simple à confectionner. Choisissez la liqueur en fonction du parfum du gâteau que vous souhaitez glacer. Du Grand Marnier, par exemple, accompagnera à merveille un gâteau à l'orange, tandis que de l'alcool de menthe ou une liqueur de café seront le complément idéal pour un gâteau au chocolat.

FRUITS GLACÉS
■ *Plongez les fruits dans un sirop préparé avec 500 g de sucre additionné de 10 cl de liqueur et assez d'eau pour obtenir un litre de liquide. Faites bouillir 1 minute, puis ajoutez 1 cuillerée à soupe de crème de tartre diluée dans 1 cuillerée à soupe d'eau. Faites cuire jusqu'au grand cassé. Laissez sécher les fruits.*

50 g de chocolat pâtissier
100 g de sucre glace
2 cuillerées à soupe d'eau

Cassez le chocolat en morceaux et faites-le fondre au bain-marie, sans cesser de remuer. Ajoutez le sucre, remuez, puis ajoutez l'eau, goutte à goutte. Ôtez du feu et continuez de remuer jusqu'à ce que le fondant ait refroidi et épaissi. Glacez le gâteau, puis laissez refroidir et durcir complètement.

FRUITS GLACÉS

Temps : 20 minutes
Très facile

500 g de fruits variés
500 g de sucre semoule
5 cl d'eau

Triez les fruits et rincez-les à l'eau glacée. Épongez-les délicatement. Faites fondre 100 g de sucre dans l'eau. Laissez refroidir complètement. Mettez le reste du sucre dans une grande jatte. Plongez les fruits dans le sirop de sucre, puis laissez-les sécher en rangs, sur un marbre ou un plan de travail.

LE SUCRE EN MORCEAUX

Très utile pour la réalisation de certains desserts et glaces. On peut, par exemple, frotter les morceaux contre de l'écorce d'orange ou de citron, afin qu'ils en absorbent les huiles essentielles. Dissous dans de l'eau, ils donnent un sirop très parfumé.

Les deux ingrédients de base des pâtisseries de ce chapitre sont la farine et le beurre : certaines recettes comportent des œufs, du sucre, du zeste de citron ou d'orange finement râpé, de l'eau et du chocolat, de façon à obtenir une consistance ou un goût différent de la préparation de départ. Les pâtes ainsi préparées permettent de réaliser des tartes et autres gourmandises qui fondent dans la bouche. L'association de sucre et de beurre, en proportion assez importante, avec la farine donne une pâte très tendre, friable, facile à couper et à... déguster. Cette pâte sablée est rapide à préparer et n'exige aucun savoir-faire particulier. La pâte brisée ne pose aucun problème non plus, mais demande, pour être parfaitement réussie, un bon pétrissage. On peut la sucrer ou non, selon qu'on la destine à une tarte sucrée ou salée.

PATE SABLÉE I (PATE SUCRÉE)

Cette pâte, qui convient pour toutes les tartes sucrées, doit être travaillée rapidement et peut être congelée. Il convient alors de la faire décongeler pendant 3 heures à température ambiante avant de l'abaisser et de l'utiliser. Si elle est encore un peu trop froide, roulez-la à l'aide d'une bouteille remplie d'eau chaude.

Temps : 20 minutes
*   + temps de repos*
Facile

300 g de farine + 1 cuillerée
   à soupe
100 g de sucre semoule
150 g de beurre ramolli
   + 1 cuillerée à soupe
3 jaunes d'œufs
le zeste de citron, râpé
1 pincée de sel

Tamisez la farine sur un marbre. Faites un puits. Ajoutez le sucre, le beurre ramolli, mais non fondu, coupé en petits morceaux, les jaunes d'œufs, le zeste de citron et le sel. Mélangez les ingrédients jusqu'à obtention d'une pâte molle et lisse. Vous pouvez réaliser cette opération avec un mixer électrique équipé d'un crochet pétrisseur. Formez une boule, enveloppez-la dans du papier sulfurisé ou du film plastique et laissez reposer au frais pendant 30 minutes.
   Roulez la pâte entre deux épaisseurs de papier sulfurisé, afin qu'elle ne colle pas trop. Beurrez et farinez un moule de 3 cm de haut et de 25 cm de diamètre maximum. Faites tomber l'excédent de farine et tapissez le moule avec la pâte. Si vous faites cuire la pâte avant de la

□ *Lorsqu'elle est parfaitement réussie, la pâte sablée, très friable, fond dans la bouche. On l'utilise pour de nombreuses tartes ainsi que pour certains petits gâteaux qu'on découpe à l'emporte-pièce.*

□ *Pour réussir la pâte sablée, il est important que tous les ingrédients, y compris les œufs et le beurre, soient à température ambiante. La recette de base est la suivante : tamisez la farine et le sel sur un plan de travail, en marbre de préférence, ou dans une grande jatte ; faites un puits au milieu ; ajoutez le sucre, les jaunes d'œufs, le beurre ramolli et un peu de zeste d'orange ou de citron râpé. (Les quantités des ingrédients peuvent varier par rapport à celles indiquées dans les recettes ci-contre, mais les proportions demeureront identiques.) Si la pâte est trop sèche, ajoutez 1 cuillerée à soupe d'eau. Préparez la pâte à l'avance, afin de pouvoir la laisser reposer pendant au moins 30 minutes avant de l'utiliser. Vous pouvez la confectionner la veille, l'envelopper dans du papier sulfurisé ou du film transparent et la conserver au réfrigérateur. Elle peut également être congelée.*

□ *Lorsque les ingrédients sont bien amalgamés, aplatissez la pâte avec la paume de la main et repoussez-la vers l'extérieur, en l'écrasant. Recommencez cette opération deux ou trois fois, de façon que la pâte soit bien homogène. Roulez-la entre deux épaisseurs de papier sulfurisé ou abaissez-la du bout des doigts, directement dans le moule (prévoyez de petits morceaux de papier sulfurisé pour que vos doigts ne collent pas trop à la pâte). Elle ne doit pas être trop fine, sinon elle risquerait de s'effriter en cours de cuisson. La température de cuisson doit être très régulière. Mettez la pâte dans le haut du four préchauffé à 175°.*

□ *On peut ajouter à cette recette de base du chocolat, des amandes, des noisettes, etc. (la pâte devient alors « milanaise », « viennoise », « napolitaine »...) ou, au contraire, réduire le nombre d'œufs utilisés et les remplacer par de l'eau, si on souhaite une pâte moins riche. La température de cuisson reste la même.*

□ *La pâte brisée ressemble à la pâte sablée. Les ingrédients sont identiques, à l'exception du sucre, généralement absent ou presque. La pâte brisée se prête d'ailleurs très bien à la réalisation de tartes salées. En général, on fait cuire les fonds de tartes à blanc avant de les garnir : on les pique avec une fourchette, ou on les couvre de papier sulfurisé et on remplit de haricots secs. Il est préférable de beurrer et de fariner le moule, même si celui-ci est à revêtement antiadhésif, afin que la tarte se démoule plus facilement.*

garnir, piquez le fond avec une fourchette, couvrez-le d'un rond de papier sulfurisé et garnissez de haricots secs. Faites cuire pendant 40 minutes au four préchauffé à 175°. Retirez les haricots et le papier 10 minutes avant la fin de la cuisson.

PATE SABLÉE II

Moins riche que la recette précédente, cette pâte s'utilise de la même façon.

Temps : 20 minutes
*   + temps de repos*
Facile

300 g de farine
100 g de beurre
100 g de sucre semoule
1 œuf
le zeste d'un citron, râpé
1 pincée de sel

Tamisez la farine sur un marbre. Ajoutez le beurre ramolli coupé en petits morceaux, le sucre, l'œuf préalablement battu à la fourchette pendant quelques secondes, le zeste de citron et le sel. Mélangez bien les ingrédients et pétrissez la pâte le plus rapidement possible. Laissez-la reposer pendant 30 minutes au frais, après l'avoir enveloppée dans du papier sulfurisé ou du film plastique. Ne l'abaissez pas trop finement.

PATE BRISÉE

Cette pâte convient très bien à la confection de tartes salées et de petits amuse-gueules fourrés, à condition de ne pas lui incorporer de sucre.

Temps : 20 minutes
*   + temps de repos*
Facile

TARTE A L'ANANAS
■ *Pour cette tarte, la pâte brisée conviendrait également. Vous pouvez remplacer l'ananas frais par des fruits au sirop, en égouttant bien les rondelles et en les épongeant avec du papier absorbant.*

300 g de farine
150 g de beurre
2 cuillerées à soupe de sucre
1 pincée de sel
3 cuillerées à soupe d'eau
  froide

Tamisez la farine sur un marbre. Faites un puits. Ajoutez le beurre coupé en petits morceaux, puis le sucre et le sel. Travaillez les ingrédients du bout des doigts jusqu'à ce que le beurre ait absorbé toute la farine. Ajoutez l'eau, mélangez rapidement à la main ou dans un mixer équipé d'un crochet pétrisseur, puis formez une boule. Enveloppez la boule de pâte dans du film plastique et laissez reposer au réfrigérateur pendant 30 minutes.

Roulez la pâte entre deux épaisseurs de papier sulfurisé et utilisez-la pour foncer un moule de 3 cm de haut et de 25 cm de diamètre. Si vous la faites cuire avant de la garnir, piquez le fond avec une fourchette, couvrez de papier sulfurisé et remplissez de haricots secs. Faites cuire au four préchauffé à 175° pendant 40 minutes. Ôtez le papier et les haricots 10 minutes avant la fin de la cuisson.

TARTE A L'ANANAS

Temps : 1 heure
Facile

1 fond de tarte en pâte sablée II
  (voir p. 56)
2 cuillerées à soupe de petits-
  beurre, écrasés
1 ananas de 1 kg
1 orange
1 banane
le jus d'un demi-citron
25 cl de cognac
6 abricots au sirop

Cette pâte est excellente pour confectionner de délicieuses tartes et tourtes sucrées. Le sucre lui donne une consistance friable, tandis que les œufs permettent de bien lier les ingrédients. Elle n'est pas pétrie et doit être travaillée très rapidement. Les quantités données ci-dessous permettent de réaliser une grande tarte.

300 g de beurre malaxé jusqu'à
  ce qu'il soit bien ramolli
500 g de farine
2 cuillerées à café de sel
2 cuillerées à soupe de sucre
  glace
2 œufs, ou 4 jaunes

Laissez le beurre à température ambiante pendant 1 à 2 heures avant de le travailler brièvement avec une cuillère en bois. Tamisez la farine, le sel et le sucre sur un plan de travail ou un marbre.

Faites un puits. Ajoutez le beurre, puis cassez les œufs par-dessus. Mélangez le beurre et les œufs du bout des doigts, sans trop les travailler.

A l'aide d'une spatule ou d'un couteau assez large, ramenez les ingrédients secs dans le mélange beurre-œufs qui se trouve au centre : « coupez » le mélange obtenu à l'aide d'un couteau.

Continuez en glissant le couteau jusqu'au bord de la pâte, puis ramenez le mélange ainsi soulevé vers le centre. Vous devez obtenir une pâte qui se sépare en gros morceaux humides. Si la pâte est trop sèche pour absorber toute la farine et qu'elle ne se lie pas correctement, ajoutez quelques gouttes d'eau froide.

Pétrissez la pâte très rapidement et formez une boule ; enveloppez-la dans du film adhésif ou du papier d'aluminium et laissez reposer au réfrigérateur pendant 30 minutes.

1 cuillerée à soupe de sucre
  glace
10 cerises au sirop, glacées
  ou confites

Préparez la pâte sablée. Beurrez et farinez un moule à tarte de 25 cm de diamètre et foncez-le. Parsemez les biscuits écrasés sur le fond, en couche régulière. Pelez, videz et coupez l'ananas en rondelles. Pelez l'orange, séparez-la en quartiers et ôtez délicatement la peau blanche. Pelez la banane et coupez-la en rondelles, que vous arroserez de jus de citron pour éviter qu'elles ne noircissent. Disposez l'ananas dans le moule garni de pâte. Faites cuire au four préchauffé à 175° pendant 40 minutes.

Démoulez la tarte sur une assiette. Faites chauffer le cognac, arrosez-en la tarte et faites flamber. Saupoudrez les abricots coupés en quartiers de sucre glace et disposez-les sur la tarte, avec les cerises, les quartiers d'orange et les rondelles de banane.

TARTE
A LA BANANE

Vous pouvez remplacer les pruneaux par des fruits frais, tels que des pommes, des abricots, des cerises ou des pêches.

Temps : 1 h 30
Facile

1 fond de tarte en pâte sablée I
  (voir p. 56)
4 bananes
2 poires
10 cl de vin blanc
6 pruneaux, dénoyautés
6 cuillerées à soupe de sucre
le zeste d'un citron, coupé
  en très fines languettes

LA FARINE

Conservez la farine dans une boîte hermétique. La farine fluide, ou farine à gâteaux, contient plus d'amidon et moins de gluten que la farine ordinaire ou la farine à pain. N'utilisez jamais de farine avec poudre levante pour les recettes de ce livre. La Maïzena ne comporte pas de gluten, c'est pourquoi, en pâtisserie, on la mélange toujours à d'autres farines.

Pelez les bananes et coupez-les en rondelles. Pelez les poires, coupez-les en petits morceaux et faites-les cuire à feu doux dans le vin, avec les pruneaux et le zeste de citron, pendant 20 minutes. Égouttez-les bien.

Préparez la pâte sablée. Réservez-en un tiers. Foncez un moule à tarte avec le reste. Garnissez le fond avec les fruits, disposés en une couche régulière. Abaissez le tiers de pâte réservé et découpez-la en bandelettes dont vous recouvrirez les fruits, en les entrecroisant. Faites cuire au four préchauffé à 200° pendant 40 minutes.

FLAN
A LA PARISIENNE

Cette tarte est garnie d'une délicieuse crème anglaise onctueuse à souhait, que l'on peut parfumer avec quelques gouttes d'extrait de café ou 1 cuillerée à soupe de café très fort, avec du zeste de citron ou d'orange râpé, ou avec une liqueur de votre choix.

Temps : 1 h 15
Facile

1 fond de tarte en pâte sablée I
  (voir p. 56)
1 l de lait
2 jaunes d'œufs
100 g de sucre semoule
30 g de farine
1 noix de beurre
1 blanc d'œuf

Préparez la pâte sablée. Beurrez un moule à tarte de 25 cm, farinez-le et foncez-le avec la pâte. Faites cuire la pâte à blanc au four préchauffé à 175°, pendant 40 minutes, après l'avoir couverte de papier sulfurisé et remplie de haricots secs. Faites chauffer le lait à feu très doux jusqu'à ce qu'il commence à bouillir. Pendant ce temps, battez les jaunes d'œufs avec le sucre jusqu'à ce que le mélange soit très clair et ait augmenté de volume. Ajoutez la farine. Versez le lait en mince filet, sans cesser de battre. Faites cuire la crème dans une casserole, à feu très doux, sans cesser de remuer, jusqu'à ce qu'elle commence à bouillir. Ajoutez le beurre à la crème épaissie et continuez de remuer jusqu'à ce qu'elle ait complètement refroidi. Incorporez le blanc d'œuf battu en neige ferme. Versez la crème dans le fond de tarte et servez.

TARTE AUX POIRES
ET AUX MACARONS

Vous pouvez remplacer les macarons par d'autres biscuits secs au goût très prononcé. Les miettes disposées au fond de la tarte permettent d'absorber une partie du jus des poires et évitent que la pâte ne se ramollisse pendant la cuisson.

Temps : 1 heure
Facile

1 fond de tarte en pâte sablée II
  (voir p. 56)
1 kg de poires
100 g de sucre semoule
2 cuillerées à soupe de jus
  de citron
2 jaunes d'œuf + 1 blanc
150 g de macarons aux amandes,
  finement broyés

Préparez la pâte sablée et laissez-la reposer au frais. Pelez et videz les poires, coupez-les en rondelles et faites-les cuire au four, après les avoir saupoudrées avec un peu de sucre et arrosées de jus de citron. Passez les fruits au mixer ou au tamis. Faites cuire la compote, sans cesser de remuer, jusqu'à ce qu'elle ait bien épaissi. Battez les jaunes d'œufs avec le reste de sucre, puis incorporez le blanc battu en neige.

Foncez le moule, parsemez les miettes de macarons sur la pâte et versez la compote par-dessus. Recouvrez avec le mélange aux œufs. Faites cuire au four préchauffé à 175° pendant 40 minutes, en veillant à ce que le dessus ne brunisse pas trop.

TARTE A LA CRÈME
ET AUX CERISES

Choisissez des cerises bien mûres et sucrées. Si vous employez des griottes, prévoyez d'ajouter du sucre semoule.

Temps : 1 h 15
Facile

1 fond de tarte en pâte sablée I
  (voir p. 56)
1 kg de cerises
100 g de sucre semoule
le zeste d'un citron
2 clous de girofle
1 pincée de cannelle en poudre
25 cl de bon vin blanc

59

TARTE MERINGUÉE
A LA MARMELADE
D'ORANGES
■ Vous pouvez décorer
la meringue avec un peu
de cacao en poudre
tamisé ou de cannelle.

1 œuf + 1 jaune
quelques gouttes d'extrait
  de vanille + 2 cuillerées à
  soupe de sucre, ou 2 cuillerées
  à soupe de sucre vanillé
1 cuillerée à soupe de farine
25 cl de lait

Dénoyautez les cerises et faites-
les cuire pendant 15 minutes
avec la moitié du sucre semoule,
le zeste de citron, les clous de
girofle, la cannelle et le vin
blanc. Sortez les cerises de la
casserole à l'aide d'une
écumoire. Foncez un moule à
tarte beurré et fariné de 25 cm
de diamètre. Battez l'œuf et le
jaune avec le reste de sucre et
le sucre additionné de l'extrait
de vanille ou le sucre vanillé.
Ajoutez la farine, petit à petit.
Incorporez le lait chaud, en
mince filet. Faites cuire la crème
jusqu'à ce qu'elle épaississe et
fasse le ruban. Laissez-la
légèrement refroidir avant de la
verser dans le fond de tarte.
Recouvrez la crème avec les
cerises et faites cuire la tarte au
four préchauffé à 175° pendant
40 minutes.

TARTE MERINGUÉE
A LA MARMELADE
D'ORANGES

Temps : 1 heure
Facile

1 fond de tarte en pâte sablée I
  (voir p. 56)
200 g de marmelade d'oranges
12 biscuits à la cuiller
25 cl de Grand Marnier
2 blancs d'œufs
1 pincée de sel
100 g de sucre semoule

Foncez un moule graissé et
fariné de 25 cm de diamètre
avec la pâte sablée. Piquez le

CITRON
■ *Gravure du XVIIᵉ siècle. Si vous utilisez des fruits qui ont été traités avec des insecticides ou des fongicides, faites-les bouillir pendant 1 minute, en changeant l'eau plusieurs fois, avant d'utiliser le zeste.*

fond avec une fourchette, couvrez d'un rond de papier sulfurisé et remplissez de haricots secs. Faites cuire la pâte au four préchauffé à 175° pendant 30 minutes. Sortez le moule du four et laissez refroidir avant de recouvrir le fond d'une couche de marmelade.

Trempez les biscuits à la cuiller dans le Grand Marnier et posez-les sur la marmelade. Battez les blancs d'œufs en neige ferme pendant 1 minute, salez-les et ajoutez le sucre dès qu'ils sont fermes. Continuez de battre jusqu'à ce qu'ils soient bien brillants. Recouvrez la tarte avec cette meringue, en utilisant une poche à douille munie d'un embout cannelé. Faites-la cuire au four préchauffé à 175° pendant 10 minutes, jusqu'à ce que la meringue soit légèrement dorée. Servez aussitôt.

TARTE AUX FIGUES ET AU CITRON

Ce sont les petites figues blanches, très sucrées, tendres et goûteuses, qui conviennent le mieux pour cette recette, mais les noires peuvent également être utilisées. Évitez de choisir une variété de gros fruits peu sucrés : le résultat pourrait être décevant.

Temps : 1 heure
Facile

1 fond de tarte en pâte sablée I (voir p. 56)
1 kg de figues, pas trop mûres
100 g de sucre semoule
le jus et le zeste, râpé, d'un citron
2 tranches de gâteau de Savoie, émiettées
25 cl de crème fouettée

Laissez la pâte reposer au réfrigérateur pendant 30 minutes avant de l'abaisser. Beurrez un moule à tarte de 25 cm de diamètre et farinez-le légèrement avant de le foncer. Pelez les figues, coupez-les en deux, de la tige à la base, et mettez-les dans une jatte avec le sucre, le jus et le zeste de citron. Laissez reposer pendant 1 heure.

Parsemez le fond de tarte d'une bonne épaisseur de miettes de gâteau de Savoie. Disposez les figues par-dessus, partie coupée vers le haut. Faites cuire au four préchauffé à 175° pendant 40 minutes. Laissez refroidir avant de décorer la surface avec des rosettes de crème fouettée.

TARTE A LA CRÈME DE MARRONS

La crème de marrons est conditionnée en tube ou en boîte. C'est un ingrédient très riche, que l'on peut remplacer par des marrons en boîte sucrés et réduits en purée.

Temps : 1 heure
Facile

1 fond de tarte en pâte sablée II (voir p. 56)
300 g de crème de marrons
1 cuillerée à soupe de cacao en poudre
2 cuillerées à soupe de cognac
1 cuillerée à soupe de confiture de pêches ou d'abricots
1 cuillerée à soupe de sucre
100 g de marrons glacés, finement hachés

*TARTE A LA CRÈME
ET AUX POMMES*
■ *Pour ce type de tarte,
choisissez des pommes
qui ne se défont pas à la
cuisson : les golden ou
les reinettes conviennent
parfaitement bien.*

Laissez la pâte reposer au réfrigérateur pendant 30 minutes, puis préparez la garniture. Mélangez la crème de marrons avec le cacao et le cognac. Beurrez le moule, farinez-le légèrement et foncez-le avec les trois quarts de la pâte. Garnissez avec la préparation aux marrons et lissez la surface. Découpez le reste de la pâte en fines bandelettes, à l'aide d'une roulette à pâtisserie cannelée, et disposez-les sur la tarte en les entrecroisant. Faites cuire au four préchauffé à 175° pendant 40 minutes.

Faites fondre la confiture de pêches ou d'abricots avec le sucre et badigeonnez ce mélange sur toute la surface de la tarte, y compris les croisillons, dès que vous la sortez du four. Parsemez les morceaux de marrons glacés entre les bandelettes de pâte et laissez refroidir avant de servir.

TARTE A LA CRÈME ET AUX POMMES

*Temps : 30 minutes
Facile*

1 fond de tarte en pâte brisée
  (voir p. 56)
500 g de pommes reinettes
2 jaunes d'œufs
100 g de sucre semoule
1 cuillerée à soupe de farine
25 cl de lait

Préparez la pâte en travaillant les ingrédients le plus rapidement possible. Foncez-en un moule de 25 cm de diamètre. Pelez, videz et coupez les pommes en fines tranches. Disposez-les sur le fond de tarte, en les faisant chevaucher légèrement. Battez énergiquement les œufs avec le sucre jusqu'à ce que le mélange soit clair et mousseux. Ajoutez la farine, puis le lait chaud, en mince filet. Versez la crème obtenue sur les fruits. Faites cuire au four préchauffé à 175° pendant 40 minutes. Cette tarte se déguste chaude ou froide.

TARTE AUX AMANDES

*Temps : 1 heure
Facile*

1 fond de tarte en pâte brisée
  (voir p. 56)
300 g d'amandes, mondées
2 blancs d'œufs
100 g de sucre semoule
50 g de pignons

Préparez la pâte et laissez-la reposer au réfrigérateur pen-

■ *Pour monder des amandes, il suffit de les plonger quelques minutes dans de l'eau bouillante : leur petite peau s'enlèvera alors facilement en les frottant dans un linge.*

dant 30 minutes. Étalez-la en un cercle suffisamment grand pour foncer un moule de 25 cm de diamètre, en prévoyant un excédent de pâte d'environ 2 cm sur les bords. Hachez les amandes très finement. Battez les blancs d'œufs en neige ferme, puis incorporez le sucre, les amandes et les pignons. Garnissez le fond de tarte avec ce mélange. Repliez l'excédent de pâte sur les bords de la tarte, en la pinçant, de façon à former des petits plis tout autour (voir illustration page de gauche). Faites cuire au four préchauffé à 175° pendant 40 minutes. Si le dessus dore trop rapidement, recouvrez la tarte avec du papier d'aluminium ou du papier sulfurisé.

TARTE AUX PRUNEAUX

Pour gagner du temps, utilisez des pruneaux ne nécessitant pas de temps de trempage. Vous pouvez également accélérer le processus de trempage en les faisant bouillir dans le vin pendant 10 minutes.

Temps : 1 heure
   + temps de trempage
Facile

1 fond de tarte en pâte brisée
   (voir p. 56)
300 g de pruneaux
40 cl de vin moelleux
200 g de confiture d'abricots
2 cuillerées à soupe
   de Cointreau
1 cuillerée à soupe de sucre
   glace

Si vous devez faire tremper les pruneaux, laissez-les toute une nuit dans le vin blanc.

Préparez la pâte, enveloppez-la dans du film plastique et laissez-la reposer au réfrigérateur pendant 30 minutes. Dénoyautez les pruneaux, si nécessaire. Abaissez la pâte sur une épaisseur de 3 à 6 mm et foncez un moule beurré de 25 cm de diamètre. Mélangez la confiture d'abricots avec le Cointreau et étalez ce mélange sur le fond de tarte cru. Disposez les pruneaux par-dessus. Faites cuire au four préchauffé à 175° pendant 40 minutes. Laissez refroidir complètement la tarte avant de servir et saupoudrez-la de sucre en poudre juste à ce moment-là.

TARTE A LA CRÈME ET AUX REINES-CLAUDES

Les reines-claudes offrent l'avantage de conserver leur forme à la cuisson et de ne dégager qu'une très faible quantité de jus, qui sera absorbée par les biscuits à la cuiller.

Temps : 1 heure
Facile

1 fond de tarte en pâte brisée
   (voir p. 56)
12 reines-claudes
80 g de biscuits à la cuiller,
   écrasés
1 cuillerée à soupe de sucre
   glace
Pour la crème anglaise :
2 jaunes d'œufs
60 g de sucre semoule
15 g de farine
1 noix de beurre
2-3 gouttes d'extrait de vanille
20 cl de lait
1 cuillerée à soupe de sucre
   glace

Préparez la pâte brisée. Faites blanchir les reines-claudes dans de l'eau bouillante pendant quelques secondes, pelez-les, coupez-les en deux et dénoyautez-les. Réservez-les dans une jatte couverte, au frais. Étalez la pâte et foncez-en un moule beurré et fariné de 25 cm de diamètre. Piquez le fond avec une fourchette et parsemez-le avec les miettes de biscuits à la cuiller. Réservez.

Préparez la crème anglaise : battez bien les jaunes avec le

LES AGRUMES

Ils sont très utilisés en pâtisserie et en confiserie. De petites quantités suffisent à donner un goût très prononcé aux préparations culinaires, car leur peau contient des huiles essentielles richement parfumées. Le citron vert peut remplacer avantageusement le citron : il est, en effet, plus parfumé que ce dernier. Dans le cédrat, seul le zeste est utilisé. Les kumquats, petites oranges miniatures originaires de Chine, apporteront une touche décorative du meilleur effet.

sucre, incorporez la farine tami-sée, petit à petit, sans cesser de battre, puis le beurre ramolli, mais non fondu, l'extrait de vanille et le lait chaud. Disposez les reines-claudes sur les bis-cuits, versez la crème anglaise par-dessus et faites cuire au four préchauffé à 175° pendant 40 minutes. Servez tiède ou froid, après avoir saupoudré le sucre glace au dernier moment.

TARTE AU CITRON

Temps : 1 heure
Facile

1 œuf + 1 jaune
4 cuillerées à soupe de sucre
le zeste et le jus de 2 citrons
30 cl de crème fouettée
1 fond de tarte en pâte brisée
  (voir p. 56)
1 cuillerée à soupe de sucre
  glace

Séparez le blanc d'œuf du jaune. Battez les jaunes d'œufs avec le sucre jusqu'à ce que le mélange soit bien clair et volu-mineux. Ajoutez le zeste et le jus des citrons. Faites cuire au bain-marie, sans cesser de remuer, jusqu'à ce que la préparation épaississe. Ne portez surtout pas à ébullition, car la crème tour-nerait et il faudrait recommen-cer. Réservez.

Lorsque la préparation est froide, fouettez la crème et le blanc d'œuf séparément jusqu'à ce qu'ils soient bien fermes.

Incorporez d'abord la crème, puis le blanc d'œuf à l'aide d'une cuillère en métal, afin que la préparation ne retombe pas.

Foncez un moule beurré et fariné avec la pâte brisée. Ver-sez la garniture, en tournant rapidement le moule, afin d'éga-liser la surface. Faites cuire au four préchauffé à 175° pendant 40 minutes. Servez la tarte tiède ou froide, après l'avoir saupou-drée d'un peu de sucre glace tamisé au dernier moment.

TARTE A L'ORANGE

Temps : 1 heure
Facile

1 fond de tarte en pâte sablée II
  (voir p. 56)
100 g d'amandes, mondées

TARTE AU CITRON
■ *La garniture est une mousse extrêmement légère et raffinée. Vous pourrez la décorer avec de fines rondelles d'orange, préalablement bouillies pendant quelques minutes, puis séchées.*

TARTE A L'ORANGE
■ *Cette tarte peut également être confectionnée avec des citrons, des oranges amères ou du pamplemousse.*

150 g de sucre semoule
+ 1 cuillerée à soupe
12 cl d'eau
extrait de vanille
3 oranges
4 cuillerées à soupe
de chapelure
1 œuf + 1 jaune

Préparez la garniture pendant que la pâte repose au réfrigérateur. Faites griller les amandes à four moyen jusqu'à ce qu'elles soient bien dorées. Dans une petite casserole, mettez 100 g de sucre semoule avec l'eau, ajoutez 2-3 gouttes d'extrait de vanille et laissez mijoter pendant 10 minutes. Pelez les oranges et débarrassez délicatement les quartiers de la membrane blanche, en veillant à ne pas les abîmer. Coupez environ 2 cuillerées à soupe d'écorce en

L'ORANGE

C'est peut-être le fruit le plus couramment employé en pâtisserie. On peut s'en procurer toute l'année mais l'hiver, elles sont plus juteuses et goûteuses, et moins onéreuses qu'en été. Le zeste râpé, frais ou confit, est très utile pour la réalisation de pâtisseries et de confiseries.

fines bandelettes que vous ajouterez au sirop et laissez bouillir pendant 5 minutes. Ôtez du feu et laissez refroidir. Dans un mortier ou au mixer, broyez ou hachez les amandes (évitez les amandes en poudre du commerce, qui ne sont pas aussi savoureuses) avec 2 cuillerées à soupe de sucre.

Étalez la pâte et foncez un moule de 25 cm de diamètre. Saupoudrez le fond de tarte d'une couche régulière de chapelure. Recoupez les bords de la tarte proprement. Battez l'œuf avec le jaune, le reste de sucre et 2 gouttes d'extrait de vanille pendant 5 minutes, puis ajoutez

la pâte d'amandes. Étalez cette préparation sur le fond de tarte et mettez à four moyen (175°) pendant 40 minutes. Sortez la tarte du four. Lorsqu'elle est légèrement refroidie, arrosez-la avec le sirop d'orange. Disposez les quartiers en vous inspirant de l'illustration ci-dessous et servez aussitôt.

TARTE AUX FRAISES

Temps : 1 heure
Facile

1 fond de tarte en pâte sablée II
(voir p. 56)
200 g de confiture
de framboises

300 g de fraises des bois
   ou de petites fraises
1 cuillerée à soupe de sucre

Beurrez et farinez légèrement un moule à tarte de 25 cm de diamètre. Étalez la pâte en un cercle suffisamment grand pour foncer le moule, en prévoyant un excédent d'environ 2 cm sur les bords. Recoupez la pâte bien proprement et régulièrement, puis repliez-la vers l'intérieur, afin de former une jolie bordure tout autour du moule (voir illus-

tration ci-dessus). Placez un rond de papier sulfurisé sur le fond de tarte, remplissez de haricots secs et faites cuire au four préchauffé à 175° pendant 30 minutes. Ôtez le papier et les haricots. Étalez une couche de confiture de framboises sur la pâte, garnissez de fraises et parsemez de sucre glace tamisé.

TARTE AU KIRSCH ET AUX FRAISES

Pour cette recette, choisissez des fraises de taille moyenne et disposez-les harmonieusement, la pointe vers le haut.

Temps : 1 h 30
Facile

1/2 cuillerée à soupe de gélatine
   en poudre, ou 2 feuilles
1 fond de tarte en pâte sablée I
   (voir p. 56)
2 œufs
4 cuillerées à soupe de sucre
1 cuillerée à soupe de farine
25 cl de lait
20 cl de crème fouettée
100 g de confiture de fraises
3 cuillerées à soupe de kirsch
400 g de fraises

Faites dissoudre la gélatine selon les instructions indiquées sur l'emballage. Étalez la pâte et foncez un moule de 25 cm de diamètre, en crantant les bords. Piquez le fond de tarte avec une fourchette. Couvrez d'un rond de papier sulfurisé et remplissez de haricots secs. Faites cuire au four préchauffé à 175° pendant 30 minutes. Ôtez le papier et les haricots, et poursuivez la cuisson pendant 10 minutes. Battez 1 œuf avec 1 jaune et le sucre, jusqu'à ce que le mélange soit clair et mousseux. Ajoutez la farine, puis incorporez le lait chaud, en mince filet. Faites cuire à feu doux, sans cesser de remuer, jusqu'à ce que le mélange ait légèrement épaissi.

Ôtez du feu et incorporez la gélatine. Lorsque la préparation est
froide, ajoutez le blanc d'œuf
battu en neige ferme, la crème
fouettée et 2 cuillerées à soupe
de kirsch.

Garnissez la tarte avec ce
mélange, lissez la surface avec
une spatule et disposez les fraises par-dessus. Faites fondre la
confiture de fraises passée au
chinois avec le reste de kirsch.
Faites-la légèrement refroidir et
badigeonnez-en les fraises.

TARTE AU SUCRE

*Voici un dessert très sucré,
certes, mais qui n'en demeure
pas moins d'une grande délicatesse. Le sucre est légèrement caramélisé.*

*Temps : 1 heure
Facile*

1 fond de tarte en pâte sablée II
   (voir p. 56)
200 g de sucre semoule,
   si possible de canne,
   et très fin
50 g de beurre
1 cuillerée à soupe de farine

Abaissez la pâte et foncez-en un
moule à tarte de 25 cm de diamètre. Saupoudrez 150 g de
sucre semoule sur le fond de
tarte et parsemez le beurre
coupé en petits morceaux, en les
espaçant régulièrement. Saupoudrez la farine tamisée et recouvrez avec le reste de sucre.
Faites cuire au four préchauffé
à 175° pendant 40 minutes.
Servez tiède.

TARTE AUX MYRTILLES ET AUX POMMES

*Rincez soigneusement les
fruits avant de les utiliser.
Vous pouvez remplacer les
myrtilles fraîches par des surgelées, que vous ferez décongeler à température ambiante.*

*Temps : 1 heure
Facile*

1 fond de tarte en pâte brisée
   (voir p. 56)
200 g de confiture de myrtilles
3 pommes reinettes
100 g de myrtilles
50 g de sucre semoule
1 blanc d'œuf

Enveloppez la pâte dans du film
adhésif et laissez-la reposer au
réfrigérateur pendant 30 minutes. Beurrez et farinez légèrement un moule à tarte de 25 cm
de diamètre. Abaissez la pâte et
utilisez-en les deux tiers pour
foncer le moule. Le reste servira
à décorer le dessus. Étalez la
confiture sur le fond. Pelez,
videz et coupez les pommes très
finement. Disposez-les en cercles
concentriques, en commençant
par l'extérieur de la tarte et en
faisant chevaucher légèrement
les morceaux. Étalez les myrtilles par-dessus et saupoudrez de
sucre. Coupez le reste de pâte
en fines bandelettes. Roulez-les
en fins rouleaux, avec la paume
de la main, puis entrecroisez-les
sur le dessus de la tarte. Battez
le blanc d'œuf à la fourchette et
badigeonnez-en la pâte, à l'aide
d'un pinceau. Faites cuire au
four préchauffé à 175° pendant
40 minutes. Servez la tarte
froide.

LES FRAISES

*C'est sans doute la petite
fraise des bois (voir illustration page de gauche) qui offre
le goût le plus prononcé. La
saison des fraises est assez
courte, bien que l'on en trouve
aujourd'hui à longueur
d'année ; ces fruits d'importation, toutefois, ne sont pas
toujours très satisfaisants.
Quant aux fraises surgelées,
elles perdent leur forme et leur
fermeté. Il vaut mieux les
réserver à la préparation des
coulis et des confitures.*

TARTE AUX FRUITS CONFITS ET AUX NOISETTES

*Si vous n'avez pas de fruits
confits maison (voir p. 27),
vous en trouverez dans les épiceries ou les magasins spécialisés en articles pour
pâtisserie. Essayez des asso-
ciations de fruits différentes.*

*Temps : 1 heure
Facile*

50 g de raisins de Smyrne
1 fond de tarte en pâte sablée I
   (voir p. 56)
2 œufs
100 g de sucre semoule
1 cuillerée à soupe de farine
50 g de beurre fondu
100 g d'amandes, hachées menu
100 g de noisettes, hachées
   menu
100 g de fruits confits, hachés
le zeste d'un citron, râpé
1 cuillerée à café de sucre
   glace

Faites tremper les raisins dans
de l'eau tiède. Foncez un moule
à tarte beurré et fariné de 25 cm
de diamètre, en prévoyant un
bord de pâte de 2 cm tout
autour. Battez les œufs avec le
sucre jusqu'à ce que le mélange
soit clair et mousseux, puis ajoutez la farine tamisée, le beurre
fondu, les raisins secs bien
égouttés, les amandes et les noisettes hachées, les fruits confits
hachés et, enfin, le zeste de
citron râpé.

Étalez cette préparation en
une couche régulière et repliez
le bord de pâte, en le pinçant à
intervalles réguliers, afin d'obtenir une jolie bordure. Faites
cuire au four préchauffé à 175°
pendant 40 minutes. Laissez
complètement refroidir et parsemez de sucre glace juste avant
de servir.

TARTE BELLE-HÉLÈNE

*La délicieuse association des
poires et du chocolat rend
cette tarte irrésistible.*

*Temps : 1 h 30
Facile*

3 poires
200 g de sucre semoule
10 cl d'eau
1 fond de tarte en pâte sablée I
   (voir p. 56)
2 jaunes d'œufs
25 cl de lait
120 g de chocolat pâtissier
2 cuillerées à soupe de crème
   fleurette
le zeste d'une orange, finement
   râpé (facultatif)

Pelez et coupez les poires en
quartiers, puis ôtez le cœur. Faites fondre la moitié du sucre
avec l'eau dans une petite cas-

serole. Portez à ébullition, puis ajoutez les poires, coupées en longues tranches dans le sens de la hauteur. Laissez mijoter pendant 10 minutes.

Battez les jaunes d'œufs avec le reste du sucre pendant 5 à 10 minutes, puis ajoutez le lait petit à petit, en remuant avec une cuillère en bois. Faites cuire au bain-marie, sans cesser de remuer, jusqu'à ce que la préparation fasse le ruban. Réservez.

Sortez les poires du sirop à l'aide d'une écumoire. Faites bouillir le sirop de sucre jusqu'à ce qu'il commence à dorer légèrement. Incorporez ce sirop dans la crème.

Abaissez la pâte et foncez un moule de 25 cm de diamètre. Posez un morceau de papier sulfurisé sur le fond de tarte et remplissez de haricots secs. Faites cuire à four moyen (175°) pendant 30 minutes. Ôtez le papier et les haricots, et poursuivez la cuisson pendant 10 minutes.

Laissez refroidir, puis garnissez la pâte avec la crème. Disposez les poires par-dessus, en cercle. Faites fondre le chocolat cassé en morceaux avec la crème. Laissez légèrement refroidir avant d'en napper les poires. Décorez la tarte avec le zeste d'orange râpé, selon le goût, et servez aussitôt.

TARTE AU POTIRON

Temps : 1 h 30
Facile

400 g de chair de potiron, cuite
1 fond de tarte en pâte sablée II (voir p. 56)
10 macarons aux amandes, émiettés
1/2 cuillerée à café de cannelle en poudre
1/2 cuillerée à café de muscade en poudre
2 clous de girofle, émiettés, ou 1/2 cuillerée à café de clous de girofle en poudre
25 cl de lait
2 œufs
100 g de sucre semoule
25 cl de crème fouettée (facultatif)

Passez la chair de potiron au tamis. Foncez un moule à tarte de 25 cm de diamètre. Piquez le fond de la pâte avec une fourchette et faites-le cuire au four préchauffé à 175° pendant 20 minutes. Faites chauffer le potiron dans une casserole, à feu moyen, avec les macarons émiettés, les épices et le lait, en remuant constamment avec une cuillère en bois, jusqu'à ce que la préparation ait épaissi. Retirez du feu. Battez les œufs avec le sucre et incorporez ce mélange au potiron.

Garnissez le fond de tarte de la préparation obtenue et passez les dents d'une fourchette à la surface, afin de former un motif (voir illustration ci-contre). Remettez la tarte au four, à la même température, pendant 20 minutes. Laissez refroidir avant de servir. Vous pouvez décorer avec de la crème fouettée.

TARTE A LA GRENADE

Les grenades ont un petit goût légèrement acidulé, très agréable. Les Perses utilisaient les graines et le jus de grenade pour préparer la volaille, le gibier ou le poisson. Ces fruits commencent à être utilisés dans les recettes occidentales.

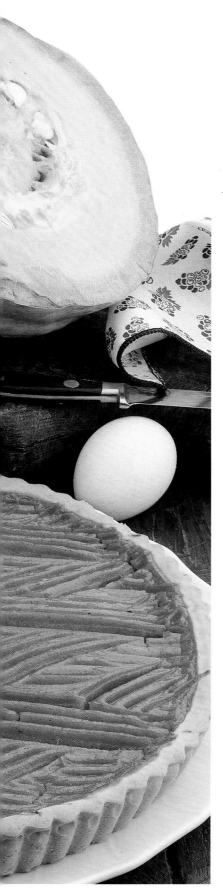

CANNELLE
■ *L'une des épices connues de l'homme depuis la plus haute antiquité. Son goût et son arôme particuliers rehaussent de nombreux desserts.*

*Temps : 1 heure
     + temps de repos*
Facile

4 grenades
50 cl de bon vin rouge
100 g de sucre semoule
1 clou de girofle
50 g d'amandes effilées
1 fond de tarte en pâte sablée I
   (voir p. 56)

Épluchez les grenades et ôtez les graines, en enlevant délicatement la membrane blanche et amère qui les entoure. Mettez-les dans une jatte avec le vin, le sucre et le clou de girofle. Laissez reposer pendant au moins 6 heures, puis filtrez.

Foncez un moule beurré et fariné avec la pâte sablée, couvrez d'un morceau de papier sulfurisé et remplissez de haricots secs. Faites cuire au four préchauffé à 175° pendant 30 minutes. Ôtez le papier et les haricots, et garnissez le fond de tarte avec la préparation à la grenade. Remettez au four pendant 10 minutes.

TARTE AU RAISIN ET AU CHOCOLAT

Ces deux ingrédients s'associent à la perfection et on obtient une tarte très originale. Vous pouvez remplacer le raisin par des oranges coupées en rondelles ou, en été, par des framboises fraîches.

*Temps : 1 heure
Facile*

100 g de sucre semoule
200 g de farine
120 g de beurre
100 g de cacao en poudre
   non sucré
1 œuf

300 g de raisin, pelé et épépiné
2 cuillerées à soupe de jus
   de citron

Mélangez la moitié du sucre avec la farine, le beurre ramolli, dont vous aurez réservé 1 cuillerée à soupe, le cacao et l'œuf. Travaillez la pâte jusqu'à obtention d'une boule lisse et homogène. Beurrez un moule à tarte et foncez-le. Posez un rond de papier sulfurisé sur le fond, remplissez de haricots secs et faites cuire au four préchauffé à 175° pendant 30 minutes. Ôtez le papier et les haricots.

Laissez refroidir, puis disposez les grains de raisin, en une seule couche, sur la pâte. Faites cuire le reste du sucre avec le jus de citron jusqu'à ce que le mélange commence à dorer, puis nappez-en aussitôt les raisins pendant qu'il est encore chaud. Servez la tarte bien froide.

TARTE AU MELON

Pour cette recette, il est important de choisir des melons très parfumés.

*Temps : 1 heure
Facile*

1 fond de tarte en pâte brisée
   (voir p. 56)
1 ou 2 melons (1 kg environ)
50 g de sucre semoule
25 cl de muscat (beaumes
   de Venise ou frontignan)
le zeste d'un citron, râpé
3 œufs

Préparez la pâte et laissez-la reposer au frais pendant 30 minutes au frais. Coupez le ou les melons en quartiers. Ôtez les graines et les parties fibreuses. Coupez la chair en dés et

TARTE A LA RHUBARBE
■ *Cette plante à grosses
feuilles portées par de
grosses tiges comestibles
permet de réaliser de
délicieux desserts. C'est
à la fin du printemps que
la chair est la plus sucrée
et la plus tendre.*

mettez-la dans une casserole avec le sucre, le vin et le zeste de citron râpé. Faites cuire, sans couvrir, pendant 20 minutes environ. Jetez le liquide de cuisson et passez la préparation au tamis. Mélangez la purée obtenue avec les œufs légèrement battus.

Abaissez la pâte et foncez un moule beurré et fariné de 25 cm de diamètre. Garnissez avec la préparation au melon et faites cuire au four préchauffé à 175° pendant 40 minutes. Laissez refroidir avant de servir.

TARTE A LA RHUBARBE

Temps : 1 heure
Facile

1 fond de tarte en pâte brisée
  (voir p. 56)
500 g de rhubarbe
100 g de sucre semoule
1 gousse de vanille, ou quelques
  gouttes d'extrait
12 cl d'eau
50 g d'amandes en poudre
10 cl de crème fouettée
50 g de sucre glace

Préparez la pâte brisée. Lavez soigneusement les tiges de rhubarbe, puis coupez-les en tronçons, après avoir ôté la peau rose si elle ne vous paraît pas assez tendre. Faites cuire le sucre avec la gousse de vanille fendue en deux (ou l'extrait) et l'eau pendant 1 à 2 minutes, puis ajoutez les tronçons de rhubarbe. Laissez mijoter à feu doux pendant 20 minutes, jusqu'à ce que la chair soit très tendre. Sortez la rhubarbe de la casserole à l'aide d'une écumoire et laissez-la complètement refroidir. Jetez la gousse de vanille. Faites bouillir le liquide de cuisson jusqu'à ce qu'il devienne sirupeux et épais.

Beurrez un moule à tarte de 25 cm de diamètre, foncez-le et parsemez le fond de la pâte avec les amandes en poudre. Posez la rhubarbe par-dessus, puis nappez de sirop. Faites cuire au four préchauffé à 175° pendant 40 minutes. Servez froid, avec de la crème fouettée sucrée, afin de contrebalancer l'acidité de la rhubarbe.

TARTE AUX PÊCHES

L'association des pêches et des macarons est délicieuse. Vous pouvez remplacer les pêches par des oreillons d'abricots au sirop ou, en dehors de la belle saison, utiliser des fruits en conserve.

Temps : 1 heure
Très facile

1 fond de tarte en pâte brisée
  (voir p. 56)
4 pêches
100 g de sucre semoule
8 petits macarons
10 cl de crème fouettée

Préparez la pâte. Lavez et essuyez les pêches, mais ne les pelez pas. Coupez-les en deux et dénoyautez-les. Beurrez et farinez légèrement un moule à tarte de 25 cm de diamètre. Foncez-le. Saupoudrez le fond avec 1 cuillerée à soupe de sucre. Disposez les pêches sur la pâte, partie coupée au-dessus. Glissez un petit macaron dans chaque demi-pêche, à la place du noyau. Saupoudrez avec le reste de sucre et faites cuire au four préchauffé à 175° pendant 40 minutes. Servez la tarte froide, décorée de crème fouettée.

TARTE AUX MURES ET AUX FIGUES

Cette recette gagne à être préparée avec des fruits bien mûrs de fin d'été, mais vous pouvez également utiliser des fruits surgelés.

Temps : 1 heure
  + temps de repos
Facile

12 figues bien mûres
25 cl de muscat
24 mûres bien juteuses
1 fond de tarte en pâte sablée I
  (voir p. 56)
10 cl de crème fouettée
50 g de sucre glace

Pelez délicatement les figues. Coupez-les en deux verticalement à l'aide d'un couteau à scie très coupant et mettez-les dans un plat ou une jatte. Arrosez-les avec le muscat et laissez-les macérer pendant 12 heures. Au moment de préparer la tarte, rincez les mûres à l'eau froide et étalez-les sur un linge ou sur du papier absorbant pour les faire sécher.

Beurrez et farinez un moule à tarte de 25 cm de diamètre et foncez-le. Piquez le fond avec une fourchette, déposez un rond de papier sulfurisé et garnissez de haricots secs. Faites cuire au four préchauffé à 175° pendant 30 minutes. Ôtez le papier et les haricots, et poursuivez la cuisson pendant 10 minutes. Laissez refroidir. Fouettez la crème, incorporez le sucre glace et étalez-la en couche fine sur la tarte refroidie. Disposez les figues égouttées et les mûres par-dessus.

TARTE A LA CONFITURE

L'adjonction de levure rend la pâte sablée encore plus moelleuse et légère. Utilisez de préférence de la confiture d'abricots maison, sinon choisissez-la d'excellente qualité.

Temps : 1 heure
Facile

1 fond de tarte en pâte sablée I
  (voir p. 56)
1 cuillerée à soupe de levure chimique
300 g de confiture d'abricots

Préparez la pâte sablée en prenant soin de tamiser la levure avec la farine. Étalez-la et utilisez-en les trois quarts pour foncer un moule de 25 cm de diamètre. Étalez la confiture d'abricots en couche régulière sur le fond de tarte. Découpez des bandelettes dans le reste de pâte à l'aide d'une roulette cannelée et décorez la tarte en les entrecroisant à la surface. Faites cuire au four préchauffé à 175° pendant 40 minutes. Laissez refroidir avant de servir.

Pour la pâte sablée :
300 g de farine
100 g de sucre semoule
1/2 cuillerée à café de sel
100 g de beurre
2 jaunes d'œufs + 1 œuf pour dorer

Pour la garniture :
1 kg de pommes, pelées, vidées
    et coupées en quartiers
le jus d'un demi-citron
120 g de sucre semoule
1/2 cuillerée à café de cannelle
    en poudre
1 pincée de muscade
2 cuillerées à soupe de farine
    ou de Maïzena
2 cuillerées à soupe de jus
    d'orange

Préparez la pâte sablée selon la recette de la page 56. Pelez, videz et coupez les pommes en gros quartiers. Mettez-les dans une jatte d'eau froide additionnée du jus du demi-citron.

Étalez une petite moitié de la pâte et foncez-en un moule beurré et fariné.

Étalez le reste de la pâte en une abaisse de 5 mm à 1 cm d'épaisseur et découpez-y des bandelettes de 2 cm de large environ à l'aide d'une roulette à pâtisserie cannelée.

Égouttez les pommes et faites-les cuire avec le sucre, la cannelle et la muscade jusqu'à ce qu'elles soient bien tendres. Ajoutez 1 ou 2 cuillerées à soupe d'eau si besoin. Ôtez du feu.

Égouttez le jus de cuisson excédentaire des pommes. Délayez la farine ou la Maïzena avec le jus d'orange et versez ce mélange dans les pommes. Mélangez et garnissez le fond de tarte avec cette préparation. Posez la moitié des bandelettes côte à côte par-dessus, puis disposez les autres en travers des premières.

Dorez à l'œuf battu.

Étalez le reste de la pâte en une abaisse circulaire. Découpez un grand cercle au centre et placez-le sur la tourte. Scellez les bords en les pinçant avec la pâte du fond.

Découpez des morceaux de pâte dans le reste de l'abaisse à l'aide d'un emporte-pièce.

Garnissez-en le bord de la tourte (voir illustration) et badigeonnez le tout d'œuf battu. Faites cuire au four préchauffé à 175° pendant 40 minutes environ, jusqu'à ce que la pâte soit bien cuite.

TOURTE AUX POMMES
ET AUX AMANDES
■ *Afin d'éviter que la pâte
ne se ramollisse, choisissez
des variétés de pommes
et de poires peu juteuses.*

TOURTE AUX POMMES ET AUX AMANDES

Temps : 1 h 15
Facile

3 pommes
2 poires
3 cuillerées à soupe de sucre
le zeste d'un citron râpé,
2 cuillerées à soupe d'eau
1 fond de tarte en pâte brisée
  (voir p. 56)
100 g d'amandes, hachées menu
  ou en poudre
quelques amandes entières
  et/ou effilées, grillées

Pelez, videz et coupez les pommes et les poires en tranches. Faites-les cuire avec le sucre, le zeste de citron et l'eau, à couvert et à feu doux.

Préparez la pâte. Utilisez-en les deux tiers pour foncer un moule à tarte beurré et fariné. Versez le mélange aux pommes et aux poires sur la pâte, puis parsemez les amandes hachées ou en poudre. Roulez le reste de pâte et formez-en le dessus de la tourte. Scellez les bords en les pinçant fermement, ou à l'aide d'une roulette à pâtisserie. Piquez la pâte avec une fourchette, afin que la vapeur puise s'échapper pendant la cuisson, et faites cuire au four préchauffé à 175° pendant 40 minutes. Parsemez la tourte avec des amandes grillées et servez aussitôt.

TARTE A LA CRÈME ET AUX KIWIS

Temps : 1 h 20
Facile

1 fond de tarte en pâte sablée I
  (voir p. 56)
2 jaunes d'œufs

50 g de sucre semoule
30 g de farine
25 cl de lait
8 kiwis
2 cuillerées à soupe de liqueur
    parfumée au citron,
    ou 1 cuillerée à soupe de jus
    de citron ou de citron vert
    + 1 cuillerée à soupe
    de cognac
50 g de confiture d'abricots,
    passée au tamis

Préparez la pâte, abaissez-la et foncez un moule à tarte beurré et fariné. Couvrez le fond de papier sulfurisé et garnissez de haricots secs. Faites cuire au four préchauffé à 175° pendant 30 minutes. Ôtez le papier et les haricots, et poursuivez la cuisson pendant 10 minutes. Laissez refroidir complètement.

Battez les jaunes d'œufs avec le sucre pendant 5 à 10 minutes, puis ajoutez la farine et le lait bouillant, en mince filet, sans cesser de battre. Faites cuire à feu doux, en remuant constamment, jusqu'à ce que la préparation épaississe. Pelez deux kiwis, ôtez la partie dure, près de la tige, et réduisez la pulpe en compote avec la liqueur au citron. Versez ce mélange dans la crème et garnissez-en le fond de tarte. Coupez le reste des kiwis en tranches et disposez-les sur le dessus de la tarte, en les faisant chevaucher légèrement. Faites fondre la confiture d'abricots et badigeonnez-en les kiwis.

TARTE MERINGUÉE A LA NOIX DE COCO

Temps : 1 heure
Facile

1 fond de tarte en pâte sablée II
    (voir p. 56)
2 œufs + 1 jaune
100 g de sucre semoule
1 cuillerée à café de fécule
    de pomme de terre
    ou de Maïzena
10 cl de crème fouettée
200 g de noix de coco en poudre

Préparez la pâte sablée. Étalez-la et foncez un moule à tarte beurré et fariné. Battez les trois jaunes d'œufs avec le sucre jusqu'à ce que le mélange soit clair et volumineux. Ajoutez la fécule tamisée, incorporez la crème fouettée, les blancs d'œufs battus en neige ferme et la noix de coco. Garnissez le fond de tarte et faites cuire au four préchauffé à 175° pendant 40 minutes. Laissez refroidir avant de servir.

TARTE AUX NOIX DE PÉCAN ET AUX POMMES

Le mariage de ces noix, peu courantes mais que l'on trouve facilement, avec les pommes est des plus réussis.

Temps : 1 h 20
Facile

1 fond de tarte en pâte sablée I
    (voir p. 56)
5 pommes golden
1 cuillerée à soupe d'eau
2 œufs
100 g de sucre semoule
10 cl de crème fouettée
le zeste d'un citron, râpé
100 g de noix de pécan

TARTE MERINGUÉE
A LA NOIX DE COCO
■ *La chair de noix de coco fraîche, très juteuse, offre un arôme inégalable. Vous pouvez la remplacer par de la noix de coco en poudre.*

Préparez la pâte. Pelez, videz et coupez les pommes en tranches. Faites-les cuire à feu doux avec l'eau jusqu'à ce qu'elles soient bien molles. Passez-les au tamis ou mixez-les dans un robot. Battez les jaunes d'œufs avec le sucre, ajoutez la compote de pommes, la crème fouettée et le zeste de citron râpé, puis incorporez les blancs d'œufs battus en neige.

Foncez un moule à tarte beurré avec la pâte, parsemez les noix de pécan, puis garnissez avec la préparation aux pommes. Lissez la surface et faites cuire au four préchauffé à 175° pendant 40 minutes.

TARTE MERINGUÉE AUX POMMES

Parsemez quelques biscuits écrasés sur la pâte avant de la garnir, afin que le jus des pommes soit absorbé en cours de cuisson et que la tarte reste bien croustillante.

Temps : 1 heure
Facile

1 fond de tarte en pâte sablée
  (voir p. 56)
4 pommes golden
50 g de sucre semoule
30 g de beure fondu
2 blancs d'œufs
1 pincée de sel
100 g de sucre glace

Préparez la pâte, laissez-la reposer, roulez-la et utilisez-la pour foncer un moule à tarte beurré. Pelez les pommes, coupez-les en quartiers, videz-les et émincez-les en tranches. Disposez-les sur la pâte, puis saupoudrez-les de sucre avant de les arroser de beurre fondu. Faites cuire au four préchauffé à 175° pendant 20 minutes.

Battez les blancs d'œufs avec le sel en neige ferme, ajoutez le sucre glace et continuez de battre pendant quelques minutes. Remplissez une poche à douille munie d'un embout cannelé de cette meringue et recouvrez-en les pommes. Faites cuire au four préchauffé à 175° pendant 20 minutes.

LES LEVURES

La levure de boulanger est un champignon qui a besoin de chaleur, d'humidité et de sucre pour faire lever une pâte. La levure chimique est un mélange de bicarbonate de soude et d'un élément acide doux tels la crème de tartre ou l'acide tartrique. La réaction chimique produit du gaz carbonique, qui fait gonfler la pâte au contact de la chaleur.

TARTE A LA CRÈME ET AU RAISIN

Temps : 1 heure
Facile

1 fond de tarte en pâte sablée I
  (voir p. 56)
2 œufs
50 g de sucre semoule
1 cuillerée à café de farine
25 cl de lait
700 g de raisin blanc très sucré
100 g de gelée de raisin

Préparez la pâte et laissez-la reposer avant de l'abaisser. Foncez un moule beurré et faites-la

TARTE A LA CRÈME
ET AU RAISIN
■ Choisissez du raisin
Italia ou du muscat. Vous
pouvez peler les grains,
après les avoir ébouillantés
pendant 1 ou 2 secondes.

2 jaunes d'œufs
30 g de farine
25 cl de lait
150 g de sucre semoule
2 cuillerées à soupe d'eau
le zeste, râpé, et le jus
   d'un citron
40 g de beurre
4 cuillerées à soupe de cognac
2 cuillerées à soupe d'eau

Préparez la pâte et laissez-la reposer. Abaissez-la et foncez-en un moule à tarte beurré. Recouvrez-la de papier sulfurisé, remplissez de haricots secs et faites cuire à blanc, au four préchauffé à 175°, pendant 30 minutes. Ôtez le papier et les haricots, et poursuivez la cuisson pendant 10 minutes.

Battez les jaunes d'œufs avec 60 g de sucre semoule jusqu'à ce que le mélange soit clair et mousseux, puis ajoutez le zeste de citron râpé et la farine. Ajoutez le lait chaud en mince filet et faites cuire la préparation au bain-marie, sans cesser de remuer, jusqu'à ce qu'elle fasse le ruban.

Pelez les bananes, coupez-les en rondelles et arrosez-les de jus de citron, pour éviter qu'elles ne noircissent. Faites fondre le beurre dans une grande casserole, ajoutez les bananes et arrosez-les avec 3 cuillerées à soupe de cognac. Laissez cuire pendant 1 minute. Étalez la crème sur la pâte refroidie et recouvrez-la de bananes. Faites cuire le reste de sucre avec l'eau jusqu'à ce que le sirop commence à caraméliser. Ajoutez le reste du cognac et versez rapidement le caramel sur les bananes. Servez aussitôt.

cuire, sans garniture, au four préchauffé à 200° pendant 30 minutes. Ôtez le papier sulfurisé et les haricots que vous aurez disposés au préalable sur la pâte, puis remettez le moule au four pendant 10 minutes. Laissez refroidir.

Battez les jaunes d'œufs avec le sucre, ajoutez la farine, puis versez le lait chaud, petit à petit, sans cesser de battre. Faites cuire à feu doux ou au bain-marie, en remuant constam-ment, jusqu'à ce que la crème épaississe. Laissez-la refroidir, puis incorporez les blancs d'œufs battus en neige. Étalez la crème sur la pâte et recouvrez-la de grains de raisin. Faites fondre la gelée de raisin à feu doux et utilisez-la pour glacer les fruits.

TARTE
A LA BANANE
ET AU CARAMEL

La réussite de cette tarte dépend de la rapidité à laquelle vous verserez le cara-mel sur les bananes : en effet, hors du feu, celui-ci durcit très rapidement. Pour dispo-ser d'un peu plus de temps, ajoutez-lui quelques gouttes de jus de citron.

Temps : 1 h 15
Facile

1 fond de tarte en pâte brisée
   (voir p. 56)
3 bananes

TARTE
AU MASCARPONE

Le mascarpone est un déli-cieux fromage crémeux, très

TARTE A LA CRÈME ET AUX FRAMBOISES
■ *Une recette très facile, qu'on peut utiliser pour confectionner des tartes aux myrtilles, aux groseilles, aux mûres ou aux fraises. Les fruits peuvent être disposés en cercles concentriques ou en spirale.*

riche en matières grasses. On le prépare en ajoutant de l'acide citrique à de la crème fraîche.

Temps : 1 heure
Facile

1 fond de tarte en pâte brisée (voir p. 56)
300 g de mascarpone
1 pincée de cannelle en poudre
2 œufs
4 cuillerées à soupe de sucre
10 cl de crème fleurette
4 cuillerées à soupe de cognac
8 macarons aux amandes, écrasés
100 g de chocolat pâtissier, râpé

Beurrez un moule à tarte et foncez-le avec la pâte brisée. Passez le mascarpone au tamis et mélangez-le avec la cannelle, les jaunes d'œufs battus, le sucre, la crème et le cognac. Ajoutez les macarons écrasés.

Garnissez le fond de tarte de ce mélange et faites cuire au four préchauffé à 175°. Laissez refroidir la tarte avant de la démouler. Présentez sur un plat de service et décorez de chocolat râpé juste avant de servir.

TARTE A LA CRÈME ET AUX FRAMBOISES

Temps : 1 h 30
Facile

1 fond de tarte en pâte brisée (voir p. 56)
25 cl de crème fraîche
50 g de sucre glace
4-5 gouttes d'extrait de vanille
500 g de framboises
100 g de gelée de groseilles
1 cuillerée à soupe de kirsch

Préparez la pâte et laissez-la reposer pendant 30 minutes avant de l'abaisser. Foncez un

moule de 25 cm de diamètre. Piquez le fond avec une fourchette, recouvrez de papier sulfurisé et remplissez de haricots secs. Faites cuire au four préchauffé à 175° pendant 30 minutes. Ôtez le papier et les haricots, puis laissez refroidir. Battez la crème, ajoutez le sucre glace et l'extrait de vanille. Étalez le mélange sur la pâte et lissez soigneusement avec une spatule. Recouvrez complètement avec les framboises. Faites chauffer la gelée de groseilles avec le kirsch et arrosez-en les framboises. Servez aussitôt.

TARTE AUX FRUITS SECS

Pour obtenir un goût plus prononcé, faites macérer les fruits secs dans du cognac pendant 12 heures. Dans ce cas, n'utilisez pas de vin et ne faites pas bouillir les fruits.

Temps : 1 heure
Facile

1 fond de tarte en pâte brisée (voir p. 56)
6 pruneaux, dénoyautés

6 abricots séchés
6 figues séchées
50 g de raisins secs sans pépins
25 cl de bon vin blanc
60 g de noix, hachées
le zeste d'un citron, râpé
50 g de sucre semoule
50 g de beurre fondu
25 cl de crème fouettée

Préparez la pâte brisée. Mettez tous les fruits secs dans une petite casserole avec le vin. Por-

TARTE AUX RAISINS
SECS ET A LA POIRE
■ *Choisissez une variété
de poire à chair bien
ferme, qui ne se ramollira
pas trop en cours de cuisson.*

tez à ébullition, couvrez et faites cuire pendant 5 minutes. Jetez le vin et épongez les fruits avec du papier absorbant. Hachez grossièrement les pruneaux, les figues et les abricots, puis mélangez-les avec les raisins secs, les noix, le zeste de citron râpé, le sucre et le beurre fondu.

Foncez un moule à tarte beurré de 25 cm avec les deux tiers de la pâte. Garnissez avec les fruits secs. Découpez des bandelettes dans le reste de pâte à l'aide d'une roulette à pâtisserie cannelée, puis décorez la surface de la tarte en les entre-croisant. Faites cuire au four préchauffé à 175° pendant 40 minutes. Laissez refroidir, puis décorez la tarte de rosettes de crème fouettée.

RAISINS DE SMYRNE
■ Faites-les tremper dans
de l'eau tiède pendant au
moins 30 minutes avant
de les utiliser. Égouttez-
les, pressez-les, afin d'en
exprimer tout le liquide,
et étalez-les sur du papier
absorbant pour les faire
sécher.

TARTE AUX RAISINS SECS ET A LA POIRE

Temps : 1 heure
Facile

100 g de raisins de Smyrne
1 fond de tarte en pâte sablée
  (voir p. 56)
200 g de confiture
  de framboises
4 poires

1 cuillerée à café de cannelle
  en poudre
le zeste d'un citron, râpé
60 g de sucre semoule

Faites tremper les raisins secs
dans de l'eau pendant une
heure. Préparez la pâte et
laissez-la reposer. Étalez-la et
foncez un moule beurré de
25 cm de diamètre. Étalez la
confiture de framboises sur le
fond de tarte. Coupez les poires
en quartiers, pelez-les, videz-les
et coupez-les en tranches.
Disposez-les, en les faisant chevaucher, sur la confiture de
framboises et parsemez les raisins secs, la cannelle, le zeste de
citron râpé et le sucre. Faites
cuire au four préchauffé à 175°
pendant 40 minutes, jusqu'à ce
que la tarte soit bien dorée.

TARTE AU RIZ ET A LA CANNELLE

Pour cette recette, comme
pour tous les desserts à base
de riz, utilisez du riz à grain
rond (caroline ou patna).

Temps : 1 heure
  + temps de repos
Facile

50 g de raisins de Smyrne
2 cuillerées à soupe de rhum
2 l d'eau
1 pincée de sel
100 g de riz rond
50 cl de lait
100 g de sucre semoule
1 bonne pincée de cannelle
  en poudre
4-5 gouttes d'extrait de vanille,
  ou 1 gousse
2 jaunes d'œufs
1 fond de tarte en pâte sablée I
  (voir p. 56)

Faites tremper les raisins dans
le rhum pendant 1 heure. Portez l'eau légèrement salée à
ébullition dans une grande casserole et versez-y le riz. Lorsque
l'ébullition reprend, comptez
5 minutes de cuisson. Égouttez
le riz. Faites chauffer le lait avec
le sucre, la cannelle et l'extrait
de vanille ou la gousse fendue
en deux. Jetez-y le riz en pluie
et laissez-le cuire pendant
45 minutes environ, jusqu'à ce
que tout le lait soit absorbé. Si
vous avez utilisé une gousse de
vanille, retirez-la. Réservez et
laissez légèrement refroidir la
préparation avant d'ajouter les
raisins secs et les jaunes d'œufs.

Foncez un moule à tourte avec
la pâte sablée et garnissez-la de
riz. Lissez la surface avec une
spatule. Mettez au four préchauffé à 175° et faites cuire
pendant 40 minutes.

LE RIZ

Pour les recettes à base de riz
présentées dans cet ouvrage,
utilisez une variété à beaux
grains ronds. Les riz caroline
ou patna conviennent particu-
lièrement bien à ce type de pré-
paration, car ils absorbent à
la perfection le liquide par-
fumé dans lequel ils cuisent.

TARTE AUX NOISETTES

Cete tarte présente une consis-
tance plus sèche que les recet-
tes précédentes. Son goût est
agréablement prononcé.
Servez-la accompagnée d'un
pot de crème ou de crème au
chocolat (voir p. 41), prépa-
rée avec un peu plus de lait
que la normale.

Temps : 1 heure
Facile

1 fond de tarte en pâte sablée II
  (voir p. 56)
4 cuillerées à soupe de gelée
  de pêche ou d'abricot,
  ou de confiture passée
  au tamis
2 blancs d'œufs
100 g de sucre glace
300 g de noisettes, pilées

Préparez la pâte et laissez-la
reposer au frais. Abaissez-la et
foncez un moule beurré. Faites
fondre la gelée ou la confiture
à feu doux et étalez-en 2 cuillerées à soupe sur la pâte. Battez
les blancs d'œufs en neige ferme
et continuez de battre à mesure
que vous ajoutez progressivement le sucre. Ajoutez les noisettes finement pilées. Faites
cuire au four préchauffé à 175°
pendant 40 minutes. Laissez

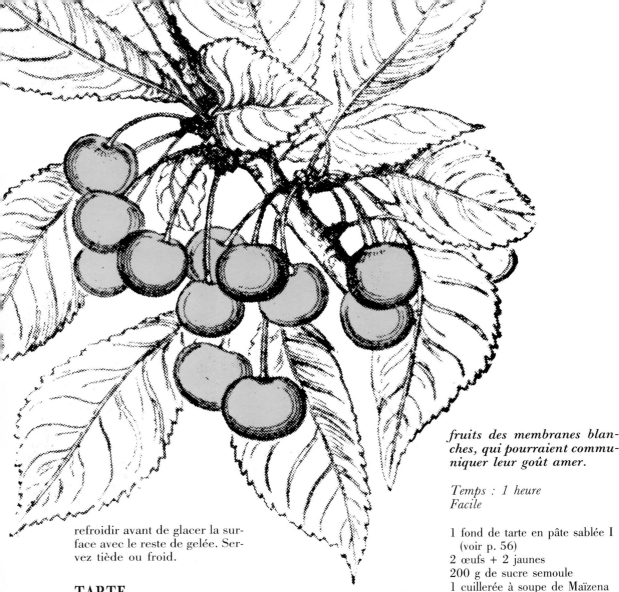

GRIOTTES
■ Elles se conservent très bien, recouvertes de sucre, dans un bocal en verre que vous laisserez au soleil sur le rebord d'une fenêtre, en le retournant chaque jour.

refroidir avant de glacer la surface avec le reste de gelée. Servez tiède ou froid.

TARTE AUX GRIOTTES

Vous pouvez utiliser des cerises fraîches ou surgelées, cuites et sucrées, à la place des cerises au sirop, ou encore remplacer celles-ci par des pêches, des abricots, des cerises noires ou de l'ananas frais coupé en petits dés.

Temps : 1 heure
Facile

1 fond de tarte en pâte brisée (voir p. 56)
2 jaunes d'œufs
60 g de sucre semoule
30 g de farine
25 cl de lait
1 kg de cerises au sirop

Foncez un moule beurré de 25 cm avec la pâte brisée. Couvrez de papier sulfurisé, remplissez de haricots secs et faites cuire au four préchauffé à 175° pendant 30 minutes. Ôtez le papier et les haricots, et poursuivez la cuisson pendant 10 minutes. Laissez refroidir.

Battez les jaunes d'œufs avec le sucre jusqu'à ce que le mélange soit clair et mousseux. Ajoutez la farine, petit à petit, puis le lait chaud. Continuez de remuer, à feu doux, jusqu'à ce que la crème épaississe. Laissez-la légèrement refroidir avant d'en garnir le fond de tarte. Égouttez les cerises, dénoyautez-les et disposez-les sur la crème.

TARTE A L'ORANGE ET AU CITRON

Les desserts à base d'agrumes sont toujours très rafraîchissants et paraissent peu sucrés. Veillez à bien débarrasser les fruits des membranes blanches, qui pourraient communiquer leur goût amer.

Temps : 1 heure
Facile

1 fond de tarte en pâte sablée I (voir p. 56)
2 œufs + 2 jaunes
200 g de sucre semoule
1 cuillerée à soupe de Maïzena
le jus d'un citron
le jus d'une orange
3 oranges, pelées et séparées en quartiers
3 citrons, pelés et séparés en quartiers
2 cuillerées à soupe d'eau
100 g de gelée de groseilles
1 cuillerée à soupe de cognac

Foncez un moule beurré avec la pâte. Posez du papier sulfurisé sur le fond de tarte et garnissez de haricots secs. Faites cuire au four préchauffé à 175° pendant 30 minutes. Ôtez le papier et les haricots, puis remettez au four pendant 10 minutes. Laissez refroidir complètement.

Battez les œufs et les jaunes avec 60 g de sucre, ajoutez la Maïzena, puis les jus de citron et d'orange. Remuez la préparation pendant qu'elle cuit et épaissit. Ôtez délicatement la peau des quartiers d'orange et de citron. Faites fondre le reste du sucre avec l'eau et laissez mijoter pendant 5 minutes, en écumant régulièrement. Plongez les quartiers de fruits dans le sirop bouillant à l'aide d'une écumoire. Dès que l'ébullition reprend, soulevez-les et laissez-les égoutter dans la casserole avant de plonger une nouvelle fournée. Laissez refroidir.

Recouvrez le fond de tarte avec la crème refroidie, puis disposez les quartiers d'orange et de citron par-dessus, en les faisant alterner. Faites fondre la gelée de groseilles avec le cognac et glacez la surface de la tarte avec ce mélange chaud.

TARTE A LA CANNELLE

Temps : 1 heure
Facile

300 g de farine
100 g de sucre semoule
2 jaunes d'œufs + 1 blanc
150 g de beurre
1 cuillerée à soupe de marsala
2 cuillerées à café de cannelle en poudre
1 cuillerée à café de gingembre frais, râpé
1 pincée de sel

Tamisez la farine sur un marbre ou dans une grande jatte. Faites un puits. Ajoutez les jaunes d'œufs, le beurre ramolli, coupé en petits morceaux, le marsala, la cannelle, le gingembre et le sel. Mélangez ces ingrédients à l'aide d'une cuillère en bois ou du bout des doigts, en incorporant progressivement la farine. Formez une boule avec la pâte, enveloppez-la dans du film adhésif et mettez-la au réfrigérateur pendant 30 minutes.

Étalez la pâte et foncez-en un

TARTE
A LA CANNELLE
■ *La cannelle se vend
en bâtons (écorce roulée)
ou finement broyée : elle
perd alors un peu de son
arôme. Le gingembre
frais se trouve dans
les grandes surfaces
et les épiceries asiatiques.*

moule beurré de 25 cm de diamètre. Avec un pinceau, badigeonnez la tarte de blanc d'œuf
légèrement battu. Faites cuire au
four préchauffé à 175° pendant
40 minutes. Laissez refroidir.

TARTE AUX FRUITS CARAMÉLISÉE

*Les fruits sauvages ont plus de
goût que les variétés cultivées et
accentuent le goût et l'arôme
des desserts qu'ils parfument.
A défaut de fruits frais, utilisez des fruits surgelés.*

*Temps : 1 heure
Facile*

1 fond de tarte en pâte sablée I
  (voir p. 56)
2 œufs
200 g de sucre semoule
30 g de farine

25 cl de lait
100 g de myrtilles
100 g de fraises des bois
100 g de mûres
100 g de framboises
50 g de groseilles
2 cuillerées à soupe de jus
  de citron

Préparez la pâte et laissez-la
reposer. Étalez-la et foncez-en
un moule beurré de 25 cm de
diamètre. Recouvrez le fond
avec du papier sulfurisé, remplissez de haricots secs et faites
cuire au four préchauffé à 175°
pendant 30 minutes. Ôtez le
papier et les haricots, et poursuivez la cuisson 10 minutes.

Battez les jaunes d'œufs avec
60 g de sucre semoule pendant
5 minutes environ. Ajoutez la
farine, puis versez le lait chaud,
en mince filet, sans cesser de battre. Faites cuire à feu doux, en
remuant, jusqu'à ce que la sauce
soit bien épaisse. Laissez refroidir la crème pendant que vous
triez et lavez les fruits. Faites-les
sécher sur du papier absorbant.

Étalez la crème sur le fond de
tarte et recouvrez de fruits. Faites fondre le reste du sucre avec
le jus de citron filtré et laissez
cuire jusqu'à ce que le caramel
commence à dorer, puis versez-
le sur les fruits pendant qu'il est
encore chaud.

TARTE A LA RICOTTA ET AUX CERISES

Durée : 1 heure
Facile

1 fond de tarte en pâte brisée
  (voir p. 56)
2 œufs
100 g de sucre semoule
300 g de ricotta
100 g de cerises confites
1 cuillerée à soupe de rhum
  ou de cognac
1 petite pincée de cannelle
  en poudre

Battez les jaunes d'œufs avec le sucre jusqu'à ce que le mélange soit pâle et volumineux, puis incorporez la ricotta, sans cesser de battre. Ajoutez les cerises, le rhum ou le cognac et la cannelle. Incorporez les blancs d'œufs battus en neige ferme.

Abaissez la pâte et foncez-en un moule beurré de 25 cm de diamètre. Garnissez le fond de la tarte avec la préparation au fromage. Avec la partie non coupante de la lame d'un grand couteau de cuisine, formez des traits partant du centre de la tarte. Faites cuire au four préchauffé à 175° pendant 40 minutes. Cette tarte est meilleure le lendemain.

TARTE AUX KAKIS A LA CRÈME A L'ORANGE

Si vous aimez la cannelle, vous pouvez en saupoudrer une cuillerée à café sur la tarte. Cette épice se marie très bien avec les kakis et les oranges.

Temps : 1 h 30
Facile

*TARTE A LA RICOTTA
ET AUX CERISES*
■ *La ricotta est une sorte
de fromage blanc italien
très maigre. Léger et
digeste, il est fabriqué
avec le petit-lait obtenu
lors de la fabrication
d'autres fromages.
Le lait d'origine est du lait
de brebis, de chèvre
ou de vache.*

4 kakis bien mûrs
4 cuillerées à soupe de cognac
1 fond de tarte en pâte brisée
   (voir p. 56)
100 g de sucre semoule
30 g de fécule de pomme
   de terre
25 cl d'eau bouillante
2 jaunes d'œufs
le zeste d'une orange, râpé
6 cuillerées à soupe de jus
   d'orange
20 g de beurre
50 g d'écorce d'orange confite
1 pincée de sel

Choisissez des kakis bien mûrs :
ils doivent être mous au toucher.
Rincez-les, ôtez la queue,
coupez-les en deux verticalement et arrosez les parties coupées de cognac. Laissez reposer,
les parties coupées vers le haut,
pendant 30 minutes environ.

Préparez la pâte. Étalez-la et
foncez un moule beurré de
25 cm de diamètre. Posez du
papier sulfurisé dans le fond de
tarte, remplissez de haricots secs
et faites cuire au four préchauffé
à 175° pendant 30 minutes.
Ôtez le papier et les haricots, et
poursuivez la cuisson pendant
10 minutes.

Pendant que la pâte refroidit,
mélangez le sucre et la fécule de
pomme de terre dans une petite
casserole, puis ajoutez l'eau
bouillante, sans cesser de
remuer. Retirez du feu. Battez
brièvement les jaunes d'œufs et
versez-les dans le mélange précédent. Remettez à feu doux
pendant 2 minutes. Ôtez la casserole du feu, ajoutez le zeste et
le jus d'orange, puis le beurre.
Remuez bien. Versez ce
mélange dans le moule, lissez à
la spatule et disposez les kakis
par-dessus, côté coupé au-
dessus. Parsemez de morceaux
d'écorce d'orange confite et servez aussitôt.

C'est à la qualité d'une pâte feuilletée que l'on reconnaît, entre autres, le véritable pâtissier. Si vous suivez scrupuleusement chacune des étapes des recettes proposées et que vous ne tentez pas de simplifier les opérations, ni de mesurer les ingrédients à vue de nez, il n'y aucune raison pour que cette fameuse pâte feuilletée ne vienne pas enrichir votre répertoire culinaire. Vous pourrez alors goûter au plaisir quasi magique de voir la pâte se lever pendant la cuisson au four, pour former une véritable œuvre d'art, légère et délicate à souhait.

□ *Afin d'éviter que le dessous de la pâte feuilletée n'attache à la plaque ou au moule, beurrez généreusement le support, même si celui-ci est antiadhésif, puis farinez-le légèrement ; retournez le moule ou la plaque pour ôter l'excédent de la farine. Une autre précaution consiste à s'assurer que la garniture ne déborde pas en cours de cuisson.*

□ *Si vous devez faire cuire un fond de tarte avant de le garnir, piquez-le avec une fourchette, afin que l'air emprisonné entre le moule et la pâte puisse s'échapper sans faire gonfler le fond ; vous pouvez également le couvrir avec du papier sulfurisé et le remplir de haricots secs pour faire du poids.*

□ *Casser des amandes peut se révéler relativement difficile et long à réaliser. Une fois la coque cassée, il faut en outre les débarrasser de la peau brune : pour faciliter cette opération, plongez les amandes ouvertes dans de l'eau bouillante pendant 1 à 2 minutes.*

□ *Faites tremper des raisins de Smyrne dans de l'eau tiède pendant 30 minutes environ avant de les utiliser : ils gonfleront et doubleront de volume. Pour gagner du temps, utilisez de l'eau bouillante, mais, dans ce cas, n'y laissez pas les raisins plus de quelques minutes.*

PATE FEUILLETÉE

On utilise la pâte feuilletée pour un très grand nombre de desserts et de pâtisseries. Sa réalisation exige de l'attention et un certain entraînement : ne soyez donc pas déçu devant une fournée peu satisfaisante, vous ferez mieux une prochaine fois. Lorque vous confectionnez de la pâte feuilletée, vous devez toujours faire très attention à ce que vous faites et garder à l'esprit toutes les astuces que nous vous donnons dans ce livre. N'hésitez pas à vous reporter à la recette filmée page 88.

*Temps : 30 minutes
     + temps de repos
Assez facile*

250 g de farine
1 pincée de sel
5 à 10 cl d'eau froide
220 g de beurre

Tamisez 220 g de farine sur un marbre, un plan de travail, ou dans une jatte. Faites un puits. Ajoutez le sel et l'eau. Mélangez du bout des doigts sans trop travailler. Formez une boule. Laissez reposer 15 minutes. Étalez cette détrempe au rouleau, en écrasant bien les bords. Sortez le beurre du réfrigérateur et déposez-le au centre. Aplatissez-le et repliez la pâte par-dessus. Abaissez ce pâton en un rectangle trois fois plus long que large. Repliez-le en trois. Faites-le tourner d'un quart sur lui-même et recommencez l'étape précédente. Laissez reposer au frais 30 minutes, couvert d'un linge ou d'un film plastique. Donnez encore deux tours en respectant

le même temps de repos, à deux reprises. Le feuilletage est donc composé de six tours. Laissez reposer plusieurs heures au frais avant utilisation.

PATE FEUILLETÉE LÉGÈRE

Cette recette comporte moins de beurre que la précédente. Si vous préférez utiliser cette pâte pour les recettes qui suivent, le résultat sera moins savoureux et délicat.

*Durée : 30 minutes
     + temps de repos
Assez facile*

300 g de farine
1 cuillerée à café de sel
150 g de beurre
eau froide

Procédez exactement comme pour la recette précédente. Seules les proportions des ingrédients changent.

GATEAU FEUILLETÉ AUX ABRICOTS ET AUX MACARONS

*Temps : 1 h 25
Assez facile*

1 fond de tarte en pâte feuilletée
   (voir p. 86)
50 g de raisins secs
6 abricots mûrs, ou 12 oreillons
   au sirop
20 g de petits macarons
1 œuf
50 g de sucre semoule
50 g de beurre fondu
20 g de Maïzena
250 g de ricotta

■ *Les macarons
se marient bien avec
les abricots ; en outre, ils
absorbent le jus que les
fruits rendent pendant la
cuisson.*

le zeste d'un demi-citron, râpé
1 pincée de sel
angélique confite

Beurrez et farinez légèrement un
moule à tarte de 25 cm de diamètre. Abaissez la pâte et foncez le moule. Mettez au réfrigérateur. Faites gonfler les raisins secs dans de l'eau tiède.
Lavez les abricots, coupez-les en
deux, puis dénoyautez-les.
Émiettez grossièrement la moitié des macarons. Battez le jaune
d'œuf avec le sucre dans une
jatte, jusqu'à ce que le mélange
soit clair et mousseux ; sans cesser de battre, ajoutez le beurre
fondu, la Maïzena, la ricotta, le

zeste de citron râpé et le sel.
Incorporez le blanc d'œuf monté
en neige ferme.

Recouvrez le fond de tarte
avec les miettes de macarons.
Posez les demi-abricots ou les
oreillons égouttés par-dessus,
puis versez la préparation au fromage blanc. Lissez avec une
spatule et faites cuire au four
préchauffé à 175° pendant
45 minutes. Lorsque le gâteau
est froid, décorez-le avec le reste
de macarons, les raisins égouttés et épongés, et de petits morceaux d'angélique confite. Si
vous avez utilisé des oreillons au
sirop, vous pouvez également en
ajouter quelques-uns.

TARTE FEUILLETÉE
A LA RICOTTA
ET A L'ANANAS

*On trouve généralement des
ananas frais en toute saison,
mais pour cette recette, vous
pouvez utiliser des tranches
d'ananas au sirop, que vous
égoutterez et essuierez avec du
papier absorbant.*

*Temps : 1 h 10
Assez facile*

1 fond de tarte en pâte feuilletée
  (voir p. 86)
2 jaunes d'œufs + 1 blanc
80 g de sucre semoule
300 g de ricotta
30 g de beurre
8 rondelles d'ananas, pelées
  et débarrassées du cœur
2-3 gouttes d'extrait de vanille
1 petit morceau d'angélique
  confite

Abaissez la pâte et foncez un
moule à tarte beurré et fariné de
25 cm de diamètre. Mettez au

87

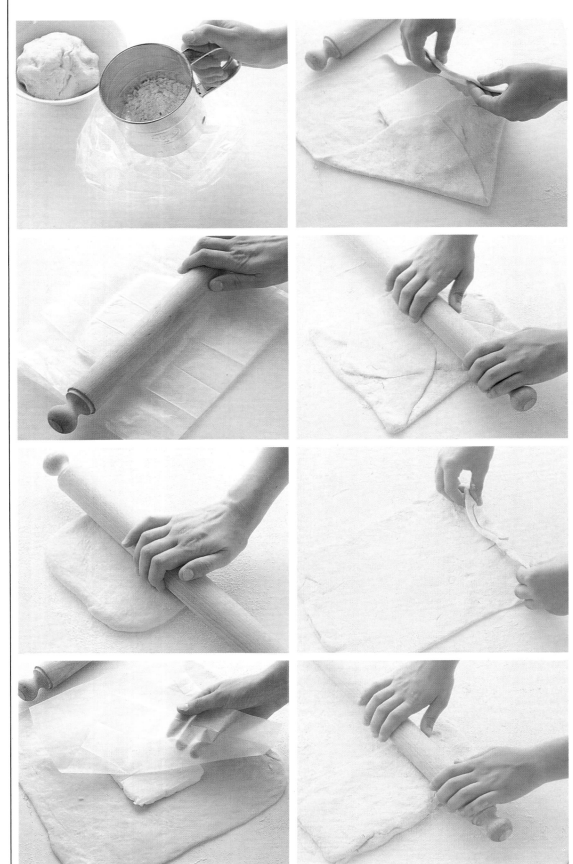

Les quantités indiquées ici permettent de foncer un grand moule à tarte ; pour les recettes de cet ouvrage, les quantités données page 86 sont généralement suffisantes.

Pour 1 kg de pâte environ

500 g de farine
2 cuillerées à café de sel
500 g de beurre
10 à 20 cl d'eau froide

Tamisez la farine et le sel dans une grande jatte. Ajoutez un peu d'eau froide et incorporez le beurre du bout des doigts. Ajoutez suffisamment d'eau froide pour obtenir une pâte assez molle. Saupoudrez l'intérieur d'un sac en plastique de farine et mettez-y la boule de pâte. Réservez au réfrigérateur pendant au moins 30 minutes.

Sortez la pâte du réfrigérateur. Étalez une feuille de papier sulfurisé sur le marbre ou le plan de travail, posez le beurre (sorti du réfrigérateur) par-dessus et recouvrez-le également de papier sulfurisé. Aplatissez le beurre sur 2 cm d'épaisseur environ.

Sortez la pâte du sac et déposez-la sur le marbre légèrement fariné ; roulez-la en une abaisse carrée de 1 à 2 cm d'épaisseur ; le morceau de pâte sera ainsi suffisamment grand pour envelopper le beurre en repliant les coins vers le centre. Lorsque vous roulez la pâte, veillez à la tourner fréquemment.

Décollez la papier sulfurisé du beurre et placez celui-ci au milieu du morceau de pâte. Décollez la seconde feuille de papier sulfurisé.

Repliez les quatre coins de pâte vers le centre, afin d'enfermer complètement le beurre. Roulez délicatement les bords avec le rouleau à pâtisserie.

Roulez légèrement l'enveloppe jusqu'à ce que la pâte prenne une forme rectangulaire régulière, la longueur devant être trois fois plus grande que la largeur.

Repliez un bord jusqu'aux deux tiers du rectangle ; repliez le bord opposé, de façon qu'il soit de niveau avec le pli précédemment formé. Vous obtenez alors trois épaisseurs de pâte.

Recommencez ces deux dernières opérations. Tournez la pâte d'un quart de tour avant chaque pliage, de manière à rouler la pâte dans un sens différent à chaque fois. Replacez la pâte dans le sac fariné et remettez-la au réfrigérateur pendant 30 minutes (la pâte doit également être réfrigérée entre les opérations de pliage). Faites encore deux tours complets : la pâte est prête à être utilisée.

TARTE FEUILLETÉE
A LA CRÈME
ET AUX POMMES
■ Vous pouvez utiliser
d'autres fruits, telles les
poires ou les bananes,
qui conviennent
particulièrement bien.

réfrigérateur pendant 1 heure.
Battez les jaunes d'œufs avec le
sucre jusqu'à ce que le mélange
soit clair et aéré, puis incorporez la ricotta préalablement passée au tamis. Ajoutez le beurre
fondu, 1 cuillerée à soupe de jus
d'ananas et l'extrait de vanille,
sans cesser de battre. Hachez
6 rondelles d'ananas, égouttez-
les et ajoutez-les à la préparation. Incorporez le blanc d'œuf
battu en neige ferme.

Sortez le fond de tarte du réfrigérateur, piquez-le avec une
fourchette et garnissez-le avec la
préparation à l'ananas. Faites
cuire au four préchauffé à 200°
pendant 30 minutes. Essuyez les
2 rondelles d'ananas qui restent
avec du papier absorbant,
coupez-les en petits morceaux et
décorez-en la tarte. Enfin, ajoutez quelques morceaux d'angélique confite.

TARTE FEUILLETÉE
A LA CRÈME
ET AUX POMMES

Temps : 1 h 15
Assez facile

1 fond de tarte en pâte feuilletée
 (voir p. 86)
2 œufs + 2 jaunes
150 g de sucre semoule
30 g de farine
25 cl de lait
3 pommes golden
50 g de beurre fondu
50 g d'amandes en poudre
1 cuillerée à soupe de sucre
 vanillé

Roulez la pâte et foncez un
moule à tarte beurré et fariné de
25 cm de diamètre. Piquez le
fond avec une fourchette et
mettez au réfrigérateur pendant
30 minutes. Battez 2 jaunes
d'œufs avec 100 g de sucre

semoule jusqu'à ce que le mélange soit clair et mousseux. Ajoutez la farine tamisée, puis 1 œuf. Continuez de battre pendant 10 minutes, puis versez le lait chaud, en mince filet, sans cesser de fouetter. Faites cuire cette crème à feu doux, en remuant avec une cuillère en bois. Lorsque le mélange atteint l'ébullition, poursuivez la cuisson pendant 2 minutes, sans cesser de remuer. Laissez refroidir, puis versez la crème dans le moule. Lissez la surface avec une spatule.

Pelez les pommes, ôtez le cœur et les pépins, puis coupez-les en tranches fines que vous disposerez en cercles concentriques sur la crème, en les faisant chevaucher. Mettez au four préchauffé à 210° pendant 10 minutes, puis abaissez la température à 175° et laissez cuire 20 minutes. Sortez la tarte du four. Mélangez le reste du sucre avec le beurre fondu et l'œuf ; versez ce mélange sur la tarte chaude, parsemez d'amandes en poudre et remettez au four pendant 10 minutes,

jusqu'à ce que la surface commence à dorer. Laissez refroidir avant de saupoudrer la tarte de sucre vanillé (ou ordinaire).

TARTE FEUILLETÉE AUX PÊCHES ET AUX AMANDES

Ce dessert rafraîchissant et crémeux peut être réalisé avec d'autres fruits d'été, notamment des abricots, des fraises ou des framboises.

Temps : 1 h 20
Assez facile

1 fond de tarte en pâte feuilletée (voir p. 86)
1 kg de pêches bien mûres
250 g de sucre semoule
4 œufs
4-5 gouttes d'extrait de vanille
100 g de beurre fondu
20 amandes, mondées

Étalez la pâte et foncez un moule à tarte de 25 cm de diamètre, beurré et fariné. Piquez le fond avec une fourchette. Mettez au réfrigérateur pendant 30 minutes. Pelez les pêches, coupez-les en deux et dénoyautez-les. Mixez

4 pêches avec le sucre, les œufs, la vanille et le beurre fondu, jusqu'à obtention d'un mélange très homogène. Coupez les pêches restantes en tranches et disposez-les sur la pâte. Placez les amandes au milieu des pêches et nappez le tout avec la crème aux pêches mixée. Faites cuire au four préchauffé à 200° pendant 35 à 40 minutes.

MILLE-FEUILLE AUX FRUITS ROUGES

Temps : 1 h 10
Assez facile

1 fond de tarte en pâte feuilletée (voir p. 86)
500 g de fruits rouges mélangés (framboises, fraises et mûres)
100 g de sucre de canne en poudre
100 g de farine
50 g de confiture ou de gelée de groseilles

150 g de sucre semoule
150 g de beurre

Lorsque vous avez préparé la pâte, rincez les fruits à l'eau froide, épongez-les et mettez-les dans une jatte en terre ou en verre avec le sucre de canne. Mélangez et laissez reposer pendant 1 heure.

Étalez la pâte en une abaisse très fine et découpez-y trois cercles identiques. Beurrez une grande plaque à pâtisserie ou trois moyennes, farinez-les, secouez-les pour ôter l'excédent et disposez-y les cercles de pâte. Faites cuire au four préchauffé à 200° pendant 20 minutes, jusqu'à ce que la pâte soit dorée, montée et croustillante. Mélangez la farine avec le sucre semoule dans une jatte. Incorporez du bout des doigts le beurre ramolli coupé en petits morceaux. Vous devez obtenir un mélange grumeleux. Laissez refroidir complètement les cercles de pâte, puis saupoudrez

**MILLE-FEUILLE
AUX FRUITS ROUGES**
■ Si vous souhaitez
préparer ce délicieux
dessert en dehors de la
belle saison, n'hésitez pas
à utiliser des fruits
congelés, qui conviennent
tout aussi bien.

l'un d'eux avec un tiers du mélange grumeleux. Disposez un tiers des fruits par-dessus, recouvrez avec un cercle de pâte, remettez une couche de mélange grumeleux, puis de fruits rouges. Recouvrez avec le dernier cercle de pâte et le reste du mélange grumeleux. Terminez avec une couche de gelée de groseilles et décorez le gâteau avec le reste des fruits.

FEUILLETÉ
A LA BANANE

Pour éviter que les rondelles de banane ne noircissent, arrosez-les d'un peu de jus de citron.

Temps : 1 h 20
Assez facile

1 fond de tarte en pâte feuilletée
    (voir p. 86)
100 g de sucre semoule
20 cl d'eau
2 jaunes d'œufs
200 g de beurre
2 cuillerées à soupe de sucre
    vanillé, ou 2 cuillerées à soupe
    de sucre et 2-3 gouttes
    d'extrait de vanille
2 bananes bien mûres
1 cuillerée à soupe
    de marasquin
80 g d'amandes effilées

Étalez la pâte et découpez-y quatre rectangles identiques, de 1 cm d'épaisseur. Beurrez une grande plaque à pâtisserie, farinez-la, puis déposez-y les rectangles de pâte, en les espaçant légèrement. Piquez la surface avec une fourchette et faites cuire au four préchauffé à environ 200° pendant 20 minutes, jusqu'à ce que la pâte soit dorée. Laissez refroidir.

Faites chauffer le sucre et l'eau dans une casserole à fond épais et laissez cuire ce sirop jusqu'au stade du grand lissé. Ôtez du feu. Battez énergiquement les jaunes d'œufs pendant que vous ajoutez le sirop bouillant. Continuez de fouetter jusqu'à ce que la préparation refroidisse. Battez le beurre avec le sucre vanillé (ou avec le sucre et l'extrait de vanille). Réduisez en purée les bananes pelées et coupées en rondelles au mixer, puis mélangez bien avec le beurre et le sucre. Ajoutez progressivement le mélange aux œufs, puis le marasquin, en battant bien entre chaque adjonction.

Étalez un tiers de cette préparation sur un rectangle de pâte et posez un autre rectangle par-dessus. Recommencez cette opération deux fois, en finissant par un rectangle de pâte.

Faites griller les amandes au four préchauffé à 200° pendant 5 minutes, en veillant à ce qu'elles ne brûlent pas. Laissez-les refroidir et parsemez-en le gâteau uniformément.

DÉLICE A LA CRÈME

Le gâteau mousseline associé à la pâte feuilletée fait de ce dessert un chef-d'œuvre de légèreté. Vous pouvez également parfumer la crème pâtissière avec du chocolat.

Temps : 1 h 15
Assez facile

1 fond de tarte en pâte feuilletée
  (voir p. 86)
100 g de raisins de Smyrne
10 cl de Grand Marnier
crème pâtissière (voir p. 44)
1 gâteau mousseline de 22 cm
  de diamètre (voir p. 146)
sucre glace

Divisez la pâte feuilletée en deux et étalez chaque morceau en un cercle du diamètre du gâteau. Placez ces deux cercles sur la plaque à pâtisserie beurrée et farinée, et faites cuire au four préchauffé à 175° pendant 20 minutes environ, jusqu'à ce que la pâte soit cuite. Faites tremper les raisins de Smyrne dans de l'eau chaude pendant 10 minutes. Lorsqu'ils sont mous et bien gonflés, épongez-les avec du papier absorbant et mettez-les dans une tasse avec 2 cuillerées à soupe de Grand Marnier.

Préparez la crème pâtissière. Lorsqu'elle est complètement froide, incorporez-lui les raisins égouttés. Disposez un cercle de pâte sur un plat de service et nappez-le d'une couche de crème, en utilisant la moitié de la quantité préparée. Recouvrez avec le gâteau mousseline, que vous arroserez du reste de Grand Marnier, puis étalez le reste de crème pâtissière par-dessus. Posez le cercle de pâte et saupoudrez un peu de sucre glace sur le dessus du gâteau.

COUTEAU
DE PATISSIER
■ *Gravure française
du XVIe siècle. Ce couteau
à manche en ivoire servait
à couper et à servir
des gâteaux et d'autres
pâtisseries.*

LA CRÈME

*Il est moins facile et plus long
de fouetter de la crème tiède.
Vous gagnerez du temps et de
l'énergie en la réfrigérant pendant 1 à 2 heures avant de la
fouetter. Les blancs d'œufs,
au contraire, montent plus vite
s'ils sont à température
ambiante. Une pincée de sucre
ou de sel facilite l'opération.*

MILLE-FEUILLE
AUX FRAISES

*Temps : 1 h 20
Assez facile*

1 fond de tarte en pâte feuilletée
  (voir p. 86)
2 jaunes d'œufs
100 g de sucre semoule
30 g de farine
20 cl de lait
12 cl de crème fouettée
300 g de fraises des bois
1 cuillerée à soupe de sucre
  glace

Divisez la pâte en trois et étalez
chaque morceau en une abaisse
carrée. Disposez-les sur une
grande plaque à pâtisserie beurrée et farinée et faites cuire au
four préchauffé à 200° pendant
20 minutes. Battez les jaunes
d'œufs et le sucre jusqu'à ce que
le mélange soit clair et mousseux. Ajoutez la farine, puis, très
progressivement, le lait bouillant, sans cesser de battre. Faites épaissir la crème à feu doux,
en remuant constamment. Laissez reposer. Lorsque la crème
est froide, incorporez la crème
fouettée.
  Rincez et épongez les fraises.
Étalez un tiers de la crème sur

l'un des carrés de pâte. Recouvrez d'un tiers des fraises, puis
d'un carré de pâte. Recommencez l'opération en terminant par
un carré de pâte que vous par-
sèmerez de sucre glace. Décorez le centre du gâteau avec des
fraises, selon le goût.

TARTE FEUILLETÉE
AUX NECTARINES

*Les cornflakes absorbent le
liquide libéré par les fruits en
cours de cuisson, ce qui évite
à la pâte de se ramollir.*

*Temps : 1 h 10
Assez facile*

1 fond de tarte en pâte feuilletée
  (voir p.86)
4 nectarines
50 g de beurre
100 g de sucre semoule
30 g de farine
2 œufs
25 cl de lait
6 cuillerées à soupe
  de cornflakes

Étalez la pâte et foncez-en un
moule légèrement beurré et
fariné. Mettez au réfrigérateur
pendant 30 minutes. Lavez et
pelez les nectarines, dénoyautez-les et coupez la chair en
dés. Battez le beurre pour qu'il
ramollisse. Incorporez le sucre
et la farine, sans cesser de battre. Ajoutez les œufs, un par un,
en fouettant à chaque fois, puis
versez le lait chaud, en mince
filet. Sortez le fond de tarte du
réfrigérateur, parsemez-le de
cornflakes et disposez les dés de
nectarines en couche régulière.
Nappez de crème et faites cuire
au four préchauffé à 200° pendant 40 minutes.

TARTE FEUILLETÉE AUX FRAMBOISES ET AU CHOCOLAT

Le chocolat se marie délicieusement bien avec une grande variété de fruits, notamment les framboises, les oranges et les poires.

Temps : 1 h 25
Assez facile

1 fond de tarte en pâte feuilletée
  (voir p. 86)
4 œufs
100 g de sucre semoule
1 cuillerée à café d'extrait
  de vanille
30 g de farine
30 g de beurre
40 cl de lait
250 g de framboises
100 g de chocolat pâtissier
2 cuillerées à soupe d'eau

Beurrez un moule à tarte de 25 cm de diamètre et farinez-le légèrement. Étalez la pâte en une abaisse circulaire de 3 mm d'épaisseur, en prévoyant un rebord de 1 à 2 cm environ. Piquez le fond avec une fourchette et mettez au réfrigérateur pendant 30 minutes.

Mettez 2 œufs et 2 jaunes dans une jatte avec le sucre et la vanille. Battez énergiquement pendant 5 à 10 minutes. Ajoutez la farine, le beurre ramolli, puis mélangez bien avant de verser progressivement le lait chaud, sans cesser de battre. Incorporez les blancs d'œufs battus en neige ferme.

Étalez les framboises au fond du moule, puis recouvrez-les avec la crème mousseuse. Repliez le bord de pâte vers le centre de la tarte et formez de petits plis (voir recette p. 62). Faites cuire au four préchauffé à 200° pendant 20 minutes,

□ *Le sucre blanc (semoule, cristallisé ou glacé) provient de la betterave à sucre. Le sucre vanillé est très utile en pâtisserie. Vous pouvez le préparer vous-même en ajoutant une gousse de vanille dans un bocal de sucre en poudre. Laissez reposer pendant une à deux semaines. Le sucre de canne est moins utilisé, mais on peut s'en procurer facilement. Il a plus de goût que le sucre ordinaire, en revanche, son pouvoir sucrant est moindre.*

□ *Les citrons et les oranges sont traités, la plupart du temps, au diphényl pour améliorer leurs qualités de conservation. Lorsque vous devez utiliser le zeste d'un agrume, choisissez dans la mesure du possible des fruits non traités. Sinon, faites-le bouillir dans de l'eau pendant 1 à 2 minutes. Changez l'eau, puis portez de nouveau à ébullition. Recommencez l'opération une troisième et, éventuellement, une quatrième fois.*

□ *Lorsque vous faites cuire une tarte garnie de fruits frais, il est préférable de parsemer sur la pâte crue quelques biscuits écrasés (biscuits à la cuiller ou petits-beurre par exemple) : de cette façon, le jus libéré pendant la cuisson ne ramollira pas le fond de la tarte.*

□ *Assurez-vous que le thermostat du four que vous utilisez fonctionne correctement et indique la bonne température. Les fours traditionnels doivent être préchauffés. Pour les fours à convection, vérifiez les tableaux d'équivalence des temps de cuisson fournis par le fabricant : une différence de 5 minutes pour 30 minutes de cuisson est parfois notée.*

□ *Lorsque vous devez couper de la pâte feuilletée ou de la pâte sablée cuite, utilisez un couteau à dents très aiguisé. Les autres types de pâte se coupent avec un couteau ordinaire.*

□ *Il existe différents moules à tarte. Lorsque vous faites cuire de la pâte feuilletée ou de la pâte sablée, préférez un moule dont le bord n'excède pas 2 à 3 cm de haut. Les moules à fond amovible facilitent le démoulage de la tarte.*

puis posez une feuille d'aluminium sur le dessus de la tarte, baissez la température à 160° et laissez cuire encore 40 minutes environ, jusqu'à ce que la tarte vous paraisse bien cuite.

Faites fondre le chocolat avec l'eau bouillante et, à l'aide d'une petite cuillère, faites-le couler sur la tarte en mince filet.

*TARTE FEUILLETÉE
AUX GRIOTTES
ET AU RHUM*
■ *Les griottes sont très parfumées, mais elles peuvent paraître un peu acides à certains palais. Elles libèrent beaucoup de jus à la cuisson. Dans cette recette, vous pouvez les remplacer par des cerises noires.*

TARTE FEUILLETÉE AUX GRIOTTES ET AU RHUM

Temps : 1 h 30
Assez facile

1 fond de tarte en pâte feuilletée (voir p. 86)
100 g de beurre
100 g de sucre semoule
100 g d'amandes en poudre
1 cuillerée à café de farine
3 œufs
3 cuillerées à soupe de rhum
600 g de griottes
6 biscuits à la cuiller
100 g de gelée de groseilles

Étalez la pâte, foncez un moule beurré et fariné de 25 cm de diamètre et piquez le fond avec une fourchette. Mettez au réfrigérateur pendant 30 minutes. Travaillez le beurre ramolli avec une cuillère en bois. Incorporez le sucre, les amandes en poudre et la farine, sans cesser de battre. Ajoutez les œufs, un par un, puis 2 cuillerées à soupe de rhum.

Dénoyautez les cerises. Émiettez les biscuits à la cuiller et mettez-les sur la pâte froide. Disposez les cerises par-dessus, versez le mélange aux amandes, lissez avec une spatule et faites cuire au four préchauffé à 200° pendant 30 minutes. Couvrez la tarte d'une feuille de papier d'aluminium et laissez cuire encore 20 minutes. Faites fondre, à feu doux, la gelée de groseilles avec le reste de rhum et arrosez-en la tarte dès sa sortie du four. Servez froid.

**FEUILLETÉ
AU MASCARPONE**
■ Le mascarpone est
un délicieux fromage frais
italien, riche en matières
grasses, au goût délicat.
Du cacao en poudre,
du sucre ou du cognac
le parfumeront
agréablement. On peut
le remplacer par un autre
fromage frais.

FEUILLETÉ AU MASCARPONE

Temps : 1 heure
Assez facile

1 fond de tarte en pâte feuilletée
(voir p. 86)
1 à 2 cuillerées à soupe
de sucre glace
2 œufs
4 cuillerées à soupe de sucre
semoule
200 g de mascarpone
10 cl de crème fouettée
2 tranches de gâteau mousseline
(voir p. 146)
10 cl de café très fort
10 cl de cognac

Étalez la pâte en une grande
abaisse et coupez-la en quatre
rectangles identiques. Disposez-
les sur une plaque beurrée. Mettez au réfrigérateur pendant
30 minutes avant de faire cuire
au four préchauffé à 200° pendant 20 minutes. Sortez du four
et saupoudrez chaque rectangle
de pâte avec un peu de sucre
glace. Laissez refroidir.
Battez les jaunes d'œufs avec
le sucre pendant 10 minutes.
Ajoutez le mascarpone, en
mélangeant bien, puis la crème
fouettée.
Disposez un rectangle de pâte
sur un plat de service. Trempez
une tranche de gâteau mousseline dans le café mélangé au
cognac et posez-la sur le rectangle de pâte. Recouvrez avec un
tiers de crème au mascarpone.
Posez un autre rectangle de pâte
par-dessus, puis la seconde tranche de gâteau parfumé, une couche de crème, un autre rectangle
de pâte, le reste de la crème et,
pour finir, le dernier rectangle
de pâte feuilletée.

TARTE FEUILLETÉE A LA MANGUE

*La mangue est un délicieux
fruit exotique, très parfumé,
que l'on déguste lorsqu'il est
bien mûr.*

Temps : 1 h 15
Assez facile

1 fond de tarte en pâte feuilletée
(voir p. 86)
2 mangues bien mûres
2 cuillerées à soupe de jus
de citron
125 g de sucre glace
3 jaunes d'œufs
30 g de farine
10 cl de crème fraîche
20 cl de lait
30 g de beurre

Étalez la pâte et foncez un moule
de 25 cm beurré et fariné.
Piquez le fond avec une fourchette et mettez au réfrigérateur
pendant 30 minutes.
Pelez les mangues. Séparez la
chair du noyau et hachez-la au
mixer avec le jus de citron et
60 g de sucre glace jusqu'à
obtention d'une purée
homogène.
Battez les jaunes d'œufs avec
le reste du sucre. Lorsque le
mélange est clair et mousseux,
ajoutez la farine, la crème fraîche, puis le lait chaud, sans cesser de battre. Faites cuire à feu
doux, en remuant constamment,
jusqu'à ce que la crème épaississe. Ôtez du feu et ajoutez le
beurre ramolli et la purée de
mangue. Remuez délicatement.
Faites cuire le fond de tarte au
four préchauffé à 200° pendant
20 minutes. Sortez du four, garnissez avec la préparation à la
mangue et remettez à cuire pendant 20 minutes. Laissez refroidir avant de servir.

FEUILLETÉ AUX MARRONS ET AU MASCARPONE

*Les marrons glacés entiers
sont très onéreux : achetez-en
quelques-uns seulement pour
décorer le gâteau. Utilisez des
brisures pour préparer la garniture de ce feuilleté. Vous en
trouverez chez les confiseurs.*

Temps : 1 h 15
Assez facile

300 g de brisures de marrons
glacés
10 cl de cognac
1 fond de tarte en pâte feuilletée
(voir p. 86)
250 g de mascarpone
200 g de crème de marrons
100 g de chocolat amer
6 marrons glacés entiers
1 cuillerée à soupe de sucre
glace

Mettez les brisures de marrons
glacés dans une jatte avec le
cognac. Étalez la pâte en une
abaisse de 3 mm d'épaisseur et
coupez quatre rectangles de
taille identique. Posez-les sur
une plaque à pâtisserie beurrée
et légèrement farinée, et piquez
la surface avec une fourchette.
Faites cuire au four préchauffé
à 200° pendant 20 minutes
environ, jusqu'à ce que la pâte
soit bien dorée. Sortez du four
et laissez refroidir.
Mélangez le mascarpone avec
la crème de marrons. Faites fondre le chocolat au bain-marie et
versez-le dans la crème de marrons. Égouttez les brisures de
marrons glacés et ajoutez-les à
la préparation. Étalez un tiers de
cette crème sur l'un des rectangles de pâte et recouvrez-la d'un
autre rectangle de pâte. Recommencez cette opération deux
fois, en terminant par un rectan-

gle de pâte que vous saupoudrerez de sucre glace. Décorez en
disposant les marrons glacés
entiers en ligne au milieu du
gâteau.

TARTE FEUILLETÉE
AUX PRUNEAUX
AU COGNAC

*Utilisez de préférence des pru-
neaux au cognac maison :
remplissez des bocaux de pruneaux et ajoutez du cognac de
bonne qualité. Fermez hermétiquement et laissez reposer au
moins un mois.*

Temps : 1 heure
Assez facile

1 fond de tarte en pâte feuilletée
  (voir p. 86)
20 pruneaux au cognac
80 g de sucre semoule
4 œufs
30 g de farine
1 pincée de sel
10 cl de crème fraîche

Abaissez la pâte et foncez-en un
moule à tarte beurré et légèrement fariné. Mettez au frais pendant 30 minutes.
   Égouttez les pruneaux. Réservez 1 cuillerée à soupe de sucre
et battez le reste avec les œufs,
puis ajoutez la farine et le sel.
Ajoutez la crème, sans cesser de
battre. Piquez le fond de tarte
avec une fourchette. Disposez
les pruneaux en une couche
régulière et nappez-les de
mélange à la crème. Faites cuire
au four préchauffé à 200° pendant 40 minutes. Cinq minutes
environ avant la fin de la cuisson, parsemez la surface avec le
reste de sucre, qui donnera une
jolie couleur caramélisée à la
tarte.

MILLE-FEUILLE
A LA CRÈME
ET AU CITRON

Temps : 1 heure
Assez facile

1 fond de tarte en pâte feuilletée
  (voir p. 86)
2 jaunes d'œufs
100 g de sucre semoule
20 g de farine
25 cl de lait
le jus et le zeste, râpé,
  de 2 citrons
100 g de beurre
1 cuillerée à soupe de sucre
  glace

Divisez la pâte en trois et étalez
chaque morceau en une abaisse
circulaire de 15 cm de diamètre. Beurrez légèrement une
grande plaque (ou trois petites),
farinez-la et disposez-y les abaisses de pâte. Piquez-les avec une
fourchette et faites-les cuire au
four préchauffé à 200° pendant
20 minutes.
   Pendant ce temps, battez les
jaunes d'œufs avec le sucre
jusqu'à ce que le mélange soit
bien clair et ait augmenté de
volume. Ajoutez la farine. Ver-

sez le lait chaud en mince filet,
sans cesser de battre. Ajoutez le
zeste de citron râpé et faites
cuire à feu doux, en remuant
constamment, jusqu'à ce que le
mélange soit bien épais. Ajoutez le jus de citron et continuez
de remuer. Ôtez du feu et laissez refroidir.
   Battez le beurre jusqu'à ce
qu'il soit bien clair et crémeux,
puis ajoutez-le, cuillerée par cuillerée, à la crème refroidie, en
remuant bien entre chaque
adjonction. Étalez la moitié de
cette préparation sur l'un des
cercles de pâte cuite. Posez une
abaisse de pâte par-dessus. Garnissez avec le reste de la crème
et posez le troisième cercle de
pâte par-dessus. Saupoudrez la
surface avec le sucre glace et
servez aussitôt.

TARTE FEUILLETÉE
A LA CRÈME
ET A LA NOIX
DE COCO

*La pulpe râpée de noix de coco
se conserve bien. Elle sert à
parfumer nombre de gâteaux
et de pâtisseries.*

Temps : 1 h 10
Assez facile

1 fond de tarte en pâte feuilletée
  (voir p. 86)
100 g de noix de coco râpée
125 g de sucre semoule
4-5 gouttes d'extrait de vanille
15 g de Maïzena
125 g de crème fraîche
3 œufs
6 biscuits à la cuiller, écrasés

Étalez la pâte et foncez un moule
à tarte beurré et fariné de 25 cm
de diamètre. Mettez au réfrigérateur pendant 30 minutes.
Dans une jatte, mélangez la noix
de coco avec le sucre, l'extrait
de vanille et la Maïzena. Travaillez le mélange en crème. Ajoutez les jaunes d'œufs légèrement

**MILLE-FEUILLE
A LA CRÈME
ET AU CITRON**
■ Pour gagner du temps,
remplacez la crème
anglaise par de la crème
fouettée parfumée avec
du zeste de citron
finement râpé.

battus, puis les blancs montés en
neige ferme.

Sortez la pâte du réfrigérateur,
couvrez le fond avec une couche
de biscuits écrasés, puis garnissez avec la préparation à la noix
de coco. Faites cuire au four
préchauffé à 200° pendant 20
minutes ; baissez la température
et poursuivez la cuisson pendant
20 minutes.

FEUILLETÉ
AUX PÊCHES

*En été, utilisez des pêches
fraîches cuites dans un sirop
de sucre. Pesez-les après les
avoir égouttées.*

*Temps : 45 minutes
Assez facile*

1 fond de tarte en pâte feuilletée
(voir p. 86)

400 g de pêches au sirop,
  égouttées
2 œufs
50 g de sucre semoule
20 g de Maïzena
20 cl d'eau
20 cl de crème fouettée

Étalez la pâte en une abaisse de
3 mm d'épaisseur parfaitement
rectangulaire. Mettez-la sur une
plaque et faites cuire au four

préchauffé à 200° pendant
20 minutes environ, jusqu'à ce
que la pâte soit dorée. Coupez
ce grand rectangle en quatre
petits, et laissez refroidir.

Réduisez les pêches en purée
au mixer. Battez les jaunes
d'œufs avec le sucre jusqu'à ce
que le mélange soit clair et
mousseux. Faites dissoudre la
Maïzena dans l'eau, remuez et
mélangez avec les œufs et le
sucre. Ajoutez la compote de

pêches. Faites cuire à feu doux, en remuant bien, jusqu'à ce que la préparation ait épaissi.

Étalez un tiers du mélange aux pêches sur l'un des rectangles de pâte et disposez un autre rectangle par-dessus. Recommencez cette opération avec le reste des ingrédients, en terminant par un rectangle de pâte. A l'aide d'une poche à douille munie d'un embout cannelé, décorez la surface du gâteau, et éventuellement les bords, avec de la crème fouettée.

TARTE FEUILLETÉE A LA RHUBARBE

Temps : 1 h 10
Assez facile

1 fond de tarte en pâte feuilletée
(voir p. 86)
1 kg de rhubarbe bien tendre
2 œufs
100 g de sucre semoule
25 cl de crème fouettée
60 g de raisins secs

Étalez la pâte et foncez un moule à tarte beurré et fariné de 25 cm de diamètre. Piquez le fond avec une fourchette. Mettez au frais pendant 30 minutes. Ôtez les feuilles des tiges de rhubarbe et, si elles ne sont pas jeunes et tendres, pelez-les. Découpez la rhubarbe en petits tronçons et faites-la cuire dans de l'eau bouillante pendant 2 minutes. Égouttez bien.

Battez les œufs avec le sucre, la crème et les raisins secs. Étalez la rhubarbe sur la pâte. Recouvrez avec la crème aux raisins secs. Faites cuire au four préchauffé à 200° pendant 20 minutes. Posez une feuille d'aluminium sur la tarte, afin que la surface ne brûle pas, et baissez la température à 175°.

*TARTE FEUILLETÉE
A LA RHUBARBE*
■ *La rhubarbe pousse
en Asie à l'état sauvage.
Cette plante est utilisée
depuis longtemps pour
ses vertus purgatives.
Les tiges jeunes
et tendres servent
à confectionner
des gelées et d'autres
desserts.*

Poursuivez la cuisson pendant 20 minutes, jusqu'à ce que la tarte soit à point. Servez chaud.

TARTE FEUILLETÉE AU CITRON ET A LA CRÈME

Les citrons sont très utilisés en pâtisserie. Le zeste, notamment, apporte aux préparations culinaires un arôme délicat, mais intense. Utilisez de préférence des fruits non traités.

*Temps : 45 minutes
Assez facile*

1 fond de tarte en pâte feuilletée
 (voir p. 86)
6 jaunes d'œufs
100 g de sucre semoule
100 g de beurre
15 cl de jus de citron
1 cuillerée à soupe de zeste
 de citron, finement râpé

Étalez la pâte et foncez un moule beurré et fariné de 25 cm de diamètre. Piquez le fond avec une fourchette et faites cuire au four préchauffé à 200° pendant 20 minutes. Battez les jaunes d'œufs et le sucre dans une jatte supportant la chaleur jusqu'à ce que le mélange soit clair et ait augmenté de volume. A l'aide d'un fouet, incorporez le beurre coupé en petits morceaux, puis versez le jus de citron. Posez la jatte sur une casserole d'eau frémissante et poursuivez la cuisson, sans cesser de battre, jusqu'à ce que le mélange épaississe. Ne faites pas chauffer trop vivement, car le mélange risquerait de tourner. Ôtez du feu et ajoutez le zeste de citron râpé. Lorsque la crème est froide, versez-la dans le fond de tarte refroidi. Déposez au milieu une rondelle de

LA RHUBARBE

Cette plante vivace, originaire du Tibet, est aujourd'hui couramment cultivée dans nos régions et utilisée pour confectionner des confitures ou des pâtisseries, notamment des tartes. Seules les tiges sont comestibles ; elles sont meilleures lorsqu'elles sont tendres et légèrement rosées.

citron, non pelé mais débarrassé de la peau membraneuse du centre, et servez aussitôt.

FEUILLETÉ AUX MYRTILLES ET A LA CRÈME

Vous pouvez remplacer les myrtilles par des cerises, des framboises ou des fruits plus gros, coupés en morceaux. Les myrtilles au sirop conviennent également.

*Temps : 1 heure
Assez facile*

1 fond de tarte en pâte feuilletée
 (voir p. 86)
crème Chantilly (voir p. 48)
400 g de myrtilles
1 cuillerée à soupe de sucre
 glace

Étalez la pâte en une abaisse rectangulaire. Mettez-la sur une plaque à pâtisserie légèrement beurrée et farinée, et faites cuire au four préchauffé à 200° pendant 20 minutes, jusqu'à ce qu'elle soit bien dorée. Dès la sortie du four, coupez la pâte en quatre et laissez refroidir.

Préparez la crème Chantilly. Si vous utilisez des myrtilles au sirop, égouttez-les bien. Étalez un tiers de crème sur une abaisse de pâte, disposez un tiers des fruits par-dessus et recouvrez-les avec une autre abaisse de pâte. Continuez ainsi avec le reste des ingrédients, en terminant par une abaisse de pâte.

Réservez le gâteau au frais jusqu'au moment de servir, mais ne le dressez pas plus de 2 heures à l'avance. Saupoudrez de sucre glace juste avant de servir.

TARTE FEUILLETÉE AUX MYRTILLES ET AUX POMMES

Voici un délicieux dessert à préparer pendant les premiers jours d'automne, lorsque les myrtilles et les pommes sont de saison. Si vous utilisez des myrtilles surgelées, laissez-les décongeler pendant 2 heures à température ambiante.

*Temps : 40 minutes
Assez facile*

1 fond de tarte en pâte feuilletée
 (voir p. 86)
100 g de confiture de myrtilles
100 g de sucre semoule
500 g de pommes pelées, vidées
 et coupées en fines tranches
200 g de myrtilles

Étalez la pâte en une abaisse circulaire légèrement plus grande que le moule. Pincez le bord de pâte qui dépasse entre les doigts, afin d'obtenir une bordure bien haute. Vous pouvez également utiliser un moule à bord haut. Étalez la confiture sur le fond de tarte et saupoudrez avec la moitié du sucre. Disposez les pommes en une couche régulière.

101

Garnissez de myrtilles et parsemez avec le reste du sucre. Faites cuire au four préchauffé à 200° pendant 40 minutes. Laissez refroidir avant de démouler. Cette tarte est meilleure froide.

TARTE FEUILLETÉE AUX MURES

Choisissez des fruits parfaitement mûrs si vous souhaitez qu'ils ne soient pas trop acides. Les mûres sauvages ont plus de goût que les espèces cultivées, mais exigent un lavage minutieux. Vous pouvez les remplacer par des fraises ou des framboises fraîches.

Temps : 45 minutes
Assez facile

1 fond de tarte en pâte feuilletée
  (voir p. 86)
25 cl de crème fouettée
50 g de sucre glace
quelques gouttes d'extrait
  de vanille
500 g de mûres
3 cuillerées à soupe de gelée
  de mûre
2 cuillerées à soupe de kirsch

Étalez la pâte et foncez un moule à tarte beurré et fariné de 25 cm de diamètre. Piquez le fond avec une fourchette. Crantez le bord de la pâte avec une roulette à pâtisserie. Faites cuire au four préchauffé à 200° pendant 25 minutes, jusqu'à ce que la tarte soit bien dorée. Laissez refroidir.

Battez le sucre glace avec l'extrait de vanille et la crème. Fouettez jusqu'à ce que le mélange épaississe. Versez cette crème dans le fond de tarte refroidi et recouvrez-la avec les mûrs lavées et séchées. Faites fondre la gelée à feu doux. Ajoutez le kirsch et nappez-en les mûres. Servez aussitôt.

TARTE FEUILLETÉE A LA RICOTTA

Temps : 1 h 15
Assez facile

1 fond de tarte en pâte feuilletée
  (voir p. 86)
300 g de ricotta
2 cuillerées à soupe de pignons,
  légèrement grillés
2 cuillerées à soupe d'amandes
  effilées
2 cuillerées à soupe de zeste
  de cédrat confit, finement
  haché
1 cuillerée à soupe de farine
3 œufs
175 g de sucre semoule
1 cuillerée à soupe de liqueur
  à l'orange (Grand Marnier,
  curaçao) ou de cognac

Beurrez et farinez légèrement un moule à tarte de 25 cm de diamètre. Étalez la pâte et foncez

TARTE FEUILLETÉE
A LA RICOTTA
■ *La ricotta au lait
de vache est la variété
qui convient le mieux à la
préparation de desserts.
Le fromage de brebis a,
en effet, un goût trop
prononcé. La tarte
illustrée ici est recouverte
d'un couvercle de pâte,
mais elle est également
délicieuse sans.*

*MILLE-FEUILLE
A LA CRÈME
ET A LA BANANE*
■ *Si vous préférez un
dessert un peu moins
riche, ne mettez pas
de beurre dans la crème
pâtissière ou remplacez-le
par du fromage frais.*

le moule. Piquez le fond avec une fourchette et mettez au réfrigérateur pendant 30 minutes.

Sortez la ricotta du réfrigérateur longtemps à l'avance. Battez-la, puis ajoutez les pignons, les amandes et le zeste de cédrat finement haché. Ajoutez la farine tamisée et remuez bien. Battez les œufs avec le sucre jusqu'à ce que le mélange soit clair et crémeux, puis incorporez le mélange à la ricotta. Ajoutez la liqueur à l'orange ou le cognac et versez cette garniture dans le fond de tarte. Faites cuire au four préchauffé à 200° pendant 40 minutes.

MILLE-FEUILLE A LA CRÈME ET A LA BANANE

Temps : 1 heure
Assez facile

1 fond de tarte en pâte feuilletée
 (voir p. 86)
2 bananes
2 à 3 cuillerées à soupe
 de kirsch
2 jaunes d'œufs
100 g de sucre semoule
20 g de farine
25 cl de lait
100 g de beurre
1 cuillerée à soupe de sucre
 glace

Divisez la pâte en trois. Abaissez chaque boule en un cercle de 15 cm de diamètre. Piquez le fond avec une fourchette et posez-les sur une plaque beurrée et farinée. Faites cuire au four préchauffé à 220° pendant 30 minutes. Laissez refroidir.

Pendant ce temps, pelez et coupez les bananes en rondelles dans une jatte. Ajoutez le kirsch, mélangez et laissez reposer 30 minutes. Battez les jau-

nes d'œufs avec le sucre, puis incorporez la farine, sans cesser de remuer. Versez le lait chaud, petit à petit. Faites cuire la crème à feu doux, sans cesser de remuer, jusqu'à ce qu'elle épaississe. Ôtez du feu et laissez refroidir. Battez le beurre jusqu'à ce qu'il soit clair et crémeux, puis ajoutez la crème, cuillerée par cuillerée, en utilisant un fouet manuel ou un batteur électrique.

Étalez la moitié de la crème sur un cercle de pâte. Égouttez les rondelles de banane et posez-les sur la crème. Disposez un autre cercle de pâte par-dessus,

et utilisez le reste de crème et les bananes. Terminez par un cercle de pâte. Mettez au réfrigérateur jusqu'au moment de servir. Parsemez alors le dessus du gâteau avec un peu de sucre glace, décorez avec quelques rondelles de banane et, éventuellement, quelques quartiers d'orange et un peu de crème fouettée.

TARTE MERINGUÉE AUX FRAMBOISES

Ce dessert, très simple à réaliser, est extraordinairement léger et délicat. Déposez la meringue avec une poche à douille munie d'un embout cannelé pour obtenir un résultat superbe.

Temps : 1 heure
Assez facile

1 fond de tarte en pâte feuilletée
 (voir p. 86)
400 g de framboises

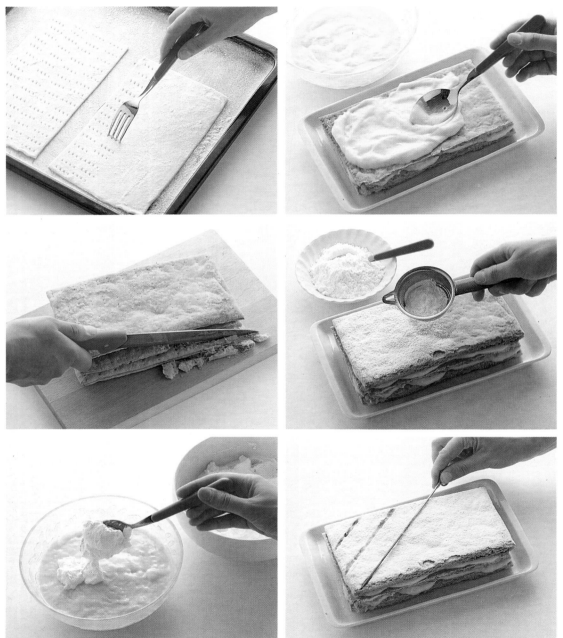

L'un des meilleurs exemples de l'utilisation de la pâte feuilletée en pâtisserie. Nous avons utilisé trois épaisseurs de pâte feuilletée, réunies par autant de couches de crème pâtissière. Seul un feuilletage irréprochable convient pour cette recette.

Pour un mille-feuille de 15 à 20 cm de long :
25 cl de crème pâtissière
  (voir p. 44)
10 cl de crème fouettée bien froide
6 cuillerées à soupe de sucre glace
350 g de pâte feuilletée (voir p. 86)

Étalez la pâte feuilletée en un rectangle de 3 mm d'épaisseur que vous couperez en trois rectangles identiques. Posez-les sur une plaque beurrée. Piquez la surface avec une fourchette. Couvrez la pâte et mettez-la au frais pendant 30 minutes. Faites-la cuire au four préchauffé à 220° pendant 20 minutes, jusqu'à ce qu'elle soit bien croustillante, levée et dorée.

Laissez refroidir. Recoupez les bords avec un couteau bien aiguisé. Incorporez la crème fouettée à la crème pâtissière, si vous préférez une garniture plus légère. Étalez-la en une couche épaisse sur deux des rectangles de pâte. Posez ceux-ci l'un sur l'autre et recouvrez avec le dernier morceau de pâte. Tamisez un peu de sucre glace sur le dessus du mille-feuille.

Faites chauffer une brochette et formez des lignes en diagonale, en la posant sur le dessus du gâteau, pour le décorer (protégez-vous les doigts avec une main chaude).

100 g de sucre semoule
3 blancs d'œufs
150 g de sucre glace

Étalez la pâte et foncez-en un moule à tarte beurré et fariné de 25 cm de diamètre. Piquez le fond avec une fouchette et mettez au frais pendant 30 minutes. Rincez les framboises à l'eau froide, égouttez-les et épongez-les avec du papier absorbant. Mettez-les dans une jatte et sucrez-les. Laissez reposer.

Faites cuire le fond de tarte au four préchauffé à 200° pendant 20 minutes, jusqu'à ce qu'il soit croustillant et doré. Sortez le moule du four et laissez refroidir. Battez les blancs d'œufs en neige ferme, ajoutez le sucre glace et fouettez jusqu'à ce que les blancs deviennent bien brillants. Étalez les framboises dans le fond de tarte. A l'aide d'une poche à douille munie d'un gros embout cannelé, recouvrez-les de blanc d'œuf. Remettez la tarte à four très chaud (250°) pendant 10 minutes, jusqu'à ce que la meringue soit cuite et légèrement dorée.

MILLE-FEUILLE A LA RICOTTA ET AUX FRUITS CONFITS

Utilisez de préférence des fruits confits maison.

Temps : 50 minutes
Assez facile

1 fond de tarte en pâte feuilletée
  (voir p. 86)
300 g de ricotta
200 g de sucre glace
200 g de fruits confits
1 cuillerée à soupe d'eau
  de fleur d'oranger
10 cl de crème fouettée

Étalez la pâte en une abaisse rectangulaire ou carrée de 5 mm d'épaisseur environ. Beurrez légèrement une grande plaque et farinez-la. Déposez-y la pâte et faites cuire au four préchauffé à 220° pendant 10 minutes, puis baissez la température à 175° et poursuivez la cuisson pendant 5 à 8 minutes, jusqu'à ce que la pâte soit croustillante et dorée. A l'aide d'un couteau aiguisé, coupez la pâte en trois horizontalement (les feuilles de pâte se séparent en général facilement lorsque le couteau est bien introduit).

Réservez 1 cuillerée à soupe de sucre glace et battez la ricotta avec le reste. Ajoutez les fruits confits, coupés en petits morceaux, puis l'eau de fleur d'oranger. Incorporez délicatement la crème fouettée. Disposez la première couche de pâte sur un plat de service. Étalez la moitié de la garniture et lissez-la soigneusement. Posez une abaisse de pâte par-dessus, puis une couche de garniture, que vous recouvrirez avec le dernier morceau de feuilletage. Parsemez le dessus du mille-feuille avec le reste de sucre glace.

TARTE EXOTIQUE A LA CRÈME

Vous pouvez remplacer l'ananas par des bananes, des papayes, des kiwis ou tout autre fruit exotique.

Temps : 1 h 15
Assez facile

8 rondelles d'ananas frais
10 cl de Grand Marnier
1 fond de tarte en pâte feuilletée
  (voir p. 86)
1 œuf entier + 2 jaunes
100 g de sucre semoule
30 g de farine
40 cl de lait
20 cl de crème fouettée

Mettez les rondelles d'ananas pelées et débarrassées du cœur dans une jatte. Arrosez-les de Grand Marnier et laissez reposer. Étalez la pâte et foncez un moule beurré et fariné de 25 cm de diamètre. Piquez le fond avec une fourchette et mettez au réfrigérateur pendant 30 minutes.

Égouttez l'ananas et coupez les rondelles en petits morceaux. Battez l'œuf et les jaunes avec le sucre. Ajoutez la farine, puis le lait chaud, en mince filet, sans cesser de battre. Faites cuire à feu doux, sans cesser de remuer, jusqu'à ce que le mélange épaississe. Ajoutez les morceaux d'ananas bien égouttés à la crème. Remuez.

Faites cuire le fond de tarte au four préchauffé à 200° pendant 20 minutes. Sortez le moule du four et recouvrez la pâte avec la garniture à l'ananas. Baissez la température et remettez la tarte au four pendant 20 minutes. Laissez refroidir avant de décorer avec de la crème fouettée.

MILLE-FEUILLE AU MOKA

Temps : 1 heure
Assez facile

1 fond de tarte en pâte feuilletée
  (voir p. 86)
100 g de sucre semoule
5 cl d'eau
2 jaunes d'œufs
1 cuillerée à café de café soluble
2 cuillerées à soupe d'eau
200 g de beurre
2-3 gouttes d'extrait de vanille
sucre glace
quelques grains de café grillés
  (facultatif)

Divisez la pâte en trois et abaissez-la en cercles de 18 cm de diamètre. Piquez-les avec une fourchette et mettez-les sur une plaque beurrée et farinée. Faites cuire au four préchauffé à 200° pendant 20 minutes.

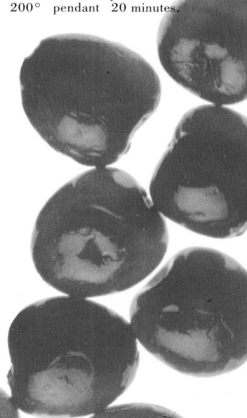

MILLE-FEUILLE AU MOKA

■ *La crème au beurre entre dans la composition de nombreux classiques de la pâtisserie : associée à du gâteau de Savoie, de la pâte feuilletée ou de la meringue, elle permet de réaliser de succulents desserts. On peut remplacer les jaunes d'œufs par une meringue à l'italienne : versez, en fouettant, le sirop de sucre chaud sur les blancs d'œufs battus en neige ferme.*

Mélangez le sucre avec l'eau et faites bouillir ce sirop jusqu'au stade du grand cassé.

Battez les jaunes d'œufs vigoureusement, en même temps que vous les arrosez de sirop, en le versant très doucement, jusqu'à ce que le mélange soit bien clair et fasse le ruban. Continuez de battre jusqu'à ce que la préparation soit complètement froide. Faites dissoudre le café dans l'eau. Battez le beurre jusqu'à ce qu'il soit clair et crémeux, puis incorporez-le au mélange aux œufs, en ajoutant un peu de vanille et de café, goutte à goutte. Étalez un tiers de cette garniture au café sur un cercle de pâte. Recouvrez d'un autre cercle, puis étalez de nouveau une couche de garniture au café. Terminez avec un cercle de pâte. Étalez le reste de crème au beurre par-dessus et saupoudrez de sucre glace, que vous pouvez éventuellement mélanger avec du cacao en poudre. Décorez avec des grains de café ou des bonbons au café.

MILLE-FEUILLE AUX NOISETTES

Cette recette est également excellente avec des amandes, des pistaches ou des pignons grillés.

Temps : 1 heure
Assez facile

1 fond de tarte en pâte feuilletée (voir p. 86)
300 g de noisettes
25 cl de lait
2 jaunes d'œufs
100 g de sucre semoule
20 g de farine
1 cuillerée à soupe de sucre glace

Divisez la pâte en trois portions et abaissez-les en cercles de 18 cm de diamètre. Posez-les sur une plaque beurrée et farinée, et faites cuire au four préchauffé à 200° pendant 20 minutes. Mixez bien le lait avec un peu plus de la moitié des noisettes. Versez le mélange dans une casserole et portez à ébullition. Battez les jaunes d'œufs avec le sucre pendant 5 à 10 minutes, ajoutez la farine et versez le lait aux noisettes chaud. Remuez, à feu doux, jusqu'à ce que la crème soit bien épaisse. Ôtez du feu. Hachez le reste des noisettes et ajoutez-en la moitié à la crème froide. Étalez la moitié de celle-ci sur un cercle de pâte, recouvrez d'un autre cercle que vous garnirez avec le reste de crème. Posez la dernière abaisse de pâte par-dessus. Décorez

avec le sucre glace et le reste des noisettes hachées.

TARTE FEUILLETÉE A LA CRÈME ET AUX KIWIS

On trouve aujourd'hui des kiwis très facilement, à longueur d'année. Riches en vitamine C, ils font le régal du palais et des yeux. Vous pouvez remplacer la gelée de groseilles par n'importe quel autre parfum.

Temps : 1 h 10
Assez facile

1 fond de tarte en pâte feuilletée (voir p. 86)
2 jaunes d'œufs
100 g de sucre semoule
4-5 gouttes d'extrait de vanille
20 g de farine
25 cl de lait
20 cl de crème fouettée
1 cuillerée à café de sucre glace
3 kiwis
200 g de petites fraises
2 cuillerées à soupe de gelée de groseilles
1 cuillerée à soupe de liqueur à l'orange (Grand Marnier, curaçao)

Étalez la pâte et foncez-en un moule beurré et fariné de 25 cm de diamètre, ou utilisez un cercle à entremets posé sur une plaque. Piquez la pâte avec une fourchette et mettez au réfrigérateur pendant 30 minutes.

Battez les jaunes d'œufs avec le sucre et l'extrait de vanille jusqu'à ce que le mélange soit

clair et mousseux. Ajoutez la farine, puis versez le lait chaud, sans cesser de battre. Remuez constamment, à feu doux, jusqu'à ce que la préparation épaississe. Laissez refroidir. Battez la crème avec le sucre glace jusqu'à ce qu'elle soit bien épaisse et incorporez-la au mélange lait-œufs. Faites cuire la pâte au four préchauffé à 200° pendant 20 minutes. Démoulez et garnissez avec la crème.

Pelez les kiwis, coupez-les en rondelles épaisses que vous recouperez en quartiers. Rincez et épongez les fraises. Disposez les fruits sur la crème et glacez la tarte avec la gelée de groseilles délayée à feu doux avec la liqueur à l'orange.

MILLE-FEUILLE A LA CRÈME ET AUX FRAISES

Vous pouvez remplacer le glaçage au sirop de fraises en décorant la pâte avec de la crème fouettée légèrement sucrée.

Temps : 50 minutes
    + temps de repos
Assez facile

500 g de fraises
100 g de sucre semoule
10 cl de kirsch
1 fond de tarte en pâte feuilletée
  (voir p. 86)
50 cl de crème fraîche
250 g de sucre glace
4-5 gouttes d'extrait de vanille
200 g de confiture de fraises

Lavez, épongez et équeutez les fraises. Coupez-les en deux et mettez-les dans une jatte avec 100 g de sucre semoule et le kirsch. Laissez reposer pendant 2 heures. Égouttez les fraises et réservez le tout.

Étalez la pâte en un rectangle de 5 mm d'épaisseur. Posez-le sur une plaque légèrement beurrée et farinée, et faites cuire au four préchauffé à 220° pendant 10 minutes. Baissez la température à 175° et poursuivez la cuisson pendant 5 à 8 minutes, jusqu'à ce que la pâte soit croustillante et dorée. Coupez la pâte horizontalement en trois.

Battez la crème avec la moitié du sucre glace et parfumez-la avec l'extrait de vanille. Étalez une fine couche de confiture sur une abaisse de pâte, puis un quart de crème fouettée. Enfoncez la moitié des fraises dans la crème, recouvrez d'une couche de crème et posez une deuxième abaisse de pâte. Répétez cette opération, en terminant avec la troisième couche de pâte. Faites dissoudre, à feu doux, le reste du sucre glace dans 4 cuillerées à soupe de jus de fraises réservé, afin d'obtenir un glaçage que vous verserez sur la pâte et étalerez délicatement avec une spatule.

LE MASCARPONE

Ce délicieux fromage crémeux originaire du nord de l'Italie est idéal pour confectionner d'originaux desserts. Vous pouvez le remplacer par de la crème fraîche épaisse, ou un autre fromage frais.

FEUILLETÉ AU CHOCOLAT ET A LA PISTACHE

Le chocolat et les pistaches se marient à la perfection. Le goût de la pistache se prête à de nombreuses préparations culinaires : elles sont délicieuses dans les glaces et les desserts.

Temps : 1 heure
Assez facile

1 fond de tarte en pâte feuilletée
  (voir p. 86)
200 g de pistaches nature,
  décortiquées
25 cl de lait
2 jaunes d'œufs
100 g de sucre semoule
20 g de farine
200 g de chocolat pâtissier
20 cl de crème fraîche
1 cuillerée à soupe de sucre
  glace

Étalez la pâte en un rectangle de 3 mm d'épaisseur. Posez-le sur une plaque beurrée et farinée, et piquez-le avec une fourchette. Mettez au frais pendant 30 minutes. Broyez les pistaches au mixer. Portez le lait à ébullition, ajoutez les pistaches et faites cuire à feu très doux, en remuant constamment, pendant 3 à 4 minutes. Battez les jaunes d'œufs avec le sucre jusqu'à ce que le mélange soit clair et mousseux. Ajoutez la farine, puis le lait chaud et les pistaches. Faites cuire à feu doux, en remuant, jusqu'à ce que la préparation épaississe. Ajoutez le chocolat cassé en morceaux et remuez jusqu'à ce qu'il soit complètement fondu. Versez le tout dans une jatte et laissez refroidir, en remuant de temps en temps.

Battez la crème avec 1 cuillerée à soupe de sucre glace et incorporez-la dans la crème refroidie. Faites cuire la pâte au four préchauffé à 200° pendant 20 minutes. Coupez-la en quatre rectangles identiques. Étalez un tiers de crème sur trois d'entre eux. Empilez-les les uns sur les autres et recouvrez la dernière couche de crème avec un morceau de pâte nue. Saupoudrez de sucre glace et servez.

GATEAU FEUILLETÉ A LA CRÈME ET AU RHUM

Temps : 45 minutes
Assez facile

1 fond de tarte en pâte feuilletée
  (voir p. 86)
3 œufs
6 cuillerées à soupe de sucre
200 g de mascarpone
100 g de biscuits écrasés
10 cl de rhum

Étalez la pâte en une abaisse suffisamment grande pour y couper deux cercles de 20 cm de diamètre que vous poserez sur une plaque beurrée. Badigeonnez-les avec un jaune d'œuf battu. Laissez reposer au frais pendant 30 minutes, puis faites cuire au four préchauffé à 200° pendant 20 minutes.

Préparez la garniture : battez les 2 jaunes d'œufs restants avec le sucre pendant 10 minutes environ. Incorporez le mascarpone, sans cesser de battre, puis les blancs d'œufs battus en neige ferme. Dans le bol d'un mixer, mélangez les biscuits écrasés avec le rhum et étalez la pâte obtenue sur l'un des cercles de

*TARTE FEUILLETÉE
AUX POIRES
ET AU CHOCOLAT*
■ *Vous pouvez remplacer
les poires par des abricots,
de l'ananas au sirop
ou des quartiers d'orange.
La tarte illustrée ci-dessous
est surmontée
d'un « couvercle » de pâte
feuilletée : on l'a coupée
en deux et évidée pour
y déposer la garniture.*

pâte refroidi. Recouvrez avec la moitié du mélange au mascarpone, posez l'autre cercle de pâte et étalez le reste de garniture par-dessus.

TARTE FEUILLETÉE AUX POIRES ET AU CHOCOLAT

Temps : 50 minutes
Assez facile

500 g de poires au sirop, égouttées
1 fond de tarte en pâte feuilletée (voir p. 86)
4 cuillerées à soupe de confiture de poires, de framboises ou d'abricots

200 g de chocolat pâtissier
2 jaunes d'œufs
100 g de sucre semoule
25 cl de crème fraîche

Étalez la pâte et foncez un moule de 25 cm beurré et fariné. Piquez le fond avec une fourchette et mettez au frais pendant 30 minutes. Étalez la confiture sur la pâte et mettez au four préchauffé à 200° pendant 20 minutes.

Faites fondre le chocolat au bain-marie. Battez les jaunes d'œufs avec le sucre jusqu'à ce que le mélange soit clair et volumineux. Incorporez le chocolat, petit à petit, dès que le mélange a légèrement refroidi, à l'aide d'un batteur électrique ou d'un fouet manuel. Fouettez la crème et ajoutez-en la moitié au mélange au chocolat et aux œufs. Disposez les poires bien égouttées sur le fond de pâte. Recouvrez-les avec la préparation au chocolat et mettez au frais jusqu'au moment de servir.

Décorez avec le reste de crème fouettée et quelques fruits frais (framboises, fraises et quartiers d'orange).

FEUILLETÉ
A LA MOUSSE D'ORANGE
■ La garniture mousseuse
à l'orange, préparée avec
de la gélatine, est rapide
et facile à confectionner.
Vous pouvez remplacer
la marmelade d'oranges
par n'importe quelle
confiture ou gelée dont
le goût s'harmonise avec
celui des oranges.

FEUILLETÉ A LA MOUSSE D'ORANGE

Temps : 1 heure
Assez facile

1 fond de tarte en pâte feuilletée
(voir p. 86)
200 g de marmelade d'oranges
2 cuillerées à soupe de Grand
Marnier
1 cuillerée à soupe de gélatine
en poudre
20 cl de jus d'orange
fraîchement pressé
25 cl de crème fraîche
1 cuillerée à soupe de sucre
glace
1 orange

Étalez la pâte en une abaisse
rectangulaire de 3 mm d'épaisseur. Posez-la sur une plaque
beurrée et farinée, et piquez-
la avec une fourchette. Mettez
au frais pendant 30 minu-
tes. Mixez la marmelade avec
le Grand Marnier jusqu'à ce
que le mélange soit bien
lisse.

Faites dissoudre la gélatine
dans le jus d'orange chaud en
suivant les indications portées
sur l'emballage, en veillant à ce
que le jus n'atteigne jamais
l'ébullition. Versez ce mélange
chaud dans la marmelade au
Grand Marnier. Fouettez la
crème, parfumez-la avec la préparation à l'orange, puis
réfrigérez.

Faites cuire la pâte au four
préchauffé à 200° pendant
20 minutes. Laissez-la refroidir
complètement, puis coupez-la en
quatre rectangles. Étalez un tiers
de mousse à l'orange sur l'un
d'eux, recouvrez de pâte et
recommencez cette opération en
terminant par un rectangle de
pâte. Décorez avec le sucre glace

et des rondelles d'orange débarrassées des petites membranes blanches.

TARTE FEUILLETÉE A LA SEMOULE

Ce dessert riche vous permettra d'achever en beauté un dîner léger. Servez chaud ou tiède, car sa consistance augmente à mesure qu'il refroidit.

Temps : 1 h 15
Assez facile

1 fond de tarte en pâte feuilletée
  (voir p. 86)
50 g de raisins de Smyrne
25 cl de lait
100 g de semoule
100 g de sucre semoule
quelques gouttes d'extrait
  de vanille
2 œufs
100 g de fruits confits
1 cuillerée à soupe d'alcool
  de pêches

Étalez la pâte et foncez un moule à tarte beurré et fariné de 25 cm de diamètre. Piquez le fond avec

une fourchette. Mettez au frais pendant 30 minutes. Faites tremper les raisins de Smyrne pendant 10 minutes dans de l'eau tiède, puis égouttez-les et épongez-les.

Portez le lait à ébullition. Versez-y la semoule en pluie, baissez le feu et laissez cuire, en remuant constamment, pendant 15 minutes. Ajoutez le sucre et l'extrait de vanille. Ôtez du feu, laissez légèrement refroidir avant d'ajouter les jaunes d'œufs, les fruits confits, les raisins secs et l'alcool de pêches. Laissez complètement refroidir.

Battez les blancs d'œufs en neige ferme, incorporez-les à la semoule et versez le tout dans le fond de tarte. Lissez la surface à la spatule. Faites cuire au four préchauffé à 200° pendant 40 minutes.

TARTE FEUILLETÉE AU RIZ ET A LA MANDARINE

Utilisez du riz à grain rond d'excellente qualité : les variétés patna et caroline sont particulièrement recommandées. Rincez-le à l'eau froide avant de le faire cuire, afin d'éliminer une partie de l'amidon qu'il contient et d'éviter qu'il ne colle.

Temps : 2 heures
Assez facile

1 fond de tarte en pâte feuilletée
  (voir p. 86)
100 g de riz rond
100 g de fruits confits
3 cuillerées à soupe de liqueur
  de mandarine
1 l de lait
100 g de sucre semoule
2 œufs

1 cuillerée à café de cannelle
  en poudre
30 g de chocolat pâtissier, râpé

Étalez la pâte et foncez un moule beurré et fariné de 25 cm de diamètre. Piquez le fond avec une fourchette et mettez au frais pendant 30 minutes.

Faites bouillir le riz dans une grande casserole d'eau pendant 5 minutes, puis égouttez-le. Mélangez les fruits confits avec la liqueur de mandarine et réservez. Portez le lait et le sucre à ébullition, puis versez-y le riz en pluie. Baissez le feu et faites cuire à feu très doux, en remuant souvent, pendant 1 heure environ, jusqu'à ce que les grains soient tendres. Retirez du feu, laissez légèrement refroidir, puis ajoutez les jaunes d'œufs, les fruits confits marinés dans la liqueur et la cannelle. Incorporez les blancs d'œufs battus en neige ferme.

Versez la garniture dans le fond de tarte et faites cuire au four préchauffé à 200° pendant 40 minutes. Lorsque la tarte est froide, saupoudrez le chocolat râpé et servez.

On ajoute de la levure, de boulanger ou chimique, à de nombreuses pâtes à gâteaux, car cet ingrédient a la faculté de les faire augmenter de volume, avant ou pendant la cuisson. La levure de boulanger fraîche se dissout dans de l'eau ou du lait, bouilli puis refroidi jusqu'à 30° environ. La température ambiante est la clé de la réussite de ces recettes : vous travaillerez donc dans une pièce chaude, à l'abri des courants d'air. La levure sèche est vendue en sachets qui équivalent à un cube de levure fraîche de 30 g environ. Elle se dilue dans de l'eau ou du lait tiède (37° environ). La levure chimique est une invention du XIXe siècle, originaire des États-Unis. Elle fonctionne sous l'effet de la chaleur, et pas seulement de l'humidité. Elle facilite énormément la réalisation d'une multitude de desserts.

LA PATE LEVÉE

BRIOCHES AUX AMANDES

Pour le petit déjeuner du dimanche, rien ne vaut de bonnes brioches bien fraîches, accompagnées de confiture de framboises ou d'abricots maison.

Temps : 1 heure
*   + temps de levage*
Assez facile

15 g de levure de boulanger
12 cl de lait
    + 1 cuillerée à soupe
200 g de farine
200 g d'amandes en poudre
4 jaunes d'œufs
100 g de beurre très frais
50 g de sucre semoule
1 pincée de sel
1 œuf

Veillez à ce que tous les ingrédients soient à température ambiante avant de commencer la recette. Faites bouillir le lait, puis versez-le dans une jatte et attendez qu'il atteigne la bonne température (voir encadré ci-contre). Ajoutez la levure et laissez reposer pendant 10 minutes. Remuez très délicatement, puis mélangez avec 100 g de farine et formez une boule molle que vous laisserez reposer pendant 30 minutes, dans un endroit tiède (environ 26°), dans une jatte couverte d'un linge.

Mettez le reste de farine tamisée et les amandes en poudre dans une grande jatte. Faites un puits. Ajoutez la boule de pâte, 4 jaunes d'œufs, le beurre mou, mais non fondu, le sucre et le sel. Mélangez bien avec une cuillère en bois. Lorsque la pâte commence à se décoller des bords de la jatte, mettez-la sur un plan de travail fariné et pétrissez-la énergiquement

☐ *L'utilisation de la levure en cuisine remonte à la fabrication du pain au levain. Depuis, des produits plus élaborés sont apparus. Il est préférable de ne pas utiliser de la farine trop raffinée pour préparer de la pâte levée : il faut, en effet, qu'elle comporte une proportion importante de gluten, afin que le levage se fasse correctement. D'autres ingrédients, tels que lait, matières grasses, œufs, sont ajoutés à la pâte pour l'enrichir.*

☐ *L'action de la levure est due à des micro-organismes provoquant la fermentation des sucres contenus dans la farine de céréales : des gaz se forment, qui font augmenter la pâte de volume, la faisant ainsi lever. La levure a besoin de chaleur et d'humidité. Son action n'est possible qu'à une température donnée. A l'exception de certaines pâtes levées, notamment les pâtes à brioche, une pâte à base de levure n'est généralement pas réfrigérée, car le froid interromprait le processus de fermentation. L'emploi exagéré de levure ne rend pas la pâte plus légère ; en revanche, il peut lui communiquer une forte odeur, parfois désagréable. Une pâte qu'on laisse lever trop longtemps risque de donner des gâteaux qui s'émiettent. Pour toutes ces raisons, il vaut mieux vous en tenir scrupuleusement aux indications données dans les recettes.*

☐ *La levure fraîche est de couleur beige, tirant sur le gris, lisse en surface, mais facilement émiettable ; son parfum est fort, mais agréablement sucré. Mettez la levure fraîche dans du lait ou de l'eau tiède, sans l'écraser, pour éviter de détruire certaines cellules levantes. Le mélange commence à mousser, indiquant que la levure est active. Si le liquide est trop chaud, la levure ne fermentera pas correctement et pourra même perdre toutes ses propriétés levantes. Si le liquide est trop froid, elle restera inerte, mais ne sera pas détruite.*

La levure fraîche se conserve au réfrigérateur pendant quelques jours seulement. Au-delà, elle perd son efficacité. En revanche, elle se congèle très bien.

La levure sèche, additionnée parfois de vitamine C (levure rapide), supporte des liquides légèrement plus chauds. Il lui faut plus de temps pour s'activer et commencer à mousser. Certains pâtissiers considèrent qu'elle ne donne pas un goût, ni une consistance aussi satisfaisants que la levure fraîche.

☐ *L'action de la levure chimique est complètement différente : lorsqu'elle est humide et chaude, elle libère un gaz qui aère le mélange ou la pâte.*

jusqu'à ce qu'elle soit molle et élastique. Tirez-la et repoussez-la du plan de travail, retournez-la et enfoncez-y votre poing à plusieurs reprises.

Prélevez des morceaux de pâte de la taille d'une balle de golf que vous aplatirez avec le côté de la main, en un mouvement de scie, afin d'obtenir la forme caractéristique de la brioche (voir recette filmée page 118). Prenez chaque brioche par le dessus et mettez-les dans des moules beurrés. Aplatissez légèrement le chapeau, couvrez d'un linge et laissez lever dans un endroit tiède pendant 2 heures environ, jusqu'à ce que les brioches aient doublé de volume. Si vous n'avez pas de moules à brioches, cannelés, vous pouvez utiliser des moules ordinaires ou des petits ramequins.

Battez l'œuf et badigeonnez-en le dessus des brioches, en veillant à ce qu'il ne coule pas dans les moules. Faites cuire au four préchauffé à 200° pendant 20 minutes environ, jusqu'à ce que les brioches soient bien dorées. Vérifiez le degré de cuisson en introduisant une brochette dans une brioche : elle doit ressortir propre.

BRIOCHE ÉMILIENNE

Cette recette, originaire d'Italie, comporte traditionnellement du saindoux ou de la graisse de porc, que nous avons remplacé par du beurre.

Temps : 1 heure
*   + temps de levage*
Facile

300 g de farine
50 g de sucre semoule
le zeste d'un citron, râpé

SAVARIN
■ La garniture du savarin illustré ci-dessous pourrait être également de la crème fouettée ou un coulis de fruits.

3 œufs
50 g de beurre
25 g de levure de boulanger
12 cl de lait tiède
  + 1 cuillerée à soupe
1 cuillerée à soupe d'huile d'olive
30 g de sucre gros grains
1 pincée de sel

Tamisez la farine sur le plan de travail. Ajoutez le sucre et le zeste de citron râpé. Faites un puits. Ajoutez 2 œufs, le beurre ramolli, mais pas fondu, coupé

LES ŒUFS

Les œufs se conservent pendant un mois au réfrigérateur. On peut également les congeler, à condition de séparer les blancs des jaunes.

en petits morceaux, le sel et la levure dissoute dans le lait tiède (porté à ébullition et redescendu à la bonne température). Mélangez à la main en remuant les ingrédients au centre avec votre index ou avec les doigts pliés, ou en utilisant une cuillère en bois, jusqu'à ce que toute la farine soit absorbée. Pétrissez pendant 10 minutes. Laissez lever dans une jatte couverte d'un linge pendant 30 minutes, dans un endroit tiède.

Formez un rouleau, puis une forme de « S », et posez la pâte sur une plaque légèrement huilée. Battez l'œuf restant et badigeonnez-en la pâte, en insistant sur le dessus. Parsemez de sucre gros grains et faites cuire au four préchauffé à 200° pendant 30 minutes, jusqu'à ce que la brioche soit bien cuite.

SAVARIN

Temps : 1 heure
* + temps de levage*

20 g de levure de boulanger
12 cl de lait tiède
  + 1 cuillerée à soupe
350 g de farine
2 œufs
150 g de beurre
1 pincée de sel
50 g de sucre semoule
Pour le sirop :
10 cl d'eau
  + 2 cuillerées à soupe
60 g de sucre semoule
10 cl de kirsch
  + 2 cuillerées à soupe
100 g de confiture d'abricots

Faites dissoudre la levure dans le lait tiède. Tamisez la farine dans une grande jatte. Faites un puits. Ajoutez le lait avec la levure et les œufs. Mélangez les ingrédients délicatement pour obtenir une pâte assez molle. Couvrez la jatte. Laissez lever dans un endroit tiède pendant 1 heure, jusqu'à ce que la pâte ait doublé de volume.

Battez le beurre jusqu'à ce qu'il soit bien mou et crémeux, puis incorporez-le à la pâte levée, avec le sucre et le sel. Soulevez la pâte du bout des doigts — elle doit s'étirer et se décoller facilement de la jatte — et laissez-la tomber dans le récipient, en y enfonçant à chaque fois votre poing. Recommencez cette opération quatre ou cinq fois. Beurrez et farinez légèrement un moule à savarin. Formez un long rouleau avec la pâte et déposez-le dans le moule. Laissez lever pendant 30 à 40 minutes : la pâte doit doubler de volume. Ne la laissez pas lever trop longtemps, car le savarin risquerait de s'émietter une fois cuit.

Faites cuire au four préchauffé à 220° pendant 10 minutes, puis baissez la température à 175° et poursuivez la cuisson pendant 30 minutes, jusqu'à ce que le savarin soit bien doré et levé. Démoulez-le sur un plat creux.

Pendant la cuisson du savarin, préparez le sirop de sucre : faites bouillir l'eau et le sucre à feu moyen pendant quelques minutes, sans cesser de remuer. Ajoutez le kirsch et ôtez du feu dès que le liquide bout. Versez ce sirop sur le savarin et laissez la pâte en absorber la majeure partie. Mettez le savarin sur un plat de service. Faites fondre la confiture au bain-marie, filtrez-la si besoin est et badigeonnez-en la surface du savarin en guise de glaçage.

COURONNE BRIOCHÉE

Temps : 1 heure
* + temps de levage*
Facile

25 g de levure de boulanger
12 cl d'eau tiède
  + 1 cuillerée à soupe
300 g de farine
100 g de beurre
1 cuillerée à soupe de sucre
4-5 gouttes d'extrait de vanille
4 œufs
1 pincée de sel
3 pêches au sirop
10 cl de crème fouettée

Faites dissoudre la levure dans le lait tiède et laissez reposer pendant 10 minutes. Mélangez-la avec suffisamment de farine pour obtenir une boule très molle mais qui conserve sa forme. Laissez reposer pendant 30 minutes dans un endroit tiède.

COURONNE BRIOCHÉE
■ *Vous pouvez mettre cette pâte de brioche dans un moule à savarin avant qu'elle commence à lever pour lui donner une forme qui se prêtera à de nombreuses décorations et garnitures. Vous pouvez également couper la brioche en deux horizontalement et la garnir avec des fruits ou de la crème fouettée.*

Tamisez le reste de la farine dans une grande jatte. Faites un puits. Mettez-y la boule de pâte, le beurre ramolli, mais non fondu, le sucre, l'extrait de vanille, 3 œufs et le sel. Mélangez délicatement jusqu'à ce que la pâte se décolle des parois de la jatte. Ajoutez 1 cuillerée à soupe de farine si besoin. Formez une boule. Beurrez un moule à savarin de 20 cm de diamètre, garnissez-le de pâte, couvrez d'un linge et laissez lever dans un endroit tiède pendant 40 minutes, jusqu'à ce que la pâte ait doublé de volume. Battez l'œuf restant et badigeonnez-en la surface de la couronne, en veillant à ce qu'aucune goutte d'œuf ne tombe dans le moule. Faites cuire au four préchauffé à 200° pendant 30 minutes. Recouvrez la couronne d'une feuille d'aluminium si elle brunit trop rapidement. Démoulez-la dès qu'elle est froide. Décorez de crème fouettée et de pêches coupées en morceaux.

GATEAU VÉNITIEN

Pour décorer ce gâteau, que vous cuirez dans un grand moule ou plusieurs petits, on utilise du sucre gros grains (petits morceaux de sucre irréguliers, parfois vanillés : voir illustration p. 119).

Temps : 1 heure
+ temps de levage
Facile

20 g de levure de boulanger
10 cl de lait tiède
300 g de farine
150 g de sucre semoule
5 jaunes d'œufs + 1 œuf
1 pincée de sel

5 cl d'eau de fleur d'oranger
15 g de levure de boulanger
300 g de farine
200 g de beurre
30 g de sucre semoule
1 cuillerée à café de sel
3 œufs

Pour dorer :
1 œuf légèrement battu

Mélangez la levure avec l'eau de fleur d'oranger tiède et 60 g de farine. Couvrez et laissez reposer dans un endroit tiède jusqu'à ce que la pâte ait doublé de volume.

Battez le beurre ramolli à température ambiante jusqu'à ce qu'il soit léger et crémeux.

Tamisez le reste de farine dans une jatte, puis ajoutez le sucre et le sel. Incorporez les œufs et mélangez. Lorsque la pâte est lisse et homogène, ajoutez la pâte levée.

Incorporez le beurre. Couvrez la pâte et laissez-la reposer dans un endroit tiède pendant 10 heures environ, jusqu'à ce qu'elle ait doublé de volume.

Beurrez légèrement de petits moules à brioches. Enfoncez votre poing dans la pâte plusieurs fois, puis prélevez des morceaux de la grosseur d'une balle de golf. La pâte doit remplir le moule à moitié, afin de pouvoir lever de nouveau.

Pour former le chapeau des brioches, suivez les indications données page 114 dans la recette des brioches aux amandes et illustrées ci-contre.

Posez les moules sur une plaque ou sur la lèche-frite du four, en les espaçant suffisamment. Couvrez-les d'un linge et laissez reposer jusqu'à ce que la pâte ait doublé de volume. Badigeonnez les brioches à l'œuf battu, en veillant à ce qu'il ne coule pas dans les moules, et faites cuire au four préchauffé à 230° pendant 10 à 20 minutes.

Vous pouvez servir les brioches aussitôt ou les laisser refroidir.

200 g de beurre
2 cuillerées à soupe de miel
   liquide
2 cuillerées à soupe de sucre
   gros grains

Dans un bol, faites dissoudre la levure dans le lait tiède et laissez-la mousser. Tamisez la farine dans une grande jatte. Ajoutez le sucre, 4 jaunes d'œufs, le sel, le beurre ramolli, coupé en petits morceaux, et le miel. Mélangez délicatement avec une cuillère en bois. Ajoutez le lait et la levure, et mélangez jusqu'à ce que la pâte se décolle des parois du récipient : elle doit être lisse et veloutée, élastique et molle.

Mettez la pâte dans une jatte légèrement farinée. Formez une croix au milieu, couvrez d'un linge épais et laissez lever dans un endroit tiède pendant 2 heures. Enfoncez plusieurs fois votre poing dans la pâte et pétrissez-la énergiquement pendant

15 minutes. Aplatissez-la en lui donnant la forme d'un dôme légèrement écrasé et posez-la sur une plaque beurrée et farinée. Battez le jaune d'œuf restant avec l'œuf et badigeonnez-en la pâte. Saupoudrez de sucre gros grains et faites cuire au four préchauffé à 200° pendant 35 minutes. Laissez refroidir le gâteau sur une grille avant de le couper et de servir.

TRESSE AUX RAISINS SECS

*Temps : 1 h
   + temps de levage
Facile*

100 g de raisins de Smyrne
20 g de levure de boulanger
12 cl de lait tiède
400 g de farine
3 œufs
50 g de sucre semoule

100 g de saindoux
le zeste d'un demi-citron, râpé
1 cuillerée à soupe de sucre
   gros grains
1 pincée de sel

Faites tremper les raisins secs dans de l'eau tiède pendant 15 à 20 minutes. Égouttez-les bien et épongez-les avec du papier absorbant.

Faites dissoudre la levure dans le lait tiède. Ajoutez 60 g de farine et mélangez jusqu'à obtention d'une petite boule de pâte. Couvrez d'un linge et laissez lever dans un endroit tiède. Tamisez le reste de farine sur le plan de travail. Faites un puits. Ajoutez 2 œufs, le sucre, le saindoux, le zeste de citron râpé, les raisins de Smyrne et le sel. Mélangez tous ces ingrédients,

ajoutez la boule de pâte et travaillez jusqu'à obtention d'une pâte homogène, molle et élastique. Formez une boule et mettez-la dans une jatte légèrement farinée. Tracez une croix sur le dessus, couvrez avec un linge épais ou deux torchons et laissez lever pendant 2 heures, jusqu'à ce que la pâte ait doublé de volume.

Enfoncez plusieurs fois votre poing dans la pâte et pétrissez-la avant de la diviser en trois rouleaux que vous tressez sans les serrer. Laissez lever la natte pendant 1 heure sur une plaque beurrée.

Dorez la tresse avec le reste d'œuf battu. Saupoudrez de sucre gros grains et faites cuire au four préchauffé à 200° pendant 30 minutes.

PAIN AU MIEL
■ Très simple à préparer
et délicieux au petit
déjeuner ou pour le goûter
des enfants. Choisissez
un miel au goût peu
prononcé, du miel
d'acacia par exemple.

LA MÉLASSE

C'est le résidu sirupeux produit lors de la fabrication du sucre brun, de canne généralement. Foncée, très sucrée et riche en fer, la mélasse est utilisée dans certaines recettes de dessert. Il existe également de la mélasse raffinée, encore plus sucrée.

PAIN AU MIEL

*Temps : 1 heure
    + temps de levage
Facile*

25 cl de lait tiède
30 g de levure de boulanger
500 g de farine
50 g de sucre semoule
30 g de miel liquide
1 pincée de sel
le zeste d'un citron, râpé
70 g de beurre
1 œuf
1 cuillerée à soupe de sucre
    gros grains

Faites dissoudre la levure dans le lait tiède. Tamisez la farine sur le plan de travail. Faites un puits. Ajoutez le sucre, le miel, le sel, le zeste de citron râpé, le beurre ramolli coupé en petits morceaux et le mélange lait-levure. Mélangez bien et formez une boule. Mettez-la dans une jatte et couvrez d'un linge. Laissez reposer dans un endroit tiède jusqu'à ce que la pâte ait doublé de volume.

Enfoncez plusieurs fois votre poing dans la pâte, pétrissez de nouveau et formez deux ovales. Posez-les l'un sur l'autre (voir

PAIN
A LA MÉLASSE

Originaire d'Écosse, cette spécialité est très rapide à préparer, car la pâte n'a pas besoin de lever avant de cuire. Elle se conserve bien, enveloppée dans du papier d'aluminium, dans une boîte métallique hermétiquement fermée. Les quantités d'ingrédients données ici conviennent pour une dizaine de personnes.

*Temps : 1 h 15
Très facile*

500 g de farine
1 cuillerée à café de levure
    chimique
1 pincée de sel
50 g de sucre semoule
1 cuillerée à café de cannelle
    en poudre
1/2 cuillerée à café de muscade
    en poudre
240 g de dattes, pesées
    avec leur noyau
120 g de noix, finement hachées
180 g de mélasse
200 g de beurre
4 œufs
10 cl de lait

Tamisez la farine, la levure et le sel dans une grande jatte. Ajou-

tez le sucre et les épices, puis les dattes et les noix. Faites fondre le beurre et la mélasse dans une casserole, à feu doux, et versez ce mélange, petit à petit, dans les ingrédients secs. Ajoutez les œufs légèrement battus, puis remuez délicatement la préparation obtenue avec une cuillère en bois. La pâte doit être ferme mais souple : ajoutez un peu de lait si vous le jugez nécessaire. Beurrez un moule rectangulaire et farinez-le légèrement. Versez-y la pâte et faites cuire au four préchauffé à 175° pendant 30 minutes. Baissez la température à 160° et poursuivez la cuisson pendant 30 minutes.

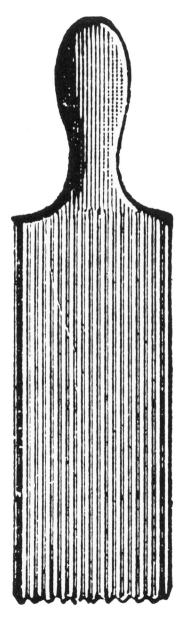

illustration ci-contre) et laissez reposer la pâte jusqu'à ce qu'elle ait quasiment doublé de volume. Badigeonnez-la avec l'œuf légèrement battu et faites cuire au four préchauffé à 200°. Lorsque le pain est presque cuit, saupoudrez-le de sucre gros grains, puis terminez la cuisson. Servez froid.

POUDING A LA GRAPPA

Vous pouvez remplacer la grappa par du cognac ou du calvados, mais le goût du pouding sera moins subtil.

Temps : 1 heure
+ temps de trempage
Très facile

300 g de pain rassis
1 l de lait bouillant
10 macarons, ou tuiles aux amandes, écrasés
1 cuillerée à café d'extrait de vanille
200 g de sucre semoule
1 œuf
5 cl de grappa
1 citron
200 g de raisins de Smyrne
100 g de zeste de cédrat confit
1 cuillerée à soupe de cacao en poudre
100 g de pignons
1/2 cuillerée à café de levure chimique
1 noix de beurre

Coupez le pain en tranches, débarrassez-le de sa croûte et mettez-le dans une jatte. Versez le lait chaud par-dessus et séparez la mie avec une fourchette, en remuant délicatement. Laissez reposer de 10 à 12 heures.

Mélangez à la main jusqu'à ce que le pain mouillé soit bien séparé en petits morceaux. Ajoutez les biscuits écrasés, la vanille, le sucre, l'œuf, la grappa, le jus et le zeste du citron, les raisins trempés et égouttés, le zeste de cédrat coupé en petits dés, le cacao en poudre et les pignons, (dont vous réserverez 1 cuillerée à soupe). Mélangez bien, puis ajoutez la levure tamisée.

Beurrez un moule à soufflé de 22 cm de diamètre, garnissez-le de la préparation et parsemez la surface avec le reste de pignons. Faites cuire au four préchauffé à 175° pendant 1 heure, jusqu'à ce que le dessus du pouding soit bien doré.

BABA AU RHUM

La véritable recette de baba au rhum comporte de la levure de boulanger. Pour gagner du temps, remplacez-la par 1 cuillerée à café de levure chimique. Dans ce cas, vous pouvez utiliser de la farine à gâteaux, plus fluide, qui contient moins de gluten.

Temps : 1 heure
+ temps de levage
Facile

20 g de levure de boulanger
20 cl de lait tiède
300 g de farine
200 g de sucre semoule
60 g de beurre
4 œufs
4 cuillerées à soupe de rhum
20 cl de crème fraîche

Mettez la levure dans le lait tiède et laissez-la reposer pendant 10 minutes, jusqu'à ce qu'elle commence à mousser. Incorporez-la à la farine tamisée, dans une grande jatte, puis ajoutez la moitié du sucre, le beurre ramolli et les œufs. Remuez délicatement. Laissez reposer la pâte obtenue jusqu'à ce qu'elle ait doublé de volume. Enfoncez-y

LE MIEL

Le parfum et l'arôme d'un miel dépendent de la provenance du nectar des abeilles. Le miel d'acacia, léger et délicat, ne cristallise pas, contrairement aux autres variétés. Le miel de châtaignier est de goût prononcé et de couleur brune, celui d'oranger est plus doux. Il existe une infinité de variétés de miel : bruyère, romarin, trèfle, etc.

votre poing et pétrissez-la. Mettez-la dans un moule à baba de 20 cm de diamètre et faites cuire au four préchauffé à 200° pendant 25 minutes. Faites bouillir 12 cl d'eau avec le reste du sucre pendant 6 minutes. Retirez du feu et ajoutez le rhum.

Lorsque le baba est cuit, démoulez-le et arrosez-le de sirop, en le laissant absorber tout le liquide. Présentez-le sur un joli plat, avec le sirop qui n'a pas été absorbé par la pâte. Décorez avec de la crème fouettée et servez aussitôt.

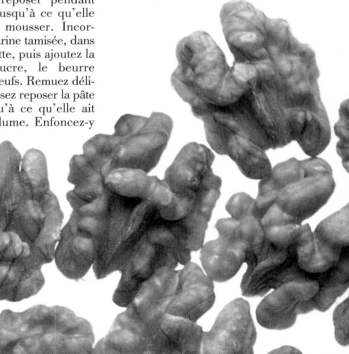

BABA A L'ABRICOT

Ce baba est servi avec une sauce à l'abricot que vous pourrez parfumer avec un peu de rhum, selon le goût.

Temps : 1 heure
+ temps de levage
Facile

1 baba au rhum (voir p. 121)
300 g de confiture d'abricots
2 cuillerées à soupe d'eau

Une fois que le baba a été arrosé de sirop au rhum, passez la confiture au tamis et versez-la dans une casserole avec l'eau. Faites-la chauffer à feu très doux jusqu'à ce qu'elle soit bien chaude. Versez-la dans une saucière et servez-la brûlante avec le baba.

BABA AUX FRUITS CONFITS

Temps : 1 heure
+ temps de levage
Facile

1 baba au rhum (voir p. 121)
100 g de fruits confits, hachés finement
25 cl de crème fraîche
2 cuillerées à soupe de liqueur, au choix (facultatif)

Une fois que le baba a été arrosé de sirop au rhum, fouettez la crème jusqu'à ce qu'elle soit bien ferme, puis incorporez les fruits confits et, éventuellement, la liqueur. Versez ce mélange au centre du baba.

PAIN AUX RAISINS ET AUX PIGNONS

Temps : 1 heure
+ temps de levage
Facile

15 g de levure de boulanger
12 cl d'eau tiède
50 g de raisins de Smyrne
350 g de farine
20 g de sucre semoule
4 œufs
50 g de pignons
1 pincée de sel
175 g de beurre

Dissolvez la levure dans l'eau tiède. Faites tremper les raisins secs dans de l'eau tiède pendant 10 minutes, puis égouttez-les et épongez-les. Pendant qu'ils trempent, commencez à préparer la pâte : tamisez 80 g de farine sur le plan de travail, faites un puits et versez-y la levure et l'eau tiède. Mélangez progressivement avec la farine. Formez une boule, couvrez avec un linge et laissez lever pendant 20 minutes dans un endroit tiède. Tamisez le reste de farine dans une grande jatte. Faites un puits. Ajoutez le sucre, 3 œufs, les pignons, les raisins et le sel. Mélangez à la main, en ajoutant, petit à petit, des dés de beurre ramolli. Incorporez la boule de pâte et pétrissez bien, afin d'obtenir une pâte homogène et lisse. Laissez lever dans un endroit chaud, jusqu'à ce que la pâte ait doublé de volume. Enfoncez-y plusieurs fois votre poing et pétrissez-la brièvement. Formez un gros dôme (voir illustration ci-contre) que vous mettez sur une plaque à pâtisserie beurrée et farinée. Laissez lever pendant 35 à 40 minutes. Faites cuire au four préchauffé à 200° pendant 30 minutes. Badigeonnez la surface avec l'œuf restant, légèrement battu, et remettez le pain au four pendant 10 minutes environ, jusqu'à ce qu'il soit bien cuit.

GATEAU AU CHOCOLAT ET AUX PIGNONS

Les pignons hachés donnent un goût très agréable à ce gâteau et forment un heureux contraste avec la base au chocolat.

Temps : 1 heure
Facile

300 g de farine
2 cuillerées à café de levure chimique
100 g de sucre semoule
100 g de cacao amer en poudre
1 pincée de sel
1 pincée de cannelle en poudre
100 g de pignons, hachés grossièrement
100 g de beurre
25 cl de lait
2 cuillerées à soupe de rhum
le zeste de 2 oranges, râpé

Tamisez la farine et la levure dans une grande jatte. Ajoutez le sucre, le cacao, le sel, la cannelle et les pignons hachés, puis le beurre fondu, le lait, le rhum et le zeste d'orange râpé. Mélangez bien pendant 5 minutes : la pâte doit être lisse mais ferme. Ajoutez un peu de lait si elle vous paraît trop sèche.

Beurrez et farinez légèrement un moule de 20 cm de diamètre, et garnissez-le de pâte. Faites cuire au four préchauffé à 200° pendant 40 minutes. Le gâteau est cuit lorsqu'une brochette enfoncée en son milieu ressort propre et sèche.

GATEAU A LA CAROTTE ET AUX AMANDES

Temps : 1 h 20
Très facile

500 g de carottes
6 œufs

PAIN AUX RAISINS
ET AUX PIGNONS
■ Selon la tradition, ce
pain se déguste les jours
de fête. A l'occasion de
Pâques, vous pouvez
décorer le dôme avec six
œufs durs joliment peints.
Supprimez alors pignons
et raisins secs.

5 cuillerées à soupe d'eau tiède
300 g de sucre semoule
2 cuillerées à soupe de jus
    de citron
2 cuillerées à soupe de rhum
150 g de farine
1 cuillerée à soupe de levure
    chimique
300 g d'amandes, hachées
    ou en poudre
1 noix de beurre

Pelez les carottes et râpez-les finement. Battez les jaunes d'œufs avec l'eau tiède. Petit à petit, ajoutez le sucre, le jus de citron et le rhum, sans cesser de battre. Battez les blancs d'œufs en neige ferme et incorporez-les à la préparation. Ajoutez rapidement la farine et la levure tamisées, les amandes et les carottes. Remuez délicatement. Beurrez et farinez légèrement un moule de 22 cm de diamètre, et versez-y la pâte. Faites cuire au four préchauffé à 175° pendant 1 heure. Sortez le gâteau du four, laissez refroidir, puis démoulez et servez.

CAKE AUX FRUITS FRAIS

Selon la saison, vous pouvez utiliser d'autres fruits : bananes, kiwis ou ananas, par exemple.

Temps : 2 heures
Facile

1 pomme
2 petites poires, ou 1 grosse
200 g de cerises dénoyautées
4 abricots
1 cuillerée à soupe de raisins
    de Smyrne
100 g de fruits confits
80 g de farine
1 cuillerée à café de levure
    chimique

GATEAU A LA CAROTTE
ET AUX AMANDES
■ Certains légumes sucrés,
telle la carotte, se prêtent
bien à la confection
de gâteaux, auxquels ils
donnent une consistance
moelleuse très agréable.

LA POIRE
■ Gravure illustrant
un traité de botanique
du XIXᵉ siècle. Pour
conserver des poires,
coupez-les en quatre, ôtez
les graines et faites-les
pocher dans un sirop
de sucre, puis mettez-les
dans des bocaux et
recouvrez-les d'alcool à 90°.

150 g de sucre semoule
1 pincée de sel
4 œufs
200 g de beurre
300 g de confiture
   de framboises
2 cuillerées à soupe d'eau

Mettez les raisins de Smyrne à tremper dans de l'eau tiède. Pelez, videz et coupez la pomme et les poires en dés. Couvrez-les d'un linge. Coupez très finement les fruits confits et mélangez-les avec 1 cuillerée à soupe de farine. Tamisez le reste de farine avec la levure dans une jatte, puis mélangez-les avec le sucre et le sel. Battez les œufs au mixer pendant 2 à 3 minutes et versez-les dans le mélange farine-sucre. Remuez, puis battez pendant 10 minutes au batteur électrique, plus longtemps si vous fouettez à la main. Faites fondre le beurre et ajoutez-le à la pâte, sans cesser de battre. Ajoutez les fruits confits, les raisins secs égouttés et épongés, puis les fruits frais.

Beurrez et farinez légèrement un moule à cake profond. Versez-y la pâte et mettez dans le four non préchauffé. Réglez la température sur 170° et faites cuire pendant 1 h 30, jusqu'à ce qu'une brochette enfoncée au centre ressorte propre. Laissez refroidir légèrement le cake avant de le démouler. Faites chauffer la confiture de framboises avec l'eau, puis versez ce glaçage en mince filet sur le cake. Servez le reste dans une saucière.

CAKE ROYAL

Ce cake est particulièrement riche et nourrissant. En hiver, il est idéal pour un goûter dînatoire gourmand.

Temps : 1 heure
Très facile

600 g de pommes
500 g de poires
1 cuillerée à soupe de sucre
   semoule
25 cl d'eau
60 g de cerneaux de noix
60 g d'amandes mondées
100 g de figues séchées
50 g d'écorce d'orange
   ou de cédrat confite
60 g de raisins secs
2 œufs
50 g de farine
1 cuillerée à café de levure
1 à 2 cuillerées à café de beurre
1 cuillerée à soupe de chapelure

Pelez, videz et coupez les pommes et les poires en rondelles. Faites-les cuire dans une casserole avec le sucre et l'eau, en remuant de temps en temps. Hachez les noix, les amandes,

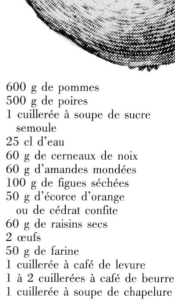

les figues séchées et l'écorce confite en menus morceaux. Faites tremper les raisins secs dans de l'eau tiède pendant 10 minutes, égouttez-les et épongez-les. Passez les pommes et les poires au tamis lorsqu'elles sont suffisamment tendres.

Battez les œufs et incorporez-les à la compote de fruits, puis ajoutez la farine et la levure tamisées. Mélangez bien. Ajoutez les fruits confits, les raisins secs, les figues, les amandes et les noix.

Beurrez un moule à cake profond, parsemez le fond de chapelure, puis versez-y la pâte. Faites cuire au four préchauffé à 175° pendant 1 heure. Vérifiez le degré de cuisson en enfonçant une brochette au centre du cake, qui doit ressortir propre.

GATEAU ROULÉ AUX MARRONS

Temps : 45 minutes
Facile

1 cuillerée à soupe de beurre
4 œufs
100 g de sucre semoule
180 g de farine
1 cuillerée à café de levure
  chimique
1 pincée de sel
1 cuillerée à soupe d'huile
  de tournesol ou de noix
400 g de crème de marrons

Beurrez un moule rectangulaire.
Cassez les œufs dans une jatte
et battez-les. Ajoutez le sucre
petit à petit, sans cesser de battre, puis la farine tamisée, la
levure, le sel et l'huile. Versez
la pâte dans le moule, lissez la
surface avec une spatule et faites cuire au four préchauffé à
175° pendant 40 minutes.
 Posez un linge humide sur le
plan de travail. Démoulez le
gâteau dessus, puis étalez délicatement, mais rapidement, la
purée de marrons sur la surface
et roulez-le. Laissez refroidir sur
une grille. Coupez le gâteau en
tranches et accompagnez de
crème fleurette, selon le goût.

GATEAU PLUME

*Pour que ce gâteau soit aéré
et très léger, il est important
de battre les ingrédients le
plus longtemps possible.*

Temps : 20 minutes
Facile

150 g de beurre
150 g de sucre semoule
3 œufs
150 g de farine ordinaire
  ou fluide
1 cuillerée à café de levure
  chimique
2 oranges
120 g de sucre glace

Battez le beurre dans une jatte
tiède, avec une cuillère en bois,
jusqu'à ce qu'il soit léger et crémeux. Incorporez le sucre, petit
à petit, et les œufs, un par un.
Ajoutez la farine et la levure
tamisées, puis le jus et le zeste
râpé d'une orange. Incorporez
les blancs d'œufs montés en
neige ferme. Versez cette pâte
dans un moule beurré et fariné

**GATEAU ROULÉ
AUX MARRONS**
■ *Ce type de roulé est délicieux en dessert ou au goûter, pour accompagner un thé.*

de 22 cm de diamètre et faites cuire au four préchauffé à 180° pendant 50 minutes.

Pendant la cuisson, préparez le glaçage : faites fondre le sucre glace dans le jus de l'orange restante, à feu doux. Le mélange obtenu doit être épais mais facile à étaler. Sortez le gâteau du four et laissez refroidir. Démoulez-le sur un plat de service, nappez-le uniformément avec le glaçage et décorez-le à votre guise.

GATEAU MEXICAIN

L'huile d'olive donne un goût très particulier à cette recette, rehaussé par le zeste de citron.

Temps : 1 heure
Très facile

200 g de farine
1 cuillerée à café de levure chimique
1 pincée de sel
100 g de beurre
200 g de sucre semoule
3 œufs
150 g de noisettes, hachées menu
5 cl d'huile d'olive
12 cl de lait
le zeste d'un citron, râpé

Sortez le beurre du réfrigérateur suffisamment à l'avance, afin qu'il soit bien mou. Tamisez la farine avec la levure et le sel. Battez le beurre avec le sucre jusqu'à ce que le mélange soit clair et crémeux. Séparez les jaunes des blancs d'œufs. Incorporez les jaunes, un par un, dans le mélange beurre-sucre, sans cesser de battre, puis ajoutez progressivement les autres ingrédients, en commençant par jeter un peu de farine en pluie. Battez les blancs d'œufs en neige ferme et incorporez-les à la pâte. Beurrez et farinez légèrement un moule de 26 cm de diamètre, puis versez-y la pâte. Faites cuire au four préchauffé à 180° pendant 50 minutes environ.

LES MARRONS

Ces fruits d'automne se prêtent à de nombreuses utilisations en pâtisserie. Ils peuvent être grillés, bouillis, conservés dans du sirop, confits ou réduits en purée ou en crème, sucrée ou non, ou laissés entiers pour être séchés.

GATEAU ROULÉ AU CHOCOLAT

Temps : 1 heure
Facile

5 œufs
150 g de sucre semoule
100 g de farine ordinaire
1 cuillerée à café de levure
125 g de beurre
2 cuillerées à soupe de cacao en poudre non sucré
70 g de sucre glace
2 cuillerées à soupe de marasquin
25 cl de crème fouettée

Battez les jaunes d'œufs avec le sucre. Ajoutez la farine et la levure tamisée, et remuez énergiquement. Incorporez les blancs d'œufs montés en neige. Versez cette pâte dans un moule rectangulaire, sur 1 cm d'épaisseur environ, et lissez la surface. Faites cuire au four préchauffé à 180° pendant 40 minutes. Sortez le moule du four. Démoulez le gâteau sur un linge humide, roulez-le et laissez refroidir.

Travaillez le beurre jusqu'à ce qu'il soit bien crémeux, puis incorporez le cacao en poudre et le sucre glace tamisés. Ajoutez le marasquin, petit à petit, et la crème fouettée. Déroulez le

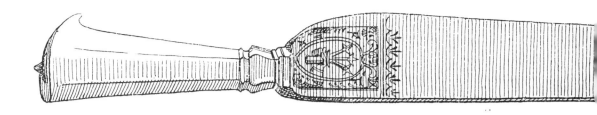

**GATEAU ROULÉ
AU CHOCOLAT**
■ *Servi avec un peu
de crème fouettée, ce
délicieux gâteau terminera
agréablement un repas
léger.*

gâteau et retirez le linge. Étalez la moitié de la crème au chocolat sur le gâteau. Roulez-le de nouveau, garnissez-le avec le reste de crème et servez aussitôt.

GATEAU AU MASCARPONE

Voici un gâteau extrêmement simple à réaliser, mais succulent. Vous pouvez remplacer le mascarpone par un autre fromage frais.

*Temps : 1 heure
Très facile*

3 œufs + 2 jaunes
100 g de sucre semoule
300 g de farine
1 cuillerée à café de levure
10 cl de lait
200 g de mascarpone
25 cl de café noir très fort
quelques grains de café
   (facultatif)

Battez vigoureusement 3 jaunes d'œufs avec la moitié du sucre.

Ajoutez la farine et la levure tamisées, puis versez le lait et incorporez les blancs d'œufs battus en neige ferme. Mélangez tous les ingrédients à l'aide d'une spatule ou d'une cuillère en métal. Beurrez et farinez légèrement un moule à gâteau, puis garnissez-le de pâte. Faites cuire au four préchauffé à 180° pendant 50 minutes.

Sortez le gâteau du four et démoulez-le. Lorsqu'il est refroidi, coupez-le en deux horizontalement. Battez les jaunes d'œufs restants avec le reste de sucre jusqu'à ce que le mélange soit clair et aéré, puis ajoutez le mascarpone et le café. Posez une moitié du gâteau sur un plat de service, étalez la moitié de la crème au café dessus, couvrez avec l'autre moitié de gâteau, puis garnissez le dessus avec le reste de crème. Lissez la surface avec une spatule. Mettez au réfrigérateur avant de servir et décorez, éventuellement, avec des grains de café.

GATEAU AUX CERISES ET AU CHOCOLAT

Vous pouvez contrebalancer le goût amer du cacao non sucré en accompagnant le gâteau de fruits frais.

*Temps : 1 h 30
Facile*

500 g de cerises
200 g de sucre semoule
2 cuillerées à soupe d'eau
3 œufs + 3 jaunes
1 pincée de sel
quelques gouttes d'extrait
   de vanille
200 g de farine

100 g de fécule de pomme
de terre ou de Maïzena
50 g de cacao en poudre
1 cuillerée à café de levure
chimique
70 g de beurre fondu

Lavez et essuyez les cerises, ôtez la queue, puis dénoyautez-les à l'aide d'un dénoyauteur. Faites chauffer 50 g de sucre avec l'eau. Dès l'apparition du premier bouillon, ôtez la casserole du feu et laissez refroidir. Dans une jatte, au bain-marie, mettez les œufs avec les jaunes d'œufs, le sel, le reste du sucre et la vanille, puis battez tous ces ingrédients, de préférence avec un batteur électrique. Faites cuire à feu doux, sans cesser de battre, jusqu'à ce que le mélange soit tiède. Ne poursuivez pas la cuisson plus que nécessaire, car la crème risquerait de tourner. Tamisez la farine, la fécule, le cacao et la levure au-dessus de la jatte de crème, en mélangeant délicatement entre chaque adjonction. Ajoutez le beurre et les cerises bien égouttées. Beurrez un moule rectangulaire de 24 cm de long à bord haut et remplissez-le de pâte aux trois quarts. Faites cuire au four préchauffé à 200° pendant 1 heure, en baissant progressivement la température de quelques degrés au bout de 30 minutes, puis toutes les 10 minutes, sans descendre en dessous de 160°. Démoulez le gâteau et servez.

GATEAU A L'ORANGE

Un gâteau très parfumé et léger. Grâce à l'utilisation de la levure chimique, c'est une version simplifiée du savarin. Vous pouvez ajouter du Grand Marnier au sirop pour en rehausser le goût.

Temps : 1 heure
Très facile

5 œufs
200 g de sucre semoule
+ 6 cuillerées à soupe
le jus et le zeste, râpé,
de 4 oranges
200 g de farine
1/2 cuillerée à café de levure
chimique

Dans une jatte, battez les œufs avec le sucre pendant 10 minutes, puis ajoutez, petit à petit, en remuant entre chaque adjonction, le zeste râpé des oranges, la farine et la levure tamisées. Ajoutez le beurre fondu, sans cesser de battre. Beurrez un moule de 26 cm de diamètre et remplissez-le de pâte.

Faites cuire le gâteau au four préchauffé à 180° pendant 45 minutes, jusqu'à ce qu'il soit bien cuit : une brochette enfoncée au centre doit ressortir propre. Démoulez-le et laissez-le refroidir.

Faire bouillir, à feu vif, le jus des oranges avec les 6 cuillerées à soupe de sucre pendant 5 minutes. Percez la surface du gâteau avec les dents d'une fourchette et versez le sirop à l'orange par-dessus, en mince filet. Servez aussitôt.

GATEAU A LA CONFITURE

Cette spécialité du nord de l'Italie se prépare traditionnellement avec une marmelade de raisins (« mostarda d'uva »). Vous pouvez la remplacer par une autre confiture d'excellente qualité.

Temps : 1 heure
Très facile

300 g de farine
1/2 cuillerée à café de levure
chimique
2 œufs
100 g de sucre semoule
50 g de beurre
le zeste d'un citron, râpé
5 cl de lait
400 g de confiture, au choix

Tamisez la farine et la levure dans une grande jatte. Faites un puits. Ajoutez les jaunes d'œufs légèrement battus, le sucre, le beurre fondu, le zeste de citron râpé et le lait. Mélangez progressivement les ingrédients avec la farine, afin d'obtenir une pâte molle qui se tienne. Divisez-la en deux portions, l'une légèrement plus grande que l'autre. Beurrez et farinez légèrement un moule de 22 cm de diamètre. Étalez la portion la plus grande au fond du moule. Recouvrez avec la moitié de la confiture. Posez le reste de pâte par-dessus et terminez par une couche de confiture. Faites cuire au four préchauffé à 200° pendant 50 minutes.

GATEAU AUX POMMES
ET A LA NOIX
DE COCO
■ La noix de coco
parfume un grand choix
de desserts. Son goût se
marie avec celui de très
nombreux fruits.

GATEAU AUX POMMES ET AUX POMMES DE TERRE

Les pommes de terre peuvent remplacer une partie de la farine dans certaines recettes, car elles allègent un gâteau, au même titre que la fécule.

Temps : 1 heure
Facile

1 pomme de terre
2 œufs
50 g de sucre semoule
200 g de farine
1 cuillerée à café de levure
   chimique
le zeste d'un citron, râpé
10 cl de lait
3 pommes golden
30 g de beurre
1 cuillerée à soupe de sucre
   glace

Faites cuire la pomme de terre et pelez-la pendant qu'elle est encore très chaude, puis passez-la à la moulinette. Battez les œufs avec le sucre. Tamisez la farine et la levure, puis ajoutez-les aux œufs sucrés, ainsi que la pomme de terre, le zeste de citron râpé et le lait. Mélangez les ingrédients jusqu'à ce que vous obteniez une préparation homogène. Beurrez et farinez légèrement un moule de 26 cm de diamètre. Remplissez-le de pâte. Lissez la surface avec une spatule. Pelez, videz et coupez les pommes en fines tranches. Disposez-les en cercles concentriques sur la pâte. Parsemez les pommes de noisettes de beurre et faites cuire au four préchauffé à 180° pendant 45 minutes, jusqu'à ce que le dessus soit bien doré. Parsemez de sucre glace et servez.

LA RICOTTA

Ce fromage très léger et délicat est fabriqué avec le petit lait de vache ou de brebis, bouilli deux fois. La ricotta de vache a un goût très doux, idéal pour confectionner gâteaux et desserts.

GATEAU AUX POMMES ET LA LA NOIX DE COCO

Temps : 1 heure
Très facile

100 g de beurre
100 g de sucre semoule
3 œufs
le zeste d'un citron, râpé
100 g de noix de coco râpée
150 g de farine
1/2 cuillerée à café de levure
   chimique
3 pommes golden

Sortez le beurre du réfrigérateur suffisamment à l'avance pour qu'il soit bien mou et malléable. Travaillez-le avec le sucre jusqu'à ce que le meiange soit clair et crémeux. Ajoutez les jaunes d'œufs, un par un. Incorporez le zeste de citron et la moitié de la noix de coco, puis la farine et la levure tamisées. Ajoutez les blancs d'œufs battus en neige ferme. Versez cette pâte dans un moule beurré et fariné de 22 cm de diamètre. Lissez la surface avec une spatule. Pelez, videz et coupez les pommes en tranches. Enfoncez-les légèrement dans la pâte. Parsemez avec le reste de noix de coco et faites cuire au four préchauffé à 200° pendant 40 minutes, jusqu'à ce que le dessus soit bien doré. Laissez refroidir avant de servir.

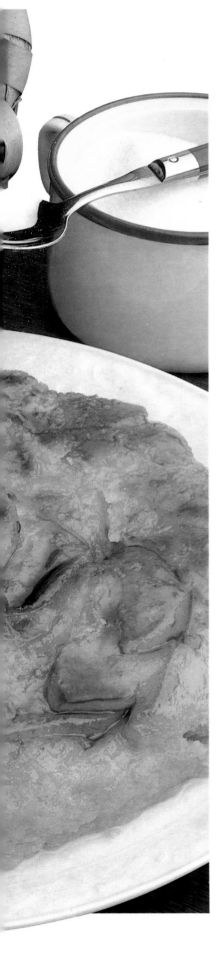

GATEAU AUX TROIS FRUITS

Vous pouvez servir ce gâteau avec une des pêches réduite en compote au mixer et légèrement sucrée.

Temps : 1 h 15
Très facile

80 g de farine
1 cuillerée à café de levure
8 cuillerées à soupe de sucre
4 œufs
1 pincée de sel
250 g de beurre
4 cuillerées à soupe d'eau
2 poires
2 pommes
4 pêches
200 g de confiture de pêches

Tamisez la farine et la levure dans une grande jatte. Faites un puits. Ajoutez le sucre, les œufs, le sel, puis le beurre fondu. Mélangez bien, ajoutez l'eau, les poires et les pommes pelées, vidées et coupées en dés, ainsi que 2 pêches pelées, dénoyautées et coupées en dés. Mettez cette pâte dans un moule beurré et fariné de 26 cm de diamètre et faites cuire au four préchauffé à 180° pendant 1 heure.

Ce gâteau est meilleur chaud, accompagné d'une sauce aux pêches ainsi préparée : pelez et dénoyautez les deux pêches restantes et faites fondre la confiture. Réduisez le tout en compote liquide, au mixer, que vous présenterez dans une saucière.

GATEAU A LA RICOTTA ET A L'ORANGE

Vous pouvez parfumer ce gâteau avec du citron, du citron vert ou bien de la mandarine.

Temps : 1 h 15
Très facile

200 g de ricotta
200 g de sucre semoule
3 œufs
200 g de farine
1/2 cuillerée à café de levure chimique
le jus et le zeste d'une demi-orange
1 noix de beurre

Passez la ricotta au tamis dans une grande jatte et mélangez-la bien avec le sucre. Ajoutez les jaunes d'œufs, un par un, la farine et la levure tamisées, puis le jus et le zeste d'orange, sans cesser de remuer. Incorporez les blancs d'œufs battus en neige ferme. Remplissez de cette pâte un moule beurré et légèrement fariné de 22 cm de diamètre. Faites cuire au four préchauffé à 180° pendant 1 heure.

Ce gâteau est idéal pour un goûter d'anniversaire, car les enfants adorent les raisins secs et les fruits confits.

10 cl de lait
3 cuillerées à soupe d'amandes
   en poudre
150 g de farine
1 1/2 cuillerée à soupe de levure
   chimique
100 g de sucre semoule
1 jaune d'œuf + 1 œuf
60 g de beurre ramolli
4 gouttes d'extrait de vanille
50 g de fruits confits
100 g de raisins secs, mis à tremper
   dans de l'eau tiède et égouttés
1 bonne pincée de cannelle
   en poudre
1 bonne pincée de gingembre
   en poudre

Pour le glaçage au rhum :
30 g de sucre glace

Pour la décoration :
1 cuillerée à soupe de noix, hachées
1 cuillerée à soupe de fruits confits

Mélangez le lait et les amandes en poudre dans une jatte, puis ajoutez la farine et la levure tamisées, le sucre, le jaune d'œuf, le beurre ramolli, l'œuf et la vanille.

Lorsque la pâte est bien lisse et homogène, mettez-la sur le plan de travail et parsemez-la avec les épices. Pétrissez énergiquement.

Aplatissez la pâte avec la paume de la main. Mettez les fruits confits et les raisins secs épongés sur la pâte et enfermez-les en formant une boule.

Beurrez un moule à savarin.

Donnez la forme du moule à la pâte, afin qu'elle l'épouse bien. Faites cuire au four préchauffé à 200° pendant 30 minutes.

Démoulez et laissez refroidir. Préparez le glaçage au rhum (voir p. 52) et décorez-en le gâteau (il est normal qu'il coule légèrement sur les bords). Parsemez de noix hachées et de morceaux de fruits confits avant que le glaçage durcisse complètement.

GATEAU RENVERSÉ A L'ANANAS

Vous pouvez préparer cette recette avec des pêches ou des abricots : dans ce cas, remplacez la cannelle par quelques gouttes d'extrait de vanille.

Temps : 1 h 15
Très facile

7 rondelles d'ananas au sirop, égouttées
2 œufs
450 g de cassonade
10 cl de lait
120 g de beurre
360 g de farine
1 1/2 cuillerée à soupe de levure chimique
1/2 cuillerée à café de cannelle
7 cerises au marasquin

Épongez les rondelles d'ananas avec du papier absorbant, afin d'éliminer le maximum d'humidité. Battez les œufs avec 300 g de cassonade, puis ajoutez le lait et la moitié du beurre, fondu. Tamisez la farine, la levure et la cannelle dans le mélange œufs-sucre. Faites fondre le reste du beurre dans une casserole, à feu moyen, et versez-le au fond d'un moule de 26 cm de diamètre, en le penchant, de façon qu'il soit uniformément beurré. Parsemez avec le reste de sucre. Disposez les rondelles d'ananas dans le moule, en en coupant certaines, de manière à recouvrir tout le fond, et remplissez le centre des rondelles avec des cerises. Recouvrez les fruits de pâte et faites cuire au four préchauffé à 180° pendant 50 minutes. Dès que vous sortez le gâteau du four, recouvrez-le d'une assiette et démoulez-le aussitôt, avant que le caramel ne durcisse. Servez chaud.

LE BEURRE

C'est la matière grasse la plus couramment utilisée en pâtisserie. Il est possible de l'utiliser pour la friture, à condition de le clarifier : faites chauffer le beurre à feu très doux, afin de séparer l'ingrédient qui brûle à faible température, la caséine.

GATEAU AU CHOCOLAT CROQUANT

Les biscuits écrasés constituant la base de ce gâteau peuvent être remplacés par le même volume de noisettes pilées, mais non moulues, dont le goût est très agréable.

Temps : 1 heure
Très facile

130 g d'amandes
130 g de beurre
100 g de sucre semoule
130 g de chocolat pâtissier
3 œufs
1 cuillerée à soupe de levure chimique
30 g de fécule de pomme de terre
50 g de biscuits secs

Sortez le beurre du réfrigérateur afin qu'il soit bien mou et malléable. Lavez les amandes si besoin, mais ne les mondez pas. Hachez-les finement dans un mixer, mais ne les réduisez pas en poudre fine. Battez le beurre et le sucre jusqu'à ce que le mélange soit clair et crémeux. Ajoutez les amandes, puis le chocolat râpé et les jaunes d'œufs. Lorsque le mélange est bien homogène, incorporez les blancs battus en neige ferme. Tamisez la levure et la fécule dans une jatte, puis ajoutez délicatement ce mélange à la pâte. Beurrez un moule de 26 cm de diamètre. Recouvrez le fond avec une épaisseur de biscuits

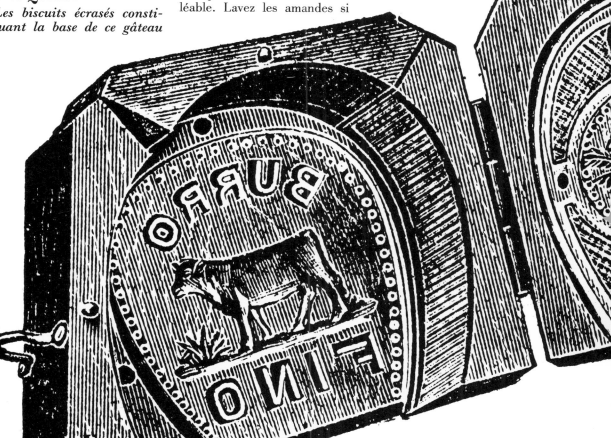

*COURONNE FOURRÉE
AUX ORANGES
ET AU RAISIN*
■ *Ce gâteau levé est
arrosé de sirop de sucre,
à la manière d'un baba. Il
peut être coupé en deux
horizontalement et fourré
de fruits frais.*

écrasés, puis versez la pâte par-dessus. Faites cuire au four préchauffé à 180° pendant 50 minutes.

COURONNE FOURRÉE AUX ORANGES ET AU RAISIN

Temps : 1 heure
Très facile

30 g de levure de boulanger
10 cl de lait
300 g de farine
1/2 cuillerée à café de sel
2 cuillerées à soupe de sucre
4 œufs
140 g de beurre fondu
Pour la garniture aux fruits :
4 oranges
1/2 verre d'eau
200 g de sucre semoule
2 cuillerées à soupe de kirsch
200 g de raisin blanc

Mettez la levure dans le lait tiède (ébouillanté et refroidi à la bonne température). Laissez reposer pendant 10 minutes. Mettez la farine, le sel et le sucre dans une grande jatte. Faites un puits. Ajoutez la levure et le lait, puis les jaunes d'œufs. Incorporez, petit à petit, la farine, puis les blancs d'œufs battus en neige ferme. Mélangez bien avant d'ajouter le beurre fondu. La pâte doit être molle et légèrement collante. Pétrissez-la pendant 10 minutes. Formez une boule aplatie et laissez-la lever dans la jatte, couverte d'un linge, dans un endroit tiède, jusqu'à ce qu'elle ait doublé de volume.

Pétrissez la pâte brièvement et mettez-la dans un moule à sava-rin beurré et fariné. Laissez reposer pendant 30 minutes dans un endroit tiède, à l'abri des courants d'air, et faites cuire au four préchauffé à 200° pen-dant 20 minutes.

Pelez 2 oranges à vif, coupez-les en tranches que vous recou-pez en deux. Faites-les macérer dans un sirop préparé avec l'eau, la moitié du sucre et du kirsch. Pressez les 2 oranges restantes, puis ajoutez le reste de sucre et de kirsch. Faites chauf-fer le sirop à feu très doux.

Lorsque le gâteau est cuit, sortez-le du four et démoulez-le. Arrosez-le avec le sirop bouil-lant, puis laissez-le refroidir. Coupez la couronne en deux horizontalement, farcissez-la avec les demi-rondelles d'oran-ges macérées, puis remplissez le centre avec les grains de raisin.

GATEAU AU SON

Une recette très diététique, grâce, notamment, à la pré-sence du son. Ce gâteau est excellent au petit déjeuner ou à l'heure du thé.

Temps : 1 heure
Très facile

1 yaourt maigre
100 g de son de blé
200 g de farine
1/2 cuillerée à café de levure chimique
2 œufs
le zeste d'un citron, râpé
10 cl d'huile de tournesol
450 g de sucre semoule

Mettez le yaourt dans une jatte, ajoutez le son, la farine tamisée avec la levure, les œufs légère-ment battus, le zeste de citron, l'huilet et le sucre. Mélangez bien et versez cette pâte dans un moule beurré et fariné de 26 cm de diamètre. Faites cuire au four préchauffé à 180° pendant 50 minutes.

GATEAU AU CHOCOLAT ET AUX NOIX

Vous pouvez remplacer les noix par des noisettes.

Temps : 1 h 30
Très facile

200 g de beurre
500 g de fécule de pomme
    de terre
1 cuillerée à café de levure
    chimique
2 œufs
200 g de sucre semoule
120 g de cacao en poudre
25 cl de lait
1 cuillerée à café d'extrait
    de vanille
1 pincée de sel
100 g de cerneaux de noix

Faites fondre le beurre dans une casserole à feu très doux. Retirez du feu, puis ajoutez la fécule et la levure. Mélangez bien, afin d'obtenir un mélange lisse et homogène. Ajoutez, petit à petit, les œufs légèrement battus, puis le sucre et le cacao, et mouillez avec un peu de lait. Parfumez avec la vanille, salez, puis ajoutez encore un peu de lait, jusqu'à ce que la pâte soit bien épaisse, crémeuse et qu'elle se tienne bien. Elle ne doit pas être trop liquide. Versez-la dans un moule beurré et fariné de 22 cm de diamètre. Enfoncez les cerneaux de noix dans la pâte et faites cuire au four préchauffé à 180° pendant 1 heure. Laissez le gâteau refroidir avant de le démouler. Présentez-le, les noix au-dessus, sur un joli plat de service.

LES AMANDES

Pour monder des amandes, faites-les blanchir dans de l'eau bouillante pendant quelques secondes, afin que la petite peau brune se décolle facilement. Pour les rendre encore plus savoureuses, faites-les griller au four pendant quelques minutes.

GATEAU A LA PATE D'AMANDES ET AUX MACARONS

La pâte d'amandes est assez longue à préparer. Vous pouvez l'acheter toute prête, à condition de choisir un produit d'excellente qualité.

Temps : 1 h 30
Facile

300 g de farine
1 cuillerée à café de levure
    chimique
50 g d'amandes, hachées
    ou en poudre
3-4 gouttes d'extrait de vanille
200 g de sucre semoule
150 g de beurre
3 jaunes d'œufs + 2 blancs
2 cuillerées à soupe de confiture
    de prunes
1 cuillerée à soupe de cacao
    en poudre
8 petits macarons, écrasés
2 cuillerées à soupe
    de Cointreau ou d'eau de fleur
    d'oranger
1 poire
1 pomme
300 g de pâte d'amandes

Tamisez la farine avec la levure sur le plan de travail. Ajoutez les amandes, la moitié du sucre et

135

pâte dans un moule beurré et fariné de 26 cm de diamètre et faites cuire au four préchauffé à 180° pendant 50 minutes environ.

PAIN A LA POMME

Un pain sucré délicieux au petit déjeuner ou pour le goûter des enfants.

Temps : 1 h 30
Très facile

20 g de levure de boulanger
10 cl de lait
100 g de sucre semoule
300 g de farine
100 g de beurre
1 pincée de sel
200 g de raisins de Smyrne
500 g de pommes
2 cuillerées à soupe de jus
  de citron
200 g de confiture d'abricots

Versez la levure dans le lait tiède avec 1 cuillerée à soupe de sucre et laissez reposer 10 minutes. Tamisez la farine dans une grande jatte, ajoutez le lait et la levure. Mélangez bien, jusqu'à obtention d'une pâte lisse. Couvrez et laissez reposer dans un endroit tiède pendant 30 minutes, afin que la pâte lève.

Faites ramollir le beurre à température ambiante, puis battez-le. Incorporez-le à la pâte avec le sucre et le sel. Pétrissez bien le tout. Étalez la pâte avec un rouleau à pâtisserie et foncez un moule de 26 cm de diamètre. Laissez la pâte lever dans un endroit tiède pendant 20 minutes. Faites gonfler les raisins dans de l'eau tiède et égouttez-les bien. Pelez, videz et coupez les pommes en fines rondelles, arrosez-les de jus de citron et étalez-les sur la pâte. Parsemez la surface du pain avec les

GATEAU A LA FARINE DE MAIS

Temps : 1 heure
Très facile

1 litre de lait
1/2 gousse de vanille,
  ou 4-5 gouttes d'extrait
1 pincée de sel
150 g de farine de maïs
100 g de beurre
100 g de sucre semoule
3 œufs
1 cuillerée à café de levure chimique

Faites bouillir le lait avec la gousse de vanille ou l'extrait et le sel. Jetez la farine de maïs en pluie dans le liquide bouillant et remuez. Retirez du feu, puis ajoutez le beurre, le sucre, les jaunes d'œufs et la levure. Laissez la préparation refroidir avant d'incorporer les blancs d'œufs battus en neige ferme. Versez la

Battez les blancs d'œufs, puis incorporez-leur le reste du sucre. Sortez le gâteau du four et étalez la meringue sur le dessus. Remettez au four, après avoir baissé la température à 150°, puis laissez cuire pendant 20 à 25 minutes. La meringue doit être d'une belle couleur dorée. Si elle fonce trop rapidement, baissez la température.

Pendant que le gâteau cuit, étalez la pâte d'amandes et découpez des formes de feuilles que vous disposerez sur le gâteau à sa sortie du four.

le beurre ramolli coupé en petits morceaux, puis les jaunes d'œufs et l'extrait de vanille. Mélangez bien. Formez une boule que vous enveloppez dans de l'aluminium et mettez au réfrigérateur pendant 30 minutes. Dans une jatte, mélangez la confiture avec le cacao, les macarons écrasés et le Cointreau ou l'eau de fleur d'oranger. Beurrez et farinez un moule de 26 cm, à fond amovible si possible. Abaissez la pâte avec les doigts en une couche uniforme. Étalez le mélange confiture-cacao par-dessus et recouvrez-le avec la poire et la pomme coupées en tranches. Faites cuire au four préchauffé à 180° pendant 20 minutes.

GATEAU A LA FARINE
DE MAIS
■ La farine de maïs est
un ingrédient très utile
en pâtisserie. Jaune ou
blanche (Maïzena), la
farine de maïs peut être
moulue plus ou moins
finement.

raisins secs et faites cuire au four préchauffé à 180° pendant 50 minutes.

Sortez le moule du four et étalez la confiture d'abricots sur le dessus. Servez tiède.

GATEAU AUX POMMES DE TERRE

Pour obtenir une consistance plus moelleuse, remplacez les pommes de terre par 100 g de fécule de pomme de terre.

Temps : 1 heure
Très facile

2 pommes de terre
80 g de beurre
200 g de sucre semoule
3 cuillerées à soupe de cacao
  en poudre
1 œuf + 1 jaune
200 g de farine
2 cuillerées à café de levure
10 cl de lait
1 pincée de sel
4 cuillerées à soupe de noix,
  hachées
2 cuillerées à soupe de sucre
  glace
50 g d'amandes effilées

Faites cuire les pommes de terre, égouttez-les et réduisez-les en purée pendant qu'elles sont encore chaudes. Sortez le beurre du réfrigérateur suffisamment à l'avance, afin de pouvoir le battre facilement. Mélangez-le avec le sucre jusqu'à ce qu'il devienne clair et crémeux. Ajoutez le cacao, la purée de pommes de terre, puis les jaunes d'œufs un par un, en remuant bien. Tamisez la farine avec la levure et le sel, puis incorporez ce mélange à la préparation en alternant avec le lait. Ajoutez les noix et incorporez les blancs d'œufs battus en neige ferme. La

pâte doit être lisse et homogène. Versez-la dans un moule beurré et fariné de 26 cm de diamètre. Faites cuire au four préchauffé à 180° pendant 50 minutes. Démoulez le gâteau, saupoudrez-le de sucre glace tamisé et d'amandes, et servez.

GATEAU A LA MANDARINE

Ce gâteau est très riche. Pour l'alléger, remplacez le mascarpone par un fromage frais moins gras. Pour rehausser le goût, vous pouvez ajouter 2 cuillerées à soupe de liqueur de mandarine.

Temps : 1 h 15
Très facile

30 g de raisins secs
300 g de farine
2 cuillerées à café de levure
  chimique
10 cl d'eau
150 g de sucre semoule
le zeste d'une mandarine, râpé ou
  haché grossièrement
1 œuf
1 pincée de sel

GATEAU A LA CANNELLE
ET A LA NOIX DE COCO
■ *Les épices sont
couramment utilisées
dans la cuisine d'Europe
centrale et du Nord.
Elles sont également très
employées dans la pâtisserie
moyenne-orientale.*

100 g de mascarpone
2 macarons, émiettés
2 cuillerées à soupe de café fort
40 g de beurre

Faites gonfler les raisins secs dans de l'eau tiède. Tamisez la farine et la levure dans une grande jatte. Ajoutez l'eau, petit à petit, jusqu'à ce que vous obte-niez une pâte assez ferme. Ajou-tez 50 g de sucre, le zeste de mandarine râpé ou haché, l'œuf et le sel. Travaillez la pâte pen-dant 15 minutes avec une cuil-lère en bois ou dans le bol d'un mixer équipé d'un crochet pétrisseur. Mélangez le fromage avec 50 g de sucre, les raisins secs, les macarons émiettés et le café noir froid. Beurrez et fari-nez un moule de 22 cm de dia-mètre. Recouvrez le fond avec la moitié de la pâte. Versez la préparation à la crème par-dessus et recouvrez d'une épais-seur de pâte. Parsemez de noix de beurre et saupoudrez avec le reste du sucre. Faites cuire au four préchauffé à 180° pendant 1 heure.

GATEAU A LA CANNELLE ET A LA NOIX DE COCO

Temps : 1 heure
Très facile

200 g de sucre semoule
2 œufs
100 g de beurre
200 g de farine
1 cuillerée à café de levure chimique
1 cuillerée à café de cannelle en poudre
1 pincée de sel
25 cl de lait
1 noix de coco

Battez les jaunes d'œufs avec le sucre jusqu'à ce que le mélange soit clair et mousseux. Ajoutez le beurre ramolli et coupé en petits morceaux, sans cesser de battre. Ajoutez la farine et la levure tamisées, en alternant avec de petites quantités de lait. Battez les blancs d'œufs en neige ferme et incorporez-les au mélange. Versez cette pâte dans un moule beurré et fariné de 26 cm de diamètre et faites cuire au four préchauffé à 180° pen-dant 50 minutes. Démoulez le gâteau et décorez-le avec des copeaux de noix de coco fraîche (voir illustration ci-contre), découpés à l'aide d'un couteau économe ou d'une râpe à légumes.

GATEAU IMPÉRIAL

Ce somptueux gâteau est décoré avec de la nougatine. Pour gagner du temps, vous pouvez la remplacer par du nougat.

Temps : 1 h 15
Assez facile

3 œufs
3 cuillerées à soupe d'eau bouillante
4-5 gouttes d'extrait de vanille
150 g de sucre semoule
80 g de farine
2 cuillerées à soupe de levure chimique
70 g de fécule
3 cuillerées à soupe de cacao en poudre
Pour la garniture :
50 cl de crème pâtissière (voir p. 44)
150 g de beurre, à température ambiante
1 cuillerée à soupe de sucre glace
Pour la décoration :
1 noix de beurre
100 g de sucre semoule
150 g d'amandes, hachées
huile d'amandes douces

Battez les jaunes d'œufs au fouet manuel ou au batteur électrique, puis ajoutez l'eau bouillante. Continuez de fouetter et ajoutez, petit à petit, la moitié du sucre semoule jusqu'à ce que le mélange soit clair et mousseux. Battez les blancs d'œufs en neige fermet et incorporez le reste du sucre. Déposez les blancs d'œufs sur la préparation cré-meuse, puis versez le cacao par-dessus. Mélangez tous ces ingré-dients très délicatement à l'aide d'une spatule. Beurrez un moule de 22 cm de diamètre, à fond amovible, et tapissez-le avec du papier siliconé. Versez-y la pâte

GATEAU TUTTI FRUTTI

Temps : 1 h 30
Très facile

et faites cuire au four préchauffé à 200° pendant 30 minutes.

Préparez la garniture : lorsque la crème pâtissière est prête, incorporez-lui le beurre ramolli et le sucre glace pendant qu'elle est encore chaude. Laissez-la refroidir, en remuant de temps en temps.

Préparez la décoration du gâteau : faites fondre le beurre avec le sucre dans une petite casserole à fond épais jusqu'à ce que le mélange soit doré. Ajoutez les amandes et continuez de remuer jusqu'à ce qu'elles soient bien caramélisées. Badigeonnez une grande assiette avec de l'huile d'amandes et étalez-y une couche de caramel aux amandes de 1 cm d'épaisseur environ. Laissez refroidir.

Démoulez le gâteau. Coupez-le en trois horizontalement. Pla-cez une abaisse sur le plat de service. Étalez un tiers de la garniture. Posez une couche de gâteau par-dessus, nappez avec la moitié de la crème restante et recouvrez avec le dernier morceau de gâteau. Utilisez le reste de crème pour recouvrir complètement le dessus. Cassez la nougatine en petits morceaux que vous disposerez sur la crème pour décorer.

100 g de beurre
100 g de sucre semoule
4 œufs
250 g de farine
1 cuillerée à café de levure chimique
quelques gouttes d'extrait de vanille
10 cl de lait
1 pincée de sel
2 oranges
8 oreillons d'abricots au sirop

140

2 poires au sirop
100 g de cerises au sirop
1 cuillerée à soupe de jus
    de citron
4 cuillerées à soupe de confiture
    d'abricots
30 g d'amandes effilées
6 cuillerées à soupe de gelée
    de framboises ou de groseilles

Battez le beurre ramolli avec le
sucre jusqu'à ce que le mélange
soit clair et crémeux. Ajoutez les
jaunes d'œufs, un par un. Tamisez la farine avec la levure et
ajoutez-la au mélange, en alternant avec le lait et l'extrait de
vanille. Battez les blancs d'œufs
en neige ferme avec le sel et
incorporez-les à la pâte. Versez-
la dans un moule beurré et
fariné de 26 cm de diamètre et
faites cuire au four préchauffé
à 180° pendant 45 minutes.

Préparez les fruits : pelez les
oranges, coupez-les en quartiers
et faites-les bouillir dans le sirop
des abricots et des poires.
Laissez-les refroidir. Coupez les
abricots et les poires en petits
morceaux, puis les cerises en
deux, et mettez tous ces fruits
dans une jatte. Arrosez-les de jus
de citron.

Démoulez le gâteau. Lorsqu'il
est froid, badigeonnez-le de
confiture d'abricots passée au
tamis, préalablement chauffée si
besoin. Posez les amandes sur
ce glaçage. Égouttez les fruits,
en réservant le sirop, et
disposez-les sur les amandes.
Faites bouillir le sirop des fruits
jusqu'à ce qu'il ne reste plus que
8 cuillerées à soupe de liquide.
Filtrez la gelée dans ce mélange,
remuez, puis laissez refroidir.
Versez cette préparation sur le
gâteau.

GATEAU GLACÉ AUX FRAISES

*Le moyen le plus facile pour
obtenir un joli glaçage
consiste à faire fondre de la
confiture dans une petite casserole, à feu doux, et à l'étaler uniformément sur le
gâteau.*

*Temps : 1 heure
Très facile*

5 pommes
2 clous de girofle
15 cl de vermouth sec
200 g de sucre semoule
110 g de beurre
4 œufs
le zeste, râpé, et le jus
    d'un citron
300 g de farine
1 cuillerée à café de levure
    chimique
4-5 gouttes d'extrait de vanille
1 pincée de sel
100 g de gelée de framboises
50 g de sucre glace
300 g de fraises
20 cl de crème fouettée

Pelez les pommes, coupez-les en
deux et videz-les. Mettez-les
dans un plat allant au four avec
les clous de girofle, le vermouth
et 6 cuillerées à soupe de sucre.
Couvrez d'une feuille d'aluminium et faites cuire au four
préchauffé à 180° pendant
30 minutes, en remuant une fois
ou deux.

Préparez le gâteau : battez le
beurre ramolli avec le reste du
sucre jusqu'à ce que le mélange
soit clair et crémeux. Incorporez les jaunes d'œufs battus un
par un, ajoutez l'extrait de
vanille, le zeste et le jus de citron
filtré, puis la farine et la levure
tamisées. Mélangez bien. Battez
les blancs d'œufs en neige ferme
avec une pincée de sel et
incorporez-les à la pâte.

Beurrez un moule de 26 cm
de diamètre. Versez-y la moitié
de la pâte, lissez la surface, puis
mettez les pommes égouttées
par-dessus, partie coupée en
dessous, et recouvrez avec le
reste de pâte. Faites cuire au
four préchauffé à 180° pendant
1 heure.

Démoulez le gâteau et laissez-
le refroidir. Faites fondre la
gelée de framboises avec le
sucre glace et glacez la surface
du gâteau. Décorez le dessus
avec des fraises et de la crème
fouettée. Servez aussitôt.

GATEAU AUX TROIS ÉPICES

*L'association cannelle, clous
de girofle et muscade est typi-
que de la cuisine d'Europe du
Nord.*

*Temps : 1 h 15
Très facile*

30 g de raisins secs
250 g de beurre
250 g de sucre semoule
6 morceaux de sucre
1 orange

4 œufs
325 g de farine
1 cuillerée à café de levure
125 g de fruits confits
2 cuillerées à soupe de cognac
1 cuillerée à café de cannelle
1 cuillerée à café de muscade
1/2 cuillerée à café de clous
  de girofle en poudre
1 pincée de sel

Faites tremper les raisins secs dans de l'eau tiède. Sortez le beurre du réfrigérateur suffisamment à l'avance pour pouvoir le battre avec le sucre. Frottez les morceaux de sucre sur le zeste de l'orange, puis écrasez-les et ajoutez-les au mélange beurre-sucre. (A la place, vous pouvez ajouter 2 cuillerées à soupe de sucre au mélange beurre-sucre et parfumer avec 6 gouttes d'huile essentielle d'orange.) Battez bien. Ajoutez les jaunes d'œufs un par un, puis la farine tamisée avec la levure. Égouttez les raisins, épongez-les avec du papier absorbant, roulez-les dans 2 cuillerées à café de farine et ajoutez-les à la préparation. Coupez les fruits confits en petits morceaux et ajoutez-les au mélange, avec le cognac, sans cesser de remuer pendant quelques minutes. Ajoutez la cannelle, la muscade et les clous de girofle. Battez les blancs d'œufs en neige ferme avec le sel et incorporez-les à la pâte. Tapissez un moule de 22 cm de diamètre avec du papier sulfurisé et versez-y la pâte. Faites cuire au four préchauffé à 180° pendant 1 heure.

GATEAU DU MONTAGNARD

Voici un autre gâteau préparé avec de la farine de maïs (voir recette p. 136), mélangée ici

(voir recette p. 136)

avec des macarons et des amandes, et enrichi de fruits confits et de raisins secs.

Temps : 1 heure
Très facile

50 g de raisins secs
300 g de farine de maïs jaune
  très fine
1 cuillerée à café de levure
  chimique
150 g de beurre
6 macarons aux amandes,
  émiettés
2 œufs
30 g d'amandes, hachées
le zeste d'un citron, râpé
quelques fruits confits, hachés
  menu
1 pincée de sel

Faites gonfler les raisins secs dans de l'eau tiède. Égouttez-les, épongez-les et roulez-les dans 2 cuillerées à café de farine. Tamisez la farine de maïs avec la levure dans une jatte. Ajou-

LE SEL

Le sel est un ingrédient très utilisé pour confectionner la plupart des pains et gâteaux à base de pâte levée, non seulement pour en relever la saveur, mais également pour renforcer l'action du gluten contenu dans la farine.

tez le beurre ramolli, les macarons émiettés, les jaunes d'œufs, les amandes, le zeste de citron, les fruits confits, puis les raisins. Battez les blancs d'œufs en neige ferme avec un peu de sel et incorporez-les à la pâte. Beurrez et farinez légèrement un moule de 26 cm de diamètre. Versez-y la pâte. Faites cuire au four préchauffé à 180° pendant 50 minutes.

GATEAU AU RAISIN ET A LA GRAPPA
■ *La grappa donne à ce gâteau un goût très prononcé. Vous pouvez la remplacer par du kirsch ou une liqueur à base de fruits.*

GATEAU AU RAISIN ET A LA GRAPPA

Temps : 2 heures
Très facile

90 g de raisins secs
200 g d'amandes, mondées
200 g de sucre
6 œufs
100 g de farine de maïs jaune
   très fine
60 g de farine
1 cuillerée à café de levure
   chimique
30 g de fécule ou de Maïzena
1 pincée de sel
150 g de beurre
3 cuillerées à soupe de grappa
200 g de raisin noir
2 cuillerées à soupe de gelée
   de raisin

Faites tremper les raisins dans de l'eau tiède. Faites griller les amandes à four moyen (180°) jusqu'à ce qu'elles soient bien dorées. Passez-les au mixer avec 60 g de sucre. Battez les œufs avec le reste du sucre au bain-marie. Continuez de fouetter jusqu'à ce que la préparation soit tiède, puis ôtez du feu et battez jusqu'à ce que vous obteniez un mélange mousseux et aéré. Ajoutez la farine tamisée avec la levure, puis la fécule, le sel, les amandes, les raisins, le beurre ramolli et la grappa. Mélangez bien et versez la pâte dans un moule beurré et fariné de 26 cm de diamètre.

   Faites cuire au four préchauffé à 180° pendant 1 heure. Démoulez le gâteau. Coupez les grains de raisin en deux et épépinez-les. Disposez-les sur le dessus du gâteau et arrosez-les avec la gelée de raisin fondue.

GATEAU AUX MARRONS

Temps : 2 heures
Facile

1 kg de marrons frais
   ou au naturel
1 cuillerée à café de levure
   chimique
25 cl de lait
100 g de sucre semoule
3 œufs
100 g de sucre glace
quelques gouttes d'extrait
   de vanille
2 cuillerées à soupe de rhum

Si vous utilisez des marrons frais, faites-les bouillir pendant 10 minutes pour les débarrasser de leur peau externe. Faites-les bouillir pendant encore 30 minutes pour ôter facilement la peau interne. Réduisez-les en purée pendant qu'ils sont encore chauds. Ajoutez la levure, le lait froid, le sucre et les jaunes d'œufs. Battez les blancs d'œufs en neige ferme et incorporez-les délicatement à la pâte.

   Beurrez un moule de 26 cm de diamètre, tapissez-le de papier sulfurisé et versez-y la pâte. Lissez-la avec une spatule. Faites cuire au four préchauffé à 180° pendant 45 minutes. Sortez le gâteau du four. Lorsqu'il est froid, démoulez-le sur un plat. Préparez le glaçage en ajoutant le sucre glace et la vanille au rhum. Étalez-le sur le gâteau en le lissant avec une spatule tiède.

C es gâteaux ne doivent pas leur légèreté à l'adjonction de levure chimique ; d'ailleurs, les pâtissiers les préparaient bien avant l'apparition des agents levants couramment utilisés aujourd'hui, probablement dès la fin du Moyen Age. L'un de leurs principaux ingrédients ne coûte rien : il s'agit simplement de l'air incorporé par une main experte à l'appareil lorsqu'on bat les œufs, le beurre ou la crème. Ces créations délicieuses et délicates sont, au moins à deux stades de leur confection, source d'inquiétude pour celui qui les prépare : comment savoir que le gâteau est cuit à la perfection et comment le démouler sans risquer de l'abîmer ?

LES BISCUITS

GATEAU MOUSSELINE

Temps : 1 h 15
Facile

6 œufs
150 g de sucre glace
l'écorce d'un citron, râpée
150 g de farine fluide
1 noix de beurre

Mettez les jaunes d'œufs dans une terrine et commencez à les battre, puis ajoutez le sucre, petit à petit, sans cesser de fouetter le mélange avec un fouet manuel ou au batteur électrique. Continuez de battre jusqu'à ce que le mélange soit très clair.

Battez les blancs d'œufs en neige très ferme. Incorporez-les progressivement au mélange œufs-sucre à l'aide d'une spatule ou d'une grande cuillère en métal. Ajoutez le zeste de citron râpé et, avant de le mélanger à la pâte, versez la farine tamisée. Remuez bien la préparation avec une spatule ou une cuillère en bois.

Beurrez un moule de 24 cm de diamètre, saupoudrez-le de farine et ôtez l'excédent. Versez-y la pâte et lissez la surface. Faites cuire au four préchauffé à 180° pendant 1 heure. Pour savoir si le gâteau est cuit, enfon-

□ Les gâteaux de ce chapitre, exempts de levure, doivent leur légèreté à l'air incorporé à la pâte crue lorsqu'on bat énergiquement les ingrédients. Au moment de l'enfourner, la pâte peut contenir jusqu'à un tiers de son volume d'air. La préparation de ces gâteaux commence toujours de la même façon : les jaunes d'œufs ou le beurre sont battus avec le sucre jusqu'à ce que le mélange éclaircisse et devienne mousseux. Tous les ingrédients doivent être à température ambiante lorsqu'on commence la recette.

□ Pour monter des œufs en neige, de nombreuses cuisinières ne jurent que par la jatte en cuivre : en effet, un acide inoffensif, produit au contact de ce métal, stabilise les blancs d'œufs et permet d'en obtenir un volume plus important. Toutes les pâtes présentées dans ce chapitre sont légères et assez liquides. Avant d'ajouter les blancs d'œufs, opération qui doit être effectuée avec le plus grand soin, à l'aide d'une spatule, elles doivent former le ruban. Préparez le moule avant de commencer à confectionner la pâte : beurrez-le, saupoudrez-le de farine et tapotez-le pour l'étaler uniformément avant de jeter l'excédent. Lorsque la pâte est dans le moule, lissez la surface avec une spatule ou un couteau à large lame.

□ Laissez reposer le gâteau pendant quelques minutes avant de le démouler, lorsqu'il est encore tiède. Faites glisser la lame d'un couteau bien aiguisé à l'intérieur du moule pour décoller les bords du gâteau. Les recettes de ce chapitre permettent de préparer des gâteaux qui se congèlent bien : il suffit de faire décongeler le gâteau 3 heures avant de l'utiliser ou de le servir. Ce type de préparation se prête également à la réalisation d'un grand nombre de desserts très variés : flans, diplomates, charlottes, bombes et autres gâteaux à étages.

cez délicatement vos doigts à la surface : si la pâte vous paraît ferme et qu'elle revient en place lorsque vous les retirez, le gâteau est prêt. Si une empreinte subsiste, remettez-le au four pendant quelques minutes.

GATEAU MADELEINE

Cette pâte offre l'avantage de cuire sur une épaisseur très fine, de 1 cm environ. On peut donc couper le gâteau en losanges et les saupoudrer de sucre glace. Les petits moules à madeleines sont utiles si on souhaite obtenir un résultat digne d'un professionnel. Cette pâte sert de base à de nombreux gâteaux.

Temps : 1 h 15
Facile

6 jaunes d'œufs
150 g de sucre semoule
120 g de farine fluide
50 g de beurre
1 pincée de bicarbonate de soude
l'écorce d'un citron, râpée
4 blancs d'œufs
1 cuillerée à soupe de sucre glace

Battez les jaunes d'œufs avec le sucre jusqu'à ce que le mélange soit clair et mousseux. Incorporez la farine tamisée et continuez de battre pendant 15 minutes. Faites fondre le beurre au bain-marie et ajoutez-le à la pâte, avec le bicarbonate et le zeste de citron râpé. Mélangez bien et incorporez les blancs d'œufs battus en neige ferme. Beurrez un moule de 24 cm de diamètre, saupoudrez-le de farine et versez-y la pâte. Faites cuire au

GÉNOISE
■ Ce gâteau compte parmi les préparations à base de blancs d'œufs battus les plus connues. Il est le point de départ de nombreux desserts et gâteaux fourrés.

four préchauffé à 180° pendant 1 heure. Démoulez sur une grille, parsemez de sucre glace et servez.

GÉNOISE

Grand classique de la pâtisserie, ce gâteau sert de base à de nombreuses recettes. Il peut être fourré avec de la crème fouettée, des fruits, de la confiture, ou entrer dans la composition de succulents diplomates ou coupes glacées.

Temps : 1 h 15
Facile

150 g de sucre semoule
l'écorce d'un citron, râpée
5 œufs
125 g de farine fluide

Faites tiédir une jatte de taille moyenne pouvant s'adapter sur une casserole d'eau frémissante. Mettez le sucre, le zeste de citron râpé et les œufs dans la jatte, et battez vigoureusement ce mélange. Mettez la jatte au bain-marie et continuez de battre jusqu'à ce que la préparation soit tiède. Ne prolongez pas la cuisson, car la sauce risquerait de tourner. Retirez la jatte du bain-marie et continuez de battre jusqu'à ce que le mélange soit léger et mousseux. Tamisez la farine dans la jatte et incorporez-la délicatement aux autres ingrédients avec une cuillère en bois. Versez la pâte dans un moule de 24 cm de diamètre et faites cuire au four préchauffé à 180° pendant 30 minutes.

GATEAU
DE SAVOIE

Un autre gâteau délicieux tel quel, fourré de crème pâtissière ou d'une autre garniture, ou encore arrosé de liqueur.

Temps : 1 h 15
Facile

6 œufs
300 g de sucre semoule
90 g de fécule de pomme
   de terre ou de Maïzena
90 g de farine
quelques gouttes d'extrait
   de vanille

Battez les jaunes d'œufs avec le sucre jusqu'à ce que le mélange soit clair et volumineux. Ajoutez l'extrait de vanille. Tamisez les deux types de farine dans la jatte, sans cesser de remuer. Incorporez les blancs d'œufs battus en neige ferme.

Beurrez un moule à manqué de 24 cm de diamètre et de 5

à 6 cm de haut. Versez-y la pâte et faites cuire au four préchauffé à 180° pendant 1 heure. Le gâteau doit être gonflé et doré. Vérifiez la cuisson en le tâtant du bout des doigts (voir recette du gâteau mousseline, p. 146).

GATEAU A LA SAUCE
AUX POMMES

Temps : 1 h 15
Très facile

6 œufs
200 g de sucre semoule
le jus et le zeste, râpé,
   d'un citron
7 cuillerées à soupe de fécule
   de pomme de terre
1 pincée de sel
1 cuillerée à soupe de sucre
   glace
Pour la sauce aux pommes :
2 pommes
50 g de sucre semoule
10 cl d'eau
20 cl de yaourt
1 noix de beurre
2 cuillerées à soupe de farine

Mettez les jaunes d'œufs dans une jatte. Ajoutez le sucre et le jus de citron. Battez avec une cuillère en bois jusqu'à ce que le mélange soit clair, mousseux et volumineux : le sucre devrait alors être complètement dissous. Tamisez la fécule et incorporez-la, petit à petit, au mélange précédent. Ajoutez le sel, puis les blancs d'œufs battus en neige ferme.

Beurrez un moule de 24 cm de diamètre, farinez-le et remplissez-le de pâte. Faites cuire au four préchauffé à 180° pendant 50 minutes : une brochette enfoncée au centre du gâteau doit en ressortir propre.

Démoulez-le sur un plat de service. Saupoudrez le dessus de sucre glace.

Préparez la sauce aux pommes : pelez, videz et coupez les pommes en tranches. Faites-les cuire avec le sucre, l'eau et le zeste de citron jusqu'à ce qu'elles soient très tendres. Passez-les au tamis. Remettez la compote dans la casserole et faites-la cuire à feu doux jusqu'à ce qu'elle ait bien épaissi. Laissez refroidir avant de la mélanger avec le yaourt. Servez cette sauce avec le gâteau.

GATEAU AUX NOIX
ET A LA CREME

Vous pouvez remplacer la crème fouettée par une sauce au chocolat très épaisse.

Temps : 1 h 15
Très facile

4 œufs
200 g de sucre
200 g de noix, mondées
   et débarrassées de leur petite
   peau
20 g de farine fluide
200 g de chocolat à cuire, râpé
10 cl de lait
20 cl de crème fraîche
1 cuillerée à soupe de sucre

Battez les jaunes d'œufs avec le sucre jusqu'à ce que le mélange soit clair. Pilez les noix très finement ou hachez-les grossièrement au mixer et ajoutez-les au mélange. Incorporez la farine, le chocolat et le lait, puis les blancs d'œufs battus en neige. Versez cette pâte dans un moule à savarin de 24 cm de diamètre et faites cuire au four préchauffé à 180° pendant 1 heure.

COURONNE A LA CAROTTE

Vous pouvez remplacer la crème au beurre au kirsch par un glaçage au kirsch. La crème au beurre peut être préparée à l'avance.

100 g de carottes
70 g de sucre semoule
3 jaunes d'œufs
6 cuillerées à soupe de farine
100 g d'amandes en poudre
1 cuillerée à soupe de zeste
   de citron, râpé
1 cuillerée à soupe de jus
   de citron
3 blancs d'œufs

Pour la crème au kirsch :
30 g de sucre semoule
50 g de beurre
1 jaune d'œuf
1 cuillerée à soupe de kirsch

Pour la crème Chantilly :
20 cl de crème fraîche
30 g de sucre glace

Pour humecter le gâteau :
25 cl de Cointreau

Beurrez un moule à savarin et farinez-le légèrement.

Pelez les carottes et râpez-les finement.

Battez les jaunes d'œufs avec le sucre jusqu'à ce que le mélange soit clair et mousseux. Incorporez la farine, sans cesser de battre, et faites cuire à feu très doux, au bain-marie, jusqu'à ce que le mélange épaississe.

Retirez du feu. Ajoutez les carottes, les amandes en poudre, le zeste de citron râpé, puis le jus de citron.

Battez les blancs d'œufs en neige ferme.

Incorporez-les à la pâte.

Versez la moitié de cette pâte dans le moule préparé, en veillant à ce qu'elle se répartisse uniformément. Recouvrez la pâte de crème au kirsch, puis versez le reste de pâte par-dessus.

Faites cuire au four préchauffé à 180° pendant 45 minutes. Démoulez le gâteau et retournez-le. Badigeonnez le dessus de Cointreau. Décorez de crème Chantilly (voir p. 48).

ORANGES
■ *Plus une orange est lourde, plus elle est juteuse. Les fruits dont la peau est bien lisse sont également très juteux.*

Battez la crème avec le sucre glace jusqu'à ce qu'elle soit bien ferme. Démoulez le gâteau et remplissez le centre de crème fouettée.

GATEAU MARGUERITE

Un gâteau moelleux et digeste aux nombreuses variantes. Il constitue une base idéale pour confectionner des gâteaux dont les enfants raffoleront : nappez-le simplement, par exemple, de sirop de grenadine ou d'un autre parfum.

Temps : 1 heure
Facile

6 œufs
6 cuillerées à soupe d'eau bouillante
300 g de sucre semoule
quelques gouttes d'extrait de vanille
250 g de farine
100 g de Maïzena
50 g de beurre fondu, pas trop chaud
1 pincée de sel

Battez les jaunes d'œufs. Ajoutez l'eau bouillante et continuez de fouetter le mélange pendant que vous incorporez les deux tiers du sucre. Ajoutez la vanille. A ce stade, la pâte doit être claire et molle. Ajoutez une pincée de sel.

Battez les blancs d'œufs en neige ferme. Continuez de battre pendant que vous ajoutez le reste du sucre. La meringue obtenue doit être suffisamment ferme pour que la lame d'un couteau y laisse une marque visible. Versez-la sur la pâte, sans la mélanger à cette dernière. Tamisez rapidement la farine et

la Maïzena dans la jatte, sur les blancs, et versez le beurre fondu par-dessus. Mélangez bien tous ces ingrédients, délicatement.

Beurrez et farinez légèrement un moule à fond amovible de 24 cm de diamètre. Remplissez-le de pâte et faites cuire au four préchauffé à 210° pendant 30 minutes.

ROULÉ A L'ORANGE

Un excellent gâteau pour le petit déjeuner ou le thé du goûter. La garniture est riche et nourrissante.

Temps : 1 h 15
Facile

250 g de farine
100 g de sucre semoule
4 œufs
200 g de beurre
3 cuillerées à soupe de liqueur à l'orange ou de cognac
50 g de raisins secs
25 cl de vin doux à dessert
100 g de noix
50 g d'amandes, mondées
50 g d'orange et de cédrat confits
1 cuillerée à soupe de chapelure
50 g de pignons
le zeste d'une orange, râpé
le zeste d'un citron, râpé
1 cuillerée à soupe de sucre glace

Mélangez la farine et le sucre sur le plan de travail. Faites un puits. Ajoutez 1 œuf, 1 jaune d'œuf et 100 g de beurre, ramolli à température ambiante et coupé en petits morceaux. Mélangez rapidement. Ajoutez la liqueur à l'orange ou le cognac et formez une boule de pâte.

Enveloppez-la dans du film adhésif et mettez-la dans la partie la plus froide du réfrigérateur.

Préparez la garniture : faites gonfler les raisins dans le vin blanc. Pilez les noix et les amandes, ou réduisez-les en poudre au mixer, et mélangez-les avec les fruits confits. Mélangez avec 1 jaune d'œuf, puis avec un blanc battu en neige ferme.

Abaissez la pâte réfrigérée en un rectangle de 20 cm × 30. Étalez la garniture sur l'abaisse, puis roulez celle-ci délicatement. Beurrez et farinez une plaque à pâtisserie et posez le roulé dessus. Dorez avec le reste de jaune d'œuf et saupoudrez le sucre glace. Faites cuire au four préchauffé à 190° pendant 45 minutes.

GATEAU AU RHUM ET A LA BANANE

Les bananes et le rhum semblent être faits l'un pour l'autre. La banane confère aux gâteaux une consistance moelleuse des plus agréables.

Temps : 40 minutes
Très facile

30 cl de lait
quelques gouttes d'extrait de vanille
150 g de sucre semoule
200 g de pain rassis
1/2 cuillerée à café de cannelle en poudre
le zeste, râpé, et le jus d'un citron
2 œufs
50 g de beurre
4 bananes bien mûres
200 g de confiture d'abricots
3 cuillerées à soupe de rhum

ABRICOTS
■ Gravure extraite
d'un traité de botanique
du XIXᵉ siècle. Pour
épaissir et parfumer
de la confiture d'abricots,
ajoutez quelques amandes
décortiquées avant
de faire bouillir les fruits.

rement un moule de 22 cm de diamètre. Versez-y la pâte et faites cuire au four préchauffé à 180° pendant 45 minutes.

Démoulez le gâteau, laissez-le refroidir et décorez-le avec des quartiers d'oranges et des rosettes de crème fouettée. Présentez la sauce au chocolat à part.

GATEAU A LA LIQUEUR DE MANDARINE

Ce gâteau est délicieux servi avec de la glace aux fruits, des fruits en compote ou des fraises fraîches à la crème.

Temps : 1 heure
Facile

6 œufs
100 g de sucre semoule
3 cuillerées à soupe
  de chapelure
3 cuillerées à soupe de liqueur
  de mandarine
150 g de fécule ou de Maïzena
25 cl de crème fraîche
2 cuillerées à soupe de pépites
  de chocolat

Battez les jaunes d'œufs avec le sucre jusqu'à ce que le mélange soit clair et mousseux. Ajoutez la chapelure et la liqueur. Remuez bien. Incorporez les blancs d'œufs battus en neige ferme et ajoutez la fécule tamisée à ce mélange. Mélangez à l'aide d'une spatule. La pâte doit être très souple et aérée. Versez-la dans un moule à kouglof de 24 cm de diamètre et faites cuire au four préchauffé à 180° pendant 50 minutes.

Démoulez le gâteau et laissez-le refroidir. Garnissez le centre

avec de la crème fouettée et des pépites de chocolat. Mettez au réfrigérateur jusqu'au moment de servir.

Portez à ébullition le lait additionné de l'extrait de vanille et du sucre. Émiettez le pain dans une jatte et arrosez-le avec le lait chaud. Ajoutez la cannelle, le zeste et le jus de citron, puis les jaunes d'œufs. Remuez bien. Faites chauffer le beurre au bain-marie jusqu'à ce qu'il soit tout juste fondu et versez-le sur le pain au lait. Ajoutez les bananes coupées en fines rondelles. Remuez. Battez les blancs d'œufs en neige ferme et incorporez-les à la préparation à base de pain. Beurrez un moule à soufflé de 22 cm de diamètre, farinez-le légèrement et remplissez-le de pâte aux trois quarts. Mettez le moule dans un bain-marie et faites cuire au four préchauffé à 180° pendant 1 heure environ.

Laissez refroidir le gâteau avant de glacer le dessus avec de la confiture que vous aurez fait fondre au préalable avec le rhum.

GATEAU SUPRÊME

Temps : 1 heure
Facile

6 œufs
250 g de sucre semoule
100 g de fécule ou de Maïzena
50 g de farine
le zeste d'un citron, râpé
sauce au chocolat (voir p. 50)
2 oranges
10 cl de crème fouettée

Battez les jaunes d'œufs avec le sucre jusqu'à ce que le mélange soit clair et mousseux. Tamisez la farine et la fécule dans le mélange précédent, sans cesser de battre. Ajoutez le zeste de citron. Battez les blancs d'œufs en neige ferme et incorporez-les à la pâte. Beurrez et farinez légè-

GATEAU SUPRÊME
■ Grâce à la Maïzena, ce gâteau est extrêmement léger. Vous pouvez remplacer le zeste de citron par du zeste d'orange, et saupoudrer la surface du gâteau avec un peu de cannelle.

GATEAU AUX CERISES

Choisissez de préférence des cerises à chair ferme et sucrée. A défaut de cerises fraîches, utilisez des fruits en conserve, bien égouttés.

Temps : 1 heure
Très facile

200 g de beurre
200 g de sucre
4 œufs
200 g de farine
1 kg de cerises
200 g de confiture ou de gelée de cerises

Sortez le beurre du réfrigérateur suffisamment à l'avance pour pouvoir le travailler à la cuillère en bois jusqu'à ce qu'il soit cré-meux et clair. Ajoutez le sucre et battez bien. Incorporez les jaunes d'œufs, un par un, puis versez la farine tamisée, sans cesser de remuer. La pâte doit être souple et homogène.

Versez-la dans un moule beur-ré et fariné de 26 cm de diamè-tre. Lavez et essuyez les cerises, ôtez les queues, dénoyautez-les et posez-les à la surface du gâteau. Faites cuire au four pré-chauffé à 180° pendant 50 minu-tes. Faites fondre la confiture ou la gelée de cerises et versez-la sur les fruits. Laissez refroidir le gla-çage avant de servir.

GATEAU AU CURAÇAO

Vous pouvez remplacer le curaçao par de l'eau de fleur d'oranger.

Temps : 1 heure
Facile

1 gâteau Marguerite (voir p. 151)
5 cl de curaçao
250 g de beurre
250 g de sucre glace
1 orange
3 jaunes d'œufs
100 g de sucre semoule
10 cl d'eau
quelques gouttes de jus de citron

Coupez le gâteau en trois hori-zontalement. Arrosez chaque épaisseur avec un peu de cura-çao. Dans une jatte, battez le beurre ramolli avec un quart du sucre glace, puis ajoutez le zeste d'orange râpé. Dans une autre jatte, battez les jaunes d'œufs avec le sucre semoule et mélan-gez cette préparation avec la pré-cédente. Étalez cette crème entre chaque épaisseur de gâteau, pour les réunir. Laissez la partie supérieure de la der-nière épaisseur telle quelle.

Préparez le glaçage : mélan-gez le reste du sucre glace avec l'eau et le jus de citron. Étalez ce mélange sur le gâteau. Divi-sez les oranges en quartiers, ôtez la petite membrane qui les entoure et disposez-les en cer-cle, au centre du gâteau. Met-tez au réfrigérateur avant de servir.

GATEAU AUX AMANDES
■ Il est préférable de
broyer les amandes juste
avant de les utiliser.
Si vous utilisez un mixer,
ne les réduisez pas
en poudre trop fine.

GATEAU AUX AMANDES

Temps : 1 heure
Très facile

80 g d'amandes, mondées
4 jaunes d'œufs + 2 blancs
250 g de sucre semoule
200 g de beurre
220 g de farine
1 cuillerée à soupe de fécule
   ou de Maïzena

Réduisez les amandes en poudre (elles auront plus de goût
que celles que vous trouverez
dans le commerce). Battez les
jaunes d'œufs avec le sucre
jusqu'à ce que le mélange soit
clair. Ajoutez les amandes et le
beurre, fondu au bain-marie, et
mélangez bien. Tamisez la farine
avec la fécule et incorporez-les
à la pâte. Battez les blancs
d'œufs en neige ferme et
incorporez-les à la préparation.

Versez la pâte dans un moule
de 22 cm de diamètre et faites
cuire au four préchauffé à 180°
pendant 50 minutes.

Si vous souhaitez donner un
petit air de fête à votre gâteau,
recouvrez-le d'une fine couche
de glaçage au chocolat (voir
p. 52) et décorez-le de rosettes
de crème fouettée.

GATEAU AU SIROP DE FRAMBOISE

Le sirop de framboise peut être remplacé par n'importe quel sirop dont le parfum se marie avec celui du kirsch, alcool fait à partir de noyaux de cerises.

*Temps : 30 minutes
    + 1 h 15 pour le gâteau mousseline
Facile*

1 gâteau mousseline
    (voir p. 146)
30 cl de crème fraîche
50 g de sucre glace
1/2 cuillerée à café d'extrait
    de vanille
4 cuillerées à soupe de kirsch
10 cuillerées à soupe de sirop
    de framboise
700 g de fraises

Faites cuire le gâteau dans un moule de 20 cm de diamètre pendant une durée légèrement supérieure à celle indiquée dans la recette. Coupez le gâteau en quatre horizontalement. Mettez une jatte et un fouet au congélateur pendant 10 minutes, puis sortez la crème du réfrigérateur et battez-la avec le sucre et la vanille jusqu'à ce qu'elle soit bien ferme, mais encore velouté et lisse. Mélangez le kirsch au sirop. Posez une épaisseur de gâteau sur un plat de service. Versez un quart du sirop, étalez un quart de crème et recouvrez avec un quart des fraises. Continuez à alterner les couches, dans cet ordre, en terminant par une couche de fraises. Mettez le gâteau au réfrigérateur jusqu'au moment de servir.

LES FRAMBOISES

Les framboises ne se conservent pas longtemps et doivent être lavées avant d'être consommées. Lorsqu'elles entrent dans la composition de coulis ou d'autres desserts, il faut généralement les passer au tamis pour éliminer les pépins.

GATEAU AU CHOCOLAT BLANC

Râpez le chocolat avec une râpe à fromage ou utilisez le disque à râper d'un robot ménager.

*Temps : 1 heure
Facile*

Pour le gâteau :
3 œufs
150 g de sucre semoule
100 g de farine
100 g de fécule
100 g de cacao en poudre
1/2 cuillerée à soupe d'extrait
    de vanille
50 g de beurre
100 g d'amandes, hachées menu
3 cuillerées à soupe de curaçao
    ou de Grand Marnier
300 g de chocolat blanc
Pour la crème :
2 jaunes d'œufs
60 g de sucre glace
200 g de mascarpone
    ou de crème fraîche épaisse
50 g de copeaux de chocolat,
    amer de préférence

Battez les jaunes d'œufs avec le sucre. Tamisez la farine avec la fécule et le cacao en poudre, puis incorporez ce mélange aux œufs, en remuant de temps en temps. Ajoutez la vanille, puis le beurre fondu. Beurrez généreusement un moule de 24 cm de diamètre. Parsemez les amandes au fond et sur les bords du moule, puis versez délicatement la pâte. Faites cuire au four préchauffé à 200° pendant 40 minutes.

Préparez la crème : battez les jaunes d'œufs avec le sucre glace jusqu'à ce que le mélange soit clair. Ajoutez le mascarpone et le chocolat.

Lorsque le gâteau est froid, coupez-le horizontalement. Arrosez chaque épaisseur avec le curaçao ou le Grand Marnier. Étalez la moitié de la crème sur la partie inférieure et posez la seconde épaisseur par-dessus. Garnissez avec le reste de crème et râpez le chocolat blanc par-dessus. Mettez au réfrigérateur jusqu'au moment de servir.

peu de confiture d'abricots passée au tamis, afin qu'elles restent bien en place.

GÉNOISE A LA NOUGATINE ET AU RHUM

Pour gagner du temps, achetez la nougatine toute faite ou hachez du chocolat aux amandes et aux noisettes.

Temps : 50 minutes
+ 1 h 15 pour la génoise
Facile

1 génoise (voir p. 147)
3 blancs d'œufs
150 g de sucre semoule
10 cl d'eau
250 g de beurre
100 g de nougatine (voir p. 25)
6 cuillerées à soupe de rhum
100 g d'amandes, effilées
  ou hachées menu
1 à 2 cuillerées à soupe
  de sucre glace

Préparez la génoise. Battez les blancs d'œufs en neige ferme. Versez le sucre dans une casserole, ajoutez l'eau et faites bouillir le sirop jusqu'à ce qu'il atteigne le stade du grand cassé. Versez-le dans la jatte contenant les œufs battus en neige, en battant avec un batteur électrique ou en réalisant cette opération dans le bol mélangeur d'un robot ménager équipé d'un fouet. Continuez de battre lorsque la meringue est complètement froide. Battez le beurre jusqu'à ce qu'il soit clair et crémeux. Ajoutez la nougatine préalablement pilée dans un robot, puis incorporez ce mélange à la meringue.

GATEAU A L'ANISETTE ET AUX AMANDES

Temps : 1 h 20
Facile

9 œufs
250 g de sucre semoule
500 g d'amandes
4 cuillerées à soupe d'anisette
75 g de fécule ou de Maïzena
25 g de farine
75 g de beurre, fondu et refroidi

Battez 3 œufs et 4 jaunes avec le sucre jusqu'à ce que le mélange éclaircisse et augmente de volume. Incorporez la moitié des amandes réduites en poudre. Tamisez la fécule et la farine dans la jatte, et remuez bien. Ajoutez le beurre. Lorsque tous ces ingrédients sont bien mélangés les uns aux autres, incorporez 6 blancs d'œufs battus en neige ferme, en soulevant la préparation de bas en haut.

Versez la pâte dans un moule de 26 cm de diamètre et faites cuire au four préchauffé à 180° pendant 1 heure. Décorez avec le reste des amandes hachées grossièrement, en en réservant quelques-unes pour décorer. Badigeonnez le gâteau avec un

GATEAU MADELEINE AUX FRAMBOISES

Vous pouvez utiliser des framboises surgelées, à condition de les faire décongeler pendant 2 heures à température ambiante.

Temps : 30 minutes
+ temps de réfrigération
Facile

1 gâteau Madeleine (voir p. 146)
400 g de framboises
70 g de sucre semoule
500 g de confiture
  de framboises
15 cl d'alcool de framboises
10 cl d'eau
30 cl de crème fraîche
1 cuillerée à soupe de sucre
  glace

Faites cuire la pâte dans un moule de 22 cm de diamètre et, lorsque le gâteau est cuit et refroidi, coupez-le en trois horizontalement.

Rincez et égouttez les framboises, puis étalez-les sur du papier absorbant pour les sécher. Réservez-en 12 pour la décoration. Écrasez le reste à la fourchette dans une jatte, puis ajoutez le sucre et la confiture de framboises en mélangeant bien. Diluez l'alcool de framboises avec l'eau et aspergez-en les trois épaisseurs de gâteau. Étalez un quart de mélange aux framboises sur deux des épaisseurs et recollez-les aussitôt. Posez la dernière épaisseur de gâteau par-dessus et recouvrez le tout avec le reste de la préparation. Mettez au réfrigérateur pendant 2 heures.

Battez la crème avec le sucre glace et remplissez-en une poche à douille munie d'un embout cannelé. Décorez le gâteau avec des rosettes de crème et déposez quelques framboises sur celles-ci.

GATEAU
A L'ANISETTE
ET AUX AMANDES
■ *Vous pouvez remplacer
l'anisette par des graines
d'anis.*

Coupez le gâteau en trois horizontalement. Arrosez chaque épaisseur avec un peu de rhum additionné de 3 cuillerées à soupe d'eau, puis étalez un tiers de la crème par-dessus. Reconstituez le gâteau. Faites griller les amandes à four chaud pendant quelques minutes et, lorsqu'elles sont refroidies, parsemez-en le gâteau.

Posez des bandes de papier d'environ 2 cm côte à côte sur le gâteau, en les espaçant d'environ 1 cm. A l'aide d'une passoire, tamisez le sucre glace sur le gâteau, puis retirez délicatement les bandes de papier (voir illustration p. 145, où le cacao en poudre a été déposé de cette façon.) Mettez au réfrigérateur pendant quelques heures avant de servir.

GATEAU A L'AMARETTO

La liqueur d'amaretto est très sucrée et donne un petit goût d'amandes très subtil aux gâteaux et desserts. La meilleure provient de Saronno, en Italie. Vous pouvez la remplacer par des macarons écrasés.

çage et étalez le reste sur le dessus du gâteau. Mélangez le reste du glaçage avec le cacao en poudre et le reste de rhum. Mettez cette préparation dans une poche à douille et décorez le glaçage blanc en formant des cercles de chocolat.

Temps : 1 h 15
+ temps de refroidissement
Facile

225 g de sucre semoule
3 jaunes d'œufs + 1 œuf
250 g de beurre
2-3 gouttes d'extrait d'amandes
100 g de nougatine (voir p. 25)
1 gâteau Madeleine (voir p. 146)
3 cuillerées à soupe d'amaretto
70 g d'amandes, effilées
1 cuillerée à soupe de sucre glace

Versez 175 g de sucre dans une petite casserole. Ajoutez suffisamment d'eau pour le recouvrir et faites cuire le sirop à feu moyen jusqu'à ce qu'il atteigne le stade du boulé ou du cassé. Battez brièvement les jaunes d'œufs et continuez de fouetter pendant que vous y versez ce sirop en un mince filet. Battez jusqu'à ce que la préparation refroidisse complètement. Battez le beurre ramolli à température ambiante jusqu'à ce que le mélange soit clair et crémeux, puis incorporez-le à la préparation à base d'œufs et de sucre. Ajoutez l'extrait de vanille, puis la nougatine hachée menu. Remuez bien.

Posez le gâteau cuit et refroidi sur un plat de service. Arrosez-le d'amaretto et étalez la crème sur le dessus. Mettez au réfrigérateur pendant 3 heures.

Battez l'œuf avec les amandes et le reste de sucre, et étalez ce mélange sur le gâteau. Saupoudrez de sucre glace tamisé et faites dorer très rapidement sous le gril pendant 1 à 2 minutes. Laissez refroidir avant de servir.

GATEAU MARGUERITE AU CHOCOLAT

Pour décorer ce gâteau, tracez des filets de chocolat à l'aide d'une poche à douille munie d'un embout très fin, ou parsemez des pépites de chocolat sur le dessus. Vous pouvez remplacer l'alkermes par du kirsch (il en faudra, dans ce cas, 8 cuillerées à soupe au total).

Temps : 1 heure
+ 1 h 15 pour le gâteau
Facile

50 cl de lait
l'écorce d'un citron, râpée
3 jaunes d'œufs
80 g de sucre semoule
30 g de farine
120 g de chocolat amer
50 g de beurre
1 gâteau Marguerite (voir p. 151)
4 cuillerées à soupe de kirsch mélangées avec 4 cuillerées à soupe d'alkermes
300 g de sucre glace
6 cuillerées à soupe d'eau
1 cuillerée à soupe de cacao en poudre amer
6 cuillerées à soupe d'eau
3 cuillerées à soupe de rhum

Portez le lait et le zeste de citron à ébullition dans une casserole. Battez les jaunes d'œufs avec le sucre jusqu'à ce que le mélange soit clair, puis incorporez la farine et le lait, sans cesser de fouetter. Faites épaissir à feu doux, toujours en remuant. Ajoutez le chocolat cassé en petits morceaux, puis le beurre.

Coupez le gâteau en trois épaisseurs. Arrosez-les avec la liqueur. Étalez la moitié de la crème au chocolat sur deux des épaisseurs et reconstituez le gâteau. Réservez un peu de garniture pour décorer, à moins que vous n'utilisiez des pépites de chocolat. Faites fondre le sucre glace dans l'eau bouillante et la moitié du rhum. Réservez 3 cuillerées à soupe de ce gla-

GATEAU DE LA MARIÉE

Les proportions de ce gâteau peuvent être augmentées en fonction du nombre d'invités. On peut, par exemple, empiler plusieurs gâteaux de tailles différentes les uns sur les

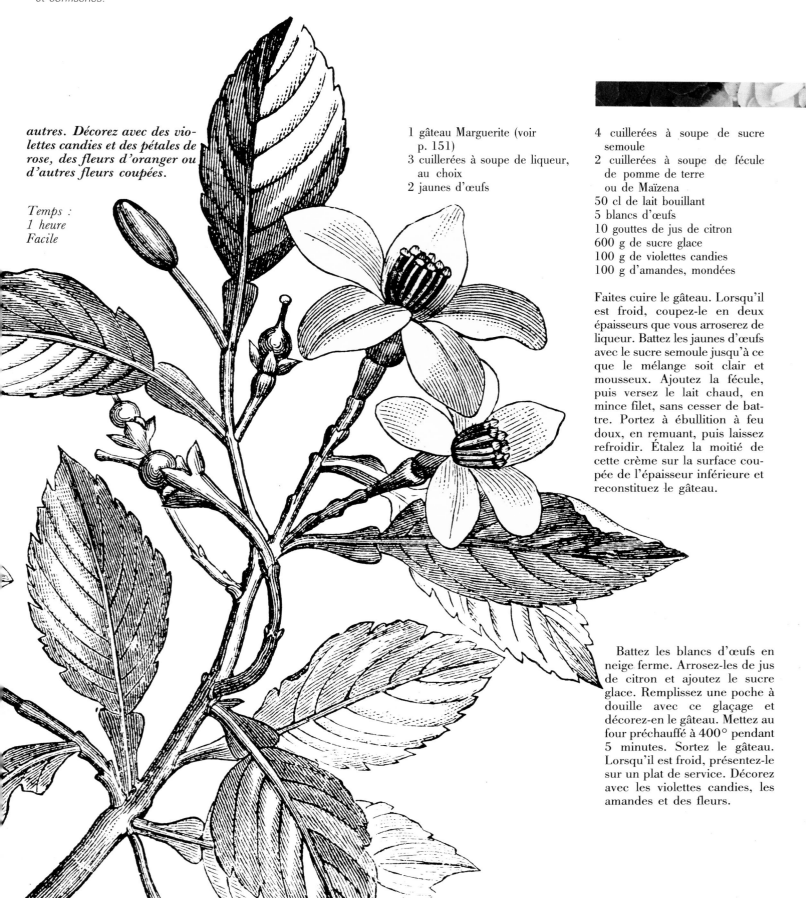

autres. Décorez avec des violettes candies et des pétales de rose, des fleurs d'oranger ou d'autres fleurs coupées.

*Temps :
1 heure
Facile*

1 gâteau Marguerite (voir p. 151)
3 cuillerées à soupe de liqueur, au choix
2 jaunes d'œufs

4 cuillerées à soupe de sucre semoule
2 cuillerées à soupe de fécule de pomme de terre ou de Maïzena
50 cl de lait bouillant
5 blancs d'œufs
10 gouttes de jus de citron
600 g de sucre glace
100 g de violettes candies
100 g d'amandes, mondées

Faites cuire le gâteau. Lorsqu'il est froid, coupez-le en deux épaisseurs que vous arroserez de liqueur. Battez les jaunes d'œufs avec le sucre semoule jusqu'à ce que le mélange soit clair et mousseux. Ajoutez la fécule, puis versez le lait chaud, en mince filet, sans cesser de battre. Portez à ébullition à feu doux, en remuant, puis laissez refroidir. Étalez la moitié de cette crème sur la surface coupée de l'épaisseur inférieure et reconstituez le gâteau.

Battez les blancs d'œufs en neige ferme. Arrosez-les de jus de citron et ajoutez le sucre glace. Remplissez une poche à douille avec ce glaçage et décorez-en le gâteau. Mettez au four préchauffé à 400° pendant 5 minutes. Sortez le gâteau. Lorsqu'il est froid, présentez-le sur un plat de service. Décorez avec les violettes candies, les amandes et des fleurs.

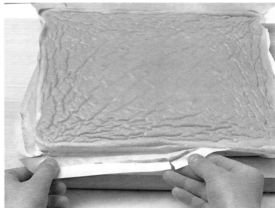

*Ce gâteau ne présente aucune diffi-
culté. En prenant votre temps et en
vous appliquant, vous obtiendrez un
résultat très satisfaisant.*

50 g de beurre
60 g de sucre semoule
80 cl de lait
70 g de farine
4 gouttes d'extrait de vanille
5 œufs

Pour la crème :
20 cl de crème fouettée
2 cuillerées à soupe de sucre glace
4 gouttes d'extrait de vanille
5 marrons glacés, émiettés

Pour arroser le gâteau :
5 cl de rhum
5 cl d'eau

Faites fondre le beurre et le sucre à feu
doux. Ajoutez la moitié du lait, et poursuivez la cuisson pendant quelques
minutes.

Ajoutez la farine et la vanille, en
remuant bien. Ôtez du feu et laissez
légèrement refroidir avant d'ajouter
1 œuf et 4 jaunes, en les incorporant
un par un.

Ajoutez le reste de lait. Passez la pâte
au chinois, afin d'éliminer les
grumeaux.

Laissez reposer et complètement refroidir avant d'incorporer les blancs d'œufs
battus en neige ferme.

Préparez un moule rectangulaire :
beurrez-le et tapissez-le de papier sulfurisé. Versez-y la pâte et lissez la surface avec une spatule. Mettez au four
préchauffé à 170° et faites cuire pendant 30 minutes, jusqu'à ce que le dessus soit bien doré.

Démoulez le gâteau avec le papier sulfurisé. Laissez refroidir et décollez le
papier.

Battez la crème jusqu'à ce qu'elle soit
bien ferme. Ajoutez la vanille et le sucre
glace, et étalez ce mélange sur la surface du gâteau, en vous arrêtant à quelques millimètres des bords. Parsemez
de brisures de marrons glacés et roulez le gâteau, sans trop serrer.

Enveloppez le roulé dans un film adhésif
et mettez-le au réfrigérateur pendant au
moins 30 minutes.

Déballez le roulé. Mélangez le rhum et
l'eau, et badigeonnez-en la surface.
Coupez le gâteau en tranches de 2 à
3 cm d'épaisseur et servez.

GATEAU AUX MARRONS
ET AU RHUM
■ Ce gâteau peut être
également arrosé
de Grand-Marnier
ou de cognac.

GATEAU MALAGA

Ce sont les raisins de Malaga ou de Corinthe qui conviennent le mieux pour cette recette. En outre, il est important de choisir du chocolat et du cacao d'excellente qualité.

Temps : 1 h 30
    + temps de réfrigération
Facile

10 cl d'eau
180 g de sucre semoule
100 g de raisins de Corinthe
    ou de Malaga
15 cl de rhum
4 œufs
140 g de farine
20 g de fécule
100 g de cacao amer
1 cuillerée à soupe de zeste
    d'orange, râpé
150 g de chocolat amer
30 cl de crème fraîche
100 g de sucre glace
4-5 gouttes d'extrait de vanille

Portez l'eau à ébullition, dans une petite casserole, avec 80 g de sucre semoule. Ajoutez les raisins secs. Faites cuire pendant 5 minutes, puis ajoutez le rhum. Retirez du feu et laissez refroidir.

Battez les œufs et le reste du sucre dans une jatte, puis continuez de fouetter la préparation au bain-marie. Lorsqu'elle a doublé de volume, ôtez du feu et continuez de battre jusqu'à ce que la crème soit complètement froide. Tamisez la farine, la fécule et le cacao, dont vous réserverez 1 cuillerée à soupe, dans la crème, puis ajoutez le zeste d'orange râpé. Beurrez et farinez un moule de 22 cm de diamètre et versez-y la pâte. Faites cuire au four préchauffé à 180° pendant 50 minutes. Faites fondre 150 g de chocolat

cassé en morceaux au bain-marie. Battez la crème jusqu'à ce qu'elle soit bien ferme, incorporez le sucre glace et l'extrait de vanille. Réservez un tiers de la crème et mélangez le chocolat fondu au reste.

Démoulez le gâteau et, lorsqu'il est froid, coupez-le en trois horizontalement. Étalez un tiers du mélange aux raisins sur l'épaisseur inférieure, recouvrez-les avec la moitié de la crème au chocolat, puis recommencez l'opération sur la deuxième épaisseur. Posez la dernière épaisseur par-dessus et arrosez avec le reste du sirop. Décorez le dessus du gâteau avec la crème réservée. Parsemez le reste de chocolat amer coupé en fins copeaux et le cacao restant. Mettez au réfrigérateur pendant 24 heures avant de servir.

GATEAU AUX MARRONS ET AU RHUM

La saison des marrons étant très brève, vous pourrez les remplacer par des brisures de marrons glacés passées au tamis et mélangées avec le rhum et le sucre glace. Dans ce cas, n'utilisez pas de beurre.

Temps : 1 h 30
    + temps de réfrigération
Facile

1 génoise de 24 cm de diamètre
    (voir p. 147)
600 g de marrons
250 g de beurre
250 g de sucre glace
10 cuillerées à soupe de rhum
100 g de sucre semoule
200 g de glaçage royal
    (voir p. 52)
10 marrons glacés

Préparez la génoise et laissez-la refroidir. Percez la peau des

marrons, mettez-les dans une casserole d'eau froide et faites bouillir pendant 40 minutes. Pelez-les et passez-les à la moulinette pendant qu'ils sont encore tièdes. A l'aide d'une cuillère en bois, incorporez progressivement le beurre dans la purée de marrons. Ajoutez le sucre glace, la moitié du rhum, et remuez bien. Coupez le gâteau en trois horizontalement. Faites dissoudre le sucre dans 5 cl d'eau, à feu moyen, et versez le reste de rhum. Arrosez les tranches de gâteau avec ce mélange. Reconstituez la génoise et mettez au réfrigérateur pendant 2 heures. Recouvrez de glaçage royal et décorez de marrons glacés.

GATEAU A L'ANANAS ET AUX AMANDES

Temps : 1 heure
Facile

1 génoise de 24 cm de diamètre
(voir p. 147)
10 rondelles d'ananas au sirop
500 g de confiture d'abricots
10 cl de kirsch
150 g d'amandes entières,
mondées
12 cerises confites
1 petit morceau d'angélique
confite

Préparez la génoise et laissez-la refroidir. Égouttez l'ananas et réservez le sirop. Hachez grossièrement 5 rondelles et mélangez-les avec les deux tiers de la confiture. Diluez le kirsch avec 10 cl du sirop réservé. Coupez le gâteau en trois épaisseurs. Arrosez l'épaisseur inférieure avec un peu de sirop au kirsch et recouvrez-la de préparation à l'ananas et à l'abricot. Posez la deuxième épaisseur de gâteau par-dessus et recommencez l'opération. Mettez le dessus du gâteau en place et glacez la surface et les bords avec le reste de confiture d'abricots, filtrée et fondue.

Hachez grossièrement les amandes et faites-les griller au four préchauffé à 200° jusqu'à ce qu'elles soient bien dorées. Coupez le reste des rondelles d'ananas en petits morceaux et utilisez-les pour décorer le gâteau. Garnissez avec les cerises et l'angélique confites, et enfoncez des amandes pilées sur les bords du gâteau.

GATEAU POLONAIS AU CAFE

Commencez à préparer ce gâteau la veille du jour où vous souhaitez le servir.

Temps : 1 h 30
Facile

GATEAU POLONÂIS
AU CAFÉ
■ *Préparez le gâteau
la veille, car il est assez
difficile à couper le jour
de sa fabrication.*

Pour le gâteau :
4 œufs
200 g de sucre semoule
le zeste d'un citron, râpé
200 g de farine
grains de café, grillés
Pour la crème :
130 g de sucre semoule
10 cl de café très fort
3 jaunes d'œufs
150 g de beurre

Préparez le gâteau la veille : battez les jaunes d'œufs avec le sucre jusqu'à ce que le mélange soit clair, puis ajoutez le zeste de citron et continuez de fouetter jusqu'à ce que la préparation ait augmenté de volume. Incorporez progressivement la farine tamisée, puis les blancs d'œufs battus en neige ferme. Versez la pâte dans un moule beurré et fariné de 22 cm de diamètre et faites cuire au four préchauffé à 180° pendant 1 heure. Laissez-le refroidir avant de le démouler.

Le lendemain, préparez la crème : faites chauffer le sucre et le café dans une petite casserole, à feu doux, jusqu'à ce qu'un épais sirop se forme. Battez les jaunes d'œufs et, sans cesser de battre, versez-y le sirop. Battez le beurre ramolli jusqu'à ce qu'il soit clair et crémeux, puis incorporez-le au mélange au café refroidi.

Coupez le gâteau en trois épaisseurs. Étalez un tiers de crème sur chacune d'elles et reconstituez le gâteau. Mettez-le au réfrigérateur. Juste avant de servir, décorez avec des grains de café grillés et des rosettes de crème au café.

LE CITRON

L'un des fruits les plus utilisés en pâtisserie, pour son zeste et son jus. L'écorce contient une huile essentielle plus parfumée encore que celle de l'orange. Le jus, très riche en fer, permet d'éviter que certains fruits ou légumes ne s'oxydent au contact de l'air une fois épluchés.

GATEAU
AUX CACAHUÈTES

Pour retirer la petite peau des cacahuètes, il suffit de les frotter délicatement entre les mains.

*Temps : 1 h 10
+ 1 h 15 pour le gâteau
Facile*

3 jaunes d'œufs
100 g de sucre semoule
30 g de farine
50 cl de lait
150 g de beurre
200 g de cacahuètes,
  décortiquées
1 gâteau Marguerite
  (voir p. 151)
6 cerises confites, coupées
  en deux
2 cuillerées à soupe de pépites
  de chocolat

Battez les jaunes d'œufs avec le sucre jusqu'à ce que le mélange soit clair et crémeux. Incorporez la farine tamisée et remuez bien. Versez le lait chaud, en battant, et faites cuire à feu doux jusqu'à ce que la préparation ait légèrement épaissi. Laissez refroidir. Battez le beurre

GATEAU AUX FRAISES
■ Choisissez les fraises
pour leur parfum, et non
pour leur couleur ou leur
grosseur, et veillez à ce
qu'elles ne soient pas
trop mûres.

ramolli et ajoutez-le à la crème refroidie, en remuant. Ajoutez la moitié des cacahuètes préalablement pilées.

Coupez le gâteau en trois horizontalement. Étalez de la crème sur deux épaisseurs et reconstituez le gâteau. Recouvrez-le avec le reste de crème. Parsemez la surface avec le reste des cacahuètes, en les enfonçant bien dans la crème. Décorez avec les cerises confites et les pépites de chocolat.

GATEAU AUX FRAISES

Temps : 1 heure
+ 1 h 15 pour le gâteau
+ temps de réfrigération
Facile

1 gâteau mousseline
  (voir p. 146)
40 cl de lait
1 gousse de vanille
3 jaunes d'œufs
80 g de sucre semoule
3 cuillerées à soupe de farine
3 cuillerées à soupe de liqueur,
  au choix
500 g de fraises
40 cl de crème fraîche
4 cuillerées à soupe de sucre
  glace

Versez le lait dans une casserole, ajoutez la gousse de vanille fendue en deux et portez à ébullition. Retirez la vanille. Battez les jaunes d'œufs avec le sucre jusqu'à ce que le mélange soit bien clair, puis incorporez la farine et le lait chaud, sans cesser de battre. Faites épaissir à feu très doux, en remuant constamment. Laissez refroidir.

Coupez le gâteau en deux horizontalement. Aspergez la partie inférieure avec la moitié de la liqueur et étalez la crème par-dessus. Posez la moitié des fraises dans la crème. Recouvrez avec la partie supérieure du gâteau et arrosez de liqueur. Battez la crème avec le sucre glace jusqu'à ce qu'elle soit bien ferme et étalez-la sur la surface et les bords du gâteau. Décorez avec le reste des fraises. Mettez au réfrigérateur pendant 4 heures environ avant de servir.

GATEAU AUX RAISINS

Plongez les grains de raisin dans de l'eau très chaude pendant quelques secondes, afin de les peler plus facilement.

Temps : 1 h 10
+ 1 h 15 pour le gâteau
Facile

1 gâteau mousseline
  (voir p. 146)
5 cl d'eau
175 g de sucre semoule
3 jaunes d'œufs
250 g de beurre
2 gouttes d'extrait de vanille
4 cuillerées à soupe
  de Cointreau
100 g de gelée de raisin
30 cl de crème fraîche
500 g de raisin blanc,
  pelée et épépiné

Préparez le gâteau et faites-le cuire dans un moule rectangulaire de 22 cm × 24 environ. Démoulez-le et laissez-le refroidir.

Préparez la garniture : portez l'eau à ébullition avec le sucre et faites cuire jusqu'à ce que le sirop ait bien épaissi et atteint le stade du boulé ou du cassé. Battez brièvement les jaunes d'œufs et continuez de les fouetter tandis que vous versez le sirop chaud en mince filet. Battez le beurre ramolli jusqu'à ce qu'il soit bien crémeux et incorporez-le progressivement au mélange œufs-sucre. Ajoutez l'extrait de vanille.

Coupez le gâteau en deux horizontalement et aspergez chaque épaisseur de Cointreau. Étalez la gelée de raisin sur l'épaisseur inférieure et déposez la garniture par-dessus. Recouvrez avec la seconde épaisseur de gâteau. Remplissez une seringue à décorer avec la crème et garnissez le gâteau de crème et de grains de raisin.

GATEAU AUX CERISES ET A LA RICOTTA

Vous pouvez utiliser des cerises confites maison (voir p. 27) ou, à défaut, des cerises au sirop, bien égouttées.

Temps : 50 minutes
+ 1 h 15 pour le gâteau
Facile

1 génoise (voir p. 147)
250 g de ricotta
3 cuillerées à soupe de kirsch
1/2 cuillerée à café de cannelle en poudre
300 g de sucre glace
1 œuf
50 g de sucre semoule
3 cuillerées à soupe de farine
25 cl de lait
150 g de cerises confites

Préparez la génoise et laissez-la refroidir. Battez la ricotta avec la moitié du kirsch et la cannelle. Incorporez, petit à petit, la moitié du sucre glace. Dans une autre jatte, battez l'œuf énergiquement avec le sucre semoule, puis incorporez la farine tamisée et le lait chaud. Faites cuire, en remuant constamment, à feu doux pour faire épaissir la crème. Laissez refroidir, puis ajoutez la ricotta.

Coupez le gâteau en deux horizontalement. Étalez la crème à la ricotta sur la partie inférieure et posez la seconde partie du gâteau par-dessus. Faites chauffer le reste du sucre avec le kirsch restant à feu doux et recouvrez le gâteau de ce glaçage. Décorez avec les cerises avant que le glaçage ne prenne. Servez rapidement.

GATEAU AU GRAND MARNIER

Ce gâteau est recouvert d'amandes glacées avec un délicieux sirop parfumé au Grand Marnier.

Temps : 1 h 30
Facile

1 génoise (voir p. 147)
Pour la garniture :
160 g de sucre semoule
5 cl d'eau
3 jaunes d'œufs
200 g de beurre
4-5 gouttes d'extrait de vanille
250 g d'amandes effilées
Pour le sirop :
100 g de sucre semoule
25 cl d'eau
10 cl de Grand Marnier

Préparez le gâteau et laissez-le refroidir. Préparez la crème : réservez 1 cuillerée à soupe de sucre et versez le reste dans une casserole. Ajoutez l'eau et faites cuire à feu moyen jusqu'à ce que le sirop ait bien épaissi et atteint le stade du boulé ou du cassé. Battez les jaunes d'œufs, puis incorporez le sirop chaud goutte à goutte. Lorsque tout le sirop est incorporé, le mélange est clair et mousseux. Battez le beurre ramolli, mais non fondu, avec le reste de sucre et l'extrait de vanille, et incorporez ce mélange, très progressivement, dans le mélange aux œufs. Préparez le sirop de glaçage des amandes : faites dissoudre le sucre dans l'eau à feu moyen. Lorsque le sirop est froid, ajoutez le Grand Marnier.

Faites dorer les amandes dans un plat passé au four préchauffé à 200°, puis arrosez-les avec la moitié du sirop. Remuez. Remettez-les dans le four éteint, afin qu'elles sèchent légèrement.

GATEAU MARGUERITE
AUX ORANGES
■ Les gelées, maison ou
du commerce, sont un
moyen rapide d'apporter
la petite touche de finition
à un gâteau. En outre,
elles évitent aux fruits
de noircir.

Sortez-les du four et laissez-les
refroidir.

Coupez le gâteau en trois horizontalement. Arrosez les deux
couches inférieures avec le reste
du Grand Marnier. Étalez un
peu moins d'un tiers de la crème
à la vanille sur chacune et replacez la dernière épaisseur par-
dessus. Garnissez la surface et
les bords du gâteau reconstitué
avec le reste de crème. Parsemez d'amandes et mettez au
réfrigérateur.

GATEAU
MARGUERITE
AUX ORANGES

*Temps : 50 minutes
+ 1 h 15 pour le gâteau
Facile*

1 gâteau Marguerite
   (voir p. 151)
30 cl de lait
le zeste d'une orange, râpé
3 jaunes d'œufs
100 g de sucre semoule
10 g de farine
100 g de beurre
3 cuillerées à soupe
   de Cointreau
Pour la décoration :
2 oranges, coupées en tranches
100 g de confiture d'abricots
100 g de raisin

Préparez le gâteau et, pendant
qu'il cuit, commencez la crème :
versez le lait dans un mixer avec
le zeste d'orange râpé et mixez
vigoureusement. Versez ce
mélange dans une casserole et
faites-le frémir. Battez les jaunes
d'œufs avec le sucre jusqu'à ce
que le mélange soit clair. Incorporez la farine, puis le lait
chaud, en le versant très lentement. Faites épaissir à feu doux,
sans cessez de remuer. Laissez

refroidir. Battez le beurre ramolli jusqu'à ce qu'il soit bien crémeux, à l'aide d'une cuillère en bois, et ajoutez-le petit à petit à la crème refroidie, en remuant délicatement.

Démoulez le gâteau. Lorsqu'il est froid, coupez-le en deux horizontalement. Arrosez de Cointreau la partie coupée du morceau inférieur et recouvrez de crème. Posez la partie supérieure par-dessus et décorez avec de fines tranches d'orange, en les faisant chevaucher légèrement. Filtrez la confiture d'abricots, si cela est nécessaire, et faites-la fondre à feu doux pour glacer les rondelles d'oranges. Décorez avec les grains de raisin et servez.

GATEAU AU RHUM ET AU CHOCOLAT

Pour cette recette, nous avons associé le rhum au chocolat, mais vous pouvez choisir d'autres alcools, notamment le Grand Marnier ou la crème de menthe.

Temps : 1 h 30
Facile

Pour le gâteau :
150 g de noix, décortiquées
6 œufs
125 g de sucre semoule
100 g de farine
10 g de beurre
Pour la crème :
100 g de chocolat à cuire
3 jaunes d'œufs
100 g de sucre semoule
30 g de farine
50 cl de lait
200 g de beurre
75 g de cerneaux de noix
Pour le sirop :
20 g de sucre semoule
2 cuillerées à soupe d'eau
10 cl de rhum

Hachez les noix très finement ou réduisez-les en poudre au mixer. Battez les jaunes d'œufs avec le sucre jusqu'à ce que le mélange soit clair et volumineux. Ajoutez la farine, puis les noix, et remuez bien. Battez les blancs d'œufs en neige ferme et incorporez-les à la préparation. Beurrez et farinez un moule de 24 cm de diamètre, et remplissez-le de pâte. Faites cuire au four préchauffé à 180° pendant 50 minutes. Démoulez le gâteau sur une grille et laissez-le refroidir.

Préparez la garniture et le glaçage : cassez le chocolat en morceaux et faites-le fondre au bain-marie. Battez les jaunes d'œufs avec le sucre jusqu'à ce que le mélange soit clair et mousseux. Ajoutez la farine, puis versez le lait chaud. Faites cuire à feu doux, en remuant constamment, jusqu'à ce que la crème ait épaissi. Ajoutez le chocolat et laissez refroidir. Battez le beurre jusqu'à ce qu'il soit mou et crémeux. Incorporez-le à la crème au chocolat, petit à petit.

Préparez le sirop : faites chauffer l'eau et le sucre jusqu'à ce que celui-ci soit dissous, puis ajoutez le rhum. Coupez le gâteau en trois horizontalement. Arrosez chaque épaisseur avec un tiers de sirop et garnissez-les de crème. Reconstituez le gâteau et décorez avec les cerneaux de noix.

GATEAU A LA CRÈME AU CHOCOLAT

Temps : 30 minutes
+ 1 h 15 pour le gâteau
+ temps de réfrigération
Facile

1 gâteau Marguerite (voir p. 151)
3 jaunes d'œufs
100 g de sucre semoule
30 g de farine
60 cl de lait
4 cuillerées à soupe de cacao en poudre

GATEAU A LA CRÈME
AU CHOCOLAT
■ *Vous pouvez remplacer
le café par des pistaches,
des noisettes ou encore
des amandes.*

4 cuillerées à café de café
  soluble
150 g de beurre
5 cuillerées à soupe de liqueur
  de café
3 cuillerées à soupe de cognac
quelques grains de café, grillés

Préparez le gâteau et laissez-le
refroidir. Battez les jaunes
d'œufs avec le sucre jusqu'à ce
que le mélange soit clair. Incorporez la farine tamisée, puis versez le lait chaud, petit à petit.
Faites cuire à feu doux, en

remuant constamment, jusqu'à
ce que la sauce épaississe.

Hors du feu, ajoutez le cacao
tamisé et le café soluble à la
crème. Remuez bien et laissez
refroidir. Battez le beurre
ramolli jusqu'à ce qu'il soit clair
et crémeux, puis incorporez-le
progressivement à la crème
froide.

Coupez le gâteau en trois horizontalement. Arrosez chaque
épaisseur d'un mélange de
liqueur de café et de cognac.
Étalez un quart de crème au

beurre sur deux épaisseurs et
reconstituez le gâteau. Étalez le
reste de crème sur l'ensemble
du gâteau et décorez de grains
de café. Mettez au réfrigérateur
pendant 2 heures avant de
servir.

GÉNOISE AU KIRSCH

*Les griottes fraîches sont assez
difficiles à se procurer, mais
vous pouvez les remplacer par
des fruits en conserve.*

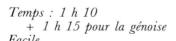

*Temps : 1 h 10
    + 1 h 15 pour la génoise
Facile*

1 génoise (voir p. 147)
5 cl d'eau
175 g de sucre semoule
3 jaunes d'œufs
250 g de beurre
quelques gouttes d'extrait
  de vanille
10 cl de kirsch
500 g de griottes fraîches
  ou au sirop
150 g de chocolat blanc
  de couverture

Préparez la génoise. Faites
bouillir l'eau et le sucre jusqu'à
ce que le sirop ait bien épaissi
et atteint le stade du boulé ou
du cassé. Battez les jaunes
d'œufs, puis, sans cesser de
fouetter, versez le sirop petit à
petit. Continuez de battre
jusqu'à ce que le mélange soit
clair et mousseux. Battez le
beurre ramolli jusqu'à ce qu'il

FRAISES
■ *Ces fruits se prêtent
à la préparation de très
nombreux desserts.
Fraîches, elles sont
délicieuses telles quelles,
sucrées ou non, à la crème,
arrosées de jus de citron
ou d'orange, ou dans
des coupes glacées.*

soit bien crémeux, puis incorporez-le à la préparation aux œufs. Ajoutez la vanille et 1 1/2 cuillerée à soupe de kirsch.

Coupez le gâteau en deux horizontalement. Arrosez chaque épaisseur d'un mélange composé de 6 cuillerées à soupe de kirsch et de 6 cuillerées à soupe de sirop de griottes (si vous utilisez des cerises fraîches, doublez la quantité de sirop de sucre). Recouvrez l'épaisseur inférieure avec la moitié de la crème et disposez les griottes bien égouttées par-dessus. Posez la partie supérieure sur les cerises et glacez la surface avec le reste de crème. A l'aide d'un couteau bien aiguisé, formez des copeaux de chocolat blanc et décorez-en le dessus du gâteau.

GATEAU MOUSSELINE AUX FRAISES

Le sabayon est une crème qui se marie particulièrement bien avec les fraises. Vous pouvez remplacer le marsala par du madère ou un autre vin doux.

*Temps : 1 h 15
 + 1 h 15 pour le gâteau
Facile*

1 gâteau mousseline
 (voir p. 146)
350 g de fraises
3 cuillerées à soupe de sucre
25 cl de vin pétillant
1 citron
sabayon (voir p. 44)

Préparez le gâteau mousseline et laissez-le refroidir. Mettez les fraises dans une jatte. Saupoudrez-les de sucre, puis arrosez-

les de jus de citron et de vin. Laissez reposer pendant 1 heure.

Coupez le gâteau en trois horizontalement. Posez la partie inférieure sur un plat de service. Arrosez-la avec un peu de liquide de macération des fraises et disposez dessus un peu moins de la moitié des fruits. Recommencez avec l'épaisseur suivante, en ajoutant un tiers de sabayon avant de poser la dernière épaisseur de gâteau. Nappez avec le reste de sabayon, décorez avec quelques fraises et servez aussitôt.

GATEAU GLACÉ AUX NOIX CARAMÉLISÉES

Ce délicieux gâteau est idéal pour clore un dîner entre amis. Vous pouvez remplacer une partie des noix par des fraises.

*Temps : 1 h 30
 + temps de réfrigération
Facile*

Pour le gâteau :
4 œufs
200 g de sucre semoule
100 g de chocolat à cuire
3 cuillerées à soupe d'eau
125 g de farine
Pour la crème :
100 g de noix
1 œuf
125 g de sucre semoule
100 g de beurre
3 cuillerées à soupe de cognac
Pour le glaçage :
100 g de chocolat
3 cuillerées à soupe de crème
 fraîche
Pour le caramel :
3 cuillerées à soupe d'eau
125 g de sucre semoule

1/2 cuillerée à café de jus
   de citron
100 g de noix
1 cuillerée à soupe d'huile
   d'amandes douces

Préchauffez le four à 180°.
Beurrez et farinez légèrement un
moule carré de 22 cm de côté.
Battez les jaunes d'œufs avec le
sucre jusqu'à ce que le mélange
soit clair et mousseux. Cassez le
chocolat en morceaux et faites-
le fondre au bain-marie avec
l'eau. Ajoutez-le au mélange
œufs-sucre. Ajoutez la farine
tamisée et mélangez bien. Battez les blancs d'œufs en neige
ferme et incorporez-les à la pâte.
Versez-la dans le moule et faites cuire pendant 45 minutes.
   Préparez la crème : cassez
l'œuf dans une jatte. Ajoutez le
sucre et mettez le mélange au
bain-marie. Battez vigoureusement, puis ôtez du feu. Battez le
beurre ramolli à température
ambiante jusqu'à ce qu'il soit
bien crémeux. Mélangez-le aux
œufs et au sucre. Ajoutez les
noix et le cognac.
   Coupez le gâteau en trois horizontalement. Étalez la moitié de
la crème sur les deux épaisseurs
inférieures et reconstituez le
gâteau en collant délicatement
les parties entre elles. Couvrez
d'aluminium et mettez au réfrigérateur pendant au moins
3 heures.
   Préparez le glaçage : faites
fondre le chocolat et la crème au
bain-marie, en remuant constamment. Étalez cette préparation sur le gâteau et remettez-le
au réfrigérateur, sans le couvrir.
   Préparez le caramel : portez
l'eau et le sucre à ébullition, à
feu moyen, dans une grande
casserole. Lorsque le sirop commence à dorer, ajoutez le jus de
citron. Plongez les cerneaux de

LE CHOCOLAT

*On ajoute à la pâte de chocolat
du beurre de cacao. Cette
opération est appelée « concha-
ge » parce qu'elle se déroule
dans de vastes coquilles, ou
« conches ». Elle permet de
donner au chocolat un velouté
brillant et une consistance
appétissante. Le chocolat
utilisé en pâtisserie doit être
riche en matières grasses.*

noix enfilés sur des brochettes
de bois dans le caramel, en les
tournant rapidement une fois ou
deux. Posez-les sur une assiette,
légèrement huilée. Lorsque le
caramel a durci, achevez de
décorer le gâteau avec les noix
et mettez au réfrigérateur
jusqu'au moment de servir.

GATEAU
AU CHOCOLAT
ET AUX NOISETTES

*A moins que vous ne râpiez le
chocolat, il est préférable de
le casser en morceaux et de le
faire fondre au bain-marie
avec 1 cuillerée à café de
beurre.*

*Temps : 45 minutes
Facile*

8 œufs
250 g de sucre semoule
1 pincée de sel
250 g de noisettes
300 g de chocolat à cuire, râpé
50 cl de crème fouettée
   + 10 cl pour les rosettes
3 cuillerées à soupe de sucre
   glace

Battez les jaunes d'œufs avec le sucre et le sel jusqu'à ce que le mélange soit clair et mousseux. Hachez très finement les noisettes ou réduisez-les en poudre dans un mixer. Ajoutez-les au mélange aux œufs avec la moitié du chocolat râpé. Incorporez les blancs d'œufs battus en neige ferme.

Divisez la pâte en trois parties égales et faites cuire chaque portion dans un moule à fond amovible beurré de 22 cm au four préchauffé à 200° pendant 20 minutes.

Démoulez les trois gâteaux et laissez-les refroidir. Reconstituez un gros gâteau en intercalant de la crème fouettée entre chaque épaisseur. Faites fondre le reste du chocolat à feu doux et étalez-le sur le dessus du gâteau, à l'aide d'une spatule plongée dans de l'eau froide. Décorez la surface avec quelques rosettes de crème fouettée non sucrée.

GATEAU GLACÉ AU CITRON

Temps : 1 h 20
  + temps de réfrigération
Facile

Pour le gâteau de base :
4 œufs
125 g de sucre semoule
quelques gouttes d'extrait
  de vanille
125 g de farine
25 g de beurre fondu
10 cl de Grand Marnier
Pour la crème :
150 g de sucre semoule
150 g de beurre
le zeste, râpé, et le jus
  de 2 citrons
4 œufs
Pour le glaçage :
250 g de sucre glace

1 cuillerée à soupe de jus
  de citron
5 cl de Grand Marnier
100 g de framboises

Préchauffez le four à 180°. Cassez l'œuf entier dans une jatte et battez-le avec le sucre, au bain-marie, jusqu'à ce que le mélange ait bien gonflé. Ôtez du feu, ajoutez l'extrait de vanille et continuez de battre jusqu'à ce que la crème ait refroidi. Incorporez la farine et remuez bien. Ajoutez le beurre fondu, petit à petit, et versez la pâte dans un moule à savarin beurré et fariné de 24 cm de diamètre. Faites cuire pendant 30 minutes. Sortez le gâteau du four et posez-le sur une grille.

Préparez la crème : battez le sucre avec le beurre ramolli, mais non fondu. Ajoutez le zeste de citron râpé, puis le jus de citron. Battez légèrement les œufs, puis incorporez-les à la crème. Faites chauffer ce mélange au bain-marie, en remuant constamment, jusqu'à ce qu'il épaississe. Ne le laissez pas bouillir. Laissez refroidir.

Lorsque le gâteau est froid, démoulez-le et coupez-le en trois horizontalement. Arrosez chaque épaisseur avec 1 cuillerée à soupe de Grand Marnier et étalez la garniture au citron sur les deux épaisseurs inférieures. Reconstituez le gâteau, enveloppez-le dans de l'aluminium et mettez-le au réfrigérateur pendant 12 heures.

Préparez le glaçage : mélangez le sucre glace avec le jus de citron et le Grand Marnier légèrement chauffé. La consistance doit être épaisse mais malléable. Étalez le glaçage sur le gâteau en le lissant le mieux possible et remettez au réfrigérateur pendant 2 heures. Décorez de framboises et servez.

GATEAU CUBAIN A L'ANANAS

Le rhum se marie à la perfection avec de nombreux fruits, notamment avec l'ananas. Pour cette recette, utilisez du rhum blanc.

Temps : 50 minutes
Facile

1 gâteau Madeleine (voir p. 146)
10 cl de rhum
100 g de sucre semoule
5 cl de crème fraîche
3 cuillerées à soupe de sucre
  glace
120 g de noix de coco
10 rondelles d'ananas au sirop

Préparez le gâteau. Portez le rhum et le sucre semoule à ébullition, puis laissez refroidir. Battez la crème avec le sucre glace jusqu'à ce qu'elle soit bien ferme. Coupez le gâteau en deux horizontalement. Arrosez la partie inférieure avec le sirop au rhum, étalez la moitié de la crème et parsemez avec la moitié de la noix de coco. Disposez 4 rondelles d'ananas bien égouttées par-dessus. Posez la seconde épaisseur de gâteau et recouvrez avec le reste de crème. Décorez avec l'ananas restant et la noix de coco.

GÂTEAU GLACÉ
AU CITRON
■ Le citron met en valeur
le parfum des autres
ingrédients. Vous pouvez
ajouter quelques
framboises avant de
reconstituer le gâteau.

GATEAU A LA PATE D'AMANDES

Vous pouvez préparer vous-même la pâte d'amandes ou l'acheter toute prête, de préférence chez un bon pâtissier.

Temps : 2 h 15
Assez facile

1 gousse de vanille,
   ou 4 gouttes d'extrait
100 g de pâte d'amandes
120 g de sucre glace
100 g d'amandes, hachées
4 œufs
100 g de beurre ramolli
10 cl de crème fraîche
1 pincée de sel
100 g de farine
60 g de fécule
2 cuillerées à soupe de liqueur
   d'abricot
150 g de confiture d'abricots
glaçage au chocolat (voir p. 52)
20 cl de crème fouettée

Beurrez et farinez un moule de 22 cm de diamètre, et mettez-le au réfrigérateur. Fendez la gousse de vanille en deux et grattez les graines. Travaillez la vanille avec la pâte d'amandes et 80 g de sucre glace. Faites griller brièvement les amandes au four préchauffé à 180° jusqu'à ce qu'elles soient bien dorées. Hachez-les grossièrement. Battez les jaunes d'œufs, puis ajoutez le beurre ramolli, la crème et le sel. Incorporez ce mélange à la pâte d'amandes, jusqu'à obtention d'une préparation très lisse. Tamisez-y la farine et la fécule et remuez bien. Battez les blancs d'œufs en neige ferme avec le reste de sucre et incorporez-les à la pâte, en même temps que les amandes.

Versez la pâte dans un moule beurré et fariné, et faites cuire au four préchauffé à 180° pendant 50 minutes. Démoulez le gâteau et laissez-le refroidir sur une grille. Lorsqu'il est froid, coupez-le en deux horizontalement. Arrosez chaque épaisseur de liqueur d'abricot et reconstituez le gâteau après avoir garni le centre de confiture d'abricots. Étalez le glaçage au chocolat sur le dessus du gâteau, décorez de rosettes de crème fouettée et mettez au réfrigérateur jusqu'au moment de servir.

CRÈME CHANTILLY
■ Pour réussir une délicieuse crème Chantilly, il faut utiliser de la crème très froide, mais également placer la jatte et le fouet au réfrigérateur une heure avant de la confectionner.

GATEAU GÉNOISE A L'ORANGE

Si vous utilisez des oranges traitées, percez la peau avec une fourchette et faites-les bouillir dans plusieurs eaux, afin qu'elles perdent leur amertume.

Temps : 2 heures
   + 1 h 15 pour la génoise
   + temps de réfrigération
Assez facile

6 oranges
50 cl d'eau
420 g de sucre semoule
1 génoise (voir p. 147)
50 cl de lait
1/2 gousse de vanille,
   ou 2-3 gouttes d'extrait
6 jaunes d'œufs
2 cuillerées à soupe de farine
3 cuillerées à soupe de Maïzena
3 cuillerées à soupe de liqueur
   à l'orange (Grand Marnier,
   curaçao)
20 cl de crème fraîche

Coupez les oranges, sans les peler, en fines rondelles. Préparez un sirop en faisant chauffer l'eau avec 300 g de sucre. Lorsque le sirop commence à bouillir, ajoutez les rondelles d'orange, couvrez et laissez mijoter pendant 2 heures. Laissez refroidir.

Préparez la génoise et faites-la cuire dans un moule de 24 cm de diamètre.

Portez le lait à ébullition avec la gousse de vanille fendue en deux dans le sens de la longueur, ou avec l'extrait, et 3 cuillerées à soupe de sucre. Ôtez du feu et laissez reposer pendant 10 minutes. Battez les jaunes d'œufs avec le reste du sucre jusqu'à ce que le mélange soit clair. Ajoutez la farine tamisée avec la Maïzena et remuez déli-

catement. Ajoutez le liquide filtré, en le versant très lentement. Portez à ébullition à feu doux, en remuant constamment, puis baissez le feu et laissez réduire, en remuant, pendant 3 minutes. Laissez refroidir.

Coupez le gâteau en deux horizontalement. Mélangez 10 cl de sirop à l'orange avec la liqueur et arrosez-en les deux épaisseurs de gâteau. Battez la crème avec le sucre glace jusqu'à ce qu'elle soit bien ferme. Tapissez le fond et les côtés d'un moule de 24 cm de diamètre avec les rondelles d'orange les plus belles. Disposez une épaisseur de gâteau par-dessus, en recoupant légèrement les bords si besoin. Étalez la moitié de la crème, puis versez la crème anglaise. Recouvrez

avec la seconde épaisseur du gâteau. Tapez plusieurs fois le moule sur le plan de travail, afin d'éliminer les bulles d'air, et mettez au réfrigérateur pendant 24 heures.

Pour démouler le gâteau, plongez le moule dans de l'eau très chaude pendant quelques secondes, posez une assiette sur le gâteau et retournez-le d'un coup sec. Recouvrez le dessus avec le reste des rondelles d'orange. Fouettez le reste de la crème et décorez-en le gâteau à l'aide d'une poche à douille. Servez aussitôt.

De nombreuses recettes aujourd'hui mondialement connues furent élaborées dans d'humbles cuisines de fermes, alors que la maîtresse de maison tentait d'utiliser les produits locaux pour confectionner des desserts sortant de l'ordinaire. Ces derniers, souvent réservés aux grandes occasions, reflètent bien le climat et les coutumes de leurs terres d'origine. Ainsi, lorsque vous préparez une apple pie, essayez de vous glisser dans la peau de la ménagère anglaise qui improvisa, la première, un dessert avec les fruits les plus courants de son pays. De nombreux desserts traditionnels doivent leur existence à l'ingéniosité de cuisinières qui réussirent à améliorer l'ordinaire en ajoutant des épices ou d'autres ingrédients parfumés à des produits simples. C'est le cas de l'apfelstrudel autrichien, qui illustre en outre le développement des techniques de pâtisserie, le pain et ses variantes se transformant en des préparations plus complexes telles que feuilletages, pâtes sablées et autres gourmandises.

□ *Nombre des desserts présentés dans ce chapitre furent créés par les maîtres pâtissiers des cours royales et de certaines familles de nobles européens, afin de répondre à leur demande en pâtisseries de plus en plus élaborées et raffinées. La célèbre sachertorte en est un excellent exemple : ce gâteau fut créé dans les cuisines du prince Metternich, en 1832, par un jeune assistant pâtissier âgé de 16 ans, Franz Sacher. On raconte que le baba et les madeleines furent créés pour flatter le palais de Stanislas Ier, roi déchu de Pologne, afin de rendre son exil en France plus doux.*

□ *Chaque pays semble avoir développé son propre type de pâtisserie, certains mettant un point d'honneur à préparer des desserts plus élaborés et raffinés que d'autres. A cet égard, les pays les plus réputés pour leur pâtisserie sont sans aucun doute l'Italie, la France, l'Autriche et l'Allemagne. En Italie, les desserts élaborés ne sont servis, dans les familles, que lors des grandes occasions : anniversaires, fêtes et jours de fête tels que Noël ou Pâques. Mais on peut néanmoins y déguster ces spécialités dans les bons salons de thé. Les desserts italiens se caractérisent surtout par des pâtes denses, préparées avec des noix, des fruits secs et des épices, bien qu'il en existe de plus légers.*

□ *Les pâtissiers autrichiens se sont spécialisés dans des pâtisseries très riches où la crème fouettée et le chocolat jouent un rôle très important. A toute heure du jour, on peut voir les clients gourmands des salons de thé viennois se délecter de somptueux gâteaux à étages, accompagnés de chocolat chaud garni de crème fouettée. En Allemagne, ce style de pâtisserie prévaut également, mais, toutefois, à une moindre échelle. En France, un repas digne de ce nom s'achève forcément sur un dessert plus ou moins élaboré : les crêpes Suzette, la tarte tatin ou l'île flottante ne sont que des exemples parmi d'autres.*

PANETTONE (Italie)

Ce dessert italien, traditionnellement servi à Noël dans la région de Milan, est léger, moelleux et très parfumé.

Temps : 1 heure
 + temps de levage
Très facile

Pour 10 personnes
100 g de levure de boulanger
850 g de farine
100 g de raisins de Smyrne
6 œufs entiers
180 g de beurre
180 g de sucre semoule
1 cuillerée à café de sel
100 g d'écorce de cédrat confite
le zeste d'une orange, râpé

Faites dissoudre la levure dans un peu d'eau chaude. Mélangez avec 100 g de farine et laissez lever la boule obtenue dans une jatte couverte pendant 3 heures, dans un endroit chaud. Incorporez à ce pâton 100 g de farine

et laissez lever pendant encore 3 heures.

Faites gonfler les raisins secs dans de l'eau tiède. Égouttez-les, épongez-les et roulez-les dans un peu de farine. Mélangez le reste de farine avec les œufs, le beurre fondu, le sucre, le sel et la pâte levée.

Pétrissez bien : la pâte doit être bien ferme. Ajoutez l'écorce de cédrat confite coupée en morceaux, les raisins secs et le zeste d'orange. Laissez lever la pâte sur une plaque ou dans un moule à charlotte beurrés. Si vous n'utilisez pas de moule, formez un dôme. Tracez une croix sur le dessus de la pâte levée et faites cuire au four préchauffé à 180° pendant 1 heure. Attendez au moins 24 heures avant de servir.

BUNET (Italie)

Ce pouding, originaire du Piémont, composé de chocolat et de macarons est recouvert de sucre caramélisé. Faites-le cuire dans un grand moule ou dans des ramequins.

Durée : 40 minutes
Très facile

2 œufs + 4 jaunes
200 g de sucre semoule
80 g de cacao en poudre
100 g de macarons, émiettés
1 l de lait
3 cuillerées à soupe de rhum

Battez les jaunes d'œufs et les blancs avec la moitié du sucre. Ajoutez le cacao et les macarons émiettés. Versez le lait petit à petit, en alternant avec le rhum. Veillez à empêcher la formation de grumeaux. Faites chauffer le reste du sucre dans une petite casserole jusqu'à ce qu'il com-

KUGELHUPF
■ *Ce grand classique,
composé de pâte levée,
est délicieux tel quel,
ou garni de fruits
ou de confiture.*

mence à dorer et versez-le rapidement dans un moule à charlotte de 22 cm de diamètre, en enduisant le fond et les bords avant que le caramel ait le temps de durcir. Versez le mélange œufs-lait dans le moule et faites cuire au four préchauffé à 180°, au bain-marie, pendant 1 heure.

Plongez le moule dans une jatte d'eau froide et laissez refroidir. Lorsque le gâteau est froid, démoulez-le et servez.

KUGELHUPF
(Autriche)

*Temps : 1 heure
+ temps de levage
Facile*

300 g de farine
15 g de levure de boulanger
7 à 8 cuillerées à soupe de lait
4 œufs
100 g de sucre semoule
le zeste d'un petit citron, râpé
150 g de beurre
Pour la garniture :
70 g de raisins de Smyrne mis
à tremper dans de l'eau tiède

50 g d'amandes effilées
1 cuillerée à soupe de sucre
glace

Tamisez la farine sur le plan de travail. Faites un puits. Ajoutez la levure dissoute dans un peu de lait tiède, les œufs légèrement battus avec le sucre et le zeste de citron râpé. Mélangez avec la farine. La pâte doit avoir à peu près la même consistance que la pâte à brioche. Soulevez-la plusieurs fois en l'étirant, puis retournez-la et jetez-la énergiquement sur le plan de travail. Recommencez cette opération plusieurs fois. Mettez la pâte dans une jatte, couvre-la d'un linge et laissez-la lever dans un endroit tiède jusqu'à ce qu'elle ait doublé de volume.

Pétrissez-la, puis incorporez le

beurre coupé en petits morceaux. Ajoutez les raisins secs, épongés et roulés dans de la farine, et les amandes. Pétrissez pendant quelques minutes, en lâchant la pâte de temps en temps sur le plan de travail. Buerrez un moule à kouglof de 24 cm de diamètre. Remplissez-le de pâte que vous laisserez lever jusqu'à ce qu'elle ait doublé de volume. Faites cuire au four préchauffé à 180° pendant 1 heure. Démoulez et tamisez de sucre glace.

CASTAGNACCIO
(Italie)

Spécialité florentine que l'on pouvait jadis acheter à des vendeurs ambulants. Aujourd'hui, seuls quelques pâtissiers la préparent.

*Temps : 1 heure
Très facile*

100 g de raisins de Smyrne, mis
à tremper dans de l'eau tiède
300 g de farine de châtaignes
10 cl d'eau
6 à 8 cuillerées à soupe d'huile
1 cuillerée à soupe de romarin
frais
50 g de pignons
1 pincée de sel

Égouttez les raisins et pressez-les délicatement pour en extraire

CASSATA SICILIANA
■ L'un des desserts
italiens les plus connus
à l'étranger. Lorsque
les glaciers siciliens
émigrèrent dans le monde
entier, ils emportèrent
avec eux la recette
traditionnelle à base
de ricotta.

toute l'eau. Mettez la farine dans une grande jatte. Ajoutez l'eau, le sel, 2 cuillerées à soupe d'huile, puis remuez bien avec une cuillère en bois jusqu'à ce que le mélange soit bien lisse et crémeux. Ajoutez un peu d'huile si besoin. Incorporez les raisins secs, le romarin et les pignons. Versez le reste d'huile dans un plat à gratin, remplissez-le de pâte et faites cuire au four préchauffé à 200° pendant 20 minutes environ, jusqu'à ce que de petites craquelures se forment à la surface. Jetez l'excédent d'huile et posez le gâteau sur un plat de service.

CASSATA SICILIANA (Italie)

Temps : 1 heure
+ temps de réfrigération
Très facile

1 gâteau mousseline
  (voir p. 146 ; diviser
  les quantités par 2)
25 cl de liqueur de fruits
  (marasquin, par exemple)
500 g de ricotta
100 g de sucre semoule
2 à 3 cuillerées à soupe
  de chocolat amer, râpé

180 g de fruits confits (cerises,
  écorce d'orange et de cédrat)
1/2 cuillerée à café de cannelle
  en poudre
25 cl de crème fouettée
Pour le glaçage :
3 cuillerées à soupe de rhum
3 cuillerées à soupe d'eau
300 g de sucre glace

Tapissez une jatte ou un moule à bombe glacée de film adhésif. Coupez le gâteau en fines tranches. Versez la liqueur dans une assiette creuse et trempez-y les tranches, une par une. Tapissez le moule avec le gâteau, en veillant à bien recouvrir toute la surface. Mélangez la ricotta avec le sucre. Ajoutez le chocolat, les fruits confits coupés en morceaux et la cannelle. Remuez bien et versez cette pâte dans le moule, en la tassant. Recouvrez de gâteau et mettez au réfrigérateur pendant au moins 3 heures.

Préparez le glaçage : faites chauffer le rhum et l'eau dans une casserole. Ajoutez le sucre glace, remuez avec une cuillère en bois et faites épaissir le mélange jusqu'à ce qu'il colle à la cuillère. Démoulez le gâteau sur un plat de service et recouvrez toute la surface avec du glaçage. Placez la cassata sur la plaque intermédiaire du four, à feu moyen, en la retournant régulièrement : cela permet de sécher le glaçage et de le rendre encore plus brillant. Laissez refroidir. Décorez avec des rosettes de crème fouettée.

STOLLEN (Allemagne)

Ce gâteau riche et nourrissant est traditionnellement servi, en Allemagne, à Noël.

Temps : 1 h 30
Facile

350 g de farine
1 cuillerée à café de levure
  chimique
100 g de sucre semoule
2 œufs
10 cl de lait
250 g de beurre, ramolli
40 g de raisins secs de Malaga
40 g de raisins de Smyrne, mis
  à tremper dans de l'eau tiède
40 g de raisins de Corinthe
le zeste d'un citron, râpé
50 g d'amandes effilées
1 cuillerée à soupe de rhum
30 g de sucre glace
1 pincée de sel

Tamisez la farine et la levure dans une grande jatte. Faites un puits. Ajoutez 6 cuillerées à soupe de sucre, les œufs, le lait et le sel, puis mélangez avec la farine. Ajoutez 200 g de beurre ramolli à température ambiante, en l'incorporant à la pâte du bout des doigts, ou au mixer équipé du crochet pétrisseur, jusqu'à ce qu'elle soit lisse et homogène. Ajoutez les raisins secs, le zeste de citron, les amandes et le rhum. Pétrissez bien. Formez une boule allongée et mettez-la sur une plaque à pâtisserie beurrée et farinée. Faites cuire au four préchauffé à 160° pendant 15 minutes. Couvrez d'une feuille d'aluminium, augmentez la température à 180° et poursuivez la cuisson pendant 45 minutes. Sortez le gâteau du four et laissez-le refroidir sur une grille. Faites fondre le reste du beurre, arrosez-en le stollen, puis saupoudrez le reste du sucre et le sucre glace sur le dessus.

ZUPPA INGLESE
(Italie)

Les Anglo-Saxons qui affluè-
rent à Florence à la fin du
XVIIIe siècle raffolèrent de ce
délicieux dessert : il leur rap-
pelait le trifle, sorte de diplo-
mate à l'anglaise.

Temps : 1 heure
*   + temps de réfrigération*
Facile

50 cl de lait
2 œufs + 3 jaunes
100 g de sucre semoule
30 g de farine
2 cuillerées à soupe de beurre
3-4 gouttes d'extrait de vanille
3 cuillerées à soupe de cacao
   en poudre
1 gâteau mousseline
   (voir p. 146)
25 cl de liqueur, au choix

Portez le lait à ébullition. Battez
les œufs et les jaunes avec le
sucre et la farine tamisée. Ajoutez le lait chaud, sans cesser de
fouetter, en en versant la moitié
petit à petit, puis le reste plus
rapidement. Mettez cette préparation à feu doux et portez à
ébullition, sans cesser de
remuer. Retirez du feu.
   Ajoutez le beurre, remuez,
puis divisez la crème entre deux
jattes. Ajoutez la vanille dans
l'une, le cacao dans l'autre, puis
mélangez bien le contenu de
chaque jatte. Coupez le gâteau
en petits morceaux et arrosez-les
de liqueur. Dans une grande
coupe, disposez des couches de
gâteau et de crème, en alternant
les parfums chocolat et vanille.
Pour la dernière couche, versez
un peu des deux crèmes (la ligne
de partage n'a pas besoin d'être
bien nette). Mettez au réfrigérateur pendant quelques heures
avant de servir.

PLUM CAKE
(Grande-Bretagne)

Temps : 1 h 30
Facile

100 g de raisins de Smyrne
150 g de fruits confits (cerises,
   oranges et cédrat)
3 cuillerées à soupe de rhum
200 g de beurre
200 g de sucre glace
6 œufs
200 g de farine
3-4 gouttes d'extrait de vanille
50 g de fécule ou de Maïzena
1 cuillerée à café de levure
le zeste d'un demi-citron, râpé

Faites gonfler les raisins secs
dans de l'eau tiède. Égouttez-les,
pressez-les bien, puis mélangez-
les avec les fruits confits coupés
en dés. Ajoutez le rhum et laissez reposer jusqu'au moment de
les incorporer à la pâte. Battez
le beurre, ramolli à température
ambiante, jusqu'à ce qu'il soit
crémeux. Ajoutez le sucre, la
vanille, puis les œufs, un par un,
sans cesser de battre. Incorporez la farine, la fécule et la
levure, puis mélangez bien.
Ajoutez le zeste de citron ainsi
que les fruits confits et le rhum.
   Tapissez un moule à cake de
22 cm avec du papier sulfurisé.
Versez-y la pâte et faites cuire
au four préchauffé à 200° pendant 50 minutes. Aux trois
quarts du temps de cuisson, lorsque le dessus du gâteau est légèrement doré, beurrez la lame
d'un couteau et fendez la surface
sur la longueur. Beurrez de nouveau le gâteau et approfondissez
l'entaille. Remettez le gâteau au
four pour la fin de la cuisson.
Laissez refroidir, démoulez et
décollez le papier.

SCONES
(Grande-Bretagne)

Les scones peuvent être four-
rés de plusieurs façons, avec
des raisins secs par exemple.
Nature, ils sont particulière-
ment délicieux avec un peu de
beurre et de confiture.

Temps : 1 heure
Facile

320 g de farine
1 1/2 cuillerée à soupe
   de levure chimique
50 g de sucre semoule
50 g de beurre
1 œuf
10 cl de lait
1 cuillerée à café de sel

Tamisez la farine et la levure
dans une jatte. Ajoutez le sel et

3 cuillerées à soupe de sucre,
puis mélangez bien. Coupez le
beurre, ramolli à température
ambiante, en petits morceaux et
incorporez-le, en travaillant du
bout des doigts, jusqu'à ce que
le mélange devienne grumeleux.
Veillez toutefois à ne pas trop
travailler la pâte. Battez l'œuf
dans un bol, ajoutez 6 cl de lait
et incorporez ce mélange à la
pâte, qui doit être ferme mais
souple. Ajoutez un peu de lait
si le mélange vous paraît trop
sec.

182

PLUM CAKE
■ *Les cakes rencontrent toujours un vif succès à l'heure du thé. La proportion de fruits confits varie pour chaque recette, certaines comportant même davantage de fruits que de pâte. Plus le gâteau en est riche, mieux il se conservera.*

Étalez la pâte en une abaisse de 1 cm d'épaisseur et découpez les scones à l'emporte-pièce de 5 à 6 cm de diamètre. Vous pouvez également découper des carrés de 5 cm et les replier en triangles. Dorez la pâte avec un peu de lait et saupoudrez avec le reste du sucre. Mettez les scones sur une plaque beurrée et faites cuire au four préchauffé à 180° pendant 25 minutes. Servez chaud ou froid.

TARTE TATIN
(France)

Légère et délicieuse, cette tarte renversée est encore meilleure tiède, accompagnée de crème fraîche. Sa réalisation est assez délicate. Choisissez des pommes peu juteuses, qui ne se déferont pas à la cuisson.

Temps : 1 h 25
Assez facile

250 g de farine
300 g de sucre semoule
1 œuf
150 g de beurre
2 kg de pommes
2 cuillerées à soupe de sucre
    vanillé
1 pincée de sel

Tamisez la farine sur le plan de travail. Faites un puits. Mettez-y 100 g de sucre, le sel, l'œuf entier et 100 g de beurre, ramolli à température ambiante et coupé en petits morceaux. Mélangez sans travailler trop longtemps, et formez une boule de pâte. Enveloppez-la dans du film adhésif ou du papier d'aluminium et mettez-la au réfrigérateur pendant 30 minutes.

Faites chauffer le reste du beurre dans un moule à tarte de

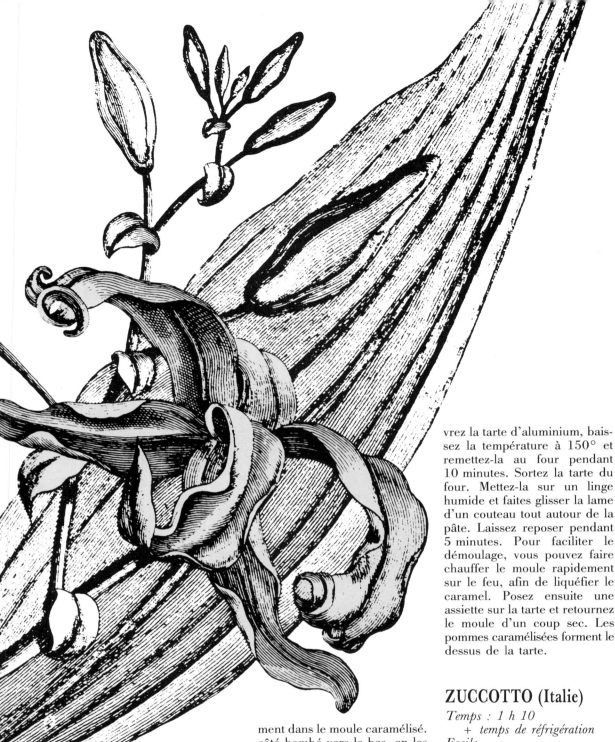

26 cm de diamètre jusqu'à ce qu'il commence à mousser. Ajoutez 100 g de sucre et laissez chauffer en surveillant la cuisson du caramel. Si vous préférez, vous pouvez faire cuire le caramel dans une casserole et le verser rapidement dans le moule avant qu'il ne durcisse.

Pelez, videz et tranchez les pommes. Disposez-les régulière- ment dans le moule caramélisé, côté bombé vers le bas, en les faisant chevaucher légèrement. Saupoudrez avec le reste de sucre et le sucre vanillé. Faites cuire à feu doux jusqu'à ce que le sucre soit caramélisé, ou recouvrez d'une feuille d'alumi- nium et passez au four pré- chauffé à 200° pendant 10 minutes. Étalez la pâte réfri- gérée et recouvrez les pommes. Piquez en divers endroits avec une fourchette. Faites cuire la tarte au four préchauffé à 200° pendant 30 minutes, puis recou- vrez la tarte d'aluminium, bais- sez la température à 150° et remettez-la au four pendant 10 minutes. Sortez la tarte du four. Mettez-la sur un linge humide et faites glisser la lame d'un couteau tout autour de la pâte. Laissez reposer pendant 5 minutes. Pour faciliter le démoulage, vous pouvez faire chauffer le moule rapidement sur le feu, afin de liquéfier le caramel. Posez ensuite une assiette sur la tarte et retournez le moule d'un coup sec. Les pommes caramélisées forment le dessus de la tarte.

ZUCCOTTO (Italie)

Temps : 1 h 10
+ temps de réfrigération
Facile

1 cuillerée à soupe de beurre
4 cuillerées à soupe de cacao amer
100 g de sucre semoule
5 cl d'eau
2 cuillerées à soupe de gélatine en poudre
300 g de gâteau mousseline (voir p. 146)
100 g de fruits confits
100 g de chocolat pâtissier
25 cl de liqueur (marasquin, par exemple)
50 cl de crème fleurette
3 cuillerées à soupe de sucre glace

Préparez une crème au choco- lat : mettez le beurre, le cacao, le sucre et l'eau dans une jatte, au bain-marie, et faites cuire pendant quelques minutes, en remuant à partir du moment où le beurre est fondu. Coupez le gâteau en longs rectangles assez fins, de 1 cm d'épaisseur envi- ron. Hachez menu les fruits confits et le chocolat. Faites dis- soudre la gélatine dans 10 cl d'eau chaude et laissez-la refroi- dir. Plongez les morceaux de gâteau dans la liqueur et tapissez-en un moule à bombe glacée de 20 cm de diamètre ou une jatte de forme arrondie. Ser- rez les tranches, de façon à ne laisser aucun espace. Fouettez la crème, en ajoutant délicate- ment le sucre glace et la géla- tine. Répartissez entre deux jattes. Parfumez-en une avec la crème au chocolat, et l'autre avec les fruits confits et le cho- colat hachés.

Versez le mélange au choco- lat dans le moule tapissé de gâteau. Versez la crème parfu- mée aux fruits confits par-dessus et lissez la surface avec une palette. La crème ne doit pas arriver tout à fait au bord du moule. Recouvrez avec une épaisseur de rectangles de gâteau imbibés de liqueur, en ne laissant aucun espace. Mettez au réfrigérateur pendant au moins 6 heures. Posez un grand plat de service sur la bombe et démoulez-la. Parsemez de sucre glace et servez aussitôt.

184

ZUCCOTTO
■ *Une spécialité toscane très riche. Pour décorer ce dessert, on utilise souvent un pochoir, afin de dessiner un motif en sucre glace.*

Ces délicieux petits gâteaux, originaires d'Alsace, rencontrent toujours un vif succès. A défaut de
moules à madeleines, utilisez des
ramequins ou des moules à brioches.
Les madeleines sont délicieuses
nature, recouvertes d'un glaçage au
citron ou accompagnées d'un peu de
crème Chantilly.

70 g de beurre
 + 10 g pour le moule
60 g de sucre glace
2 jaunes d'œufs
3 cuillerées à soupe de rhum ambré
2 blancs d'œufs
40 g de farine
1 pincée de sel
20 g de fécule ou de Maïzena
3-4 gouttes d'extrait de vanille

Faites fondre le beurre au bain-marie.

Plongez un pinceau à pâtisserie dans un
peu de beurre fondu et graissez le
moule. Réservez le reste.

Tamisez le sucre glace à l'aide d'un
tamis très fin.

Mélangez le sucre avec les jaunes
d'œufs et le rhum dans une jatte pla-
cée au bain-marie. Fouettez jusqu'à ce
que le mélange épaississe. Laissez
refroidir.

Battez les blancs d'œufs en neige ferme,
puis incorporez la farine et le sel
tamisés.

Incorporez la fécule ou la Maïzena,
l'extrait de vanille et le beurre fondu.

Versez ce mélange dans la préparation
aux œufs et au sucre.

Remplissez les moules. En les maintenant bien droits, tapotez-les sur le plan
de travail, afin de libérer toute bulle
d'air qui aurait pu se former entre le
moule et la pâte. Faites cuire au four
préchauffé à 200° pendant 10 minutes.
Sortez les madeleines du four,
démoulez-les et laissez-les refroidir sur
une grille.

GOUSSES DE VANILLE
■ Utilisez toujours
de la vanille naturelle.
La meilleure variété
est la vanille Bourbon,
originaire de l'île
de la Réunion.

MADELEINES (France)

Les moules à madeleines sont utiles pour confectionner ces pâtisseries immortalisées par Marcel Proust, mais des ramequins ou des moules individuels conviennent.

Temps : 40 minutes
Facile

6 œufs + 3 jaunes
300 g de sucre glace
le zeste d'un citron, râpé
200 g de farine
100 g de Maïzena
300 g de beurre

Battez les œufs avec les jaunes, le sucre et le zeste de citron jusqu'à ce que le mélange soit clair et mousseux. Ajoutez la farine et la Maïzena tamisées. Incorporez le beurre fondu petit à petit. Versez la pâte dans des moules à madeleines bien beurrés et faites cuire au four préchauffé à 180° pendant 20 minutes. Laissez reposer pendant 10 minutes avant de démouler. Conservez les madeleines dans une boîte hermétique, afin qu'elles ne se dessèchent pas trop rapidement. Servez-les à l'heure du thé, ou pour accompagner des desserts aux fruits ou de la glace.

ÎLE FLOTTANTE (France)

Plutôt que de former un seul bloc d'œufs en neige battus, vous pouvez les faire pocher en plusieurs fois, et préparer ainsi, non plus une île flottante, mais des œufs à la neige.

Temps : 1 heure
Facile

2,5 l de lait
1 gousse de vanille,
    ou 4-5 gouttes d'extrait
6 œufs
330 g de sucre semoule

Portez 50 cl de lait à ébullition avec la gousse de vanille fendue en deux dans le sens de la longueur ou l'extrait de vanille. Laissez reposer pendant 10 minutes. Battez les jaunes d'œufs avec 150 g de sucre pendant quelques minutes, puis ajoutez le lait, en mince filet, sans cesser de battre. Faites chauffer la crème à feu doux, en remuant avec une cuillère en bois, jusqu'à ce qu'elle recouvre le dos de la cuillère.
Plongez la casserole dans une jatte d'eau froide et faites refroi-

LA VANILLE

Il n'existe aucun produit de synthèse pour remplacer la vanille naturelle, fruit d'une variété d'orchidée, originaire des forêts tropicales d'Amérique, de façon satisfaisante. Vous pouvez préparer du sucre vanillé en plaçant une ou deux gousses de vanille dans un bocal de sucre : laissez reposer pendant 2 à 3 semaines avant d'utiliser.

dir la crème sans cesser de la remuer pendant 5 à 10 minutes, afin d'éviter la formation d'une peau à la surface. Battez les blancs en neige et incorporez 50 g de sucre. Continuez de fouetter jusqu'à ce que les œufs soient bien fermes, puis ajoutez le reste du sucre. Battez encore pendant quelques minutes.

Versez les blancs d'œufs dans un moule à tarte rincé à l'eau froide et non essuyé. Portez le reste du lait à ébullition dans une grande casserole et faites glisser les œufs à la surface du lait. Faites-les pocher pendant 2 minutes, puis retournez-les délicatement (il n'est pas nécessaire de soulever les blancs d'œufs, qui se tourneront sur

MUFFINS
■ La recette de base
des muffins peut être
parfumée avec 40 g
de raisins secs
préalablement trempés
dans de l'eau chaude,
2 cuillerées à soupe
de noix hachées, ou
quelques fruits confits
coupés en dés.

eux-mêmes très facilement).
Faites-les cuire pendant
2 minutes.

Versez la crème à la vanille
dans une grande coupe. Sortez
les blancs d'œufs du lait à l'aide
d'une écumoire. Laissez-les
s'égoutter et posez-les délicatement sur la crème. Servez
aussitôt.

ÉCLAIRS
AU CHOCOLAT
(France)

*Pour réaliser des religieuses
au chocolat, il suffit de former des choux de deux tailles
différentes : les plus gros pour
la base du gâteau, les plus
petits pour le chapeau. On
peut également utiliser un
glaçage au café.*

*Temps : 1 h 30
Facile*

25 cl d'eau
1 cuillerée à soupe de sucre
   semoule
100 g de beurre
150 g de farine
4 œufs
1 cuillerée à café de sel
Pour la crème pâtissière :
50 cl de lait
3-4 gouttes d'extrait de vanille
5 jaunes d'œufs
120 g de sucre semoule
30 g de farine
2 cuillerées à soupe de cacao
   en poudre
Pour le glaçage :
200 g de glaçage au chocolat
   (voir p. 52)

Faites bouillir l'eau dans une
casserole avec le sel, le sucre et
le beurre. Versez la farine d'un
seul coup dans la casserole et
mélangez aussitôt avec une cuillère en bois jusqu'à ce que la
pâte se décolle des bords de la
casserole. Ôtez du feu et
continuez de battre pendant 1 à
2 minutes. Battez les œufs et
ajoutez-les progressivement au
contenu de la casserole, en
remuant énergiquement entre
chaque adjonction. La pâte doit
alors être épaisse et brillante.
Remplissez-en une poche à
douille. Beurrez et farinez légèrement une ou plusieurs plaques
et déposez-y des rouleaux de
pâte (ou des petits choux), en les
espaçant suffisamment les uns
des autres. Faites-les cuire au
four préchauffé à 180° pendant
20 minutes environ, jusqu'à ce
que la pâte ait bien monté, et
qu'elle soit sèche et dorée à
l'extérieur. Pour plus de précaution, sortez un gâteau, ouvrez-
le et vérifiez le degré de cuisson
à l'intérieur. Au moment de sortir les éclairs (ou les religieuses)
du four, pratiquez une petite
fente sur le côté, afin que la
vapeur puisse s'échapper.

Préparez la crème pâtissière :
portez le lait à ébullition avec
l'extrait de vanille. Battez les jaunes avec le sucre jusqu'à ce que
le mélange éclaircisse. Ajoutez
la farine, mélangez, puis versez
le lait chaud, petit à petit. Faites épaissir à feu doux, sans cesser de remuer. Ôtez du feu,
incorporez le cacao en poudre
et laissez refroidir. A l'aide
d'une grande poche à douille
munie d'un large embout, remplissez les gâteaux. Faites fondre le glaçage à feu doux,
laissez-le légèrement refroidir,
puis versez-en un peu sur chaque éclair ou religieuse. Servez
aussitôt.

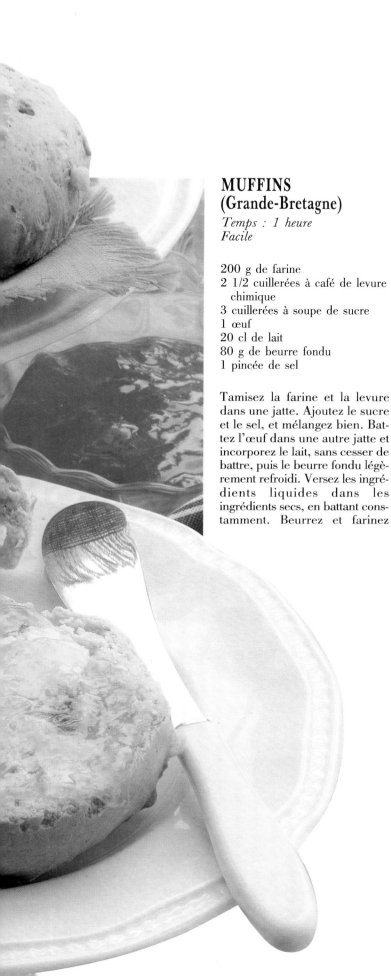

MUFFINS
(Grande-Bretagne)

Temps : 1 heure
Facile

200 g de farine
2 1/2 cuillerées à café de levure
  chimique
3 cuillerées à soupe de sucre
1 œuf
20 cl de lait
80 g de beurre fondu
1 pincée de sel

Tamisez la farine et la levure dans une jatte. Ajoutez le sucre et le sel, et mélangez bien. Battez l'œuf dans une autre jatte et incorporez le lait, sans cesser de battre, puis le beurre fondu légèrement refroidi. Versez les ingrédients liquides dans les ingrédients secs, en battant constamment. Beurrez et farinez légèrement de petits moules. Remplissez-les aux trois quarts et faites cuire les muffins au four préchauffé à 210° pendant 15 minutes. Servez avec du beurre et de la confiture.

CLAFOUTIS (France)

Dans cette recette, nous avons choisi de remplacer les traditionnelles cerises par des abricots. Vous pouvez également utiliser des petites prunes dénoyautées et pelées, ainsi que des grains de raisin, et ajouter quelques épices telles la cannelle ou la muscade.

Temps : 1 h 15
Facile

50 g de beurre
175 g de sucre semoule
750 g d'abricots bien mûrs
50 g d'amandes effilées
4 œufs
50 cl de lait

Avec la moitié du beurre, graissez un moule à tourte en porcelaine ou un moule à tarte à fond amovible de 25 cm de diamètre. Saupoudrez le fond avec 25 g de sucre. Lavez et épongez les abricots, coupez-les en deux et dénoyautez-les. Disposez-les en une seule couche, partie coupée vers le bas, en veillant à bien recouvrir le fond du moule. Parsemez-les d'amandes effilées.
   Mélangez la farine et le reste du sucre dans une jatte. Ajoutez les œufs légèrement battus, puis versez le lait, petit à petit. Battez bien. Faites fondre le reste du sucre et incorporez-le à la pâte. Versez-la sur les abricots. Mettez le clafoutis au four préchauffé à 180° et laissez cuire pendant 1 heure, jusqu'à ce que la pâte soit prise et légèrement dorée. Servez tiède.

OMELETTE SOUFFLÉE
(France)

Au moment de servir, décorez l'omelette en appliquant une brochette brûlante sur le dessus, afin de former des lignes parallèles ou entrecroisées.

Temps : 40 minutes
Facile

4 jaunes d'œufs
150 g de sucre semoule
2-3 gouttes d'extrait de vanille
5 blancs d'œufs
1 cuillerée à soupe de sucre
  glace

Beurrez et farinez un moule à soufflé. Battez les jaunes d'œufs avec 120 g de sucre semoule et l'extrait de vanille jusqu'à ce que

le mélange soit clair et mousseux. Battez les blancs en neige ferme, ajoutez le reste du sucre, puis continuez de battre jusqu'à ce qu'ils soient bien montés. Incorporez-en 4 cuillerées à soupe dans les jaunes à l'aide d'une spatule, afin qu'ils ne s'affaissent pas.

Versez ce mélange dans le moule à soufflé et, à l'aide d'une poche à douille munie d'un gros embout cannelé, décorez la sur-

face d'un motif. Saupoudrez la surface de sucre glace et faites cuire au four préchauffé à 200° pendant 10 minutes jusqu'à ce que l'omelette ait monté et qu'elle soit légèrement dorée. Servez aussitôt.

PASTIERA (Italie)

A défaut de blé entier, utilisez 90 g d'orge.

Temps : 3 heures
  + temps de repos
Facile

1 fond de tarte en pâte sablée I ou II (voir p. 56)
120 g de grains de blé entier, décortiqués
25 cl de lait
le zeste d'un citron, râpé
200 g de sucre semoule
2 pincées de cannelle en poudre
300 g de ricotta
4 œufs
50 g de fruits confits (cédrat et orange)
1 cuillerée à soupe d'eau de fleur d'oranger
1 pincée de sel
1 cuillerée à soupe de sucre glace

Faites tremper le blé dans une jatte d'eau froide pendant trois jours, en changeant l'eau toutes les 24 heures.

Préparez la pâte sablée. Égouttez le blé. Mettez-le dans une grande casserole remplie d'eau froide, portez à ébullition et laissez bouillir pendant 15 minutes. Portez le lait à ébullition dans une casserole avec le zeste de citron râpé, 1 cuillerée à soupe de sucre et une pincée de cannelle. Égouttez le blé et ajoutez-le au lait. Lorsqu'il atteint de nouveau l'ébullition, baissez le feu et attendez que le blé ait absorbé tout le lait. Vous pouvez réaliser cette opération au bain-marie pour éviter que le lait n'attache à la casserole. Laissez refroidir. Battez la ricotta dans une grande jatte à l'aide d'une cuillère en bois. Incorporez les jaunes d'œufs, un par un, puis le reste du sucre, une pincée de cannelle, le zeste de citron, les fruits confits hachés menu, l'eau de fleur d'oranger et le blé cuit. Remuez bien la préparation. Laissez reposer pendant 5 minutes avant d'incorporer les blancs d'œufs montés en neige.

Foncez un moule à génoise beurré et fariné avec les trois quarts de la pâte. Versez la préparation à base de ricotta et lissez la surface. Découpez le reste de pâte en bandes et disposez-les en formant un treillage sur la garniture (voir illustration ci-contre). Faites cuire au four préchauffé à 180° pendant 45 minutes. Laissez refroidir avant de saupoudrer de sucre glace tamisé. Ce gâteau se conserve bien.

RIZ CONDÉ (France)

Cet entremets est délicieux avec des fruits. C'est un dessert très prisé des enfants.

Temps : 45 minutes
Très facile

200 g de riz rond
120 g de sucre vanillé
1 l de lait
1 pincée de sel
50 g de beurre
4 jaunes d'œufs

Versez le riz dans une grande quantité d'eau bouillante et faites-le cuire pendant 5 minutes à partir du moment où l'eau recommence à bouillir.

Égouttez-le et versez-le dans un grand plat à gratin. Ajoutez le sucre, le lait et une pincée de sel. Couvrez d'aluminium et enfournez le plat. Faites cuire au four préchauffé à 200° pendant 25 minutes, sans soulever l'aluminium. Sortez le plat du four, ôtez le papier, puis ajoutez le beurre et les jaunes d'œufs. Mélangez avec une spatule, afin de ne pas briser les grains. Servez chaud ou froid.

LINZERTORTE
(Autriche)

Ce gâteau autrichien, originaire de Linz, se compose d'une pâte aux noisettes ou aux amandes. Celles-ci peuvent être réduites en poudre, mais la consistance finale sera plus agréable si elles sont simplement broyées.

Temps : 1 h 15
+ temps de réfrigération
Facile

300 g de farine
150 g de sucre semoule
1 pincée de sel
10 cl d'eau
1/2 cuillerée à café de cannelle en poudre
1 œuf + 1 jaune
120 g de beurre
6 gouttes d'extrait d'amandes
3 gouttes d'extrait de vanille
180 g d'amandes, broyées ou en poudre
6 cuillerées à soupe de confiture de framboises ou de cerises
1 cuillerée à café de lait

Tamisez la farine avec la levure sur le plan de travail. Faites un puits. Ajoutez le sucre, le sel, l'eau, la cannelle, l'œuf, le beurre, ramolli et coupé en petits morceaux, les extraits de

vanille et d'amandes, puis les amandes broyées ou en poudre. Mélangez ces ingrédients à la main, en incorporant la farine progressivement. Formez une boule et enveloppez-la dans de l'aluminium. Mettez au réfrigérateur pendant 1 heure.

Étalez la moitié de la pâte en un cercle de 22 cm de diamètre et foncez un moule de la même taille, ou posez la pâte sur une plaque. Abaissez le reste de pâte et, à l'aide d'une roulette à pâtisserie, coupez-la en bandelettes de 1 cm. Étalez la confiture sur la pâte, jusqu'à 1 cm des bords environ. Disposez les bandelettes de pâte en treillage sur la confiture et posez une grande bandelette sur le pourtour de la tarte. Appuyez légèrement dessus.

Battez le jaune d'œuf restant avec le lait et badigeonnez-en les bandes de pâte. Faites cuire au four préchauffé à 180° pendant 40 minutes.

Voici une vieille recette anglaise. On peut enrichir la pâte avec des amandes et des pistaches, ou des noisettes hachées grossièrement. Cette recette est plus riche que celle donnée page 182 et permet de réaliser un gâteau de poids plus important.

250 g de beurre ramolli
  à température ambiante
250 g de sucre glace ou semoule
4 œufs
250 g de farine
1 cuillerée à soupe de levure
  chimique
1/2 cuillerée à café de sel
250 g de raisins secs
10 cl de rhum
100 g de fruits confits

Faites tremper les raisins secs dans le rhum pendant 30 minutes environ, en remuant de temps en temps.

Dans une grande jatte, battez le beurre ramolli jusqu'à ce qu'il éclaircisse et devienne bien crémeux.

Incorporez le sucre. Battez les blancs d'œufs en neige ferme et incorporez-les au mélange précédent.

Ajoutez les jaunes d'œufs légèrement battus. Tamisez la farine, la levure et le sel, et ajoutez-les progressivement à la pâte. Mélangez bien. Ajoutez les raisins secs et les fruits confits.

Beurrez un moule à cake, tapissez-le de papier sulfurisé et remplissez-le de pâte. Lissez avec une spatule.

Faites cuire au four préchauffé à 180° pendant 1 heure environ, jusqu'à ce qu'une pique de bois enfoncée dans le gâteau ressorte propre.

192

FRANKFURTER KRANZ (Allemagne)

Ce gâteau cuit dans un moule à savarin est fourré avec une crème au kirsch et comprend une garniture en nougatine.

Temps : 1 h 15
Facile

125 g de beurre
150 g de sucre semoule
3 œufs
le zeste d'un citron, râpé
100 g de farine
100 g de fécule de pomme
    de terre
un sachet de levure chimique
Pour la garniture :
175 g de sucre semoule
3 jaunes d'œufs
250 g de beurre
2 cuillerées à soupe de sucre
    glace
3-4 gouttes d'extrait de vanille
1 à 2 cuillerées à soupe
    de kirsch
200 g de nougatine

Préparez le gâteau : battez le beurre, ramolli à température ambiante, avec le sucre jusqu'à ce que le mélange soit clair et crémeux, puis incorporez les œufs un par un. Ajoutez le zeste de citron râpé, la farine tamisée avec la fécule et la levure. Mélangez bien.

Beurrez et farinez légèrement un moule à savarin ou à kouglof de 24 cm de diamètre. Versez-y la pâte et faites cuire dans la partie inférieure du four préchauffé à 180° pendant 40 minutes.

Préparez la garniture : versez le sucre dans une casserole en une couche régulière, ajoutez juste assez d'eau pour le recouvrir et faites chauffer jusqu'au stade du grand lissé. Battez bien les jaunes d'œufs. Ajoutez le sirop de sucre chaud, en le versant en mince filet, sans cesser

de battre. Battez le beurre ramolli jusqu'à ce qu'il soit clair et mousseux, puis ajoutez 2 cuillerées à soupe de sucre glace et quelques gouttes de vanille. Incorporez ce mélange dans le sirop. Ajoutez le kirsch. Coupez le gâteau en trois horizontalement et étalez un peu de garniture sur les deux épaisseurs inférieures. Reconstituez le gâteau. Pilez la nougatine et garnissez-en le dessus.

APPLE PIE (Grande-Bretagne et États-Unis)

Ce grand classique anglo-saxon est généralement accompagné de glace, de crème fraîche ou de crème anglaise.

Temps : 1 h 15
Facile

1 fond de tarte en pâte brisée
    (voir p. 56)
1 kg de pommes
175 g de sucre semoule
1 cuillerée à soupe de jus
    de citron
le zeste d'un citron, râpé
25 cl de crème fouettée
1 cuillerée à soupe de sucre
    glace

Beurrez un moule à tarte de 26 cm de diamètre. Étalez la moitié de la pâte en un cercle d'environ 5 mm d'épaisseur, qui dépassera légèrement des bords du moule. Pelez, videz et tranchez finement les pommes. Disposez-les dans le fond de tarte. Saupoudrez avec 100 g de sucre, arrosez de jus de citron et garnissez de zeste de citron. Étalez le reste de pâte et recouvrez les pommes. A l'aide d'une roulette à pâtisserie cannelée,

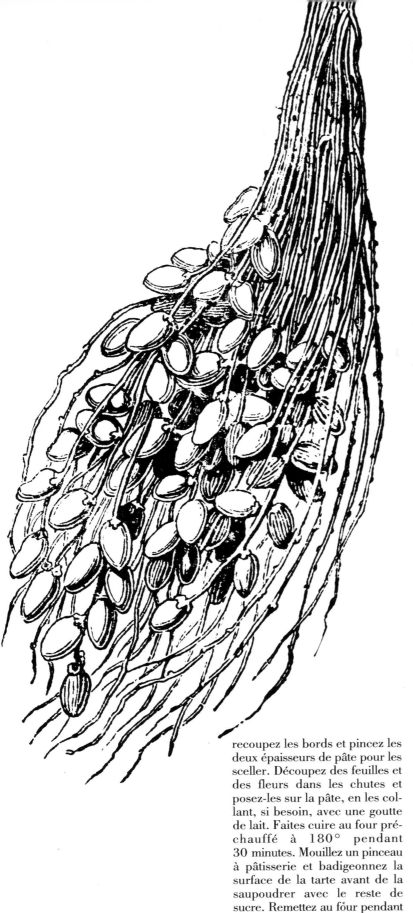

DATTES
■ Un régime de dattes
en voie de maturation
(gravure du XVIIe siècle).

BLANC-MANGER
■ Cet entremets doit son
extraordinaire blancheur
à l'utilisation de lait
d'amandes et de crème.
On trouve le lait
d'amandes dans certaines
épiceries fines.

recoupez les bords et pincez les deux épaisseurs de pâte pour les sceller. Découpez des feuilles et des fleurs dans les chutes et posez-les sur la pâte, en les collant, si besoin, avec une goutte de lait. Faites cuire au four préchauffé à 180° pendant 30 minutes. Mouillez un pinceau à pâtisserie et badigeonnez la surface de la tarte avant de la saupoudrer avec le reste de sucre. Remettez au four pendant 10 minutes, pour terminer la cuisson. Servez l'apple pie chaude, avec de la crème fouettée légèrement sucrée.

CHRISTMAS PUDDING (Grande-Bretagne)

La tradition veut que l'on prépare ce pouding au moins six mois avant Noël. Certaines maîtresses de maison le confectionnent un an avant de le servir. De petites pièces d'argent, préalablement bouillies, peuvent être incorporées à la pâte : ou les découvrira avec ravissement le jour où on dégustera le gâteau. Celui-ci est généralement décoré avec une branche de houx et flambé au cognac, à table, au moment de le servir.

*Temps : 10 heures
    + temps de conservation
Facile*

110 g de graisse de rognon, hachée
200 g de sucre semoule
3 cuillerées à soupe de pomme, râpée ou finement hachée
100 g d'écorce d'orange confite, coupée en dés
150 g de cédrat confit, coupé en dés
300 g de raisins de Corinthe, mis à tremper dans de l'eau tiède
150 g de raisins secs de Californie, épépinés
200 g de dattes hachées
3 cuillerées à soupe de confiture de framboises
4 œufs
80 g de farine
250 g de chapelure fraîche
3 cuillerées à café de cannelle en poudre
1 bonne pincée de sel
1 bonne pincée de gingembre en poudre
1/2 cuillerée à café de toute-épice
1 pincée de muscade en poudre
3 cuillerées à soupe de lait
3 cuillerées à soupe de cognac
3 cuillerées à soupe de xérès
6 cuillerées à soupe de vin blanc sec
Pour le beurre parfumé :
100 g de beurre
150 g de sucre glace
1 jaune d'œuf (facultatif)
2 cuillerées à soupe de cognac
Pour ajouter pendant la conservation :
1 verre de cognac
Pour flamber :
1/2 verre de cognac

Mettez tous les ingrédients énumérés ci-dessus jusqu'à la muscade comprise dans une grande jatte. Mélangez bien, puis ajoutez le lait, le cognac, le xérès et le vin. Remuez énergiquement. Couvrez et laissez reposer dans un endroit frais pendant 2 jours.

Beurrez un moule à pouding ou à bombe glacée de 16 cm de diamètre. Versez-y la pâte et tassez-la bien. Refermez le moule à l'aide du couvercle prévu à cet effet ou en posant dessus un cercle de papier sulfurisé recouvert d'un morceau de mousseline attaché au bord du moule avec de la ficelle. Faites cuire au bain-marie pendant 5 heures, en ajoutant de l'eau régulièrement. Réservez le pouding, le temps qu'il refroidisse complètement. Démoulez-le délicatement et enveloppez-le dans plusieurs épaisseurs de gaze imbibée de cognac. Conservez-le dans un endroit frais, mais pas au réfrigérateur, en remouillant les épaisseurs de gaze à intervalles réguliers, pendant 2 semaines. A partir de ce moment, le pouding peut être consommé, mais plus vous attendrez, meilleur il sera. Si vous souhaitez le conserver assez longtemps, retirez le couvercle,

194

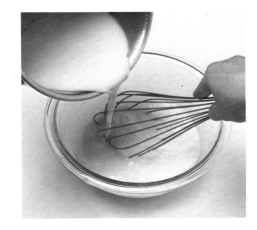

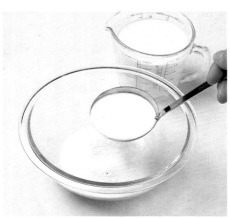

Pour confectionner du lait d'amandes, reportez-vous à la recette du Blanc-manger, page ci-contre. Réduisez vous-même les amandes en poudre, si possible, car celles du commerce ont un goût moins prononcé.

150 g de sucre glace
80 g de Maïzena
30 cl de lait chaud
3 cuillerées à soupe de curaçao blanc
20 cl de crème fraîche
10 cl de lait d'amandes (voir p. 197)

Tamisez le sucre avec la Maïzena dans une jatte pour éviter la formation de grumeaux pendant la cuisson.

Délayez ce mélange sec avec un peu de lait. Remuez bien.

Ajoutez le reste du lait.

Mélangez, puis versez aussitôt la préparation dans une casserole. Faites cuire à feu doux, en remuant constamment, jusqu'à ce que la sauce ait épaissi.

Ôtez du feu. Ajoutez le curaçao, puis la crème fraîche, et mélangez énergiquement.

Versez le lait d'amandes. Rincez un moule à savarin ou de petits moules individuels, sans les essuyer. Versez-y le blanc-manger et mettez au réfrigérateur pendant plusieurs heures, jusqu'à ce qu'il ait bien pris.

arrosez-le très doucement avec 10 cl de cognac, refermez et conservez pendant un an ou plus, en ajoutant de l'alcool tous les six mois. Le jour où vous souhaitez servir le pouding, remettez-le dans le moule et faites-le cuire au bain-marie pendant 2 à 3 heures.

Préparez la sauce : travaillez le beurre ramolli à température ambiante jusqu'à ce qu'il soit bien clair. Ajoutez le sucre, en remuant. Le mélange doit être très léger et aéré. Ajoutez le cognac très progressivement. Mettez le mélange dans une jatte et laissez refroidir. Si vous préparez ce beurre parfumé la veille, réfrigérez-le jusqu'au lendemain.

Démoulez le pouding sur un plat de service. Faites chauffer le cognac, sans le faire bouillir, arrosez-en le pouding et faites flamber, en le remuant légère-

ment pour améliorer la combustion. Servez le beurre en accompagnement.

BLANC-MANGER
(France)

Temps : 1 heure
Facile

250 g d'amandes douces entières, mondées
2 amandes amères
40 cl d'eau
30 cl de lait
100 g de sucre semoule
3 cuillerées à soupe de gélatine
1 cuillerée à soupe de kirsch
40 cl de crème fouettée

Pilez très finement les amandes, de préférence dans un mortier, et laissez-les reposer dans une

jatte d'eau froide pendant 2 heures. Posez un linge dans un chinois posé sur une jatte, puis versez le mélange eau-amandes. Rassemblez les coins du linge et tordez-le pour recueillir le lait d'amandes. Ajoutez le sucre et mélangez pendant au moins 5 minutes. Faites chauffer ce mélange jusqu'à ce qu'il commence à bouillir, puis saupoudrez de gélatine. Remuez jusqu'à ce qu'elle soit bien dissoute. Mélangez-la au lait d'amandes et ajoutez le kirsch. Laissez la préparation refroidir, puis, dès qu'elle commence à prendre, incorporez la crème fouettée. Rincez un moule décoratif à l'eau froide, sans l'essuyer, remplissez-le de blanc-manger et mettez au réfrigérateur pendant au moins 8 heures. Démoulez sur une assiette et servez.

MOUSSE AU CHOCOLAT
(France)

Riche mais légère, la mousse au chocolat est un dessert toujours très apprécié. On peut également la servir dans des coupelles individuelles.

Temps : 30 minutes
Facile

250 g de chocolat amer
50 cl de lait
50 g de sucre semoule
4 œufs + 1 blanc

Cassez le chocolat en morceaux et faites-le fondre, avec le lait, au bain-marie. Lorsqu'il est fondu, ajoutez le sucre et ôtez du feu. Laissez refroidir légèrement, puis incorporez les jaunes, un par un. Laissez refroidir de nouveau. Battez les blancs d'œufs en neige ferme et

CRÊPES SUZETTE
■ Un autre grand
classique du répertoire
culinaire gourmand
français. Dans notre
recette, nous avons
ajouté une garniture
aux fruits.

incorporez-les délicatement dans la préparation au chocolat. Versez la mousse dans une coupe en verre et mettez-la au réfrigérateur jusqu'au moment de servir.

LEMON CHIFFON PIE (États-Unis)

Il s'agit d'une pâte à tarte recouverte d'une crème au citron aussi légère qu'une mousse. Décorez la surface avec de petits morceaux de zeste de citron.

Temps : 1 h 15
Facile

1 fond de tarte en pâte sablée
  (voir p. 56)
6 jaunes d'œufs
340 g de sucre semoule
40 cl d'eau
6 cuillerées à soupe de jus
  de citron
le zeste, râpé, et le jus d'un gros
  citron
1 1/2 cuillerée à soupe
  de gélatine
5 blancs d'œufs

Préparez la pâte et foncez un moule à tarte de 26 cm de diamètre ou un moule à génoise. Recouvrez la pâte de papier sulfurisé et remplissez de haricots secs ou de riz. Faites cuire à blanc au four préchauffé à 180° pendant 40 minutes. Ôtez les haricots et le papier 5 minutes avant la fin de la cuisson. Battez les jaunes d'œufs et le sucre jusqu'à ce que le mélange devienne clair et mousseux. Ajoutez l'eau, le jus et le zeste de citron, en battant, et faites cuire cette crème au bain-marie, sans cesser de remuer. Ne la laissez surtout pas bouillir, car

des grumeaux pourraient se former. Retirez du feu et saupoudrez de gélatine, en veillant à ce qu'elle se dissolve correctement. Laissez refroidir et, dès que la crème commence à prendre, incorporez les blancs d'œufs battus en neige ferme. Garnissez le fond de tarte et mettez au réfrigérateur avant de servir.

CRÊPES SUZETTE
(France)

Temps : 50 minutes
Facile

Pour la pâte :
250 g de farine
30 g de sucre
3 œufs
50 cl de lait
2 cuillerées à soupe de Grand Marnier
80 g de beurre
1 pincée de sel
Pour la sauce :
5 cuillerées à soupe de beurre
10 morceaux de sucre
le jus d'une orange
10 cl de Grand Marnier

Dans un mixer, réunissez la farine, le sucre, les œufs légèrement battus, le lait, la liqueur et le sel. Ajoutez le beurre, petit à petit, pendant que le moteur tourne. Laissez reposer pendant 1 heure.

Beurrez une poêle de 15 cm de diamètre environ et faites-la chauffer. Dès que le beurre est bien fondu, versez une petite louche de pâte et penchez la poêle dans tous les sens, afin que la pâte s'étale uniformément. Lorsque la crêpe est cuite d'un côté, retournez-la pour faire cuire le second côté. Posez la crêpe sur un plat préalablement chauffé et réservez au

chaud, en posant par exemple l'assiette ou le plat sur une casserole d'eau frémissante. Généralement, la première crêpe est rarement réussie. Beurrez la poêle entre chaque crêpe.

Préparez la sauce : pendant que la pâte repose, frottez les morceaux du sucre contre la peau d'orange. Broyez-les et mettez-les dans une poêle. Ajoutez le beurre et faites chauffer, en remuant. Ajoutez le jus d'orange et la moitié du Grand Marnier. Arrosez-en les crêpes et faites-les flamber à table, au moment de servir.

PALACINKEN
(Hongrie)

Ces petites crêpes hongroises sont garnies de crème pâtissière, de confiture ou de crème fouettée et d'amandes pilées.

Temps : 35 minutes
Facile

9 œufs
4 cuillerées à café de farine
5 cl de lait
60 g de beurre
30 g de sucre semoule
crème pâtissière (voir p.44 ; diviser les quantités par 2)
2-3 gouttes d'extrait de vanille
3 cuillerées à soupe de framboises, passées au chinois
3 cuillerées à soupe de crème Chantilly

Cassez 6 œufs et séparez les jaunes des blancs. Cassez les 3 œufs restants dans la jatte contenant les jaunes et battez vigoureusement. Ajoutez la farine et le lait, sans cesser de battre. Montez les blancs en neige ferme et incorporez-les à

APFELSTRUDEL
■ La pâte à strudel, assez délicate à réussir, peut être remplacée par de la pâte feuilletée surgelée, mais le gâteau ne sera pas aussi fin et léger.

la pâte. Faites chauffer le beurre dans une poêle pouvant aller au four. Attendez qu'il commence à grésiller, saupoudrez de sucre et versez un peu de pâte. Baissez le feu et faites cuire à feu doux jusqu'à ce que la crêpe prenne. Mettez au four préchauffé à 180° pendant 7 à minutes.

Faites glisser la crêpe sur un plat de service bien chaud, nappez-la avec la crème pâtissière parfumée à la vanille, les framboises et la crème Chantilly, puis repliez-la en deux. Saupoudrez de sucre, selon le goût, et imprimez un motif avec une brochette rougie à la flamme.

PRINZREGENTEN-TORTE (Allemagne)

Ce dessert est fourré d'une garniture extrêmement riche. En Allemagne, on l'accompa-

gne d'une tasse de café. Il vaut mieux le servir seul, à l'occasion d'un goûter ou d'un thé dînatoire, plutôt qu'à la fin d'un bon repas.

*Temps : 2 h 30
+ temps de refroidissement
Assez facile*

100 g de beurre
100 g de sucre semoule
1 jaune d'œuf
175 g de farine
50 g de Maïzena
1 cuillerée à café de levure chimique
10 cl de lait
2 blancs d'œufs
Pour la garniture :
200 g de chocolat
130 g de sucre glace
1 gros œuf, ou 2 petits
30 g de beurre
Pour le glaçage :
200 g de glaçage au chocolat
 (voir p. 52)

Faites ramollir le beurre à température ambiante, travaillez-le avec le sucre jusqu'à ce qu'il soit bien crémeux et incorporez le jaune d'œuf. Tamisez la farine, la Maïzena et la levure, puis ajoutez-les à la préparation précédente, en alternant avec le lait. La pâte doit être molle mais pas trop liquide. Incorporez les blancs d'œufs battus en neige. Répartissez la pâte dans 5 moules bien beurrés et chemisés, et faites cuire au four préchauffé à 180° pendant 10 à 12 minutes. Démoulez et laissez refroidir.

Préparez la garniture : cassez le chocolat en morceaux et faites-le fondre au bain-marie. Ajoutez le sucre, ôtez du feu pour incorporer l'œuf, puis le beurre ramolli coupé en petits morceaux. Battez bien jusqu'à ce que la préparation refroidisse

légèrement, puis étalez cette crème sur quatre des gâteaux cuits. Reconstituez un gros gâteau à étages. Recouvrez le dessus, vierge de crème, de papier sulfurisé, posez un poids par-dessus et mettez au réfrigérateur pendant 24 heures. Glacez la surface du gâteau et laissez prendre le glaçage avant de servir.

APFELSTRUDEL (Autriche)

*Temps : 1 h 40
Assez difficile*

250 g de farine
1 œuf

LA CANNELLE

La cannelle est l'écorce séchée d'un arbre originaire de Sri Lanka (Cinnamomum zeylahicum). *Cette épice est vendue en bâtons (écorce roulée) ou, plus fréquemment, en poudre. La cannelle conserve son puissant arôme pendant de longs mois. Très parfumée, elle s'utilise avec parcimonie.*

100 g de sucre
1 pincée de sel
150 g de beurre
4 cuillerées à soupe d'eau tiède
50 g de raisins secs
800 g de reinettes
3 cuillerées à soupe
 de chapelure
50 g de pignons
le zeste d'un citron, râpé
1 cuillerée à café de cannelle
 en poudre

1 cuillerée à soupe de sucre glace

Tamisez la farine dans une grande jatte. Faites un puits. Cassez-y les œufs, ajoutez 2 cuillerées à soupe de sucre, le sel, 50 g de beurre fondu et l'eau tiède. Mélangez bien avec les doigts, en intégrant progressivement la farine. La pâte doit être molle, mais non collante. Pétrissez-la, en la jetant à plusieurs reprises sur le plan de travail. Formez une boule et recouvrez-la d'une casserole chaude en veillant à ce qu'elle ne soit pas en contact avec la pâte.

Faites tremper les raisins secs dans de l'eau tiède pendant 10 minutes, égouttez-les et épongez-les sur du papier absorbant. Pelez, videz et coupez les pommes en fines tranches. Faites revenir la chapelure dans 25 g de beurre. Abaissez la pâte le plus finement possible sans la casser. Étalez les pommes, les raisins secs, les pignons et la chapelure sur l'abaisse de pâte, en laissant une bordure de 2 cm. Mélangez le reste de sucre avec la cannelle et le zeste de citron, puis parsemez-en les pommes. Roulez la pâte en enfermant la garniture et pincez les bords pour bien sceller le rouleau obtenu. Mettez le strudel sur une plaque à pâtisserie beurrée et arrosez-le avec le reste de beurre, fondu. Faites cuire au four préchauffé à 160° pendant 1 heure environ. Éteignez le four et laissez-y le gâteau refroidir pendant 15 minutes environ. Saupoudrez de sucre glace et servez tiède.

FOUET ET JATTE
■ Illustration extraite
d'un livre allemand
du XIXᵉ siècle. Les blancs
d'œufs montent plus
facilement lorsqu'on
les bat dans une jatte
en cuivre.

CROQUEMBOUCHE
(France)

Le croquembouche est une impressionnante pièce montée, facile à réussir malgré les apparences. Il suffit d'un peu de patience pour disposer les choux les uns sur les autres le plus harmonieusement possible.

Temps : 1 h 10
Facile

50 cl d'eau
250 g de beurre
1 cuillerée à café de sel
250 g de farine
8 œufs
Pour le caramel :
200 g de sucre semoule
1 cuillerée à café de jus
  de citron
1 cuillerée à soupe d'eau

Préparez la pâte à choux : mettez l'eau, le beurre et le sel dans une casserole et portez à ébullition. Hors du feu, ajoutez la farine d'un seul coup. Battez aussitôt très vigoureusement, jusqu'à ce que la pâte se décolle des bords et forme une boule lisse. Faites chauffer à feu doux, sans cesser de remuer, pendant 1 heure. Mettez la pâte à choux dans une jatte et incorporez un œuf, en battant énergiquement. Incorporez les autres œufs, en fouettant vigoureusement entre chaque adjonction. La pâte doit alors être lisse et brillante.

Déposez la pâte en petits tas de la taille d'une noix, en les espaçant, sur une plaque légèrement beurrée et farinée. Faite cuire au four préchauffé à 200° pendant 20 à 25 minutes.

Préparez le caramel : faites chauffer le sucre avec le jus de citron et l'eau jusqu'à ce que le sirop commence à caraméliser.

Ôtez du feu. A l'aide d'une fourchette, trempez chaque chou dans la casserole et formez une pièce montée en collant les choux les uns aux autres avec le caramel. Il faut assez peu de caramel pour monter la pyramide. Faites chauffer le reste du caramel et versez-le sur la pièce montée. Servez aussitôt.

SAINT-HONORÉ
(France)

Temps : 2 h 30
Assez facile

1 fond de tarte en pâte sablée
  (voir p. 56)
20 petits choux (voir recette
  précédente)
Pour la garniture :
25 cl de lait
1/2 gousse de vanille
3 jaunes d'œufs
100 g de sucre semoule
3 cuillerées à soupe de Maïzena
4 blancs d'œufs

Pour le caramel :
200 g de sucre semoule
4 cuillerées à soupe d'eau

Préparez la pâte sablée et foncez un moule à tarte beurré et fariné de 26 cm de diamètre. Faite cuire la pâte à blanc.

Préparez la garniture : portez le lait à ébullition avec la vanille. Battez les jaunes d'œufs avec 2 cuillerées à soupe de sucre. Incorporez la Maïzena, puis le lait chaud, très progressivement. Faites chauffer la crème au bain-marie, en remuant constamment, pour la faire légèrement épaissir. Ne la laissez pas bouillir. Éteignez le feu et réservez au chaud. Battez les blancs d'œufs en neige ferme, au batteur électrique de préférence.

Dans une casserole, faites chauffer le reste du sucre pour la garniture avec 3 cuillerées à soupe d'eau jusqu'à ce que le sirop atteigne le stade du boulé. Versez-le le long du bord de la jatte contenant les blancs d'œufs et recommencez à battre les

SAINT-HONORÉ
■ *Une variante de ce délicieux gâteau consiste à couper un gâteau mousseline (voir p.146) en deux horizontalement et à le garnir de crème avant de le reconstituer.*

On étale le reste de crème sur les bords et la surface, puis on dispose les choux sur le pourtour. On peut décorer le dessus avec de la crème fouettée, selon le goût.

blancs. Continuez pendant quelques minutes après que ce sirop a été complètement incorporé. Ajoutez la crème à ce mélange, en battant à vitesse moyenne. Laissez refroidir.

Préparez le caramel en faisant bouillir l'eau et le sucre jusqu'à ce que le sirop commence à dorer. Trempez le fond de chaque chou dans le caramel et posez-les sur le fond de tarte, tout près du bord. Garnissez de crème et mettez au réfrigérateur. Servez dans les 24 heures.

BAYERISCHE ORANGENCREME (Allemagne)

La bavaroise, comme son nom l'indique, est originaire de Bavière. Ce délicieux dessert, très digeste, est une spécialité de Munich. On peut le parfumer avec du chocolat, du café, des fraises ou d'autres arômes, selon le goût.
Temps : 45 minutes
Facile

25 cl de lait
le zeste, râpé, et le jus
 d'une orange
3 jaunes d'œufs
125 g de sucre semoule
20 g de farine
2 cuillerées à soupe de gélatine
 en poudre
50 cl de crème Chantilly
12 quartiers d'orange, pelés

Mettez le lait et le zeste d'orange dans un mixer et mettez l'appareil en marche au maximum de sa puissance. Versez le lait dans une casserole et portez à ébullition. Battez les jaunes d'œufs avec le sucre jusqu'à ce que le mélange soit clair. Incorporez la farine et ajoutez le lait, petit à

CERISES
■ Les petites cerises aigres (Montmorency ou royale anglaise) sont idéales pour confectionner des confitures ou des fruits à l'alcool. Les variétés aux fruits plus gros et plus sucrés seront réservés pour la table.

petit. Versez ce mélange dans un bain-marie et faites épaissir légèrement, sans cesser de remuer. Ne laissez surtout pas bouillir. Ôtez du feu et saupoudrez de gélatine. Remuez et laissez refroidir. Ajoutez le jus d'orange et, lorsque la préparation est bien froide, incorporez la crème fouettée. Remplissez un moule à bavarois de 22 cm de diamètre et mettez au réfrigérateur pendant au moins 8 heures. Démoulez et décorez de quartiers d'orange.

SOUFFLÉ AU GRAND MARNIER (France)

Ces délicates préparations que sont les soufflés doivent être dégustées dès la sortie du four. Tout l'art de la maîtresse de maison consiste à prévoir l'heure à laquelle elle servira son dessert.

Temps : 1 heure
Facile

80 g de macarons aux amandes, émiettés
le zeste d'une orange, râpé
40 g de beurre
40 g de farine
20 cl de lait
80 g de sucre semoule
5 cl de Grand Marnier
4 jaunes d'œufs
6 blancs d'œufs

Beurrez légèrement un moule à soufflé d'une contenance de 2 litres, saupoudrez-le de sucre et fixez, éventuellement, une bande de papier sulfurisé le long du moule. Mettez les macarons émiettés dans une jatte, et mélangez-les avec le Grand Marnier et le zeste d'orange râpé. Faites fondre le beurre dans une

casserole. Ajoutez la farine, puis versez le lait chaud d'un seul coup. Battez énergiquement, afin que l'appareil reste bien lisse. Dès qu'il recommence à bouillir, ôtez du feu, puis ajoutez le sucre et le mélange à base de macarons. Remuez bien, puis ajoutez les jaunes d'œufs, un par un. Incorporez 1 cuillerée à soupe de blanc d'œuf battu en neige ferme, puis mélangez cette préparation avec le reste des blancs battus. Versez dans le moule à soufflé et faites cuire au four préchauffé à 200° pendant 20 minutes environ, jusqu'à ce que le soufflé soit monté. Servez aussitôt.

KIRSCHENTORTE (Allemagne)

Un gâteau succulent, abondamment garni de cerises bien mûres et de crème pâtissière. A défaut de fruits suffisamment mûrs, utilisez des fruits en conserve.

Temps : 1 h 30
Facile

1 fond de tarte en pâte sablée (voir p. 56)
500 g de cerises lavées, épongées et dénoyautées
125 g de beurre
180 g de sucre semoule
4 jaunes d'œufs
6 blancs d'œufs
75 g d'amandes effilées
100 g de farine
1 cuillerée à soupe de sucre glace

Préparez la pâte et foncez un moule à tarte beurré et fariné de 26 cm diamètre. Garnissez le fond avec les cerises. Travaillez le beurre ramolli avec 6 cuille-

ABRICOTS
■ *Ce fruit parfume
ou accompagne un très
grand nombre de desserts.*

DESSERTS TRADITIONNELS

rées à soupe de sucre jusqu'à ce que le mélange soit clair et crémeux. Incorporez les jaunes un par un. Battez les blancs d'œufs en neige ferme, puis ajoutez les amandes et la farine délicatement. Mélangez doucement les deux préparations et étalez cette pâte sur les cerises. Faites cuire au four préchauffé à 180° pendant 40 minutes. Laissez refroidir, puis saupoudrez de sucre glace.

ZABAGLIONE
(Italie)

Un dessert vénitien classique. Le marsala est connu des Vénitiens depuis l'époque lointaine de la République.

Temps : 20 minutes
Facile

6 jaunes d'œufs
6 cuillerées à soupe de sucre
1 cuillerée à soupe d'eau tiède
15 cl de marsala

Mettez tous les ingrédients, sauf le marsala, dans une jatte résistant à la chaleur et battez avec un fouet métallique pendant 15 minutes environ, jusqu'à ce que la préparation soit mousseuse et volumineuse. Si vous utilisez un batteur électrique, comptez 8 minutes environ. Placez la jatte au bain-marie, puis ajoutez le marsala en mince filet, sans cesser de battre. Continuez de fouetter, en raclant les bords et le fond avec le fouet, afin que la crème ne reste pas trop longtemps en contact avec les parties chaudes de la jatte. Lorsque le sabayon a triplé de volume, versez-le dans des grands verres et servez aussitôt.

Le sabayon peut également se servir froid : dans ce cas, incorporez un blanc d'œuf battu en neige ferme lorsque la crème est froide.

SHORTBREAD
(Écosse)

Cette recette est une variante de la formule d'origine : en effet, nous avons ajouté de la pâte d'amandes, qui apporte légèreté et parfum à cette délicieuse spécialité écossaise.

Temps : 1 heure
Facile

150 g de beurre
1 cuillerée à soupe de pâte
  d'amandes
100 g de sucre glace
300 g de farine

Travaillez le beurre et la pâte d'amandes ramollis à température ambiante avec une cuillère en bois. Ajoutez le sucre glace, en remuant bien. Tamisez la farine dans la jatte, petit à petit, en mélangeant entre chaque adjonction. Beurrez légèrement un moule rectangulaire, carré ou rond, et tassez la pâte au fond sur 1 cm d'épaisseur environ. Faites cuire au four préchauffé à 180° pendant 30 minutes, jusqu'à ce que le dessus soit légèrement doré.

DACQUOISE
(France)

Ce gâteau, proche du vacherin, est un peu plus délicat à préparer que ce dernier. La garniture comprend une crème au beurre, et la meringue est parfumée avec des amandes et des noisettes.

Temps : 2 h 40
Assez facile

8 blancs d'œufs
1 pincée de sel
200 g de sucre semoule
3-4 gouttes d'extrait de vanille
150 g d'amandes en poudre
100 g d'amandes grillées, effilées
80 g de noisettes, pilées
beurre
500 g de crème au beurre (voir p. 38)
1 cuillerée à soupe de sucre glace

Battez les œufs avec le sel en neige ferme, puis incorporez progressivement le sucre, en continuant de battre, jusqu'à ce que le mélange soit bien épais. Ajoutez les amandes en poudre et les noisettes pilées à l'aide d'une spatule, afin de ne pas faire retomber les blancs d'œufs. Procédez de bas en haut, en ramenant les œufs en neige sur les amandes et les noisettes. Beurrez trois moules de 22 cm de diamètre et remplissez-les de meringue. Lissez la surface. Faites cuire au four préchauffé à 60° pendant 2 heures, en laissant la porte du four légèrement entrouverte, jusqu'à ce que la meringue soit sèche et ferme, mais non colorée.
Préparez la crème au beurre. Démoulez délicatement les meringues et étalez la moitié de la crème sur deux d'entre elles.

Superposez-les, en terminant par une meringue sans crème. Saupoudrez le dessus d'amandes grillées et de sucre glace tamisé.

VACHERIN
(France)

Ce dessert à base de meringue est garni de crème Chantilly. Le plus délicat pour cette recette est de trouver la bonne température du four, afin que la meringue cuise correctement. Laissez la porte du four légèrement entrouverte pendant la cuisson.

Temps : 2 h 10
Assez facile

8 blancs d'œufs
500 g de sucre glace
25 cl de crème Chantilly (voir p. 48)

Battez les blancs d'œufs en neige ferme. Ajoutez le sucre et continuez de fouetter jusqu'à ce que le mélange soit épais et brillant. Beurrez deux moules à savarin, farinez-les légèrement et remplissez-les de meringue. Faites cuire au four préchauffé à 60° pendant 2 heures, jusqu'à ce que la meringue ait séché et soit ferme mais pas colorée. Démoulez très délicatement. Disposez la première meringue sur un plat, étalez la crème Chantilly par-dessus et posez la seconde meringue sur la crème. Décorez avec le reste de chantilly et servez.

SACHERTORTE
■ L'un des gâteaux
autrichiens les plus
célèbres. Il aurait été créé
dans une pâtisserie
viennoise adjacente
à l'hôtel Sacher.

SACHERTORTE
(Autriche)

Temps : 1 h 40
Facile

150 g de chocolat noir
1 à 2 cuillerées à soupe d'eau
150 g de beurre
150 g de sucre semoule
1 pincée de sel
6 œufs
Pour la garniture :
50 g de confiture d'abricots
Pour le glaçage :
300 g de glaçage au chocolat
  (voir p. 52)

Préparez le gâteau : cassez le
chocolat en morceaux et faites-
le fondre au bain-marie avec
l'eau, à feu doux. Travaillez le
beurre ramolli à température
ambiante avec le sucre et le sel.
Incorporez le chocolat fondu,
puis les jaunes d'œufs, un par
un, en battant bien entre chaque
adjonction. Incorporez les blancs
d'œufs battus en neige ferme,
puis la farine tamisée. Versez la
pâte dans un moule à fond amovible de 24 cm de diamètre,
chemisé de papier sulfurisé
beurré. Mettez au four préchauffé à 160° pendant
1 heure.

    Démoulez le gâteau. Lorsqu'il
est froid, coupez-le en deux horizontalement. Étalez la confiture
d'abricots sur l'épaisseur inférieure, posez la seconde épaisseur par-dessus et recouvrez le
gâteau de glaçage au chocolat.

FRUITS CONFITS
■ Les fruits frais (orange, cédrat, poire, abricot, etc.) ainsi que les écorces d'agrumes sont plongés à plusieurs reprises dans un sirop de sucre, puis égouttés et mis à sécher jusqu'à ce qu'ils soient bien confits.

PANPEPATO
(Italie)

Ce dessert, typiquement italien, à base de fruits confits, est particulièrement riche.

Temps : 50 minutes
Très facile

450 g de sucre roux
30 g de chocolat
250 g de noix, finement hachées
350 g de fruits confits, hachés menu
450 g d'amandes entières, mondées
1 pincée de muscade en poudre
1 pincée de cannelle en poudre
100 g de gaufrettes

Faites chauffer le sucre et le chocolat à feu moyen, en remuant constamment, afin d'éviter que le sucre n'attache et ne brûle. Ôtez du feu et ajoutez aussitôt les noix, les fruits confits, les amandes et les épices. Étalez ce mélange sur le plan de travail, sur une épaisseur de 1 cm environ, et coupez-le en losanges. Posez ces losanges sur des gaufrettes et mettez au four préchauffé à 180° pendant 30 minutes. Sortez les panpepato du four et saupoudrez-les de cannelle.

FUDGE CAKE
(États-Unis)

Ce dessert, très simple à réaliser, est extrêmement populaire aux États-Unis.

Temps : 1 h 40
Facile

1 génoise (voir p. 147)
Pour la garniture :

250 g de chocolat pâtissier
1 pincée de sel
250 g de sucre glace
30 g de lait en poudre
10 cl de lait
3-4 gouttes d'extrait de vanille
150 g de beurre
pépites de chocolat (facultatif)

Préparez la génoise et faites-la cuire dans un moule de 26 cm de diamètre. Cassez le chocolat en petits morceaux et faites-le fondre au bain-marie. Ôtez-le du feu et mettez-le dans un mixer avec le sel, le sucre et le lait en poudre. Mixez à vitesse moyenne pendant 1 à 2 minutes, puis versez suffisamment de lait pour obtenir un mélange épais mais malléable. Versez cette préparation dans une jatte et ajoutez le beurre ramolli, mais non fondu, morceau par morceau. Coupez le gâteau en deux épaisseurs. Utilisez la moitié de la crème pour le fourrer et l'autre pour le glacer. Garnissez de pépites de chocolat, selon le goût.

TORTA DOBOS
(Hongrie)

Ces proportions conviennent pour une douzaine de personnes, et il est difficile de réussir ce gâteau en les réduisant. C'est un dessert très élaboré, que vous servirez à la fin d'un repas de fête entre amis.

Temps : 1 heure
Assez facile

Pour 12 personnes
6 blancs d'œufs
175 g de sucre semoule
6 jaunes d'œufs
140 g de farine
70 g de beurre fondu

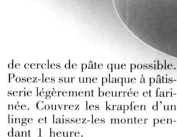

250 g de chocolat pâtissier.
Pour la crème au beurre
(voir p. 38) :
400 g de beurre
500 g de sucre
Pour le caramel :
125 g de sucre semoule
1 cuillerée à café de beurre
5 gouttes de jus de citron

Beurrez légèrement cinq moules à fond amovible de 22 cm de diamètre, puis farinez-les. Battez les blancs d'œufs en neige ferme. Incorporez le sucre petit à petit, puis les jaunes d'œufs légèrement battus et la farine tamisée. Ajoutez délicatement le beurre fondu, goutte à goutte. Versez la pâte dans les cinq moules, sur une épaisseur de 5 mm. Faites cuire au four préchauffé à 200° pendant 8 à 10 minutes.

Préparez la crème au beurre et tenez-la à température ambiante.

Cassez le chocolat en morceaux et faites-le fondre au bain-marie. Laissez-le refroidir et incorporez-le à la crème au beurre.

Démoulez délicatement les gâteaux et étalez de la crème au chocolat sur quatre d'entre eux. Formez un gâteau à cinq étages. Faites chauffer le sucre avec le beurre et le jus de citron jusqu'à ce que le mélange commence à dorer, puis versez-le rapidement sur le gâteau. Étalez aussitôt à l'aide d'une spatule plongée dans de l'eau. Beurrez un grand couteau et coupez aussitôt le gâteau en douze parts, avant que le caramel durcisse.

KRAPFEN
(Autriche)

Temps : 3 h 30
Assez facile

25 g de levure de bière
25 cl de lait tiède
500 g de farine
2 œufs
125 g de beurre
1 pincée de sel
100 g de sucre semoule
huile pour friture
200 g de confiture ou de crème
    pâtissière (voir p. 44)

Tous les ingrédients doivent être à température ambiante avant de commencer la recette. Ébouillantez le lait et laissez-le tiédir. Versez-en 10 cl dans un bol et ajoutez la levure. Mélangez avec 200 g de farine et formez une boule. Posez-la dans une jatte et versez suffisamment d'eau tiède pour la recouvrir. Laissez reposer dans un endroit tiède pendant 20 minutes environ, jusqu'à ce que la boule remonte à la surface. Tamisez le reste de farine sur le plan de travail. Faites un puits. Ajoutez la boule de pâte, les œufs, le beurre ramolli coupé en petits morceaux, le sel, 2 cuillerées à soupe de sucre et 6 cuillerées à soupe de lait tiède. Mélangez tous ces ingrédients. La pâte doit être souple mais non collante. Si elle ne vous paraît pas suffisamment souple, ajoutez un peu de lait tiède.

Mettez la pâte dans une jatte légèrement farinée, couvrez d'un linge et laissez lever dans un endroit tiède pendant 1 h 30 environ, jusqu'à ce qu'elle ait doublé de volume.

A l'aide d'un rouleau à pâtisserie légèrement fariné, étalez la pâte levée en une abaisse de 2 cm. A l'aide d'un emporte-pièce de 2 cm, découpez autant de cercles de pâte que possible. Posez-les sur une plaque à pâtisserie légèrement beurrée et farinée. Couvrez les krapfen d'un linge et laissez-les monter pendant 1 heure.

Faites chauffer l'huile dans une friteuse et plongez délicatement quelques ronds de pâte. Vous pouvez également les faire frire dans une poêle. Égouttez-les et disposez-les sur du papier absorbant. Pratiquez une petite entaille à l'aide d'un couteau bien aiguisé et glissez-y un peu de crème pâtissière ou de confiture. Saupoudrez avec le reste de sucre et servez.

BROWNIES
(États-Unis)

Aux États-Unis, les enfants
raffolent de cette pâtisserie.
Les brownies se conservent
quelques jours dans une boîte
en métal hermétique.

Temps : 1 heure
Très facile

120 g de chocolat pâtissier
200 g de beurre
4 œufs
200 g de sucre semoule
6 gouttes d'extrait de vanille
200 g de farine
1 cuillerée à café de levure
200 g de noix, hachées

Cassez le chocolat en morceaux et faites-le fondre avec le beurre, au bain-marie. Battez les œufs avec le sucre, ajoutez la vanille et versez ce mélange dans le chocolat. Tamisez la farine et la levure, petit à petit, en remuant entre chaque adjonction. Ajoutez les noix. Beurrez et saupoudrez d'un peu de farine un moule carré ou rectangulaire, ou une plaque à pâtisserie. Déposez la pâte dans le moule ou sur la plaque sur une épaisseur de 2 cm environ. Faites cuire au four préchauffé à 170° pendant 40 minutes. Laissez refroidir pendant quelques minutes et découpez en carrés de 5 cm de côté.

L a plupart de ces desserts furent créés dans des cafés et des restaurants européens. Certains se dégustent à n'importe quel moment de la journée, avec une tasse de café, de thé, de chocolat, voire une boisson alcoolisée, d'autres sont idéaux pour clore un bon repas. Mousses, charlottes, bavarois, poudings : de jolis couverts à dessert mettront en valeur ceux présentés dans ce chapitre.

ENTREMETS
AUX ORANGES
ET AU RHUM

Pour confectionner des variantes de cette recette, remplacez les oranges par d'autres agrumes : mandarines, clémentines, citrons ou citrons verts. Si vous utilisez ces deux derniers fruits, augmentez la proportion de sucre.

*Temps : 30 minutes
     + temps de réfrigération
Facile*

4 oranges
100 g de beurre
1 cuillerée à soupe d'eau
200 g de sucre semoule
1 noix de beurre
25 cl de lait
3 cuillerées à soupe de gélatine
   en poudre
4 jaunes d'œufs
10 cl de rhum

Lavez les oranges, essuyez-les et coupez-les en rondelles assez épaisses. Faites fondre le beurre avec l'eau dans une casserole et laissez-le se colorer légèrement. Baissez le feu au minimum ou tenez-le au chaud au-dessus d'une casserole d'eau frémissante. Plongez les oranges une par une dans le caramel, puis posez-les sur une grande assiette légèrement huilée. Portez le lait à ébullition. Battez les jaunes d'œufs avec le reste du sucre jusqu'à ce que le mélange soit mousseux et clair. Incorporez le lait chaud et faites épaissir dans la casserole ayant servi à chauffer le lait. Ôtez du feu et saupoudrez de gélatine, en veillant à ce qu'elle se dissolve bien. Versez le rhum dans la préparation. Remuez-la souvent pendant qu'elle refroidit. Rincez un mou-

□ *La plupart des desserts de ce chapitre, sinon tous, se caractérisent par une consistance molle et très légère ; c'est pourquoi ils se dégustent à la cuillère. On peut les servir dans des assiettes individuelles ou des coupelles et les décorer de crème fouettée ou de fruits frais, ou encore, comme c'est le cas pour les charlottes qui prennent au réfrigérateur dans un moule, les présenter après les avoir démoulés sur un joli plat de service. N'oubliez pas de rincer le moule à l'eau froide avant de le remplir de mousse, de bavarois ou de préparation à base de gélatine. Pour les charlottes, il est recommandé de badigeonner l'intérieur du moule avec un peu d'huile d'amandes douces.*

□ *Lorsque ces desserts doivent être cuits dans un moule, il est préférable de les mettre au four dans un bain-marie. La meilleure façon de procéder consiste à placer le moule dans un plat, à enfourner et à remplir le plat à l'aide d'une bouilloire ou d'une casserole. Le plat peut ensuite être repoussé très délicatement dans le four.*

□ *Lorsque l'entremets a cuit pendant 20 minutes, on peut le recouvrir d'une feuille d'aluminium, afin que la surface ne se dessèche pas trop. De nombreux desserts de ce chapitre prennent et se démoulent facilement grâce à la présence de gélatine.*

le à charlotte d'une contenance de 1 litre et remplissez-le de crème. Mettez au réfrigérateur pendant 6 à 8 heures.

Plongez rapidement le moule dans de l'eau bouillante, posez une assiette par-dessus et démoulez en retournant le tout. Recouvrez la surface avec des oranges caramélisées et servez aussitôt.

ENTREMETS
A LA MÉLASSE

*Temps : 1 h 30
Facile*

100 g de Maïzena
1 l de lait
100 g de beurre + 1 cuillerée
   à soupe
50 g de mélasse
1 bonne pincée de gingembre
1 cuillerée à café de cannelle
   en poudre
1 pincée de sel
4 œufs + 1 blanc
100 g de sucre glace
3 cuillerées à soupe de cognac
1 pincée de muscade en poudre
25 cl de crème fouettée
sel

Délayez la Maïzena avec 25 cl de lait et portez le reste du lait à ébullition. Ajoutez la Maïzena délayée dans le lait chaud, et faites cuire pendant 10 minutes, en remuant constamment. Retirez du feu. Ajoutez 1 1/2 cuillerée à soupe de beurre, la mélasse, le gingembre, la cannelle, le sel et les œufs légèrement battus.

Beurrez un moule de 22 cm de diamètre et remplissez-le de la préparation. Posez-le dans un plat rempli d'eau chaude et faites cuire au bain-marie, à four moyen, pendant 1 heure.

Préparez la sauce au cognac : battez le reste du beurre avec le sucre glace au bain-marie, jusqu'à ce que le mélange soit clair et mousseux. Retirez du feu et incorporez la muscade et le cognac. Lorsque la préparation est froide, ajoutez délicatement le blanc d'œuf battu, puis la crème fouettée. Démoulez l'entremets sur un plat de service préalablement chauffé et versez la sauce au cognac à sa base.

ANANAS AU MARASQUIN

Vous pouvez décorer ce dessert avec de la crème fouettée, à l'aide d'une poche à douille munie d'un embout cannelé, ou le servir avec une compote de fruits frais. A défaut de cerises au marasquin, utilisez des cerises au sirop.

Temps : 45 minutes
+ temps de repos
+ temps de réfrigération
Facile

50 cl d'eau
250 g de sucre semoule
6 rondelles d'ananas frais

Pour la crème :
4 jaunes d'œufs
250 g de sucre semoule
50 cl de lait
2 cuillerées à soupe de gélatine en poudre
1 gâteau mousseline (voir p. 146)
3 cuillerées à soupe de marasquin
100 g de cerises au marasquin

Faites bouillir le sucre et l'eau pendant 20 minutes. Ôtez du feu. Coupez chaque rondelle d'ananas en quatre ou six morceaux, puis arrosez-les de sirop et laissez-les reposer pendant 3 heures.

Battez les jaunes d'œufs avec le sucre jusqu'à ce que le mélange soit clair et mousseux. Ajoutez le lait et faites chauffer au bain-marie, pour faire épaissir la crème, sans cesser de battre. Ne la laissez surtout pas bouillir, car des grumeaux pourraient se former. Retirez la jatte du bain-marie et saupoudrez son contenu de gélatine, en vous assurant qu'elle se dissout bien. Remuez.

Coupez le gâteau mousseline en tranches assez épaisses. Mélangez le marasquin avec 10 cl de sirop de l'ananas, plongez-y brièvement les morceaux de gâteau et tapissez-en un moule à charlotte. Les tranches de gâteau doivent recouvrir le fond du moule, sans toutefois chevaucher. Verser une cuillerée à soupe de crème dans le moule tapissé. Égouttez bien les morceaux d'ananas et disposez-en une couche sur la crème. Recouvrez avec des morceaux de gâteau. Continuez d'alterner les couches d'ingrédients dans cet ordre jusqu'à ce que vous ayez tout utilisé, en terminant par une épaisseur de crème. Lissez avec une spatule et garnissez de cerises.

Réfrigérez pendant au moins 3 heures avant de servir. Utilisez un couteau bien aiguisé pour couper les parts et servez.

SOUFFLÉS AUX POMMES
DE TERRE
ET AU CHOCOLAT
■ Un dessert léger,
économique et succulent.
On peut remplacer
la cannelle par d'autres
épices.

DESSERTS LÉGERS

SOUFFLÉS AUX POMMES DE TERRE ET AU CHOCOLAT

Temps : 1 h 30
Très facile

500 g de pommes de terre
2 cuillerées à soupe de beurre
2 cuillerées à soupe de farine
3 cuillerées à soupe de cacao
    amer
25 cl de lait
100 g de sucre semoule
1 pincée de cannelle en poudre
le zeste d'un citron, râpé
4 œufs

Lavez les pommes de terre, sans les peler. Faites-les cuire jusqu'à ce qu'elles soient bien tendres et réduisez-les en purée pendant qu'elles sont chaudes. Dans une casserole, mélangez la purée et le beurre. Incorporez la farine tamisée avec la cacao et remuez, à feu moyen. Ajoutez le lait petit à petit. Mélangez jusqu'à obtention d'une consistance homogène, puis ajoutez le sucre, la cannelle et le zeste de citron. Retirez du feu et laissez refroidir un peu avant d'ajouter les jaunes d'œufs. Battez les blancs en neige ferme et incorporez-les. Beurrez six ramequins, remplissez-les de pâte et faites-les cuire au four préchauffé à 200° pendant 20 minutes. Servez aussitôt.

LA GÉLATINE

La gélatine, sous forme de poudre ou de feuilles, sert à réaliser des desserts moulés. La meilleure façon de l'utiliser consiste à respecter scrupuleusement les indications portées sur l'emballage.

DÉLICE AU MASCARPONE ET AU CHOCOLAT

Un dessert simple, mais très raffiné. Vous pouvez remplacer le mascarpone par un autre fromage frais, et la garniture à la crème par un glaçage de sucre et d'eau.

Temps : 1 h 30
Très facile

50 g de beurre
6 biscottes, réduites
    en chapelure
100 g de sucre semoule
200 g de chololat pâtissier
400 g de mascarpone
3 œufs
30 g de farine
25 cl de crème fraîche
1 pincée de sel

Faites fondre le beurre dans une casserole. Ajoutez la chapelure et 2 cuillerées à soupe de sucre.

Tapissez de ce mélange le fond et les bords d'un moule de 26 cm de diamètre. Cassez la moitié du chocolat en morceaux et faites-le fondre au bain-marie, à feu doux. Passez le mascarpone au tamis, mélangez-le avec le sel, la moitié du sucre restant et les jaunes légèrement battus. Incorporez le chocolat fondu. Battez les blancs d'œufs en neige ferme. Ajoutez le reste du sucre et continuez de fouetter. Incorporez délicatement les œufs battus à la préparation à base de mascarpone, à l'aide d'un fouet. Ajoutez la farine et 10 cl de crème fouettée. Versez cette préparation dans le moule préparé et faites cuire au four préchauffé à 150° pendant 1 heure environ.

Éteignez le four en laissant la porte fermée, afin que le souf-

BANANES
■ *Gravure du XIXᵉ siècle.*
*Les bananes sont riches
en vitamines et très
nourrissantes.*

flé refroidisse doucement.
Laissez-le ainsi pendant 2 heures environ : il doit être complètement froid au moment de le
démouler. Battez le reste de
crème fraîche et décorez la base
et la surface du soufflé. Râpez
le reste du chocolat et
saupoudrez-le sur la crème.

POUDING
AU BEURRE

*Pour cette recette, utilisez du
pain rassis : il se coupe plus
facilement en petits morceaux
et absorbera davantage
l'humidité de la préparation.*

*Temps : 2 h 30
Très facile*

100 g de raisins de Smyrne
   ou de Corinthe
12 fines tranches de pain rassis
3 à 4 cuillerées à soupe
   de beurre, ramolli
   à température ambiante
100 g de sucre semoule
50 cl de lait
25 cl de crème fleurette
zeste de citron
4 œufs

Faites ramollir et gonfler les raisins secs dans de l'eau froide
pendant 30 minutes. Égouttez-
les et pressez-les entre les doigts,
afin d'extraire toute l'eau. Beurrez légèrement les tranches de
pain et ôtez la croûte. Coupez-
les en petits rectangles de
4 cm × 9 environ. Beurrez un
moule à soufflé de 24 cm de diamètre et disposez les tranches de
pain au fond, côté beurré au-
dessus. Saupoudrez avec un peu

de sucre et parsemez quelques
raisins secs. Alternez ainsi
les couches d'ingrédients
jusqu'à ce que vous ayez tout utilisé, en terminant par le sucre
et les raisins.

Mélangez la crème et le lait
avec le reste du sucre, que vous
pouvez parfumer avec une
pincée de muscade, et faites
chauffer jusqu'à ébullition
avec un peu de zeste de citron.
Retirez du feu et ajoutez ce
liquide aux œufs légèrement battus. Versez cette préparation
dans le moule et laissez reposer
pendant 1 heure.

Faites cuire au four préchauffé
à 180° pendant 1 heure environ, jusqu'à ce que le pouding
ait bien monté et que la surface
soit croustillante et dorée. Vous
pouvez le faire cuire au bain-
marie, mais il sera moins croustillant. Mettez le pouding sur un
plat de service recouvert d'une
serviette et servez aussitôt.

COUPES
DE RICOTTA
A LA BANANE

*Si vous souhaitez un dessert
plus riche, remplacez la
ricotta par de la crème pâtissière ou de la crème fraîche
épaisse. Vous pouvez également décorer avec des fraises.*

*Temps : 10 minutes
   + temps de réfrigération*

4 bananes bien mûres
1 cuillerée à soupe de jus
   de citron
300 g de ricotta
100 g de sucre semoule
10 cl de crème fraîche
15 cl de Cointreau
6 oreillons d'abricots au sirop

Passez les bananes à la moulinette et arrosez-les aussitôt de
jus de citron, ou réduisez-les en
purée avec le jus de citron dans

FRAISES, ORANGES,
CITRONS
■ *Lorsque vous utilisez
le zeste des agrumes,
ôtez bien la membrane.*

DESSERTS LÉGERS

un mixer. Mélangez bien avec la ricotta, puis ajoutez le sucre, la crème et le Cointreau. Mélangez avec une cuillère en bois. La préparation doit être lisse et légère. Versez-la dans des coupelles individuelles et mettez au réfrigérateur pendant 2 heures. Décorez avec les abricots au sirop bien égouttés et servez.

MERINGUE AUX FRAISES

A la fois simple et rapide à préparer. Pour gagner du temps, achetez des meringues toutes faites.

Temps : 10 minutes
    + *préparation des meringues*
    + *temps de réfrigération*
Très facile

50 cl de crème fraîche
3 cuillerées à soupe de sucre
  glace
8 meringues (voir p. 321)
50 g de sucre
300 g de fraises
1 cuillerée à soupe de jus
  de citron

Tapissez le fond et les bords d'un moule à gâteau ou à soufflé de papier sulfurisé. Réfrigérez la crème. Battez-en 30 cl avec la moitié du sucre glace jusqu'à ce que le mélange soit bien épais. Écrasez grossièrement les meringues et incorporez-les à la crème fouettée. Versez ce mélange dans le moule et lissez la surface. Déposez un cercle de papier sulfurisé sur le dessus. Placez le moule dans la partie la plus froide du réfrigérateur pendant au moins 2 heures. Rincez, épongez et équeutez les fraises. Mettez-les dans une jatte, arrosez-les de jus de citron et saupoudrez-les de sucre. Mettez au réfrigérateur.

Au moment de servir, démoulez la préparation meringuée sur un plat de service et décollez le papier. Égouttez les fraises et disposez-les dessus. Décorez à l'aide d'une poche à douille remplie du reste de crème battue additionnée du sucre glace restant.

GATEAU AUX AMANDES ET AUX MARRONS GLACÉS

Vous pouvez préparer ce gâteau de la même manière dans un moule. Vous le mettrez alors au réfrigérateur pendant plusieurs heures, puis le démoulerez sur un plat de service.

Temps : 20 minutes
*   + 1 h 15 pour le gâteau*
Facile

1 œuf
50 g de sucre
100 g de mascarpone
180 g de brisures de marrons
  glacés
3 cuillerées à soupe
  de marasquin ou de liqueur
  équivalente
3 macarons, écrasés
25 cl de crème fouettée
1 gâteau mousseline
  (voir p. 146)
quelques marrons glacés
  ou violettes candies

Réservez un peu de sucre et battez le reste avec le jaune d'œuf jusqu'à ce que le mélange soit clair et mousseux. Incorporez le mascarpone, en battant. Ajoutez les brisures de marrons glacés, 2 cuillerées à soupe de marasquin et les macarons écrasés. Battez les blancs d'œufs en neige

■ *Ce délicieux entremets
peut être confectionné à
partir d'une crème anglaise
ou, pour gagner du temps,
avec du mascarpone
parfumé au cacao
ou à la noix de coco,
ou bien encore avec
une compote de fruits.*

ferme et incorporez-les délicatement au mélange précédent.
Mettez au réfrigérateur. Portez le reste de liqueur à ébullition avec 10 cl d'eau et le reste de sucre. Coupez les gâteaux en trois horizontalement. Humectez chaque épaisseur avec un tiers de sirop refroidi, recouvrez de crème et reconstituez le gâteau. Disposez les marrons glacés et les violettes candies sur le dessus. Mettez au réfrigérateur jusqu'au moment de servir.

BAVAROIS A LA NOIX DE COCO

*Temps : 1 heure
   + temps de réfrigération
   et de prise
Facile*

100 g de noix de coco, râpée
2 cuillerées à soupe de gélatine
   en poudre
50 cl de lait
4 œufs
100 g de sucre semoule
4-5 gouttes d'extrait de vanille
25 cl de crème fraîche
1 pincée de sel

Étalez la noix de coco râpée sur une plaque et passez-la au four pendant quelques minutes jusqu'à ce qu'elle soit très légèrement dorée. Faites chauffer le lait jusqu'à ce qu'il commence à frémir. Ôtez du feu et saupoudrez la gélatine. Remuez pour qu'elle se dissolve bien.

Mettez les jaunes d'œuf dans une jatte. Ajoutez le scure et le sel, et battez à l'aide d'une cuillère en bois jusqu'à ce que le mélange soit clair et mousseux. Versez le lait chaud petit à petit. Lorsque le sucre est bien dissous, ajoutez l'extrait de vanille et laissez refroidir. Battez les blancs d'œufs en neige ferme.

Battez la crème dans une autre jatte. Lorsque le mélange au lait commence à prendre, ajoutez la noix de coco. Incorporez la crème, puis les blancs d'œufs. Versez cet appareil dans un moule rectangulaire, préalablement rincé à l'eau froide et non essuyé.

Réfrigérez pendant plusieurs heures, jusqu'à ce que le bavarois soit bien pris. Démoulez-le juste avant de servir. Pour vous aider, plongez un torchon dans de l'eau bouillante, essorez-le et entourez-le autour du moule : le bavarois devrait se démouler plus facilement.

BAVAROIS AU MASCARPONE

Le mascarpone est un fromage frais dont le goût, acidulé et doux, se rapproche de celui de la crème fraîche. De consistance très moelleuse, il fond véritablement dans la bouche. Conservez-le au réfrigérateur comme de la crème. Si vous souhaitez un fromage moins gras, choisissez de la ricotta.

*Temps : 30 minutes
   + temps de réfrigération
   et de prise
Très facile*

3 cuillerées à soupe de raisins
   de Smyrne
1 œuf + 2 jaunes
300 g de mascarpone
100 g de sucre semoule
3 cuillerées à soupe de pignons
3 cuillerées à soupe de pistaches
   nature
3 cuillerées à soupe de rhum
3 cuillerées à soupe de vin blanc
   doux
200 g de biscuits à la cuiller

BAVAROIS
AUX FRAISES
■ Les bavarois aux fruits
constituent le dessert
idéal d'un dîner estival
entre amis. Vous pouvez
utiliser d'autres fruits
pour confectionner un
bavarois à l'abricot, à la
framboise ou à la poire.

Faites ramollir et gonfler les raisins dans de l'eau tiède. Mélangez les 3 jaunes d'œufs avec le mascarpone, en les ajoutant un par un. Ajoutez le sucre, puis battez avec un fouet jusqu'à ce que le mélange soit léger et aéré. Battez le blanc d'œuf en neige ferme et incorporez-le au mélange précédent. Ajoutez les raisins égouttés, les pignons et les pistaches.

Mélangez le rhum et le vin blanc et trempez-y rapidement les biscuits. Tapissez-en un moule rectangulaire ou à charlotte. Versez la préparation sur les biscuits. Lissez la surface et couvrez de papier sulfurisé. Mettez au réfrigérateur pendant 6 heures. Démoulez et servez.

BAVAROIS
AUX FRAISES

Temps : 1 heure
    + temps de réfrigération

1 kg de fraises
150 g de sucre
2 cuillerées à soupe de beurre
3 cuillerées à soupe de gélatine
4 jaunes d'œufs
25 cl de lait
25 cl de crème fraîche

Rincez les fraises, épongez-les et faites-les cuire avec la moitié du sucre. Lorsqu'elle sont légèrement ramollies, passez-les au tamis. Battez les jaunes d'œufs énergiquement avec le reste du sucre pendant que vous faites chauffer le lait. Versez doucement le lait bouillant sur les œufs. Faites épaissir la crème à feu doux, en remuant, sans laisser bouillir. Ôtez du feu et saupoudrez de gélatine, en veillant à ce qu'elle se dissolve correctement. Remuez bien. Lorsque ce mélange est froid, ajoutez-le

à la purée de fraises. Battez la crème et incorporez-la délicatement. Rincez un moule de 22 cm de diamètre sans l'essuyer et remplissez-le de bavarois. Faites prendre au réfrigérateur pendant quelques heures. Démoulez sur un plat juste au moment de servir.

BAVAROIS
AU CHOCOLAT

Temps : 1 heure
    + temps de réfrigération
Facile

50 cl de lait
le zeste d'une orange, râpé
3 cuillerées à soupe de gélatine
    en poudre

150 g de chocolat pâtissier
4 jaunes d'œufs
200 g de sucre semoule
50 cl de crème fraîche
3 cuillerées à soupe de Grand
   Marnier
quelques grains de café
   (facultatif)

Dans une casserole, portez le lait parfumé avec le zeste d'orange à ébullition. Râpez ou hachez le chocolat. Mettez-le dans une jatte au bain-marie. Ajoutez 25 cl de lait chaud et laissez-le fondre doucement.

Battez les jaunes d'œufs avec le sucre jusqu'à ce que le mélange soit clair et mousseux. Ajouter le lait et le chocolat fondu, remuez, puis versez ce mélange dans le précédent.

Ajoutez progressivement le reste du lait chaud. Faites chauffer à feu doux ou au bain-marie, en remuant constamment avec une cuillère en bois, jusqu'à ce que la crème nappe le dos de la cuillère. Retirez du feu et saupoudrez de gélatine, en veillant à ce qu'elle se dissolve correctement, puis remuez bien. Filtrez la préparation et laissez-la refroidir. Battez la crème, en en réservant 10 cl, et incorporez-la à la crème au chocolat froide. Versez le Grand Marnier dans un moule à savarin et inclinez celui-ci dans tous les sens, afin que l'intérieur soit uniformément humidifié. Remplissez le moule de crème au chocolat et mettez-le dans la partie la plus froide du réfrigérateur pendant au moins 6 heures.

Au moment de servir, démoulez le bavarois sur une assiette. Garnissez le centre avec le reste de crème battue et décorez avec quelques grains de café.

GATEAU DE RIZ AU CHOCOLAT

Les gâteaux de riz, très simples à réussir, font toujours la joie des grands et des petits. Voici l'une des nombreuses variantes de ce grand classique de la cuisine familiale.

*Temps : 1 heure
   + temps de réfrigération
Facile*

50 cl de lait
100 g de sucre semoule
100 g de riz rond
100 g de cacao en poudre
25 cl de crème fraîche
1 gâteau mousseline
   (voir p. 146 ; diviser
   les proportions par 2)
3 cuillerées à soupe de liqueur,
   au choix

Portez le lait à ébullition avec le sucre, puis jetez le riz en pluie dans la casserole. Faites cuire à

LES ŒUFS

Pour vérifier qu'un œuf est frais, plongez-le dans un récipient d'eau froide : s'il tombe au fond, il est frais ; s'il flotte, il ne l'est pas.

BAVAROIS AU CAFÉ
■ *Suivez la recette
du bavarois au chocolat,
en remplaçant le chocolat
par 10 cl de café très
fort. Dans les deux cas,
vous pouvez décorer
avec des grains de café.
Choisissez toujours les
meilleurs ingrédients et
évitez d'employer des
substituts de synthèse.*

feu doux, en remuant fréquemment, jusqu'à ce que le riz ait absorbé tout le lait et que les grains soient bien tendres. Ôtez du feu et incorporez le cacao en poudre.

Battez la moitié de la crème. Coupez le gâteau en tranches que vous disposez en couche dans un moule. Humectez de liqueur et recouvrez de riz, puis de crème fouettée. Alternez ainsi les couches d'ingrédients jusqu'à ce que vous ayez tout utilisé. Tapotez le moule contre le plan de travail à mesure que vous le remplissez pour bien en tasser le contenu. Mettez au réfrigérateur pendant plusieurs heures avant de servir. Démoulez et décorez avec le reste de crème fouettée à l'aide d'une poche à douille.

DESSERT AUX AMANDES ET A LA VANILLE

Ce délicieux dessert, particulièrement digeste, peut être préparé dans un moule à savarin, démoulé juste avant de servir et garni de sauce au chocolat ou de coulis de fruits.

Temps : 1 heure
+ temps de refroidissement
Très facile

200 g d'amandes entières, mondées
100 g de sucre semoule
50 cl de lait
5 cl d'eau
3 cuillerées à soupe de gélatine en poudre
1 1/2 cuillerée à café d'extrait de vanille
50 cl de crème fouettée
300 g de myrtilles

Mettez les amandes, 3 cuillerées à soupe de sucre, 10 cl de lait et l'eau dans un mixer et faites tourner la lame jusqu'à ce que le mélange se transforme en une pâte fine et lisse. Portez le reste du lait à ébullition. Ôtez du feu et saupoudrez de gélatine, en veillant à ce qu'elle se dissolve correctement. Remuez bien. Ajoutez la pâte mixée, puis l'extrait de vanille. Mélangez et laissez refroidir. Lorsque la préparation est bien froide et commence à prendre, incorporez la crème fouettée. Rincez un moule de 22 cm de diamètre à l'eau froide sans l'essuyer et remplissez-le de crème aux amandes et à la vanille. Mettez au réfrigérateur pendant plusieurs heures. Démoulez juste avant de servir avec les myrtilles passées au tamis de crin.

ENTREMETS AUX MACARONS

Vous pouvez remplacer les pépites de chocolat par du chocolat amer râpé, ou des noisettes et des amandes grillées et hachées menu.

Durée : 15 minutes
Très facile

25 cl de crème fraîche
200 g de macarons
200 g de ricotta
50 g de sucre semoule
3 cuillerées à soupe de rhum
pépites de chocolat

Battez la crème. Réduisez les macarons en poudre dans un mixer, ou écrasez-les avec un pilon. Battez la ricotta et le sucre avec une cuillère en bois jusqu'à ce que le mélange soit léger et homogène. Ajoutez la poudre de macarons et le rhum. Incorporez la crème fraîche. Versez cette préparation dans des coupes ou des verres à pied. Parsemez de pépites de chocolat et mettez au réfrigérateur jusqu'au moment de servir.

CRÈME AUX FLOCONS D'AVOINE

Vous pouvez remplacer les framboises par du melon coupé en dés.

Durée : 15 minutes
+ temps de trempage
Très facile

1 l de lait
100 g de flocons d'avoine
100 g de noisettes, décortiquées
3 cuillerées à soupe de sucre
1 pincée de sel
6 cuillerées à soupe de gelée de framboises ou de groseilles
200 g de framboises

Faites tremper les flocons d'avoine dans du lait pendant toute une nuit. Réservez 6 noisettes pour la décoration et hachez finement le reste. Mettez les flocons d'avoine et le lait dans une casserole avec le sucre et le sel, puis portez à ébullition. Baissez le feu et faites cuire pendant 10 minutes, en remuant fréquemment. Ôtez du feu. Ajoutez les noisettes, puis la gelée de framboises ou de groseilles. Versez dans de petits ramequins chauds. Garnissez de framboises lavées et épongées, et décorez chaque portion avec une noisette.

MOUSSE DE RICOTTA AU GRAND MARNIER ET AU CHOCOLAT

Si la riccota est trop dense pour s'amalgamer facilement avec les autres ingrédients, passez-la au tamis et battez-la avec une cuillère en bois avant de l'utiliser.

Temps : 20 minutes
Facile

200 g de ricotta
3 cuillerées à soupe de sucre
3 cuillerées à soupe de Grand Marnier
200 g de chocolat amer
12 macarons
50 cl de crème fraîche
30 g de sucre glace

Faites ramollir la ricotta en la battant avec une cuillère en bois. Ajoutez le sucre petit à petit, puis le Grand Marnier. Hachez le chocolat, faites-le fondre au bain-marie, puis incorporez-le à la ricotta. Ajoutez les macarons réduits en poudre ou écrasés finement. Battez la crème jusqu'à ce qu'elle soit bien ferme, réservez-en suffisamment pour remplir une seringue à décorer ou une poche à douille et incorporez le reste à la préparation à la ricotta. Présentez la crème obtenue sur une assiette, ou servez-la dans une coupe. Lissez la surface à l'aide d'une spatule et décorez avec le reste de crème, à l'aide de la seringue ou de la poche à douille. Mettez au réfrigérateur.

GNOCCHIS A LA CANNELLE

Ces gnocchis, étonnamment légers et délicatement épicés, peuvent être servis avec une compote de fruits frais dont vous les recouvrirez avant de les enfourner. Si vous choisissez d'ajouter une sauce, supprimez le beurre et saupoudrez les fruits de cannelle en poudre.

CRÊPES À L'ORANGE ET AUX RAISINS SECS

Pour les crêpes :
15 cl de lait
15 cl de crème
10 cl de Grand Marnier
130 g de farine
50 g de sucre
5 g de sel
3 jaunes d'œufs + 1 blanc
3 cuillerées à soupe de beurre

Pour les crêpes à l'orange :
50 g de beurre
10 cl de jus d'orange
120 g de sucre semoule
5 cl de cognac
1 1/2 cuillerée à café de zeste
    d'orange, râpé
oranges pelées, coupées
    en rondelles

Pour les crêpes aux raisins secs :
150 g de raisins secs
5 cl de cognac
50 g de beurre
120 g de sucre semoule

Versez le lait, la crème et le Grand Marnier dans une jatte. Tamisez la farine, le sucre et le sel, puis ajoutez-les au contenu de la jatte. Mélangez bien.

Battez bien les œufs et le blanc, puis incorporez-les à la pâte.

Laissez reposer pendant 1 heure.

Faites fondre le beurre au bain-marie et ajoutez-le à la pâte juste avant de faire cuire les crêpes.

Faites chauffer une poêle avec un peu d'huile ou de beurre clarifié. Versez une louche de pâte et penchez la poêle pour bien étaler la pâte.

Faites cuire la crêpe jusqu'à ce qu'elle soit bien dorée sur le premier côté, puis retournez-la pour faire cuire l'autre côté. Recommencez l'opération jusqu'à ce que vous n'ayez plus de pâte.

Crêpes à l'orange : mélangez le beurre avec le jus d'orange, le sucre, le cognac et le zeste dans une petite casserole. Faites épaissir à feu doux. Étalez 1 cuillerée à soupe de cette garniture sur chaque crêpe, que vous roulerez et poserez sur un plat de service chaud. Pelez et coupez des oranges en rondelles pour décorer le plat.

Crêpes aux raisins secs : faites gonfler les raisins dans le cognac pendant 30 minutes. Faites cuire le beurre et le sucre dans une petite casserole jusqu'à ce que celui-ci soit complètement dissous. Ajoutez les raisins avec le cognac et continuez de cuire à feu doux pendant quelques minutes, en remuant délicatement. Déposez un peu de cette préparation sur chaque crêpe, que vous roulerez et napperez du reste de sauce.

CRÊPES A L'ORANGE
■ La crêpe à l'orange,
dont la recette est
donnée page ci-contre,
au moment d'être
dégustée.

Temps : 40 minutes
Très facile

50 cl de lait
25 cl de crème fraîche
6 jaunes d'œufs
100 g de sucre
  + 2 cuillerées à soupe
100 g de Maïzena
le zeste d'un citron, râpé
1 pincée de sel
1 cuillerée à café de cannelle
  en poudre
3 cuillerées à soupe de beurre

Faites chauffer le lait et la crème jusqu'à ce qu'ils commencent à bouillir. Battez les 100 g de sucre avec les jaunes d'œufs. Ajoutez la Maïzena, le zeste de citron, puis le sel, en mélangeant avec une cuillère en bois. Versez la crème et le lait chauds, en remuant. Mettez la jatte au bain-marie et portez à ébullition, sans cesser de remuer. Versez la préparation épaissie dans un moule à bord droit : la crème doit faire environ 1 cm d'épaisseur. Laissez refroidir et durcir. A l'aide d'un emporte-pièce rond de 5 cm, découpez des cercles de pâte et posez-les dans un plat beurré allant au four. Saupoudrez de cannelle et de beurre fondu. Mettez au four préchauffé à 200° pendant 10 minutes. Servez chaud, saupoudré du reste du sucre.

MERINGUES AU CHOLOLAT

Servez ces meringues comme indiqué dans la recette, avec de la crème pour les coller deux par deux, ou bien formez deux grands disques de meringues et empilez-les l'un sur l'autre après en avoir garni un de crème.

Temps : 2 h 15
Facile

6 blancs d'œufs
600 g de sucre glace, tamisé
50 g de cacao amer
1 cuillerée à soupe de beurre
1 cuillerée à soupe de farine
25 cl de crème fraîche

Battez les blancs d'œufs en neige ferme. Réservez 70 g de sucre glace et incorporez le reste aux blancs, sans cesser de battre, ainsi que le cacao, très progressivement. Beurrez une feuille d'aluminium et farinez-la légèrement. Posez-la sur une plaque. A l'aide d'une poche à douille remplie de blancs d'œufs au chocolat, déposez-y de grosses rosettes en meringue. Saupoudrez-les de sucre glace et soufflez dessus pour en éliminer le maximum. Faites cuire à four très doux, pendant 2 heures, en laissant la porte entrouverte, afin que les meringues cuisent sans se colorer. Sortez-les et laissez-les refroidir. Battez la crème et garnissez les meringues avant de les coller deux par deux.

TRUFFON AU CHOCOLAT

Ce dessert est très riche et nourrissant. L'extérieur est ferme, mais l'intérieur très moelleux. Vous pouvez remplacer le zeste d'orange par du rhum ou de la crème de menthe.

Temps : 1 h 30
  + temps de réfrigération
Facile

400 g de chocolat amer
200 g de beurre

tion, puis incorporez le tout au reste des blancs battus. Préchauffez le four à 250°. Tapissez un moule de papier sulfurisé et beurrez-le légèrement. Remplissez-le de préparation au chocolat. Faites cuire pendant 15 minutes, puis baissez la température à 180° et poursuivez la cuisson pendant 15 minutes. Lorsque le dessert est froid, démoulez, ôtez le papier et mettez au réfrigérateur pendant au moins 24 heures.

Travaillez le beurre ramolli avec le cacao et décorez le dessert avec ce mélange à l'aide d'une poche à douille.

CHARLOTTTE AU CAFÉ ET AUX AMANDES

Temps : 30 minutes
    + temps de réfrigération
Très facile

200 g d'amandes
200 g de beurre ramolli
100 g de sucre semoule
4 jaunes d'œufs + 1 blanc
50 g de sucre glace
25 cl de café très fort
25 cl de muscat
200 g de biscuits à la cuiller

Étalez les amandes sur une plaque à pâtisserie et faites-les légèrement dorer à four moyen. Hachez-les finement. Travaillez le beurre avec le sucre jusqu'à ce que le mélange soit clair et crémeux. Incorporez les jaunes d'œufs un par un. Battez 1 blanc d'œuf en neige ferme et, sans cesser de fouetter, ajoutez le sucre glace tamisé. Incorporez ce mélange à la préparation au beurre, avec les amandes.

le zeste d'une orange, finement
    râpé
100 g de sucre semoule
54 cl de kirsch
3 œufs
25 g de cacao en poudre
100 g de beurre, ramolli
    à température ambiante

Hachez le chocolat en petits morceaux et faites-le fondre avec le beurre et le zeste d'orange au bain-marie. Laissez le chocolat légèrement refroidir avant d'ajouter le sucre et le kirsch. Incorporez les jaunes d'œufs un par un. Mélangez 2 ou 3 cuillerées à soupe de blanc d'œuf battu en neige à cette prépara-

*CHARLOTTE
AU CAFÉ MALAKOFF*
■ *Vous pouvez remplacer
la crème au café par de
la crème au chocolat.*

DESSERTS LÉGERS

Mélangez le café et le muscat et plongez-y les biscuits à la cuiller. Tapissez un moule avec les biscuits imbibés et recouvrez-les d'une couche de crème. Alternez ainsi les couches d'ingrédients jusqu'à ce que vous ayez tout utilisé, en terminant par une couche de crème. Parsemez le reste des amandes. Mettez au réfrigérateur pendant plusieurs heures.

bouillante. Faites cuire au four préchauffé à 180° pendant 1 h 30 environ, jusqu'à ce que l'intérieur soit cuit, en vérifiant à l'aide d'une pique de bois.

Sortez du four et laissez refroidir. Démoulez délicatement sur un plat de service. Décorez de crème fouettée et de grains de café.

POUDING AU MARSALA

Ce pouding peut facilement se transformer en charlotte : il suffit de tapisser le moule de biscuits à la cuiller et de le remplir de crème au marsala. Mettez au réfrigérateur pendant plusieurs heures et démoulez au moment de servir.

CHARLOTTE AU CAFÉ MALAKOFF

Vous pouvez remplacer les biscuits à la cuiller par du gâteau mousseline (voir p. 146) : la consistance de la charlotte sera alors plus ferme.

*Temps : 2 heures
Très facile*

1 l de lait
50 cl de crème fraîche
25 cl de café très fort
200 g de biscuits à la cuiller
100 g de macarons
3 œufs
100 g de sucre semoule
1 pincée de sel
1 cuillerée à soupe d'huile
  d'amandes douces
crème fouettée et grains de café

Faites chauffer le lait, la crème et le café sans les laisser bouillir. Ôtez du feu, puis ajoutez les biscuits et les macarons écrasés. Battez les œufs avec le sucre. Ajoutez le sel et mélangez avec le contenu de la casserole. Huilez légèrement un moule à charlotte. Remplissez-le de crème au café. Mettez le moule dans un plat pouvant servir de bain-marie que vous remplissez d'eau

Temps : 40 minutes
    + temps de réfrigération
Très facile

6 jaunes d'œufs, durs
200 g de mascarpone
100 g de sucre
2-3 gouttes d'extrait de vanille
3 cuillerées à soupe
  de marasquin
25 cl de marsala
1 gâteau mousseline
  (voir p. 146)
50 g de cacao

Faites cuire les œufs, passez-les
sous l'eau froide et écalez-les.
Recueillez les jaunes et écrasez-
les dans une jatte avec une fourchette. Mélangez-les avec le
mascarpone, à température
ambiante. Ajoutez le sucre et la
vanille, et remuez bien jusqu'à
ce que le mélange soit crémeux.
Ajoutez un peu de marasquin de
temps en temps.

Humectez l'intérieur d'un
moule à soufflé avec un peu de
marsala. Disposez une couche
de gâteau coupé en petits morceaux au fond du moule et
humectez avec un peu de marsala. Recouvrez avec une couche de mélange au mascarpone
et terminez par une couche de
gâteau imbibé de marsala. Ajoutez le cacao tamisé au reste de
préparation au mascarpone et
remuez. Recouvrez le gâteau de
ce mélange, lissez et mettez au
réfrigérateur pendant au moins
12 heures avant de servir.

DESSERT A LA STREGA

*La strega est une liqueur ita-
lienne à base d'herbes. On
peut la remplacer par une
autre liqueur.*

Temps : 20 minutes
    + temps de réfrigération
Très facile

400 g de ricotta
200 g de sucre semoule
10 cl de strega
1 cuillerée à soupe d'extrait
  de vanille
50 g de fruits confits
100 g de chocolat pâtissier
1 gâteau mousseline
  (voir p. 146)
100 g de chocolat blanc

Travaillez la ricotta et le sucre
avec une cuillère en bois. Ajoutez la moitié de la liqueur et
l'extrait de vanille. Versez la
moitié de ce mélange dans une
autre jatte et mélangez-la avec
les fruits confits et le chocolat
coupé en petits morceaux.

Coupez le gâteau en fines tranches et disposez-les au fond
d'une coupe. Arrosez avec le
reste de liqueur et couvrez avec
la moitié de la préparation à la
ricotta aux fruits et au chocolat.
Alternez ainsi les couches
d'ingrédients jusqu'à ce que
vous ayez tout utilisé, en terminant par une couche de gâteau.
Décorez le dessus de copeaux de
chocolat blanc, « rabotés » avec
un couteau à large lame. Mettez
au réfrigérateur.

POIRES AU CHOCOLAT ET AUX FRAISES

Temps : 30 minutes
Très facile

6 poires bien fermes
50 g de confiture de framboises
4 œufs
100 g de sucre semoule
200 g de chocolat pâtissier
50 cl de lait
3 cuillerées à soupe de sucre
  glace
200 g de fraises

Pelez les poires et mettez-les
dans un plat allant au four. Fai-

*POIRES AU CHOCOLAT
ET AUX FRAISES*
■ *Un dessert très simple
qui fait beaucoup d'effet.
Les kiwis peuvent
également être préparés
de la sorte.*

tes fondre la confiture de framboises à feu doux et passez-la au tamis. Recouvrez chaque poire d'une bonne cuillerée de confiture. Faites cuire au four préchauffé à 180° pendant 30 minutes environ, jusqu'à ce que les poires soient bien tendres.

Mettez les jaunes d'œufs dans une petite casserole et travaillez-les avec le sucre jusqu'à ce que le mélange soit clair et mousseux. Hachez le chocolat et faites-le fondre au bain-marie. Incorporez-le au mélange aux œufs. Ajoutez le lait petit à petit. Faites chauffer au bain-marie, sans cesser de remuer, jusqu'à ce que la préparation commence à épaissir. Ne la laissez surtout pas bouillir. Battez les blancs d'œufs en neige ferme et continuez de fouetter pendant que vous ajoutez le sucre glace. Incorporez-les à la sauce au chocolat et plongez-y les poires. Laissez-les reposer le temps que ce glaçage durcisse. Décorez avec des fraises en vous inspirant de l'illustration ci-contre.

MOUSSE AUX MARRONS GLACÉS

Les brisures de marrons glacés sont plus abordables que les marrons glacés entiers. Vous pouvez les remplacer par des macarons grossièrement hachés.

*Temps : 30 minutes
+ temps de réfrigération
Très facile*

4 jaunes d'œufs
100 g de sucre semoule
1 1/2 cuillerée à café de fécule
 ou de Maïzena
50 cl de lait
2 cuillerées à soupe de gélatine
 en poudre
50 cl de crème fraîche

200 g de marrons glacés,
 hachés finement
+ 8 entiers pour décorer

Travaillez les jaunes d'œufs et le sucre jusqu'à ce que le mélange soit clair et mousseux. Ajoutez la fécule ou la Maïzena, puis versez progressivement le lait chaud. Faites épaissir à feu doux ou au bain-marie, sans laisser bouillir. Ôtez du feu et saupoudrez de gélatine. Remuez jusqu'à ce qu'elle soit bien dissoute. Laisssez refroidir, en remuant de temps en temps. Battez la moitié de la crème, incorporez les marrons glacés hachés et ajoutez le tout à la crème refroidie. Rincez l'intérieur d'un moule à charlotte à l'eau froide, sans l'essuyer. Remplissez-le avec la préparation et mettez au réfrigérateur pendant au moins 6 heures. Démoulez délicatement la mousse sur un plat de service. Fouettez le reste de crème et décorez-en la mousse. Garnissez avec les marrons glacés entiers.

DÉLICE AU CHOCOLAT

Pour donner un petit air de fête à ce dessert, mettez-le au réfrigérateur pendant plusieurs heures dans un moule à bombe glacée et démoulez-le juste au moment de servir.

*Temps : 20 minutes
Très facile*

400 g de ricotta
3 cuillerées à soupe de cacao
100 g de sucre
3 cuillerées à soupe de liqueur,
 au choix
100 g de macarons, écrasés
25 cl de crème fraîche
4 cuillerées à soupe de sucre
 glace

FRAMBOISES
ET GROSEILLES
■ *Les fruits rouges
en général constituent
une délicieuse source
de vitamines.*

DESSERTS LÉGERS

Mettez la ricotta dans une jatte et travaillez-la avec une cuillère en bois jusqu'à ce qu'elle soit molle et légère. Incorporez le cacao tamisé, le sucre et la liqueur. Ajoutez les macarons et remuez bien.

Battez la crème, ajoutez le sucre glace tamisé et mélangez la moitié de cette crème avec la ricotta. Présentez sur un plat de service, en lissant la surface à la spatule. A l'aide d'une poche à douille, déposez des rosettes de crème fouettée sur le dessert.

GATEAU DE SEMOULE AUX FRAMBOISES

Si vous utilisez des framboises surgelées, passez-les au tamis et réservez la moitié de la purée obtenue pour entourer la base du gâteau.

*Temps : 1 heure
    + temps de réfrigération
Facile*

50 cl de lait
25 cl de vin blanc doux
6 cuillerées à soupe de semoule
le zeste d'un citron, râpé
100 g de sucre
400 g de framboises
2 blancs d'œufs
1 pincée de sel

Faites chauffer le lait, le vin et le sel jusqu'à ce que le mélange commence à bouillir. Versez la semoule en pluie, en remuant, pour éviter la formation de grumeaux. Faites cuire pendant 20 minutes à feu doux. Retirez du feu, ajoutez le zeste de citron et la moitié de sucre. Laissez refroidir. Mettez les framboises dans une jatte et saupoudrez-les avec le reste de sucre. Mettez au réfrigérateur. Battez les blancs

d'œufs en neige ferme et incorporez la semoule. Passez la moitié des framboises au tamis et ajoutez-les à la semoule. Rincez un moule à l'eau froide, sans l'essuyer, et remplissez-le de préparation à la semoule. Mettez au réfrigérateur pendant plusieurs heures avant de démouler. Décorez la base du gâteau avec le reste des framboises entières.

POUDING A L'ORANGE

N'hésitez pas à utiliser du pain rassis, le résultat n'en sera que meilleur.

*Temps : 1 h 30
Très facile*

50 cl de lait
200 g de pain rassis
100 g de raisins de Smyrne
le jus de 2 oranges
4 œufs
le zeste d'une orange, râpé
100 g de sucre semoule
1 noix de beurre
300 g de marmelade d'oranges
3 cuillerées à soupe de rhum
1 pincée de sel

Faites tiédir le lait à feu doux. Ôtez la croûte du pain et coupez-le en cubes que vous mettez dans une jatte et arrosez de lait. Laissez reposer pendant 10 minutes. Faites tremper les raisins secs dans de l'eau tiède. Versez le jus d'orange filtré dans le pain au lait. Mélangez bien. Ajoutez les raisins égouttés et épongés, les œufs légèrement battus, le zeste d'orange, le sucre et le sel, puis mélangez bien. Beurrez un moule et remplissez-le de la préparation. Posez le moule dans un plat, rempli avec suffisamment d'eau pour que le moule baigne jusqu'à mi-hauteur. Faites cuire au four préchauffé à 180 ° pendant 1 heure environ, jusqu'à ce qu'une brochette enfoncée au milieu du pouding en ressorte propre.

Faites fondre la marmelade avec le rhum et l'eau. Faites chauffer en remuant avec une cuillère en bois pendant 1 minute. Démoulez le pouding sur un plat de service préalablement chauffé et nappez-le de sauce à l'orange.

DESSERT MERINGUÉ

Pour former des disques de meringue, remplissez de blanc d'œuf battu une poche à douille munie d'un gros embout et déposez la préparation en partant du centre du disque et en travaillant de l'intérieur vers l'extérieur. Plongez une spatule dans l'eau froide et lissez la surface.

Temps : 2 heures
*   + temps de réfrigération*
Assez facile

7 blancs d'œufs
300 g de sucre glace
4 gouttes de jus de citron
75 g de cerneaux de noix
250 g de fraises
50 cl de crème fraîche
50 g de sucre semoule
60 g de gâteau de Savoie
  (voir p. 149)
3 cuillerées à soupe de cognac
1 pincée de sel

Réfrigérez les blancs d'œufs avant de commencer à les monter, au batteur électrique réglé à faible vitesse. Continuez de fouetter pendant que vous ajoutez le sel, le jus de citron et, petit

à petit, le sucre glace. Augmentez la vitesse du batteur et fouettez jusqu'à ce que les blancs soient très fermes : la lame d'un couteau passée dans les blancs doit y laisser une trace bien nette. Déposez une feuille de papier sulfurisé sur une plaque et dessinez deux cercles de 20 cm. Avec une poche à douille munie d'un embout, formez deux disques. Remplissez la poche lorsqu'elle est vide. Lissez la surface. Faites cuire les meringues au four préchauffé à 60° pendant 1 heure à 1 h 30, en laissant la porte du four entrouverte. Laissez refroidir dans le four.

Hachez finement les noix, sans les réduire en poudre. Équeutez les fraises. Fouettez la crème et ajoutez le sucre en poudre. Disposez une meringue sur un plat. Recouvrez-la avec la moitié de la crème, garnissez avec la moitié des fraises, toutes les noix et le gâteau de Savoie émietté et imbibé de cognac. Posez la seconde meringue par-dessus, et étalez le reste de crème sur le dessus et les bords. Mettez au réfrigérateur pendant 2 heures et servez.

POUDING DE RIZ AUX FRUITS

Ce dessert se déguste très chaud. A défaut de citron non traité, utilisez quelques gouttes d'huiles essentielles de citron ou de l'extrait pur de citron, pour éviter que le riz ait un goût légèrement amer.

Temps : 1 h 30
Facile

1 citron
200 g de riz rond
1 l de lait
2-3 gouttes d'extrait de vanille
4 œufs
200 g de sucre semoule
2 1/2 cuillerées à soupe
  de beurre
2 pêches
2 poires
1 pincée de sel

Pour 5 personnes
3 feuilles de gélatine,
   ou 1 cuillerée à soupe de gélatine
   en poudre
5 cl d'eau chaude
2 jaunes d'œufs
50 g de sucre semoule
30 cl de lait
5 cl de Grand Marnier
2 blancs d'œufs

Pour la sauce à l'orange :
100 g de sucre semoule
10 cl de jus d'orange
2 jaunes d'œufs
25 cl de crème fraîche

Faites ramollir la gélatine dans l'eau chaude, non bouillante. Si vous utilisez de la gélatine en poudre, versez l'eau dans le bol, puis saupoudrez la gélatine. Veillez à ce qu'elle soit complètement dissoute.

Battez les jaunes d'œufs avec le sucre jusqu'à ce que le mélange soit mousseux et clair. Faites chauffer le lait, sans le laisser bouillir, et ajoutez-le au mélange aux œufs, en mince filet, sans cesser de battre.

Versez le Grand Marnier, puis ajoutez les feuilles de gélatine ramollies ou la poudre dissoute.

Si vous utilisez des feuilles de gélatine, mettez la jatte dans un autre récipient, plus grand, contenant de l'eau chaude et laissez la gélatine se dissoudre complètement. Si vous utilisez de la gélatine en poudre, réservez la jatte jusqu'à ce que le mélange commence à prendre.

Battez les blancs d'œufs en neige ferme.

Incorporez la préparation à l'orange aux blancs battus (si vous utilisez des feuilles de gélatine, vous n'avez pas besoin d'attendre que la crème commence à prendre).

Versez la mousse dans des ramequins rincés à l'eau froide et non essuyés, et laissez-la prendre au réfrigérateur.

Préparez la sauce à l'orange : faites chauffer le sucre et le jus d'orange à feu doux jusqu'à ce que le sucre soit bien dissous.

Retirez du feu avant d'incorporer les jaunes. Continuez de battre vigoureusement jusqu'à ce que la préparation épaississe.

Laissez refroidir et, dès que la sauce n'est plus chaude, incorporez la crème battue.

Pour servir, démoulez les mousses sur un grand plat. Nappez de sauce ou versez celle-ci au fond du plat sans en recouvrir les mousses.

Faites bouillir le citron jusqu'à ce qu'il soit suffisamment tendre pour être passé à travers un tamis non métallique.

Pendant ce temps, portez une grande casserole d'eau salée à ébullition et versez-y le riz en pluie. Faites cuire pendant 5 minutes. Égouttez le riz et mettez-le dans une casserole avec le lait et la vanille. Faites cuire pendant 20 minutes environ, en remuant souvent, jusqu'à ce que les grains aient absorbé tout le liquide. Battez les jaunes d'œufs avec la moitié du sucre jusqu'à ce que le mélange soit clair et mousseux. Ajoutez la compote de citron dans le riz, puis le mélange aux œufs et 1 1/2 cuillerée à soupe de beurre. Incorporez les blancs d'œufs battus en neige ferme.

Graissez un moule à savarin de 22 cm de diamètre avec le reste de beurre. Remplissez-le uniformément de riz. Posez-le dans un plat d'eau bouillante et faites cuire au four préchauffé à 180° pendant 1 heure.

Préparez la sauce aux fruits : pelez, dénoyautez et videz les fruits. Coupez-les en petits morceaux et faites-les cuire à feu doux avec le reste du sucre pendant 10 minutes, en remuant souvent. Passez au tamis. Démoulez le pouding sur un plat de service et versez la sauce au centre. Servez aussitôt.

CHARLOTTE FLAMBÉE AUX POMMES

Temps : 1 h 30
Facile

100 g de raisins secs
6 pommes
100 g de sucre semoule
10 cl de vin blanc

25 cl de lait
200 g de pain légèrement rassis
50 g de beurre
10 cl de rhum
100 g de pignons

Faites tremper les raisins secs dans de l'eau tiède. Pelez, videz et coupez les pommes. Mettez-les dans une casserole avec la moitié du sucre, le vin et 25 cl d'eau. Faites cuire à feu doux, sans couvrir, pendant 15 minutes environ, jusqu'à ce que les pommes soient tendres. Égouttez, en réservant le liquide de cuisson dans une jatte. Ajoutez le lait à ce liquide et plongez-y le pain coupé en tanches. Beurrez un moule à charlotte et tapissez de pain imbibé les bords et le fond. Déposez une couche de pommes sur le pain, parsemez quelques raisins secs égouttés et épongés, et quelques pignons. Faites fondre le reste du beurre dans une petite casserole. Ajoutez le reste du sucre et la moitié du rhum. Étalez une autre couche de pain et arrosez avec une partie du contenu de la casserole. Continuez d'alterner les ingrédients jusqu'à ce vous ayez tout utilisé, en terminant par une couche de pain. Tassez le contenu du moule et faites cuire au four préchauffé à 180°, au bain-marie, pendant 1 heure. Sortez du four et laissez prendre pendant 5 minutes. Démoulez sur un plat très chaud. Versez du rhum chaud sur la charlotte et faites-la flamber.

CHARLOTTE FLAMBÉE
AUX POMMES
■ Les desserts flambés
à la table impressionnent
toujours beaucoup
les convives. Faites bien
chauffer le rhum pour
qu'il flambe plus
facilement.

POUDING AUX MARRONS

Ce délicieux dessert, particulièrement riche, est idéal pour clore un repas très léger.

Temps : 2 heures
  + *temps de réfrigération*

600 g de marrons
50 cl de lait
100 g de sucre semoule
200 g de ricotta
1 1/2 cuillerée à soupe de café soluble
30 g de cacao en poudre amer
3 cuillerées à soupe de liqueur, au choix
1 pincée de sel

Ôtez la peau des marrons et faites-les bouillir dans de l'eau salée jusqu'à ce qu'ils soient bien tendres et légèrement farineux. Ôtez la petite peau interne pendant qu'ils sont chauds. Vous pouvez également percer la peau externe et l'ôter une fois que les marrons sont cuits. Mettez les marrons dans une casserole avec du lait et la moitié du sucre. Faites cuire pendant 10 minutes, en les écrasant avec une fourchette, afin qu'ils absorbent bien le lait. Passez au tamis. Si la purée obtenue ne vous paraît pas assez épaisse, faites-la cuire de nouveau.

Tapissez un moule à gâteau de 26 cm de diamètre avec du papier sulfurisé. Tassez-y la préparation aux marrons et lissez la surface. Mélangez la ricotta avec le café, le cacao en poudre tamisé, le reste du sucre et la liqueur. Battez avec une cuillère en bois jusqu'à ce que le mélange soit lisse. Versez cette crème sur les marrons, en tassant soigneusement pour éviter la formation de bulles d'air. Lissez la surface et posez un cer-cle de papier sulfurisé par-dessus. Mettez au réfrigérateur pendant 6 heures. Démoulez sur un plat au moment de servir.

CHARLOTTE AUX FRAISES

Ce dessert est très léger. Si vous désirez qu'il soit plus riche, mélangez les fraises avec un peu de crème fraîche. Vous pouvez remplacer le kirsch par une autre liqueur de votre choix.

Temps : 20 minutes
  + *temps de repos*
  + *temps de réfrigération*
Très facile

500 g de fraises
75 g de sucre semoule
3 cuillerées à soupe de kirsch
25 cl de vin blanc doux
25 cl de jus d'orange
300 g de biscuits à la cuiller
25 cl de crème fraîche

Rincez, épongez et équeutez les fraises. Coupez-les en rondelles dans une jatte et saupoudrez-les de sucre. Mélangez le kirsch avec le vin et le jus d'orange, et arrosez-en les fruits. Laissez reposer pendant 1 à 2 heures.

Égouttez, en réservant le jus. Utilisez-le pour tremper les biscuits à la cuiller, dont vous tapissez le fond d'un moule à charlotte. Recouvrez avec une couche de fraises et continuez d'alterner les couches, en terminant par une couche de biscuits. Mettez au réfrigérateur pendant au moins 3 heures. Démoulez sur une assiette. Fouettez la crème, remplissez-en une poche à douille et décorez la charlotte.

CHARLOTTE AU CAFÉ

Une charlotte particulièrement réussie sur le plan esthétique, grâce à la présence de la gélatine.

Temps : 20 minutes
  + *temps de réfrigération*
Très facile

3 cuillerées à soupe de gélatine en poudre
10 cl de café très fort
10 cl de lait
100 g de sucre semoule
150 g de biscuits à la cuiller
3 blancs d'œufs
25 cl de crème fraîche

Faites chauffer le café et le lait jusqu'à ce qu'ils commencent à frémir. Ôtez du feu et saupoudrez de gélatine. Laissez-la bien se dissoudre, en remuant délicatement. Ajoutez 2 cuillerées à soupe de sucre et laissez refroidir. Plongez-y les biscuits à la cuiller un par un et tapissez-en un moule à charlotte.

Battez les blancs d'œufs en neige ferme et continuez de fouetter pendant que vous ajoutez le reste du sucre. Dans une autre jatte, battez la crème. Ajoutez le reste de préparation au café et incorporez le tout aux blancs d'œufs. Remplissez le moule et laissez prendre au réfrigérateur pendant 2 heures. Démoulez sur un plat de service. Décorez avec des rosettes de crème fouettée.

CHARLOTTE A LA RHUBARBE

Pour adoucir le goût de la rhubarbe, ajoutez un peu de miel. Seules les tiges de la rhubarbe sont comestibles.

Temps : 1 h 30
Très facile

1 kg de rhubarbe
300 g de sucre semoule
50 g de beurre fondu
200 g de pain légèrement rassis,
   coupé en fines tranches
25 cl de lait

Lavez et nettoyez la rhubarbe. Épongez-la et coupez les tiges en tronçons de 1 cm. Faites-les cuire à feu doux, pendant 20 minutes environ, dans une casserole inoxydable, sans couvrir, avec le sucre et 1 cuillerée à soupe de beurre. Si vous utilisez du miel, 150 g suffiront. Beurrez un moule à charlotte. Ôtez la croûte du pain et passez rapidement les tranches dans le lait avant de les poser au fond du moule. Arrosez le fond garni avec du beurre fondu. Remplissez de rhubarbe et recouvrez de tranches de pain. Arrosez-le de beurre fondu. Faites cuire au four préchauffé à 180° pendant 1 heure. Le dessus doit être croustillant et doré. Laissez reposer pendant quelques minutes avant de démouler sur un plat préalablement chauffé.

COURONNE DE RIZ AUX CERISES

Vous pouvez remplir la couronne de cerises cuites ou d'une sauce préparée en faisant fondre un peu de confiture de cerises dans 2 cuillerées à soupe de kirsch ou de marasquin.

Temps : 1 h 30
Très facile

200 g de riz rond
1 l de lait
3-4 gouttes d'extrait de vanille

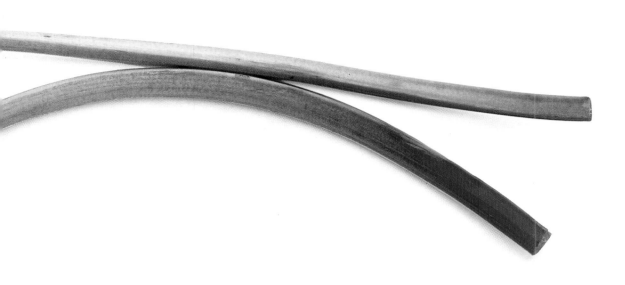

200 g de sucre semoule
500 g de cerises dénoyautées
3 œufs + 1 jaune
1 pincée de sel
1 cuillerée à soupe de beurre

Faites cuire le riz dans de l'eau bouillante légèrement salée pendant 5 minutes. Pendant ce temps, portez le lait à ébullition. Égouttez le riz et ajoutez-le au lait. Parfumez avec la vanille et faites épaissir à feu doux, en remuant souvent. Ajoutez la moitié du sucre, mélangez et laissez refroidir. Faites cuire les cerises avec le reste du sucre et 10 cl d'eau pendant 10 minutes. Battez les œufs avec le jaune et le sel, et versez-les dans le riz.

Beurrez un moule à savarin. Disposez une couche de riz relativement épaisse au fond. Recouvrez de cerises égouttées. Alternez les couches en terminant par une couche de riz. Vous pouvez faire seulement trois couches : riz, cerises, riz, qui seront alors plus épaisses. Mettez le moule dans un plat rempli d'eau et faites cuire au four préchauffé à 180°, au bain-marie, pendant 1 heure. Lorsque la couronne est froide, démoulez-la.

GATEAU DE SEMOULE A LA BANANE

La seule difficulté de cette recette réside dans la cuisson de la semoule, qui ne doit pas faire de grumeaux. Il convient de la remuer rapidement avec une cuillère en bois ou de la battre avec un fouet en métal. On peut aussi la faire cuire au bain-marie.

Temps : 1 h 30
Facile

1 litre de lait
1 pincée de sel
200 g de semoule
50 g de beurre
100 g de sucre
le zeste d'un citron, râpé
4 œufs
2 bananes
1 cuillerée à soupe de jus
   de citron
1 1/2 cuillerée à soupe
   de chapelure

Portez le lait à ébullition avec le sel. Jetez la semoule en pluie, en remuant rapidement. Faites cuire pendant 20 minutes, sans cesser de remuer. Ôtez du feu et incorporez le beurre, en en réservant 1 1/2 cuillerée à soupe, le sucre et le zeste de citron. Laissez refroidir avant

d'ajouter les œufs battus, un par un, sans cesser de remuer.

Coupez les bananes en rondelles et arrosez-les de jus de citron, afin qu'elles ne noircissent pas. Beurrez un moule à charlotte avec le reste du beurre et saupoudrez-le de chapelure. Disposez la semoule et les bananes en couches successives, en commençant et en finissant avec la semoule. Faites cuire au four préchauffé à 180°, au bain-marie, pendant 1 heure. Démoulez et servez.

MOUSSE A LA FRAMBOISE

Temps : 20 minutes
   + temps de réfrigération

500 g de framboises
25 cl de crème fraîche
100 g de sucre semoule
200 g de mascarpone

Réservez quelques framboises pour la décoration du dessert. Passez le reste au tamis non métallique. Battez la crème jusqu'à ce qu'elle soit bien ferme. Continuez de fouetter pendant que vous ajoutez le sucre, puis les framboises en purée et le mascarpone. Versez cette mousse dans une coupe ou des coupelles individuelles et mettez au réfrigérateur pendant 2 heures. Décorez avec les framboises.

CRÊPES AUX FRAISES

Temps : 30 minutes
Très facile

125 g de farine
3 cuillerées à soupe de sucre
1 pincée de sel
3 œufs
25 cl de lait
100 g de beurre
20 fraises

Tamisez la farine dans une grande jatte. Ajoutez le sucre et le sel. Continuez de remuer pendant que vous ajoutez les œufs légèrement battus et le lait. La pâte doit, en coulant, former le ruban. Réservez 1 1/2 cuillerée à soupe de beurre et faites fondre le reste dans une petite casserole. Ôtez du feu, laissez légèrement refroidir et ajoutez à la pâte. Graissez une poêle de 16 cm de diamètre avec un peu de beurre, en la penchant dans tous les sens afin que le fond soit bien beurré. Baissez le feu. Retournez la crêpe lorsqu'elle est cuite du premier côté. Cuisez l'autre côté et faites-la glisser sur une assiette lorsqu'elle est bien dorée. Utilisez toute la pâte à crêpes. Hachez grossièrement les fraises et garnissez-en les crêpes. Roulez celles-ci et posez-les dans un plat beurré. Passez-les au four très chaud pendant 2 à 3 minutes. Servez aussitôt.

ABRICOTS SUR LE PLAT

Ce plat est idéal pour un brunch dominical ou un déjeuner d'été léger.

Temps : 30 minutes
Très facile

100 g de sucre
10 cl d'eau
6 gros abricots bien mûrs
1 gros morceau de zeste de citron
300 g de mascarpone
3 cuillerées à soupe de beurre
6 tranches de pain

Faites chauffer le sucre et l'eau. Tranchez les abricots en deux, sans détacher complètement les deux oreillons, et dénoyautez-les. Laissez-les mijoter pendant 5 minutes, à feu doux, dans le sirop de sucre. Sortez les fruits avec une écumoire. Ajoutez le zeste de citron et faites réduire et épaissir le mélange en le faisant chauffer à petits bouillons. Travaillez le mascarpone avec une cuillère en bois, ajoutez le sirop de sucre petit à petit, après avoir jeté le zeste de citron, et remplissez de cette préparation une poche à douille munie d'un gros embout. Faites revenir les tranches de pain dans du beurre. Laissez-les légèrement refroidir, puis déposez un peu de mascarpone sur le bord de chaque tranche. Remplissez chaque abricot de cette crème, refermez les deux oreillons et déposez un fruit sur chaque tranche de pain, de façon qu'il ressemble à un œuf sur le plat. Servez aussitôt.

DÉLICE DE POMME A LA CANNELLE

Ce dessert extrêmement léger et aéré exige très peu de préparation. Il est idéal pour clore un repas improvisé au dernier moment.

CRÊPES AUX FRAISES
■ Les crêpes se prêtent
à un choix infini
de présentations.
Ici, elles sont fourrées
avec de la ricotta
et des fraises.

Durée : 10 minutes
Très facile

6 pommes
le zeste, râpé, et le jus
  d'un citron
150 g de biscuits secs
4 blancs d'œufs
50 g de sucre glace
1 cuillerée à café de cannelle
  en poudre

FRUITS SECS

Les abricots comptent parmi les fruits secs les plus parfumés, suivis par les dattes et les figues. Les fruits sont généralement séchés au soleil ou dans des fours spéciaux, à une température très basse. Tous les fruits secs sont riches en fructose, le sucre des fruits, et présentent une haute teneur nutritive. Les fruits secs conservés dans de l'alcool (cognac, liqueurs) constituent un excellent dessert.

Mettez les pommes, pelées, vidées et tranchées, avec le jus et le zeste de citron ainsi que les biscuits écrasés dans un mixer. Mixez jusqu'à ce que vous obteniez un mélange bien homogène. Battez les blancs d'œufs en neige ferme et incorporez-les au mélange précédent. Saupoudrez de cannelle, versez dans une coupe et réfrigérez.

POUDING AU CHOCOLAT

Pour que le pouding soit légèrement plus croustillant et doré, faites-le cuire à une température moins élevée, sans bain-marie.

Temps : 1 heure
Très facile

200 g de chocolat amer
25 cl de lait
200 g de pain rassis, émietté
3 cuillerées à soupe de beurre
100 g de sucre semoule
1 zeste d'une orange, râpé
1 pincée de sel
4 œufs

Cassez le chocolat en petits morceaux et mettez-le dans une casserole avec le lait. Faites chauffer à feu doux, en remuant constamment, jusqu'à ce qu'il soit bien fondu. Ajoutez le pain émietté, le beurre, le sucre, le zeste d'orange et le sel. Retirez du feu et incorporez les jaunes d'œufs légèrement battus, un par un. Laissez complètement refroidir, sans réfrigérer.

Battez les blancs d'œufs en neige ferme et incorporez-les à la préparation. Versez cette pâte dans un moule à charlotte. Faites cuire au four préchauffé à 200°, au bain-marie, pendant 45 minutes. Démoulez et servez aussitôt.

MOUSSE AU CHOCOLAT
ET AU RHUM
■ Vous pouvez remplacer
les langues-de-chat
par des cerises confites,
des fraises ou encore
des abricots au sirop.
Vous pouvez également
servir la mousse
au chocolat avec un peu
d'alcool de menthe, que
vous présenterez à part.

SOUFFLÉ AUX FRUITS

Ce soufflé est d'une simplicité enfantine : composé de fruits et de blancs d'œufs, il est étonnamment léger et parfumé. Veillez à ce que la compote de fruits soit suffisamment épaisse.

Temps : 1 heure
Très facile

3 pommes
3 poires
1 petit morceau de zeste
   de citron
100 de sucre semoule
200 g de fraises
4 blancs d'œufs
1 cuillerée à soupe de beurre
1 1/2 cuillerée à soupe
   de sucre vanillé
   ou de sucre glace

Pelez, videz et tranchez les pommes et les poires. Faites-les cuire avec le zeste de citron, la moitié du sucre et très peu d'eau. Passez au tamis. Poursuivez la cuisson, en remuant contamment, afin que la compote soit bien épaisse. Lavez, épongez et équeutez les fraises. Passez-les au tamis non métallique et mélangez-les avec la compote de poires et de pommes. Incorporez les blancs battus d'œufs en neige ferme. Beurrez un moule à soufflé, saupoudrez l'intérieur avec le reste de sucre et remplissez-le aux trois quarts de la préparation. Faites cuire au four préchauffé à 200° pendant 40 minutes. Saupoudrez du sucre glace ou du sucre vanillé sur le soufflé juste avant de servir.

SOUFFLÉ AU CÉDRAT

Cette recette, à base d'une sauce sucrée épaisse, est plus classique que la précédente. Une fois cuit, le soufflé doit être croustillant et doré à l'extérieur, mais épais et crémeux à l'intérieur.

Temps : 1 heure
Facile

100 g de raisins de Smyrne
50 cl de lait
3 gouttes d'extrait de vanille
6 œufs
50 g de farine
100 g de sucre semoule
80 g de beurre
100 g d'écorce de cédrat confit

Faites tremper les raisins de Smyrne dans de l'eau tiède. Faites chauffer le lait et la vanille dans une casserole. Battez 4 œufs avec la farine et le sucre dans une jatte. Mouillez progressivement avec le lait chaud, puis faites cuire au bain-marie, sans cesser de remuer pendant quelques minutes. Ne laissez surtout pas bouillir. Ôtez du feu et laissez refroidir légèrement. Ajoutez le beurre fondu, puis les jaunes d'œufs restants. Égouttez et épongez les raisins secs, et mélangez-les à l'écorce de cédrat coupée en petits morceaux. Incorporez-les à la préparation. Battez les 2 blancs d'œufs en neige ferme et mélangez-les délicatement à la pâte. Beurrez un moule à soufflé, remplissez-le et faites cuire au four préchauffé à 200° pendant 30 minutes.

POUDING AUX RAISINS SECS

Pour cette recette, choisissez des raisins secs d'une excellente qualité. Les raisins de Corinthe californiens, par exemple, sont particulièrement parfumés.

Temps : 1 h 30
Facile

100 g de noisettes, mondées
100 g d'amandes, mondées
1 l de lait
200 g de semoule
100 g de sucre semoule
4 œufs
2 cuillerées à café de zeste
   de citron, râpé
100 g de raisins de Corinthe
   de Californie ou de Smyrne
1 1/2 cuillerée à soupe d'huile
   d'amandes douces

Si les noisettes ne sont pas mondées, mettez-les à four chaud pendant 1 à 2 minutes, laissez-les légèrement refroidir, puis frottez-les contre une passoire en métal, afin de les débarrasser de leur petite peau fine. Hachez-les finement avec les amandes, sans les réduire en poudre.

Faites chauffer le lait et le sel. Jetez-y la semoule en pluie, en remuant énergiquement pour éviter la formation de grumeaux. Ajoutez le sucre et faites cuire à feu doux, en remuant de temps en temps. Ôtez du feu. Battez les blancs d'œufs en neige ferme. Lorsque la semoule a un peu refroidi, ajoutez les jaunes un par un, puis les noisettes, les amandes et le cédrat confit. Incorporez les blancs en neige et les raisins secs. Huilez l'intérieur d'un moule à charlotte et remplissez-le de la préparation. Mettez-le dans un plat rempli d'eau et faites cuire au four pré-

chauffé à 180°, au bain-marie, pendant 1 heure. Laissez refroidir pendant quelques minutes, puis démoulez sur un plat.

MOUSSE AU CHOCOLAT ET AU RHUM

*Temps : 30 minutes
    + temps de réfrigération*
Très facile

200 g de chocolat amer
4 œufs
75 g de sucre semoule
1 1/2 cuillerée à soupe de café soluble
4 cuillerées à café de rhum
25 cl de crème fouettée

Râpez le chocolat et faites-le fondre au bain-marie. Ôtez du feu, mais laissez la jatte au bain-marie. Ajoutez les jaunes d'œufs, un par un, en remuant bien, puis le sucre. Laissez de nouveau refroidir avant d'ajouter le café soluble et le rhum. Incoporez les blancs d'œufs en neige. Remplissez de mousse six coupelles individuelles et réfrigérez-les pendant plusieurs heures avant de servir. Décorez de crème fouettée ou d'une autre façon, selon le goût.

Les fruits sont aujourd'hui rapidement acheminés de la région de production vers les marchés les plus lointains, nous sommes donc moins tributaires qu'autrefois du rythme des saisons, ce qui est très appréciable pour ceux qui vivent sous des climats rigoureux. Il n'en reste pas moins que les fruits récoltés sur place, qui ont mûri naturellement, possèdent de loin la saveur, la consistance et l'arôme les meilleurs. Les fruits frais et bien mûrs sont beaux et bons pour la santé, car ils contiennent des sucres naturels, le fructose, des vitamines et des sels minéraux.

POIRES AU VIN
ET AUX RAISINS

Vous pouvez remplacer le vin blanc par du vin rouge, auquel vous ajouterez un clou de girofle et une bonne pincée de cannelle.

Temps : 45 minutes
Très facile

6 poires
25 cl de vin blanc doux
   ou demi-sec
1 cuillerée à soupe de jus
   de citron
100 g de sucre semoule
300 g de raisin
10 cl de cognac
100 g de gelée de raisin

Coupez les poires en deux dans le sens de la longueur et évidez-les. Mélangez le vin et le jus de citron dans un plat allant au four, puis ajoutez les poires, face coupée vers le bas. Saupoudrez de sucre et faites cuire au four préchauffé à 180° pendant 20 minutes.
   Coupez les grains de raisin en deux, épépinez-les et disposez-les en couche sur les poires. Faites fondre la gelée de raisin, mélangez-la au cognac et versez-la sur les raisins. Servez aussitôt.

MOUSSELINE
DE POMME
A LA BANANE

Une variante de cette recette consiste à remplacer les bananes par un melon bien mûr dans l'écorce duquel vous servirez sa pulpe mélangée avec les pommes.

Temps : 30 minutes
Très facile

2 pommes
6 bananes bien mûres

☐ *Les fruits de saison peuvent servir à la préparation de compotes, confitures et gelées, tartes, gâteaux, sorbets, crèmes glacées et autres desserts : les variations sur ce thème paraissent infinies. Tout au long de l'été et en automne, les fruits mûrs se succèdent, incitant le cuisinier à expérimenter de nouvelles recettes, notamment lorsque la surabondance de fruits implique la nécessité de faire des conserves, de sécher ou de congeler les fruits, ou de les déguster de mille manières. C'est sans doute à ce genre de tentation qu'Auguste Escoffier céda, en 1893, lorsqu'il créa la fameuse pêche Melba, en l'honneur de la grande soprano australienne Nellie Melba. Lorsque vous faites cuire des fruits, rappelez-vous que leur teneur en eau est élevée et que la cuisson doit être assez brève.*

☐ *Choisissez toujours des fruits parfaitement sains, bien mûrs mais pas trop. Évitez d'acheter des fruits hors saison, importés ou surgelés, dont la saveur ne vaut pas celle des produits frais mûris au soleil. Seuls les oranges et les citrons échappent à cette règle.*

☐ *Il faut en général peler les fruits avant de les utiliser, car la peau est souvent dure et amère, à l'aide d'un couteau en acier inoxydable, pour éviter taches ou décoloration, bien aiguisé. Faites blanchir les pêches, les abricots et les prunes pendant quelques secondes dans de l'eau bouillante pour ôter la peau plus facilement. Si vous devez employer le zeste du fruit, lavez-le soigneusement afin d'éliminer tout résidu de produit chimique (insecticides, fongicides...) avec lequel il a été traité pour éviter que les fruits ne se gâtent et leur donner un aspect appétissant.*

6 cuillerées à soupe de sucre
   semoule
10 cl de crème fraîche
1 œuf
15 g de beurre
25 cl de crème fleurette

Pelez, videz et tranchez les pommes. Faites-les cuire avec un peu d'eau et le sucre. Réduisez-les en compote au tamis ou au mixer et versez-la dans la casserole. Faites épaissir en remuant constamment. Laissez refroidir, puis mettez au réfrigérateur. A l'aide d'un petit couteau-scie très aiguisé, coupez les bananes en deux dans le sens de la longueur. Videz-les de leur pulpe sans abîmer la peau, que vous réservez, et réduisez-la en purée au mixer. Mélangez les deux purées de fruits et incorporez la crème fraîche préalablement fouettée, puis le jaune d'œuf, le beurre ramolli et le blanc d'œuf battu en neige ferme. A l'aide d'une poche à douille munie d'un gros embout cannelé, remplissez chaque peau de banane de cette préparation. Disposez délicatement les peaux dans un plat et faites cuire au four préchauffé à 180° pendant 20 minutes. Si vous avez endommagé les peaux au cours de la préparation, versez le mélange dans six ramequins allant au four. Servez dès la sortie du four, en présentant la crème à part.

244

POMMES MERINGUÉES
■ Vous pouvez remplacer les pommes par des poires. Choisissez une bonne variété de fruit à cuire, qui ne rende pas trop de jus.

POMMES MERINGUÉES

Temps : 45 minutes
Très facile

6 pommes golden
20 g de beurre
150 g de sucre semoule
le zeste d'une orange, râpé
10 cl de Cointreau
100 g de confiture d'abricots
1 gousse de vanille, ou quelques
  gouttes d'extrait

Pelez et videz les pommes. Coupez-en quatre en dés et deux en rondelles. Versez les dés de pommes dans une casserole avec le beurre, 3 grosses cuillerées à soupe de sucre, le zeste d'orange râpé et le Cointreau. Faites cuire jusqu'à ce que le mélange forme une pulpe moelleuse. Ôtez du feu et incorporez la confiture. Laissez refroidir. Portez 5 cl d'eau à ébullition avec le reste du sucre et la vanille. Ajoutez les rondelles de pomme et faites-les cuire jusqu'à ce qu'elles soient légèrement attendries. Beurrez un plat allant au four et recouvrez le fond avec la pulpe de pomme. Déposez les rondelles de pommes cuites par-dessus. Battez les blancs d'œufs en neige ferme, incorporez-leur le reste du sucre et continuez de battre pendant quelques minutes avant d'étaler cette meringue sur les pommes. Faites prendre et dorer au four préchauffé à 180° pendant 20 minutes environ.

POIRES AUX MACARONS

Les macarons aux amandes douces et amères sont particulièrement recommandés pour ce dessert, mais vous pouvez utiliser d'autres variétés.

Temps : 30 minutes
Très facile

6 poires bien mûres
50 g de beurre
6 macarons
1 cuillerée à soupe
  de rhum
2 blancs d'œufs
3 cuillerées à soupe
  de sucre semoule

Pelez et videz les poires à l'aide d'un vide-pomme pour creuser un trou bien net dans chaque fruit. Faites sauter les poires entières dans le beurre pendant 5 minutes, dans une cocotte couverte, en remuant délicatement à deux ou trois reprises. Ôtez du feu et enlevez le couvercle.

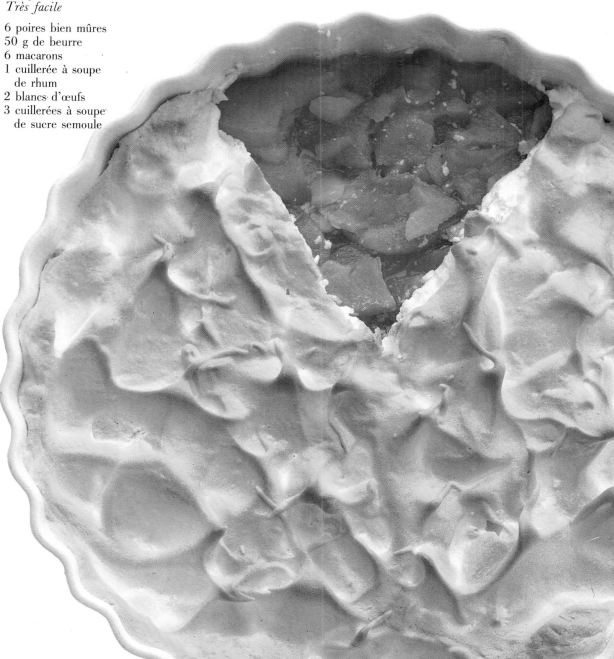

Émiettez les macarons, arrosez-les de rhum et garnissez-en les poires. Battez les blancs d'œufs en neige, ajoutez le sucre et continuez de battre jusqu'à ce que le mélange soit ferme et luisant. Déposez une cuillerée de ce mélange sur chaque poire. Faites cuire au four préchauffé à 180° pendant 20 minutes environ, jusqu'à ce que la meringue ait pris et commence à bien dorer.

ABRICOTS AU COGNAC ET A LA CRÈME

Temps : 30 minutes
Très facile

800 g d'abricots bien mûrs ou au sirop
100 g de sucre semoule
2 œufs
1 pincée de sel
50 g de beurre
3 cuillerées à soupe de cognac
10 cl de crème fraîche épaisse

Coupez les abricots en deux, dénoyautez-les et faites-les bouillir pendant 5 minutes dans un peu d'eau additionnée de 3 cuillerées à soupe de sucre (si vous utilisez des abricots au sirop, n'ajoutez pas de sucre). Faites cuire, au bain-marie, les jaunes d'œufs avec le sel, le reste du sucre et le beurre, sans cesser de remuer, jusqu'à ce que le mélange gonfle et mousse, sans prolonger la cuisson. Hors du feu, ajoutez le cognac. Laissez refroidir avant d'incorporer les blancs d'œufs battus en neige ferme, puis la crème fraîche fouettée. Verser ce mélange sur les abricots et réfrigérez brièvement avant de servir.

ABRICOTS A LA PURÉE DE FRAMBOISES

Vous pouvez remplacer les abricots par des poires ou des pêches. Lorsque les framboises ne sont pas de saison, utilisez des fruits surgelés.

Temps : 20 minutes
Très facile

800 g d'abricots bien mûrs
100 g de sucre
10 cl de bon vin blanc
2-3 gouttes d'extrait de vanille
300 g de framboises
1 morceau de zeste de citron
3 cuillerées à soupe de kirsch
10 cl de crème fouettée

Coupez les abricots en deux, dénoyautez-les et faites-les bouillir pendant 5 minutes avec 3 cuillerées à soupe de sucre, le vin blanc et la vanille. Versez le jus de cuisson dans une casserole. Disposez les abricots, côté coupé vers le haut, dans un plat de service et mettez au réfrigérateur. Incorporez le reste du sucre au jus, ainsi que les framboises et le zeste de citron. Faites bouillir pendant 4 minutes, sans cesser de remuer. Jetez le zeste de citron et passez les framboises au chinois (non métallique). Mélangez la purée avec le kirsch et laissez refroidir. Déposez un peu de purée dans chaque moitié d'abricot, puis, à l'aide d'une poche à douille, décorez de rosettes de crème fouettée.

COMPOTE DE FRUITS SECS

Les abricots secs et les raisins de Smyrne se marient bien. Ils peuvent se conserver pendant

ASPIC DE FRUITS
AU CITRON

■ *Ce dessert frais et raffiné exige une présentation très soignée. Tous les fruits de saison peuvent convenir, à condition que la taille des morceaux soit adaptée.*

plusieurs mois dans des bocaux remplis de vin blanc moelleux ou de cognac et hermétiquement fermés. Servez-les avec des gâteaux secs.

Temps : 20 minutes
+ temps de trempage
et de réfrigération
Très facile

700 g de raisins de Smyrne
400 g d'abricots secs
1/2 bouteille de muscat
100 g de sucre semoule
le zeste d'un citron, râpé

Faites tremper les raisins secs et les abricots pendant une nuit dans le vin. Transférez les fruits et le vin dans une casserole. Ajoutez le sucre et le zeste râpé. Portez à ébullition, puis laissez frémir pendant 10 minutes. Égouttez les fruits, en réservant le jus de cuisson, et versez-les dans une jatte. Faites réduire le jus jusqu'à ce qu'il en reste environ 25 cl, puis versez-le sur les fruits. Réfrigérez avant de servir.

ASPIC DE FRUITS AU CITRON

Temps : 15 minutes
+ temps de prise
+ temps de réfrigération
Facile

8 morceaux de sucre
100 g de sucre semoule
8 citrons bien juteux
25 cl d'eau
3 cuillerées à soupe de gélatine
  en poudre
2 grenades
1 melon
200 g de petites fraises
  ou de fraises des bois
300 g de raisin blanc sucré

Avant de commencer la recette, mettez le moule vide au congélateur. Frottez uniformément les morceaux de sucre contre les citrons préalablement lavés et bien essuyés, afin qu'ils absorbent les huiles essentielles contenues dans le zeste. Mettez-les dans une casserole avec le sucre semoule. Pressez 7 citrons, réservez 3 cuillerées à soupe du jus obtenu et incorporez le reste au sucre. Ajoutez l'eau et faites bouillir jusqu'à ce que le sucre soit complètement dissous. Transférez aussitôt dans une jatte, en passant le sirop au chinois, puis saupoudrez de gélatine. Remuez jusqu'à ce qu'elle soit dissoute. Lorsque le liquide est froid, versez-en suffisamment dans le moule glacé pour l'enrober entièrement et former au fond une couche de 0,5 cm d'épaisseur, en l'inclinant et en le faisant tourner. Remettez le moule au congélateur jusqu'à ce que le mélange à la gélatine ait pris.

Videz un melon de sa pulpe à l'aide d'une cuillère parisienne. Ôtez les graines charnues des grenades. Mélangez doucement tous les fruits, à l'exception des raisins, avec le reste du jus de citron. Disposez les raisins sur le fond et les bords du moule, puis les autres fruits au centre. Remplissez ainsi le moule en alternant les couches, puis ajoutez le mélange de gélatine citronnée et faites prendre au congélateur avant d'ajouter davantage de fruits et de gélatine citronnée. Coupez le citron restant en deux dans le sens de la longueur, puis en fines demi-rondelles que vous appliquez contre l'intérieur du moule, près du sommet (qui deviendra la base au démoulage), avant d'ajouter la dernière couche de fruits et de gélatine.

CÉDRAT
■ Gravure du XIXe siècle
représentant un rameau
portant fleurs et fruits.

ANANAS A LA RICOTTA

Simple, rapide et délicieux. Vous pouvez remplacer la ricotta par de la crème pâtissière.

*Temps : 20 minutes
   + temps de réfrigération
Très facile*

1 ananas bien mûr de 2 kg
   environ
200 g de ricotta
100 g de sucre semoule
5 cl de kirsch

Coupez le sommet feuillu de l'ananas, en enlevant environ 4 cm de fruit, de manière à pouvoir vider l'ananas de toute sa chair à l'aide d'un couteau-scie. Ôtez et jetez la partie centrale dure du fruit et coupez la pulpe en petits morceaux que vous mélangez avec le kirsch. Passez la ricotta au chinois et mélangez-la bien avec le sucre. Incorporez ce mélange à la pulpe d'ananas et remplissez-en l'écorce vide de l'ananas. Replacez le « chapeau » et réfrigérez jusqu'au moment de servir.

FLEURS D'ANANAS A LA BANANE ET AU CHOCOLAT

*Temps : 20 minutes
Très facile*

6 tranches d'ananas
3 bananes
6 cuillerées à soupe de chocolat
   pâtissier, râpé
50 g de sucre semoule
10 cl de lait
6 blancs d'œufs

*FLEURS D'ANANAS
A LA BANANE
ET AU CHOCOLAT*
■ *Utilisez de l'ananas
frais. Pelez-le, tranchez-le
et ôtez la partie centrale
dure à l'aide d'un
vide-pomme.*

Ôtez la partie centrale dure des tranches d'ananas et découpez-les en forme de zigzag (voir illustration ci-contre). Posez les tranches à plat dans un plat allant au four. Réduisez les bananes en purée au mixer. Ajoutez le chocolat, le sucre et le lait, puis mixez brièvement. A l'aide d'une poche à douille munie d'un gros embout, répartissez ce mélange sur les tranches d'ananas. Battez les blancs d'œufs en neige ferme, recouvrez-en complètement la préparation à la banane et mettez au four préchauffé à 200° pendant 10 minutes. Servez aussitôt.

GRATIN DE BANANE A LA NOIX DE COCO

Râpez la noix de coco fraîche au-dessus des bananes, ou découpez des copeaux à l'aide d'un couteau économe.

*Temps : 30 minutes
Très facile*

1 cuillerée à café de fécule
   ou de Maïzena
1 noix de coco
70 g de sucre semoule
6 bananes
15 à 20 g de beurre

Délayez la fécule ou la Maïzena dans l'eau de la noix de coco. Incorporez le sucre et portez à ébullition, sans cesser de remuer. Laisser bouillir à petits bouillons pendant 1 à 2 minutes, en remuant. Pelez les bananes et coupez-les en deux dans le sens de la longueur. Beurrez un grand plat allant au four et disposez-y les bananes les unes à côté des autres. Versez le liquide chaud sur les bananes, parsemez de noisettes de beurre

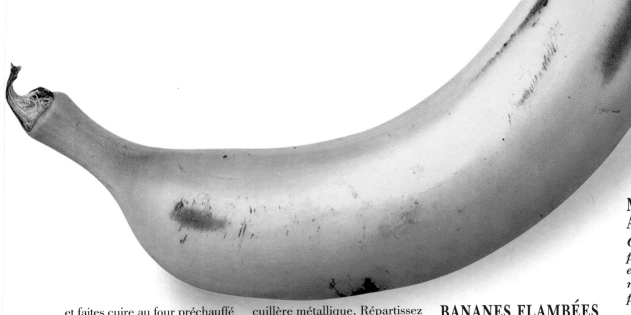

et faites cuire au four préchauffé à 200° pendant 10 minutes. Râpez la pulpe de la noix de coco, saupoudrez-en les bananes chaudes et remettez au four, à la même température, pendant 10 minutes. Servez aussitôt.

MOUSSE DE BANANE A LA RICOTTA ET AU MIEL

Utilisez un miel doux, acacia ou mille fleurs par exemple. Décorez, selon le goût, d'amandes hachées, de rondelles de banane, de chocolat râpé ou d'ananas haché.

Temps : 10 minutes
  + temps de réfrigération
Très facile

100 g d'amandes mondées
  entières
6 belles bananes bien mûres
200 g de ricotta
180 g de miel
2 blancs d'œufs
3 cuillerées à soupe de sucre
  glace

Pelez les bananes et réduisez-les en purée au mixer avec la ricotta. Laissez la purée dans le robot, puis ajoutez les amandes finement hachées et le miel. Faites tourner très brièvement. Transférez le mélange dans une jatte. Battez les blancs d'œufs en neige ferme. Ajoutez le sucre glace et incorporez cette meringue au mélange à la banane, à l'aide d'une spatule ou d'une

cuillère métallique. Répartissez dans six coupelles et réfrigérez avant de servir.

PURÉE DE BANANE AU MASCARPONE

Vous pouvez remplacer le mascarpone par de la ricotta, moins grasse, ou un autre fromage frais, et utiliser une crème à la vanille maison.

Temps : 15 minutes
Très facile

100 g de confiture
  de framboises
6 bananes
le jus d'un demi-citron
200 g de mascarpone
50 g de sucre semoule
100 g d'amandes effilées

Filtrez la confiture. Dans une jatte, réduisez la chair des bananes additionnée du jus de citron en purée lisse et crémeuse. Incorporez le mascarpone, la confiture et le sucre, et mélangez bien. A l'aide d'une poche à douille, répartissez ce mélange dans des coupelles. Faites dorer brièvement les amandes au four et parsemez-en chaque coupe.

BANANES FLAMBÉES

Ce dessert achève toujours un bon repas de façon spectaculaire. Le rhum doit être très chaud, mais non bouillant, pour s'enflammer facilement.

Temps : 20 minutes
Très facile

6 bananes
30 g de beurre
100 g de sucre semoule
1 cuillerée à café de cannelle
  en poudre
1 pincée de noix muscade
  en poudre
le jus de 2 oranges
25 cl de vin de dessert
2-3 cuillerées à soupe de rhum

Pelez les bananes, puis coupez-les en deux horizontalement. Disposez-les, face coupée vers le bas, dans un grand plat allant au feu. Mélangez le sucre avec la cannelle et la muscade, et saupoudrez-en les bananes. Filtrez le jus d'orange, mélangez-le avec le vin et versez ce mélange sur les bananes. Coupez le beurre en dés que vous répartissez sur les bananes. Faites cuire au four préchauffé à 200° pendant 15 minutes. Au bout de 5 minutes, arrosez les bananes de sirop à intervalles réguliers. Sortez les bananes du four et posez le plat sur la table. Arrosez de rhum chaud et faites flamber. Servez aussitôt.

MOUSSE DE FRAISES AU YAOURT

Ce délicieux dessert, rapide à préparer et impossible à rater, est idéal pour une cuisinière novice ou lorsqu'on dispose de peu de temps.

Temps : 10 minutes
Très facile

300 g de très petites fraises
  ou de fraises des bois
50 cl de yaourt à la fraise
1 cuillerée à soupe de jus
  de citron
70 g de sucre semoule
25 cl de crème fouettée

Rincez, épongez et équeutez les fraises. Dans un robot ménager, réduisez la moitié des fruits en purée avec le yaourt, le citron et le sucre. Incorporez délicatement cette purée à la crème fouettée. Répartissez dans des coupelles. Décorez avec le reste de fraises et mettez au réfrigérateur jusqu'au moment de servir.

KAKIS AU COGNAC

La saison des kakis, en automne, est très brève. Choisissez-les bien mûrs et très mous. Les charons, presque identiques, sont des fruits sélectionnés et cultivés de manière à être plus sucrés.

Temps : 5 minutes
  + temps de réfrigération
Très facile

6 kakis bien mûrs
70 g de sucre semoule
10 cl de cognac

Lavez les kakis, essuyez-les et ôtez ce qui pourrait rester de la tige et du calice. Coupez-les en

■ *Pour réussir ce dessert,
vous devrez faire preuve
de patience, car le sirop
de sucre doit être remué
longuement jusqu'à ce
qu'il se caramélise.*

deux horizontalement, saupoudrez-les de sucre, puis arrosez-les de cognac. Réfrigérez pendant au moins 20 minutes avant de servir.

POMMES AU LAIT CARAMÉLISÉ

Pour réussir cette recette, il est indispensable d'utiliser du lait entier.

Temps : 2 heures
Très facile

6 pommes
200 g de sucre semoule
10 cl de bon vin blanc
50 cl de lait
1 pincée de cannelle en poudre, ou un morceau de bâton de cannelle
1/4 de gousse de vanille, ou 2-3 gouttes d'extrait

Pelez les pommes, coupez-les en deux et videz-les. Faites-les cuire jusqu'à ce qu'elles soient tendres avec 3 cuillerées à soupe de sucre et le vin. Égouttez-les et laissez-les refroidir sur un plat

de service. Versez le lait dans une casserole, ajoutez le sucre, la cannelle et la vanille. Portez à ébullition, puis baissez le feu et continuez à faire cuire à feu très doux, en remuant fréquemment, pendant 1 h 30, jusqu'à ce que le mélange ait épaissi et légèrement bruni.

Versez le lait caramélisé sur les demi-pommes. Laissez refroidir, puis servez.

CERISES
AU VIN ROUGE

En hiver, les poires peuvent remplacer les cerises. Utilisez un vin de qualité, au corps généreux.

Temps : 30 minutes
*   + temps de réfrigération*
Très facile

800 g de cerises
50 cl de vin rouge corsé
100 g de sucre semoule
1 pincée de cannelle en poudre,
   ou 1 morceau de bâton
   de cannelle
25 cl de crème fouettée

Équeutez les cerises et dénoyautez-les à l'aide d'un dénoyauteur. Mettez-les dans une casserole avec le vin, le sucre et la cannelle. Portez à ébullition, réduisez le feu, couvrez et laissez mijoter pendant 10 minutes. Égouttez les cerises et versez-les dans une coupe en verre. Faites réduire le jus de cuisson à feu vif, jusqu'à obtention d'un épais sirop : cela prend un certain temps. Si vous avez utilisé un morceau de cannelle, jetez-le et laissez refroidir avant de verser le sirop sur les cerises. Réfrigérez. Au moment de servir, décorez de crème fouettée à l'aide d'une poche à douille munie d'un embout cannelé.

ORANGES
CARAMÉLISÉES
AU GRAND MARNIER

Il faut veiller à ce que le caramel demeure assez chaud pour rester liquide, sans devenir sombre et amer. Conservez-le chaud au bain-marie, et pas directement sur le feu.

Temps : 15 minutes
Très facile

6 oranges
300 g de sucre semoule
5 cl de Grand Marnier

Lavez et essuyez les oranges. A l'aide d'un petit couteau-scie bien aiguisé, ôtez le zeste et les membranes, puis coupez les oranges en rondelles assez fines. Ôtez soigneusement la membrane blanche de l'intérieur du zeste, pour ne laisser que la partie extérieure, de couleur orange. Coupez le zeste en bandes courtes et fines. Réservez. Faites chauffer le sucre dans une casserole à fond épais, jusqu'à ce qu'il fonde et devienne brun doré. Plongez une à une les rondelles d'orange dans ce sirop, puis disposez-les sur un plat de service chaud, légèrement huilé à l'huile d'amandes douces. Réservez au chaud. Ajoutez les bandelettes du zeste au caramel, remuez, puis versez sur les rondelles d'orange. Faites chauffer

---

LE GINGEMBRE

Racine, ou rhizome, d'une plante d'Asie du Sud, le gingembre frais se trouve facilement. D'un goût légèrement piquant et d'une subtile astringence, il met en valeur d'autres saveurs et entre dans la composition de nombreux mets sucrés ou salés.

---

le Grand Marnier dans une petite casserole. Faites-le flamber, versez-le rapidement sur les oranges et servez.

FIGUES
AU GINGEMBRE

Vous pouvez remplacer le gingembre frais par une bonne pincée de cannelle.

Temps : 30 minutes
*   + temps de réfrigération*
Très facile

400 g de figues sèches
1 citron
1 petit morceau de racine
   de gingembre, pelé
100 g de sucre semoule
25 cl de crème fleurette

Rincez les figues et ôtez les restes de queues. Mettez-les dans une casserole et recouvrez-les d'eau froide. Lavez et essuyez le citron, puis coupez-le en fines rondelles. Ajoutez-le aux figues, ainsi que le gingembre et le sucre. Portez à ébullition. Laissez mijoter pendant 20 minutes environ, jusqu'à ce que les figues soient tendres. Sortez-les à l'aide d'une écumoire et déposez-les dans un plat de service. Faites bouillir le liquide de cuisson jusqu'à ce qu'il ait beaucoup réduit, puis versez-le sur les figues, à travers un chinois. Jetez le citron et le gingembre. Mettez au réfrigérateur pendant 2 heures avant de servir. Présentez la crème à part.

FIGUES A LA SAUCE
AU CITRON

Vous pouvez remplacer le muscat par du marsala ou du madère.

Temps : 15 minutes
*   + temps de réfrigération*
Très facile

18 figues mûres
200 g de marmelade de citron

10 cl de muscat
2 citrons, coupés en fines
   rondelles

Ôtez très délicatement la fine peau des figues, puis déposez les fruits dans un plat creux. Dans une casserole, faites fondre la marmelade avec le vin. Laissez frémir pendant quelques minutes, puis versez ce mélange sur les figues. Mettez au réfrigérateur pendant au moins 2 heures. Décorez de rondelles de citron juste avant de servir.

FIGUES AUX ÉPICES ET A LA CRÈME

Vous pouvez choisir d'autres épices : anis, cumin, voire une pincée de poudre de curry doux.

Temps : 5 minutes
 + temps de réfrigération
Très facile

18 figues fraîches
le jus d'un demi-citron
1 pincée de clous de girofle
 en poudre
1 cuillerée à café de cannelle
 en poudre
25 cl de crème fleurette

Ôtez délicatement la fine peau des figues, puis arrosez-les avec le jus de citron épicé. Mettez au réfrigérateur, dans une jatte. Réfrigérez également la crème fraîche, puis, juste avant de servir, versez-la sur les figues.

FIGUES AUX NOIX CARAMÉLISÉES

Vous pouvez conserver les figues ainsi préparées pendant quelques jours. Lorsque les figues fraîches ne sont pas de saison, remplacez-les par des figues sèches.

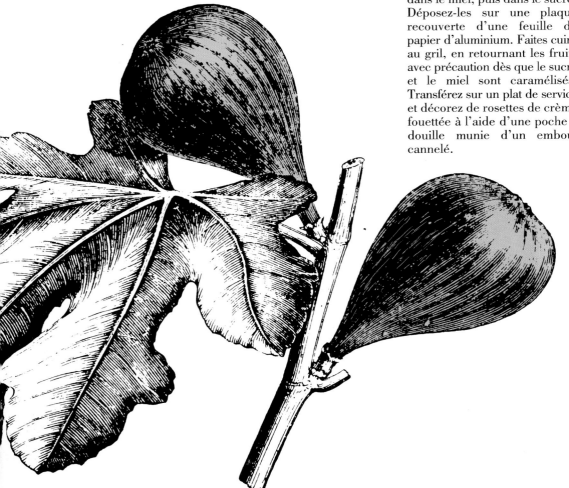

Temps : 20 minutes
Très facile

18 figues fraîches
18 cerneaux de noix
100 g de sucre semoule
100 g de miel
25 cl de crème fouettée

Ôtez la fine peau des figues, puis coupez-les en deux verticalement, en vous arrêtant juste avant l'extrémité, de manière que les deux moitiés restent attachées. Enfoncez délicatement un cerneau de noix dans chaque figue et refermez-les. Étalez le miel et le sucre chacun sur une plaque et roulez chaque figue dans le miel, puis dans le sucre. Déposez-les sur une plaque recouverte d'une feuille de papier d'aluminium. Faites cuire au gril, en retournant les fruits avec précaution dès que le sucre et le miel sont caramélisés. Transférez sur un plat de service et décorez de rosettes de crème fouettée à l'aide d'une poche à douille munie d'un embout cannelé.

POMMES AU FOUR A LA SAUCE AUX NOIX

Cette recette peut également servir pour préparer des poires.

Temps : 1 heure
Très facile

6 pommes golden
1 noix de beurre
70 g de sucre semoule
 ou de cassonade
100 g de raisins de Smyrne
100 g de cerneaux de noix
100 g de sucre semoule
1 cuillerée à soupe de fécule
 ou de Maïzena
le jus d'un demi-citron

Pelez et videz les pommes. Mettez-les dans un plat allant au four, légèrement beurré. Arrosez de 10 cl d'eau et saupoudrez de 70 g de sucre. Faites cuire au four préchauffé à 180° pendant 30 minutes environ, jusqu'à ce que les pommes soient tendres. Réservez au chaud sur un plat de service. Faites gonfler les raisins de Smyrne dans de l'eau tiède. Hachez les noix. Dans une petite casserole à fond épais, mélangez le reste de sucre avec la fécule ou la Maïzena. Incorporez progressivement 25 cl d'eau, puis portez à ébullition à feu doux, sans cesser de remuer. Ajoutez les raisins bien égouttés et épongés, les noix, le jus de citron et le beurre. Lorsque la sauce atteint de nouveau l'ébullition, ôtez-la du feu et nappez-en les pommes cuites. Servez aussitôt.

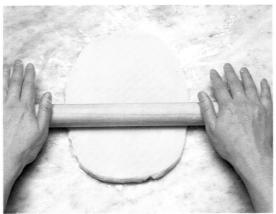

Pour 15 tartelettes :

Pour la pâte sablée :

200 g de farine
100 g de sucre semoule
1/2 cuillerée à café de sel
100 g de beurre
2 jaunes d'œufs
1 cuillerée à café de zeste
   de citron, finement râpé,
   ou quelques gouttes d'extrait
   de vanille

Pour la garniture :
100 g de confiture d'abricots

*Pour la crème pâtissière aux amandes
et au rhum :*
100 g de beurre doux
80 g de sucre glace
3 jaunes d'œufs
3 cuillerées à soupe de rhum
100 g d'amandes, pilées

Pour le dessus :
glaçage au kirsch
   ou au marasquin (voir p. 52)
confiture d'abricots
   ou d'autres fruits
25 cl de crème pâtissière
   (voir p. 44)
fruits frais ou au sirop

Préparez la pâte selon la méthode indiquée à la page 58. Abaissez-la sur 5 mm d'épaisseur.

Si vous utilisez des moules à tartelettes de 4 cm de diamètre, comme ici (voir illustrations ci-contre), employez un emporte-pièce rond de 6 cm.

Les tartelettes cannelées sont plus esthétiques. Badigeonnez l'intérieur des moules de beurre (ou de margarine) fondu. Foncez chaque moule avec un disque de pâte, en appuyant doucement au fond du moule. Détachez l'excédent de pâte.

Étalez environ 1/2 cuillerée à soupe de confiture d'abricots sur le fond de chaque tartelette.

Travaillez le beurre avec une cuillère en bois jusqu'à ce qu'il soit très mou et léger. Ajoutez le sucre et continuez de battre jusqu'à ce que le mélange soit pâle et mousseux. Incorporez les jaunes d'œufs un par un, puis le rhum, en en versant quelques gouttes à la fois. Ajoutez les amandes pilées et mélangez bien.

Remplissez presque complètement chaque tartelette de ce mélange aux amandes. Disposez-les sur une plaque à pâtisserie et faites-les cuire au four préchauffé à 180° pendant 15 minutes.

Laissez refroidir. Lorsque les tartelettes sont froides, étalez le glaçage au kirsch en fine couche sur chacune d'elles. Laissez sécher et prendre. Étalez une fine couche de confiture filtrée sur le glaçage, avant de déposer une rosette de crème pâtissière, à l'aide d'une poche à douille, sur chaque tartelette.

Faites tremper des fruits dans du kirsch, égouttez-les et utilisez-les pour décorer.

PASTÈQUE AU KIRSCH
■ Ce superbe dessert
coloré doit être servi très
froid. Lorsque vous avez
incorporé la crème,
ne conservez pas la
pastèque au réfrigérateur
pendant plus de 8 heures,
car son aspect
et sa consistance
en souffriraient.

PASTÈQUE AU KIRSCH

Temps : 10 minutes
+ temps de réfrigération
Très facile

1 pastèque bien mûre de 2 kg
  environ
100 g de raisins de Corinthe
6 cuillerées à soupe de sucre
  glace
5 cl de kirsch ou d'une autre
  liqueur de fruits
100 g de chocolat pâtissier
25 cl de crème fraîche épaisse
feuilles de menthe

Coupez le sommet de la pastèque, en enlevant environ un
quart du fruit. Videz-la de toute
sa pulpe, à l'aide d'une grosse
cuillère parisienne ou d'une
petite cuillère, que vous mettez
dans une jatte. Ôtez les pépins
facilement accessibles. Mélangez
les boules de pastèque avec les
raisins secs, le sucre, le kirsch
et le chocolat grossièrement râpé
ou haché. Fouettez la crème fraîche et mélangez-la délicatement
à la pastèque. Remplissez la
coque vide de la pastèque de ce
mélange et réfrigérez avant de
servir. Décorez de feuilles de
menthe.

ORANGES FARCIES AU RIZ

Pour que ce dessert soit une
vraie réussite, il est indispen-
sable de servir les oranges dès
la sortie du four.

Temps : 1 heure
Très facile

6 cuillerées à soupe de riz rond
50 cl de lait
1 noix de beurre
1 pincée de sel

1 cuillerée à soupe de zeste
  d'orange, finement râpé
6 oranges + 1 pour le zeste
100 g de sucre semoule
2 œufs

Dans une passoire, rincez le riz
à l'eau froide. Mettez-le dans
une casserole à fond épais, ajoutez le lait, le beurre, le sel et le
zeste d'orange. Coupez les oranges en deux, pressez-les sans
abîmer la peau. Incorporez le jus
obtenu au riz, remuez et portez
à ébullition. Réduisez le feu et
faites cuire à feu doux jusqu'à

ce que le riz ait tout absorbé.
  Pendant la cuisson du riz, retirez les membranes des demi-
oranges à l'aide d'un couteau à
pamplemousse. Lorsque le riz
cuit a un peu refroidi, ajoutez le
sucre et les jaunes d'œufs. Battez les blancs en neige ferme et
incorporez-les au riz. Remplissez les moitiés d'orange du
mélange, sans en mettre trop,
car il va gonfler en cuisant, et
faites cuire au four préchauffé
à 180° pendant 30 minutes
environ, jusqu'à ce que la préparation gonfle et dore.

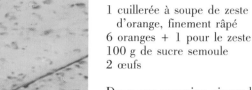

FIGUES DE BARBARIE AUX ÉPICES

Temps : 10 minutes
Très facile

12 figues de Barbarie
1/2 cuillerée à café de cannelle
  en poudre
le jus d'un citron
70 g de sucre semoule

Faites tremper les figues dans une grande jatte pendant au moins 1 heure : la plupart des piquants vont se détacher et flotter à la surface de l'eau. Retirez-les avec une cuillère. A l'aide d'une écumoire, transférez les figues dans une passoire et

LA PASTÈQUE

Ce fruit très désaltérant de la famille des concombres est sans doute originaire d'Afrique, mais il était également cultivé voici des milliers d'années en Inde. De par sa forte teneur en eau, la pastèque convient parfaitement pour préparer gelées et sorbets.

rincez-les soigneusement à l'eau froide. Coupez les deux extrémités de chaque figue. Entaillez la peau dans le sens de la longueur, enfoncez-y les dents d'une fourchette pour maintenir le fruit et découpez la peau. Déposer les figues dans une coupe de service, saupoudrez-les de cannelle et de sucre, et arrosez-les de jus de citron. Remuez les fruits, retournez-les une ou deux fois, puis servez.

COURONNE DE POMMES EN GELÉE

Temps : 30 minutes
+ temps de réfrigération
Très facile

800 g de pommes
25 cl d'eau
200 g de gelée de coing
100 g de sucre semoule
le jus d'un citron
3 cuillerées à soupe de gélatine en poudre
250 g de raisin noir
250 g de raisin blanc

Pelez et videz les pommes. Coupez-les en fines rondelles et mettez-les dans une casserole avec la gelée de coing, saupoudrez-les de sucre et faites-les cuire pendant 10 minutes, en remuant de temps en temps. Passez la pomme cuite et le jus au chinois, et versez dans une jatte. Ajoutez le jus de citron. Portez l'eau à ébullition, puis, hors du feu, ajoutez la gélatine. Lorsque celle-ci est complètement dissoute, incorporez-la au mélange à base de pommes.

Rincez un moule à savarin à l'eau froide, sans l'essuyer. Remplissez-le de mélange aux pommes et, lorsque la préparation est froide, mettez-le au réfrigérateur pendant au moins 6 heures pour qu'elle prenne et se solidifie. Peu avant de servir, démoulez le dessert sur un plat de service et remplissez le centre de raisin noir et blanc.

POMMES FOURRÉES AUX PRUNEAUX

Utilisez des pruneaux dénoyautés, ou dénoyautez-les après les avoir fait cuire.

Temps : 30 minutes
+ temps de trempage
Très facile

12 pruneaux
50 cl de vin de muscat
100 g de sucre semoule
10 cl d'eau
6 pommes golden

Faites tremper les pruneaux dans le vin pendant plusieurs heures ou toute une nuit. Faites-les cuire dans ce vin avec 1 cuillerée à soupe de sucre pendant 10 minutes, jusqu'à ce que les fruits soient tendres. Pelez les pommes, coupez-les en deux horizontalement et videz-les.

Déposez-les dans une casserole, saupoudrez-les du reste de sucre, ajoutez l'eau et faites-les cuire, à couvert, pendant 5 minutes. A l'aide d'une écumoire, transférez les pommes sur un plat de service. Réservez le liquide de cuisson. Déposez un pruneau dans la cavité de chaque demi-pomme et réservez au chaud. Dans une casserole, mélangez le vin ayant servi au trempage des pruneaux avec le jus de cuisson des pommes et faites-le réduire à feu vif. Nappez les pommes de ce sirop et servez.

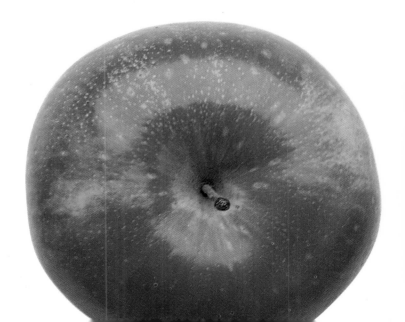

NEIGE DE POMMES A LA CRÈME ET A LA NOUGATINE

Pour plus de facilité, vous pouvez utiliser de la nougatine toute prête.

Temps : 20 minutes
    + temps de réfrigération
Très facile

8 pommes
15 g de beurre
3 cuillerées à soupe d'eau

3 cuillerées à soupe de sucre semoule
25 cl de crème fouettée
200 g de nougatine (voir p. 25)

Pelez, videz et tranchez les pommes. Faites-les revenir à feu doux dans le beurre et l'eau. Passez-les au chinois et remettez-les dans la casserole avec le sucre. Faites cuire jusqu'à ce que le mélange ait beaucoup épaissi. Laissez refroidir avant d'incorporer la crème fouettée, puis versez cette prépa-ration dans des coupelles. Hachez la nougatine, saupou-drez-en la neige aux pommes et mettez au réfrigérateur pendant 2 heures.

TOASTS A LA POMME ET AU RHUM

Ce dessert doit être frit au dernier moment et servi aussitôt, sinon il devient indigeste. Le pain ne doit pas être trop frais.

Temps : 1 heure
Très facile

6 cuillerées à soupe de raisins de Smyrne
10 cl de rhum
6 pommes
100 g de beurre
100 g de sucre semoule
2 œufs
5 cl de lait
6 tranches de pain de mie épaisses

Faites gonfler les raisins secs dans le rhum pendant au moins

30 minutes. Pelez et videz les pommes à l'aide d'un vide-pomme. Coupez-les en rondelles. Faites-les cuire en les remuant délicatement dans 15 g de beurre et 3 cuillerées à soupe d'eau jusqu'à ce qu'elles soient juste tendres. Ajoutez les raisins égouttés et épongés et la moitié du sucre, puis faites cuire encore quelques minutes à feu très doux.

Dans une assiette, battez les œufs et le lait. Plongez-y brièvement mais soigneusement les tranches de pain, débarrassées de la croûte, de chaque côté. Laissez s'égoutter l'excès de mélange œufs-lait, puis faites frire les toasts à feu moyen dans le reste du beurre, en les retournant une fois. Saupoudrez-les du reste du sucre, disposez-les sur un grand plat de service chaud et nappez chaque toast de pomme. Servez aussitôt.

CROUSTADE DE POMMES

Les enfants adoreront ce dessert. Vous pouvez remplacer les fraises par des framboises ou des myrtilles.

Temps : 45 minutes
Très facile

1 kg de pommes
50 g de beurre
10 cl d'eau
100 g de sucre semoule
2 cuillerées à café de jus
  de citron
100 g de chapelure
25 cl de crème fleurette
100 g de fraises

Pelez, videz et tranchez les pommes. Faites-les cuire avec la moitié du beurre et l'eau dans une casserole couverte pendant

20 minutes environ, jusqu'à ce qu'elles soient très tendres. Filtrez, ajoutez le jus de citron et laissez refroidir.

Faites mousser le reste de beurre dans une poêle. Ajoutez la chapelure et le reste du sucre. Faites dorer, en remuant de temps en temps. Déposez une couche de purée de pommes dans une coupe de verre, couvrez-la d'une couche de chapelure frite et recommencez l'opération une fois. Fouettez la crème et déposez-la au-dessus. Décorez de fraises et réfrigérez avant de servir.

POMMES SURPRISE

Vous pouvez remplir les pommes de confiture, de raisins de Smyrne ou d'amandes hachées.

Durée : 90 minutes
Très facile

100 g de sucre semoule
5 cl d'eau
1 pincée de cannelle en poudre
1 pincée de muscade râpée
50 g de beurre + 1 noix
  pour la plaque et le plat
200 g de farine
1 pincée de sel
2 œufs
6 pommes

Mettez la moitié du sucre et l'eau dans une casserole avec la cannelle et la muscade. Portez à ébullition, ajoutez la moitié du beurre, puis, lorsque celui-ci est fondu, ôtez du feu. Tamisez la farine avec le sel sur le plan de travail. Faites un puits où vous déposez le reste du beurre, coupé en très petits morceaux, les œufs et le reste du sucre. Travaillez jusqu'à obtention d'une pâte lisse. A l'aide d'un

rouleau à pâtisserie, roulez cette pâte en une abaisse d'environ 3 mm d'épaisseur et coupez-la en 6 carrés égaux.

Pelez et videz les pommes. Posez-les au milieu des carrés de pâte. Rabattez les coins de la pâte sur la pomme, en pinçant soigneusement les bords pour les souder. S'il vous reste un peu de pâte, découpez-y des feuilles pour décorer. Badigeonnez d'un peu de mélange épicé au sucre et au beurre. Posez les pommes enveloppées de pâte sur une plaque beurrée et faites-les cuire au four préchauffé à 180° pendant 40 minutes, jusqu'à ce que la pâte soit dorée et croustillante.

Transférez les pommes sur un grand plat allant au four, nappez-les avec le reste du sirop et remettez au four pendant 10 minutes. Servez.

PÊCHES A LA MENTHE

Temps : 10 minutes
Très facile

6 pêches fraîches ou au sirop
60 cl de lait
1/2 cuillerée à café d'extrait
  de vanille
2 cuillerées à soupe de sirop
  ou de liqueur de menthe
6 jaunes d'œufs
150 g de sucre semoule
30 g de farine

Préparez les pêches dans un sirop de sucre léger, en suivant les indications de la page 24. Portez le lait à ébullition, ôtez du feu, puis ajoutez la vanille et le sirop de menthe. Battez les jaunes d'œufs pendant 5 à 10 minutes avec le sucre, jusqu'à ce que le mélange soit pâle et mousseux, puis incorporez la farine tamisée. Incorporez lentement le lait chaud et faites

légèrement épaissir à feu très doux, sans cesser de remuer. Égouttez soigneusement le sirop des pêches, puis déposez chaque fruit dans une coupelle. Nappez de crème chaude et servez aussitôt.

PÊCHES AU CHAMPAGNE

Ce dessert légèrement sucré et épicé est délicieux en été. Vous pouvez remplacer le champagne par du vin mousseux.

Temps : 10 minutes
Très facile

6 pêches mûres
50 g de sucre semoule
1 pincée de cannelle en poudre
le jus d'un demi-citron
25 cl de champagne

Dans une grande jatte, recouvrez les pêches d'eau bouillante pendant quelques instants. Égouttez-les, puis pelez-les, coupez-les en deux, dénoyautez-les et coupez-les en tranches. Déposez les tranches de pêche dans une jatte, saupoudrez-les de sucre et de cannelle, arrosez-les de champagne et servez.

PÊCHES SUR CANAPÉ ÉPICÉES

Les clous de girofle, employés dans la cuisine méditerranéenne depuis très longtemps, donnent toute sa saveur à ce dessert.

*Temps : 30 minutes
Très facile*

3 pêches
20 g de beurre
6 petites tranches de pain de mie
6 macarons, écrasés
6 clous de girofle
6 cuillerées à soupe de sucre semoule

Lavez et épongez les pêches. Pelez-les, coupez-les en deux et dénoyautez-les. Étalez une très fine couche de beurre sur les tranches de pain, puis faites-les dorer à four chaud. Saupoudrez le pain grillé de miettes de macaron. Placez un clou de girofle dans chaque demi-pêche. Beurrez légèrement un grand plat allant au four et disposez-y les demi-pêches, face coupée en dessous. Saupoudrez de sucre et faites cuire au four préchauffé à 200° pendant 10 minutes. Déposez une demi-pêche sur chaque tranche de pain et servez aussitôt.

PÊCHES AU VERMOUTH

Ce dessert est délicieux froid, mais peut également être servi chaud. Vous pouvez remplacer le vermouth par un vin de dessert ou un vin doux.

*Temps : 30 minutes
Facile*

6 pêches
6 cuillerées à café de confiture
  de framboises
100 g d'amandes, hachées menu
  ou pilées
25 cl de vermouth doux (rouge)
10 cl d'eau
6 cuillerées à soupe de sucre
  semoule

Plongez les pêches pendant
quelques instants dans de l'eau
bouillante pour pouvoir les peler
plus facilement. Coupez-les en
deux et dénoyautez-les. Mélangez la confiture de framboises
avec les amandes et déposez-en
2 cuillerées à café dans chaque
demi-pêche. Disposez les fruits
dans un plat creux allant au four.
Versez le vermouth, l'eau et le
sucre dans une casserole, et portez ce mélange à ébullition. Baissez légèrement le feu et faites
réduire pendant 10 minutes.
Versez cette sauce sur les pêches
et laissez refroidir. Réfrigérez
avant de servir.

PÊCHES FARCIES AU RIZ

*Vous pouvez remplacer le riz
par de la semoule. Pour alléger ce dessert, remplacez la
crème fraîche par du lait.*

Temps : 1 heure
Très facile

25 g de crème fraîche
3 cuillerées à soupe de riz rond
4 cuillerées à soupe de sucre
  semoule
2 œufs
75 g de raisins de Smyrne, mis
  à tremper dans de l'eau tiède
1 pincée de cannelle en poudre
3 cuillerées à soupe de sucre
  glace
6 pêches

Portez la crème fraîche à ébullition dans une casserole. Ajoutez le riz et faites-le cuire à feu
doux jusqu'à ce qu'il ait absorbé
toute la crème. Hors du feu,
ajoutez le sucre, puis les jaunes
d'œufs légèrement battus, les
raisins de Smyrne égouttés et
épongés, et la cannelle. Remuez
bien.
   Battez les blancs d'œufs en
neige, ajoutez le sucre glace et
continuez à battre jusqu'à ce que
la neige soit très ferme. Incorporez la préparation au riz. Coupez les pêches en deux,
dénoyautez-les, puis déposez-les,
face coupée au-dessus, dans un
plat beurré allant au four. Remplissez les cavités des fruits de
préparation au riz. Faites cuire
au four préchauffé à 180° pendant 30 minutes environ,
jusqu'à ce que le riz ait gonflé
et pris. Servez aussitôt.

MELON AUX MURES

*Un dessert à servir lorsque les
melons et les mûres sont à
maturité.*

*Temps : 15 minutes
   + temps de réfrigération
Très facile*

1 melon bien mûr
100 g de sucre semoule
10 cl de vin de muscat (beaumes
  de Venise par exemple)
400 g de mûres
le jus d'un demi-citron

Coupez le sommet du melon de
manière à pouvoir ôter facilement les graines et les filaments,
mais conservez le jus. Videz le
melon de sa pulpe. Coupez celle-ci en dés, puis mélangez à 3 cuillerées à soupe de sucre et au vin.
   Rincez et épongez les mûres.
Déposez-les dans une jatte et

saupoudrez-les du reste de
sucre. Mettez la coque du
melon, sa pulpe et les baies au
réfrigérateur pendant 2 heures.
Remplissez le melon de sa
pulpe, déposez les mûres sur le
dessus et nappez-les de leur
sirop.

MELON A LA MENTHE

*Temps : 5 minutes
Très facile*

1 melon, bien mûr, réfrigéré
600 g de sorbet au melon
  (voir p. 286)
1 brin de menthe fraîche

Coupez le melon en deux horizontalement, puis ôtez les graines et les filaments. Videz la
pulpe et replacez le melon vide
au réfrigérateur ou au congélateur. Coupez la pulpe en dés et
passez-la au chinois. Dans le bol
de grande capacité d'un robot
ménager, réduisez la pulpe et le
sorbet en purée lisse, à vitesse
minimale, puis remplissez la
coque du melon de cette préparation. Servez aussitôt, avant que
le sorbet ne se soit trop ramolli,
décoré d'un brin de menthe.

MELON AUX MYRTILLES

*Vous pouvez faire tremper les
myrtilles dans du kirsch plutôt que dans du gin, ou supprimer l'alcool et les laisser
reposer dans le jus de citron
et le sucre.*

*Temps : 5 minutes
   + temps de repos
Très facile*

300 g de myrtilles
5 cl de gin

50 g de sucre semoule
1 cuillerée à soupe de jus
  de citron
3 petits melons

Mettez les baies lavées et épongées dans une jatte. Arrosez-les
de kirsch et de jus de citron,
saupoudrez-les de sucre et laissez reposer pendant au moins
1 heure, en remuant délicatement deux ou trois fois. Coupez
lez melons en deux, ôtez les graines et les filaments. Versez les
myrtilles au sirop dans les
melons et servez.

MELON AU GINGEMBRE

*Vous pouvez également préparer le melon uniquement avec
le gingembre frais, ajouter du
poivre du moulin, et le servir
en hors-d'œuvre.*

*Temps : 5 minutes
Très facile*

1 melon bien mûr de 2 kg
  environ
1 cuillerée à soupe
  de gingembre, pelé et râpé
50 g de sucre semoule

Coupez le melon en tranches,
puis ôtez les graines, les filaments et la peau. Mélangez le
gingembre avec le sucre et
saupoudrez-en les tranches de
melon au moment de servir.

*MERINGUE AUX POIRES
AU SABAYON*
■ *Vous pouvez utiliser
d'autres fruits,
notamment des fraises,
pour préparer ce dessert
original qui conclura à
merveille un dîner raffiné.*

MERINGUE
AUX POIRES
AU SABAYON

*Temps : 2 heures
Facile*

Pour la meringue :
4 œufs
300 g de sucre glace
Pour la garniture :
6 poires
10 cl d'eau
150 g de sucre semoule
4-5 gouttes d'extrait de vanille
1 petit morceau de zeste
de citron
4 œufs
10 cl de marsala

Battez les blancs d'œufs en neige, puis incorporez progressivement le sucre glace, en continuant à battre jusqu'à ce que le mélange soit ferme et luisant. Remplissez une poche à douille de ce mélange, puis déposez-le en spirale sur une plaque graissée, en commençant par le centre, de manière à former une base de meringue circulaire et homogène. Faites cuire au four préchauffé à 60° pendant 1 h 30, en laissant la porte du four entrouverte.

Préparez les fruits et la sauce. Pelez et videz les poires. Coupez-les en deux verticalement et faites-les cuire à feu doux avec l'eau, 50 g de sucre, l'extrait de vanille (ou un morceau de gousse de vanille) et le zeste de citron jusqu'à ce qu'elles soient tendres. Égouttez-les, déposez-les dans un plat et laissez refroidir. Faites réduire le liquide de cuisson à feu moyen, pour obtenir 8 cl de sirop que vous versez sur les poires. Au bain-marie, faites chauffer les jaunes d'œufs bien mélangés avec le reste de sucre

et le marsala, sans cesser de remuer, jusqu'à ce que le mélange ait pâli, gonflé et soit devenu mousseux. Ne chauffez pas exagérément, afin de ne pas faire retomber cette préparation. Laissez refroidir. Lorsque la meringue est complètement froide, ôtez-la délicatement de la plaque et posez-la sur un plat de service. Déposez les poires sur cette meringue (voir illustration), nappez-les de sauce et servez aussitôt.

MOUSSE
AUX FRAMBOISES

Utilisez de préférence des framboises fraîches, fermes, à peine mûres, car les fruits surgelés contiennent trop d'eau pour que la mousse se démoule correctement. A défaut de fruits frais, faites chauffer la purée de framboises, sans la faire bouillir, et faites-y dissoudre de la gélatine.

*Temps : 20 minutes
+ temps de réfrigération
Très facile*

600 g de framboises
4 blancs d'œufs
1 pincée de sel
100 g de sucre glace
25 cl de crème fraîche
2-3 gouttes d'extrait de vanille

Réservez une douzaine de belles framboises pour la décoration et passez le reste au chinois. Dans une grande jatte, battez les blancs d'œufs en neige avec le sel. Saupoudrez la moitié du sucre à travers un tamis, puis incorporez-le délicatement aux blancs en neige. Ajoutez, petit à petit, la purée de framboises, à l'aide d'une spatule, afin de

chasser le moins d'air possible des blancs d'œufs. Dans une autre jatte, fouettez la crème fraîche jusqu'à ce qu'elle soit bien ferme. Ajoutez le reste de sucre glace à travers un chinois et l'extrait de vanille, mélangez délicatement, puis incorporez à la préparation aux framboises.

Rincez un moule à charlotte à l'eau froide, sans l'essuyer. Remplissez-le de préparation aux framboises et mettez au réfrigérateur pendant au moins 6 heures. Juste avant de servir, posez un plat de service renversé sur le moule, retournez le tout et démoulez la mousse. (Si vous utilisez de la gélatine, plongez très brièvement le moule dans de l'eau chaude pour faciliter le démoulage.) Décorez avec les framboises réservées.

PÊCHES FARCIES AUX PRUNEAUX

En dehors de la saison des pêches, ou pour gagner du temps, vous pouvez utiliser des pêches au sirop.

Temps : 30 minutes
Très facile

6 pêches, pelées
12 pruneaux
10 cl de rhum
50 g de sucre semoule
12 petits macarons
6 cerises confites

Coupez les pêches en deux, dénoyautez-les et faites-les cuire brièvement dans un sirop de sucre. Déposez-les sur un plat de service, face coupée au-dessus. Plongez les pruneaux dans le sirop de cuisson des pêches, additionné de sucre et de rhum. Faites cuire à feu doux pendant 20 minutes, jusqu'à ce que les fruits soient tendres, puis réduisez en compote. Mélangez les macarons pilés à cette purée, puis versez le mélange dans les cavités des demi-pêches. Décorez de cerises confites coupées en deux. Réfrigérez avant de servir.

263

POIRES
AU CHOCOLAT

Temps : 45 minutes
Très facile

6 poires
50 g de beurre
5 cl de bon vin blanc
100 g de sucre semoule
25 g de chocolat pâtissier

Pelez les poires. Videz-les à l'aide d'un vide-pomme, en partant de la base et en vous arrêtant avant le sommet, afin que la queue reste intacte. Faites-les cuire à feu doux dans le beurre, dans une cocotte couverte. Au bout de 5 minutes, ajoutez la moitié du vin et le sucre, puis faites cuire encore 5 minutes avant d'ajouter le reste du vin. Lorsque les poires sont tendres, sortez-les délicatement à l'aide d'une écumoire, puis laissez-les s'égoutter et sécher. Râpez le chocolat et faites-le fondre au bain-marie. Disposez les poires cuites sur un plat de service. Arrosez-les de chocolat chaud, de manière à les napper uniformément. Réfrigérez avant de servir.

POIRES
AUX MYRTILLES

Si vous utilisez des myrtilles surgelées, mettez-les telles quelles avec le sucre dans une casserole couverte, puis faites chauffer à feu doux. Lorsque les fruits sont complètement décongelés, passez-les au chinois.

Temps : 10 minutes
Très facile

300 g de myrtilles
40 g de confiture de framboises
2-3 cuillerées à café de sucre semoule
3 cuillerées à soupe de kirsch
6 poires

Passez les myrtilles au chinois et mélangez-les avec la confiture, le sucre et le kirsch. Faites chauffer ce mélange pendant quelques minutes, jusqu'à ce que le sucre soit dissous. Pelez, videz et tranchez les poires. Déposez-les dans un plat de service. Nappez-les de sauce chaude et servez aussitôt.

DESSERT MERINGUÉ
AUX PRUNEAUX

Vous pouvez remplacer les pruneaux par des figues ou des abricots séchés. Faites-les ramollir dans du marsala ou du xérès.

Temps : 1 heure
+ temps de trempage
Très facile

500 g de pruneaux dénoyautés
25 cl de marsala ou de xérès sec
100 g de sucre semoule
3 blancs d'œufs
3 cuillerées à soupe de sucre glace

Mettez les pruneaux dans une jatte et arrosez-les de marsala. Laissez-les ramollir pendant 8 à 12 heures, en les retournant deux ou trois fois. Égouttez-les et faites-les cuire à feu doux, dans un peu d'eau, pendant quelques minutes. Égouttez les pruneaux, passez-les au tamis et étalez la purée dans un plat allant au four. Battez les blancs d'œufs en neige, incorporez le sucre glace, puis, à l'aide d'une poche à douille munie d'un embout cannelé, déposez de la meringue sur toute la purée de pruneaux. Mettez à four moyen jusqu'à ce que la meringue prenne et dore. Servez aussitôt.

SOUFFLÉ
AUX PRUNEAUX

Avec ce dessert, même une cuisinière novice impressionnera ses hôtes. Les pruneaux peuvent être remplacés par d'autres fruits secs, réduits en purée.

Temps : 1 heure
+ temps de trempage
Très facile

500 g de pruneaux dénoyautés
4 blancs d'œufs
1 pincée de sel
100 g de sucre semoule
1 pincée de cannelle en poudre
le zeste d'un citron, râpé
1 noix de beurre
1 cuillerée à soupe de farine

Faites tremper les pruneaux dans de l'eau pendant 2 à 4 heures. Égouttez-les, puis passez-les au chinois. Battez les blancs d'œufs avec le sel en neige ferme. Incorporez délicatement le sucre, la cannelle, la purée de pruneaux et le zeste de citron râpé, à l'aide d'une spatule, afin

■ *Une manière classique,
dont l'effet est spectaculaire,
d'apprêter ce fruit qui se marie
si bien avec le chocolat.
Pour cette recette
choisissez le meilleur
chocolat possible.*

de chasser le moins d'air possible des blancs d'œufs. Beurrez un plat à soufflé et saupoudrez-le de sucre, puis secouez-le pour en ôter l'excédent. Versez-y la préparation. Faite cuire au four préchauffé à 200° pendant 30 minutes. Servez aussitôt.

CRÈME DE PRUNES AUX MACARONS

Choisissez une variété de prunes qui ne rend pas trop de jus en cuisant.

*Temps : 1 heure
+ temps de réfrigération
Très facile*

800 g de prunes bien mûres
150 g de sucre semoule
3 jaunes d'œufs + 1 blanc
1-2 cuillerées à café de farine
25 cl de lait
3 cuillerées à soupe de sucre glace
100 g de petits macarons

LES POIRES

Il existe vingt espèces et des milliers de variétés de poires. Choisissez-en une qui tienne à la cuisson et ne rende pas trop de jus — même si les fruits de ce type sont, en général, moins savoureux.

Dénoyautez les prunes et faites-les cuire avec 50 g de sucre pendant 20 minutes environ. Passez-les au chinois et laissez refroidir. Battez les jaunes d'œufs avec le reste du sucre jusqu'à ce que le mélange gonfle et pâlisse. Incorporez très progressivement la farine, puis le lait. Portez cette crème au bain-marie, en remuant constamment. Mélangez la crème chaude et la purée de prunes. Répartissez cette préparation entre 6 coupelles et mettez au réfrigérateur pendant au moins 3 heures.

Battez un blanc d'œuf en neige, puis, sans cesser de remuer, ajoutez le sucre glace tamisé. Déposez 2 ou 3 macarons dans chaque coupelle et, à l'aide d'une poche à douille munie d'un embout cannelé, recouvrez-les de meringue.

MOUSSE AUX MIRABELLES

*Temps : 1 heure
+ temps de réfrigération
Très facile*

2 kg de mirabelles bien mûres
25 cl d'eau
500 g de sucre semoule
3 cuillerées à soupe de gélatine en poudre

Coupez les prunes en deux, dénoyautez-les et pelez-les. Faites-les cuire avec l'eau et le sucre pendant 10 minutes, en écumant régulièrement. Passez le liquide de cuisson très chaud au chinois, dans une jatte, puis ajoutez la gélatine, en vous assurant qu'elle est bien dissoute. Passez les prunes au chinois (non métallique) au-dessus d'une jatte. Mélangez très soigneusement le liquide contenant la gélatine. Rincez à l'eau froide un moule de 20 cm de diamètre, sans l'essuyer. Versez-y le mélange aux prunes et faites prendre au réfrigérateur pendant au moins 6 heures.

Au moment de servir, plongez un torchon dans de l'eau chaude, essorez-le, enroulez-le autour du moule pendant quelques instants et démoulez le dessert sur un plat de service.

COMPOTE DE FRUITS SECS AUX ÉPICES

Temps : 30 minutes
*   + temps de trempage*
Très facile

50 cl de vin blanc moelleux
100 g de raisins de Smyrne
200 g de pruneaux dénoyautés
200 g d'abricots secs
2 pommes
1 cuillerée à soupe de curry
  en poudre doux

Faites tremper les raisins de Smyrne, les pruneaux et les abricots dans le vin pendant au moins 12 heures. Prélevez un peu de vin et mélangez-le au curry. Mettez les fruits et tout le liquide, y compris celui qui est mélangé au curry, dans une casserole, couvrez et faites cuire jusqu'à ce que les fruits soient tendres, en ajoutant un peu d'eau s'ils adhèrent à la casserole. Si la quantité de liquide est trop importante, faites réduire à gros bouillons, en enlevant le couvercle.

   Pelez et videz les pommes. Coupez-les en dés et mélangez-les aux fruits au curry. Versez dans une coupe et servez.

PRUNEAUX AU VIN

Servez dans des coupelles, en décorant de rosettes de crème fouettée à l'aide d'une poche à douille munie d'un embout cannelé.

Temps : 5 minutes
*   + temps de trempage*
Très facile

500 g de pruneaux dénoyautés
1 cuillerée à café de cannelle
  en poudre

COMPOTE DE FRUITS
SECS AUX ÉPICES
■ La présence dans
ce dessert de curry
en poudre peut sembler
incongrue, mais les
différentes saveurs se
marient bien. Choisissez
un curry très doux.

50 g de sucre semoule
50 cl de vin de muscat (beaumes de
Venise par exemple)
2 cuillerées à café de jus
de citron

Dans une petite jatte, saupoudrez les pruneaux de cannelle et de sucre. Recouvrez-les avec le vin et le jus de citron. Laissez tremper pendant une nuit, puis réfrigérez jusqu'au moment de servir.

ASPIC DE POIRES AUX FRAMBOISES

Les poires sont disposées dans un plat creux rincé à l'eau froide. Lorsque la gelée a pris autour des fruits, on retourne le plat pour libérer un joli dessert parfaitement moulé.

*Temps : 30 minutes
+ temps de réfrigération
Très facile*

6 poires
10 cl d'eau
150 g de sucre semoule
2 gouttes d'extrait de vanille
200 g de gelée de framboises
1 cuillerée à soupe de cognac

Pelez les poires, coupez-les en quartiers et videz-les. Faites bouillir l'eau, le sucre et la vanille jusqu'à ce que le sucre soit complètement dissous. Laissez refroidir ce sirop avant de le verser sur les poires. Mettez au réfrigérateur pendant 2 heures.

Faites fondre la gelée de framboises (ou de la confiture de framboises tamisée) à feu doux, en remuant avec une cuillère en bois. Ajoutez le cognac. Ôtez du feu et laissez refroidir un moment. Égouttez les poires et déposez-les sur un plat de service. Nappez-les d'une fine cou-

che de gelée fondue. Mettez au réfrigérateur pendant 2 heures avant de servir.

ASPIC DE FRUITS EN GELÉE

Les couleurs verte et orange du melon associées au rose foncé de la pastèque s'harmonisent superbement dans la gelée.

*Temps : 1 heure
Très facile*

100 g de sucre en morceaux
3 oranges, lavées et essuyées
3 citrons, lavés et essuyés
50 cl d'eau
2 blancs d'œufs
3 cuillerées à soupe de gélatine
en poudre
1 melon
1 pastèque
10 cl de kirsch
100 g de sucre semoule

Frottez les morceaux de sucre contre le zeste des oranges et des citrons, afin qu'ils en absorbent les huiles essentielles. Pressez les agrumes et versez le jus dans une casserole. Ajoutez l'eau et les morceaux de sucre. Portez à ébullition, puis ajoutez les blancs d'œufs battus en neige légère pour éclaircir le mélange et laissez mijoter pendant 15 minutes environ. Passez au chinois dans une jatte et ajoutez la gélatine aussitôt, en veillant à ce qu'elle soit bien dissoute. Laissez refroidir. Rincez un moule à l'eau froide, sans l'essuyer, versez-y un peu de gelée et inclinez-le de façon à le napper entièrement d'une fine pellicule de gelée. Mettez-le au réfrigérateur. Laissez le reste de la gelée à température ambiante.

A l'aide d'une cuillère parisienne, videz le melon et la pas-

tèque de leur pulpe, après avoir ôté les graines et les filaments. Déposez-la dans une jatte, arrosez de kirsch et saupoudrez de sucre. Laissez reposer pendant 30 minutes. A l'aide d'une écumoire, déposez les boules de melon et de pastèque dans le moule. Remplissez avec le reste de gelée. Laissez prendre au réfrigérateur pendant au moins 6 heures. Juste avant de servir, retournez le moule, en le trempant brièvement dans de l'eau tiède si besoin, pour démouler la gelée sur un plat de service.

CRÈME AU CITRON ET AUX MYRTILLES

*Temps : 1 heure
Très facile*

4 œufs
100 g de sucre semoule
5 cl de jus de citron
le zeste râpé d'un demi-citron
25 cl de crème fraîche
300 g de myrtilles fraîches,
lavées et épongées

Dans une jatte, battez énergiquement les jaunes d'œufs en ajoutant progressivement le sucre. Lorsque le mélange est pâle et mousseux, ajoutez le jus de citron filtré et le zeste de citron râpé, sans cesser de battre. Faites épaissir au bain-marie, en remuant constamment. Ne faites pas trop chauffer, car la préparation retomberait. Laissez refroidir. Fouettez la crème et les blancs d'œufs dans des récipients distincts, puis incorporez-les délicatement à la préparation au citron refroidie. Versez dans une coupe et mettez au réfrigérateur pendant 2 heures. Décorez avec les myrtilles et servez.

Les beignets peuvent être confectionnés à base de froment, de riz, de semoule et d'autres substances farineuses, que l'on mélange à des œufs, du lait et un liquide (on ajoute parfois de la bière, pour plus de légèreté). On les fait frire dans de l'huile, de la Végétaline ou du beurre très chauds juste au moment de les servir, afin qu'ils soient bien croustillants, légers et digestes. Ce type de cuisson permet d'obtenir, à partir d'ingrédients très économiques, de succulents desserts. La pâte à frire forme un enrobage croquant et léger autour des fruits ou des autres aliments que l'on a choisis pour faire les beignets, dont la consistance contraste agréablement avec le « cœur », tendre et moelleux. Les friteuses électriques sont aujourd'hui équipées d'un thermostat et fermées durant la cuisson : ce type de cuisson est donc plus sûr qu'il ne l'était jadis, mais il convient toutefois de se montrer prudent et de ne jamais laisser la friteuse sans surveillance. De même, il faut l'éteindre, ou la retirer du feu dès que les beignets sont terminés.

BANANES FRITES

Utilisez les bananes aussitôt après les avoir coupées en rondelles, ou arrosez-les de jus de citron, afin d'éviter qu'elles ne noircissent.

Temps : 1 heure
Facile

6 bananes
25 cl de rhum ambré
100 g de sucre semoule
50 g de farine
huile de friture
1 à 2 cuillerées à soupe
  de sucre glace

Coupez les bananes en deux dans le sens de la longueur. Mélangez le rhum à une bonne cuillerée à soupe de sucre semoule et faites-y tremper les bananes pendant 30 minutes, en les retournant de temps en temps.

Mélangez la farine et le reste du sucre, puis enrobez les bananes de ce mélange. Faites-les frire dans une grande quantité d'huile très chaude. Égouttez-les sur du papier absorbant, saupoudrez de sucre glace et servez aussitôt.

BEIGNETS DE CERISES

Les œufs sont les seuls ingrédients liquides de cette pâte à frire : elle est donc suffisamment épaisse pour enrober d'autres fruits juteux, tels que des fraises ou des prunes.

Temps : 1 heure
Facile

3 œufs
50 g de farine
1 cuillerée à soupe de cognac

□ *Pour obtenir des beignets légers et croustillants, il suffit de respecter quelques principes simples : utilisez toujours de l'huile d'excellente qualité, qui n'a jamais été employée auparavant pour faire frire des aliments salés, ou du saindoux pur, qui donne d'excellents résultats. Servez-vous d'ustensiles sûrs et adaptés, d'une friteuse électrique de préférence, et veillez à ce que l'huile soit à la température adéquate. Enfin, lorsque vous avez préparé la pâte à frire, laissez-la reposer avant de l'utiliser.*

□ *A défaut de thermomètre spécial, si vous n'utilisez pas une friteuse électrique munie d'un thermostat, il existe d'autres moyens de vérifier si l'huile a atteint la température requise. Lorsque vous employez de l'huile d'olive, apprenez à reconnaître le moment qui précède immédiatement celui où elle commence à fumer et à pâlir. Éprouvez la température en plongeant un dé de pain dans l'huile : lorsque de petites bulles se forment autour du pain, l'huile est suffisamment chaude.*

□ *Consommez les aliments frits dès qu'ils sont cuits, car de légers et croustillants, ils deviennent rapidement indigestes et lourds. Si vous utilisez du saindoux, la friture à une température élevée évite qu'une quantité de graisse trop importante n'imbibe les beignets. Lorsque ceux-ci sont bien dorés, égouttez-les sur du papier absorbant.*

□ *Faites frire les beignets par petites quantités, de façon à maintenir la température de l'huile et à ne pas la faire chuter exagérément. Les huiles ou graisses utilisées pour frire une très grande quantité d'aliments sucrés, ou qui ont déjà servi plusieurs fois de suite, doivent être jetées, car elles risquent de devenir toxiques. Enfin, soyez vigilant sur la sécurité : ne laissez jamais une friteuse sans surveillance plus d'une minute sans éteindre le feu, car la température de la graisse peut monter très rapidement et être à l'origine d'un incendie.*

1 pincée de sel
1 à 2 cuillerées à soupe d'huile
  d'olive
1 kg de cerises
huile pour friture
1 cuillerée à soupe de sucre
  vanillé ou de sucre glace

Cassez les œufs dans une jatte et battez-les avec une fourchette. Incorporez progressivement la farine tamisée, le cognac, le sel, l'huile d'olive et juste assez d'eau froide pour obtenir une pâte à frire très épaisse que vous laisserez reposer pendant 30 minutes.

Lavez, épongez, équeutez et dénoyautez les cerises. Enfilez-en deux ou trois sur une petite pique de bois que vous trempez dans la pâte et faites frire dans de l'huile très chaude. Ôtez les cerises des piques au fur et à mesure qu'elles sont frites. Égouttez-les sur du papier absorbant, saupoudrez de sucre vanillé et servez chaud.

BEIGNETS DE POMMES

Temps : 1 h 30
Facile

6 pommes
25 cl de cognac
3 cuillerées à soupe de sucre semoule
50 g de farine
10 cl d'eau froide
1 cuillerée à soupe d'huile d'olive ou de beurre fondu
1 blanc d'œuf
huile pour friture
1 cuillerée à soupe de sucre glace

Pelez et videz les pommes. Coupez-les en rondelles assez épaisses que vous déposez dans un plat contenant le cognac mélangé au sucre (si vous le souhaitez, vous pouvez diluer le cognac dans 10 cl d'eau tiède). Retournez fréquemment les pommes pour les humecter.

Préparer la pâte à frire, en incorporant progressivement l'eau et l'huile (ou le beurre fondu) à la farine. Vous pouvez ajouter une pincée de sel. Lorsque la pâte a reposé pendant 1 heure, incorporez le blanc d'œuf battu en neige. Faites chauffer l'huile. Égouttez les rondelles de pommes et épongez-les bien avant de les plonger dans la pâte à frire. Faites frire quelques rondelles à la fois dans de l'huile très chaude ou du saindoux, dans une friteuse. Vous pouvez éventuellement les faire frire à la poêle, mais les beignets ne seront pas aussi croustillants et légers. Égouttez sur du papier absorbant et saupoudrez de sucre glace. Servez les beignets très chauds et croustillants.

BEIGNETS D'ANANAS

L'intérieur de ces beignets croquants, tendre et humide, surprend agréablement. Ne les garnissez pas trop et veillez à bien les sceller.

Temps : 1 heure
Facile

200 g de farine
40 g de beurre
25 cl de crème fraîche
1 à 2 cuillerées à soupe de miel liquide
1 pincée de sel
1 ananas frais, haché menu
3 cuillerées à soupe de flocons de noix de coco
1 à 2 cuillerées à soupe d'amandes pilées
3 cuillerées à soupe de sucre semoule
2 cuillerées à soupe de jus de citron
huile pour friture
1 à 2 cuillerées à soupe de sucre glace

Mélangez la farine avec le beurre ramolli, la crème, le miel et le sel pour obtenir une pâte lisse. Laissez reposer 20 minutes, puis roulez cette pâte en une fine abaisse, sur un plan de travail fariné. Découpez la pâte en disques, à l'aide d'un emporte-pièce de 8 cm de diamètre.

Préparez la garniture : égouttez la pulpe d'ananas, puis mélangez-la avec la noix de coco, les amandes, le sucre et le jus de citron. Déposez un peu de cette préparation au centre de chaque disque de pâte, que vous repliez en deux en appuyant sur les bords humectés pour sceller la pâte. Faites chauffer l'huile et, lorsqu'elle est près de fumer, faites dorer quelques beignets à la fois. (Si vous les faites frire à la poêle, retournez-les une fois.) Égouttez-les sur du papier absorbant et saupoudrez-les de sucre glace. Servez très chaud.

*BEIGNETS
AU MARSALA*
■ *Laissez un rebord plus
large qu'à l'habitude
lorsque vous scellez les
beignets : vous couperez
l'excédent de pâte avec
emporte-pièce cannelé.*

L'ANANAS

*Ce prince des fruits tropicaux
se trouve tout au long de
l'année, mais vous pouvez le
remplacer par l'ananas au
sirop. Utilisez de l'agar-agar
pour faire prendre les gelées,
cheesecakes et autres desserts à
l'ananas, car celui-ci décom-
pose la gélatine.*

BEIGNETS AU MARSALA

*Voici une variante sucrée
d'une recette bien connue de
petits beignets salés, que l'on
prépare sans le sucre et que
l'on sert seuls ou en accompagnement de viandes. Vous
pouvez remplacer le marsala
par du rhum.*

*Temps : 40 minutes
Facile*

3 œufs
3 cuillerées à soupe d'huile
  d'olive ou de beurre fondu
5 cl de marsala
50 g de sucre semoule
100 g de farine
1 cuillerée à café de levure
  chimique
huile pour friture
1 cuillerée à soupe de sucre
  glace

Battez bien les œufs avec l'huile
ou le beurre fondu, le marsala
et le sucre. Tamisez la farine
avec la levure et ajoutez-les au
mélange. Faites chauffer l'huile
et, lorsqu'elle commence à
fumer, plongez-y la pâte à frire
jusqu'à ce qu'elle gonfle et dore.
(Si vous faites frire les beignets

à la poêle, retournez-les une
fois). Égouttez les beignets sur
du papier absorbant et servez
très chaud, saupoudré de sucre
glace.

ANNEAUX AU MIEL ET A LA SEMOULE

*La semoule contenant moins
d'amidon que la farine, ces
beignets sont très croustillants
et fondent dans la bouche.*

*Temps : 1 heure
Facile*

60 cl d'eau
200 g de miel liquide
1 cuillerée à soupe de saindoux
1 pincée de sel
2 feuilles de laurier
300 g de farine
40 g de semoule
6 jaunes d'œufs
huile pour friture
3 cuillerées à soupe de sucre
  semoule

Versez l'eau dans une casserole.
Ajoutez le miel, le saindoux, le
sel et les feuilles de laurier, et
portez à ébullition. Ôtez du feu
et ajoutez aussitôt la farine et la
semoule. Remuez énergiquement avec une cuillère en bois.
Faites chauffer ce mélange très
épais à feu doux pendant quelques minutes, sans cesser de
remuer. Laissez refroidir un
peu, puis ôtez les feuilles de laurier. Incorporez les jaunes
d'œufs, un par un, en fouettant
énergiquement. Façonnez la
pâte en anneaux, puis faites-les
frire un par un dans l'huile
fumante. Égouttez-les au fur et
à mesure sur du papier absorbant. Réservez-les au chaud
pendant que vous finissez de
frire la fournée. Saupoudrez de
sucre et servez aussitôt.

BEIGNETS
AUX MARRONS
ET A L'ABRICOT
■ *Vous pouvez utiliser
d'autres confitures
pour confectionner
ces délicieux beignets.*

BEIGNETS • PATES A FRIRE

BEIGNETS AUX MARRONS

En Italie, ces beignets sont une spécialité que l'on sert au moment du carnaval. On ajoute souvent quelques pignons, dont le goût se marie bien à celui des marrons.

*Temps : 45 minutes
Facile*

300 g de marrons, cuits, pelés
 et passés au chinois,
 ou de farine de châtaignes
1 à 2 cuillerées à soupe
 de sucre semoule
100 g de raisins de Smyrne, mis
 à tremper dans de l'eau tiède
1 à 2 cuillerées à soupe
 de Grand Marnier
1 à 2 cuillerées à café de levure
 chimique
1 pincée de sel
huile pour friture

Mettez la purée de marrons ou tamisez la farine de châtaignes dans une grande jatte. Ajoutez le sucre, les raisins secs égouttés et épongés, le Grand Marnier, le sel et suffisamment d'eau pour obtenir une pâte à frire assez épaisse et crémeuse, mais encore un peu liquide. Laissez reposer pendant 15 minutes. Faites frire la pâte par cuillerées. (Si vous faites frire à la poêle, retournez les beignets une fois.) Égouttez sur du papier absorbant et servez très chaud.

BEIGNETS AUX MARRONS ET A L'ABRICOT

*Temps : 1 h 20
 + temps de trempage
Facile*

200 g de marrons
100 g de levure chimique

100 g de confiture d'abricots
1 à 2 cuillerées à soupe
 de liqueur, au choix
200 g de farine
1 œuf
30 g de beurre fondu
100 g de sucre semoule
lait
huile pour friture
1 à 2 cuillerées à soupe
 de sucre glace

Faites tremper les marrons dans de l'eau froide pendant au moins 3 heures. Égouttez-les, mettez-les dans une casserole avec de l'eau et faites-les bouillir pendant 40 minutes environ, jusqu'à ce qu'ils soient tendres et farineux. Égouttez-les et passez-les aussitôt au moulin à légumes. Mélangez la confiture d'abricots et la liqueur.

Tamisez la farine avec la levure sur le plan de travail. Faites un puits et cassez-y l'œuf. Ajoutez le beurre fondu et le sucre, puis incorporez progressivement cette pâte à la purée de marrons, en ajoutant suffisamment de lait pour obtenir une pâte assez molle.

Roulez la pâte en une abaisse assez fine. A l'aide d'un petit emporte-pièce rond, découpez des disques de pâte. Déposez un peu de confiture au centre de chaque disque, repliez-les pour enrober la garniture et soudez les bords en les humectant. Faites frire les beignets par petites quantités à la fois dans de l'huile très chaude. Égouttez-les sur du papier absorbant, saupoudrez de sucre glace et servez aussitôt.

BEIGNETS AU RHUM

Pour réaliser un dessert plus élaboré, déposez de la confiture ou de la crème pâtissière au centre de chaque cercle,

273

BEIGNETS
A LA RICOTTA
■ *La ricotta est un fromage frais à basse teneur en matières grasses qui convient à la préparation de nombreux desserts. A défaut, utilisez un bon fromage frais maigre.*

repliez-les pour envelopper la garniture et soudez bien les bords en les humectant. Faites frire les beignets de la même façon.

Temps : 1 heure
    + temps de levage
Facile

300 g de farine
1 cuillerée à soupe de sucre
    semoule
25 g de levure de boulanger
5 cl de lait tiède
2 œufs
1 pincée de sel
50 g de beurre fondu
3 cuillerées à soupe de rhum
huile pour friture

Tamisez la farine dans une jatte. Ajoutez le sucre, la levure dissoute dans le lait tiède, les œufs légèrement battus, le sel, le beurre et le rhum. Remuez jusqu'à obtention d'une pâte lisse. Farinez légèrement le plan de travail, puis travaillez la pâte jusqu'à ce qu'elle soit élastique, en la soulevant du plan de travail pour la rabattre aussitôt. Façonnez-la en boule, remettez-la dans la jatte et couvrez d'un linge. Laissez lever pendant 3 heures environ, jusqu'à ce que la pâte ait doublé de volume, dans un endroit tiède.

A l'aide d'un rouleau à pâtisserie légèrement fariné, abaissez la pâte sur 3 mm d'épaisseur environ. Découpez-la en disques avec un verre ou un emporte-pièce rond de 10 cm de diamètre. Coupez chaque disque en deux et faites frire les beignets. Lorsqu'ils sont bien dorés et croustillants, égouttez-les sur du papier absorbant et servez aussitôt.

BEIGNETS A LA RICOTTA

Temps : 1 heure
Facile

1 pomme de terre cuite
100 g de ricotta
1 œuf
1 à 2 cuillerées à soupe
  de sucre semoule
le zeste d'une orange, râpé
200 g de farine
1 à 2 cuillerées à café de levure
  chimique
3 cuillerées à soupe de liqueur
  à l'orange ou d'eau de fleur
  d'oranger
1 pincée de sel
huile de friture
1 à 2 cuillerées à soupe
  de sucre glace

Écrasez la pomme de terre ou passez-la, encore chaude, au moulin à légumes et mettez-la dans une jatte avec la ricotta. A l'aide d'une cuillère en bois, incorporez l'œuf, puis le sucre, le zeste râpé, la farine tamisée avec la levure. Mélangez et ajoutez la liqueur et le sel. Continuez à mélanger jusqu'à ce que le mélange soit homogène. Laissez reposer pendant 30 minutes.

Détachez de petits morceaux de pâte et aplatissez-les entre vos paumes préalablement farinées. Faites frire dans une poêle, par petites quantités à la fois, dans de l'huile très chaude, en retournant une fois. (Vous pouvez aussi utiliser une friteuse.) Égouttez sur du papier absorbant, saupoudrez de sucre glace et servez aussitôt.

PETS DE NONNE

Ces beignets sembleront être ceux d'un professionnel si vous déposez la pâte à frire en petits tas sur une plaque légèrement enduite d'huile d'amandes douces, à l'aide d'une poche à douille munie d'un gros embout. Vous pourrez ensuite faire frire plusieurs beignets à la fois.

Temps : 1 heure
Facile

25 cl d'eau
1 bonne pincée de sel
50 g de beurre
50 g de sucre semoule
150 g de farine
4 œufs
huile pour friture

Portez l'eau à ébullition, avec le sel, le beurre et le sucre. Dès que le mélange bout, ôtez-le du feu et versez la farine d'un seul coup dans la casserole, en remuant rapidement et vigoureusement à l'aide d'une cuillère en bois pour éviter la formation de grumeaux.

Hors du feu, incorporez les œufs un par un. La pâte à choux doit être lisse, dense et brillante. Détachez de petits morceaux de pâte de la grosseur d'une cuillère à café, roulez-les rapidement entre vos paumes préalablement farinées et faites-les frire dans l'huile chaude.

BEIGNETS DE RIZ

Sans la levure chimique, cette préparation serait lourde, à cause de la haute teneur en amidon du riz.

Temps : 1 h 15
Facile

200 g de riz rond
50 cl de lait
50 g de sucre semoule
1 œuf
10 g de levure chimique
3 cuillerées à soupe de farine
huile pour friture
3 cuillerées à soupe de sucre
  vanillé ou de sucre glace

Faites cuire le riz à feu doux dans le lait jusqu'à ce qu'il l'ait entièrement absorbé. Hors du feu, mélangez rapidement le sucre, puis l'œuf légèrement battu, la levure et suffisamment de farine pour que la préparation soit très ferme. Laissez reposer pendant 15 minutes avant de faire frire des cuillerées rases de pâte dans de l'huile fumante. Saupoudrez de sucre vanillé et servez aussitôt.

ANNEAUX DE POMME DE TERRE

Vous pouvez parfumer ces beignets avec une bonne pincée de clous de girofle en poudre ou de zeste de citron finement râpé.

Temps : 1 h 10
  + temps de levage
Facile

200 g de pommes de terre, cuites
30 g de levure de boulanger
10 cl d'eau tiède
200 g de farine
1 cuillerée à café de sel
1 cuillerée à café de cannelle en poudre
huile pour friture
1 à 2 cuillerées à café de sucre glace

Passez les pommes de terre encore chaudes au moulin à légumes. Faites dissoudre la levure dans l'eau tiède et mélangez-la avec les pommes de terre et la farine. Pétrissez jusqu'à obtention d'une pâte homogène. Ajoutez le sel et la cannelle. Formez de longs rouleaux de 2 cm d'épaisseur environ, que vous couperez en tronçons de 15 cm de long environ. Rapprochez les extrémités pour former de petits anneaux, couvrez d'un linge et laissez lever dans un endroit tiède jusqu'à ce que la pâte ait doublé de volume. Faites frire quelques anneaux à la fois dans de l'huile fumante. Saupoudrez de sucre glace et servez.

PATE A BEIGNETS POUR FRUITS

Épongez bien les fruits avant de les plonger dans cette pâte à frire très simple et rapide à

préparer. *Vous pouvez saupoudrer les fruits en tranches de sucre glace.*

Temps : 10 minutes
Très facile

150 g de farine
1 cuillerée à soupe de levure chimique
1 cuillerée à soupe de sucre semoule
2 jaunes d'œufs
1 pincée de sel
15 cl de vin blanc
2 blancs d'œufs

Tamisez la farine avec la levure dans une jatte. Ajoutez le sucre, les jaunes d'œufs légèrement fouettés et le sel. Mélangez bien. Versez le vin, petit à petit, sans cesser de mélanger, puis incorporez délicatement les blancs d'œufs battus en neige ferme.

PATE A BEIGNETS POUR FRUITS AU COGNAC

Cette pâte à frire est plus légère que la précédente. Vous pouvez remplacer le cognac par du Grand Marnier ou du Cointreau.

Temps : 10 minutes
Facile

150 g de farine
1 jaune d'œuf
1 cuillerée à soupe de sucre semoule
1 à 2 cuillerées à soupe de cognac
1 cuillerée à soupe d'huile d'olive ou de beurre fondu
1 pincée de sel
15 cl d'eau
1 blanc d'œuf

Versez la farine dans une jatte. Ajoutez, en remuant, le jaune

d'œuf, le sucre, le cognac, l'huile, le sel et l'eau. Incorporez le blanc d'œuf battu en neige.

BEIGNETS AU FROMAGE FRAIS

Vous obtiendrez une pâte plus légère en remplaçant le mascarpone par de la ricotta ou un autre fromage frais.

Temps : 1 heure
  + temps de levage
Facile

1 cuillerée à soupe de levure de boulanger
10 cl de lait
200 g de farine
1 cuillerée à soupe d'huile
200 g de mascarpone
1 cuillerée à soupe de sucre semoule
1 pincée de sel
huile pour friture

Faites bouillir le lait. Laissez-le refroidir à la température adéquate et ajoutez la levure. Réservez tous les autres ingrédients à température ambiante. Versez la farine dans une grande jatte. Faites un puits. Mettez-y la levure délayée dans le lait, l'huile, le mascarpone, le sucre et le sel. Mélangez bien et pétrissez la pâte jusqu'à ce qu'elle soit lisse et élastique. Couvrez et laissez reposer pendant 1 heure dans un endroit tiède.

Abaissez la pâte sur une épaisseur de 5 mm d'épaisseur environ, puis coupez-la en losanges, en carrés ou en rectangles, à l'aide d'emporte-pièce cannelés. Faites frire les beignets par petites quantités à la fois dans de l'huile très chaude. Lorsqu'ils sont gonflés et dorés, égouttez-les sur du papier absorbant.

BEIGNETS DE MARDI GRAS

Temps : 1 h 30
Facile

25 cl d'eau froide
    + 2 cuillerées à soupe
50 g de beurre
1 pincée de sel
150 g de farine
3 œufs
50 g de sucre semoule
le zeste d'un citron, râpé
huile de friture
3 cuillerées à soupe de sucre
    vanillé

Faites chauffer l'eau avec le beurre et le sel. Ôtez du feu et versez la farine tamisée d'un seul coup dans la casserole, en remuant rapidement et vigoureusement avec une cuillère en bois. Remettez à feu doux et continuez de remuer jusqu'à ce que la pâte se décolle des bords de la casserole

Ôtez du feu. Incorporez les œufs un par un, en mélangeant bien entre chaque adjonction. Ajoutez le sucre et le zeste de citron. Laissez reposer pendant 10 minutes. Faites frire 1 ou 2 cuillerées de pâte à la fois. Vous pouvez aussi utiliser une poche à douille et couper des tronçons de pâte de 4 cm. Ces beignets doivent être légers, aérés et brun doré. Saupoudrez de sucre vanillé ou de sucre glace et servez très chaud.

CHIFFONS

Temps : 1 heure
Facile

250 g de farine
40 g de beurre
1 à 2 cuillerées à soupe
    de sucre semoule
2 œufs

3 cuillerées à soupe de cognac
1 pincée de sel
huile pour friture
1 cuillerée à soupe de sucre
    glace

Versez la farine dans une grande jatte. Incorporez le beurre ramolli du bout des doigts, puis le sucre, les œufs, le cognac et le sel. Pétrissez jusqu'à obtention d'une pâte lisse, suffisamment ferme pour être facilement abaissée. Façonnez une boule de pâte, couvrez d'un linge et laissez reposer pendant 30 minutes dans un endroit tiède.

Pétrissez de nouveau la pâte. Abaissez-la aussi finement que possible. Découpez-la en formes géométriques, que vous faites frire dans de l'huile très chaude. Égouttez sur du papier absorbant et saupoudrez de sucre glace.

BEIGNETS NAPOLITAINS

L'emploi de saindoux dans la pâte permet d'obtenir des beignets d'une légèreté incomparable, comme en témoigne cette spécialité napolitaine. Vous pouvez remplacer l'alkermes par une autre liqueur.

Temps : 1 h 15
Facile

20 g de levure de boulanger
5 cl d'eau tiède
250 g de farine
2 œufs
50 g de saindoux ramolli
75 g de sucre semoule
huile pour friture
200 g de miel liquide
5 cl d'alkermes

Faites dissoudre la levure dans l'eau. Versez la farine dans une

grande jatte. Faites un puits. Ajoutez les œufs, la levure délayée dans l'eau, le saindoux et le sucre. Mélangez bien, couvrez d'un linge et laissez reposer dans un endroit tiède jusqu'à ce que la pâte se plisse.

Pétrissez la pâte. Abaissez-la sur 5 mm d'épaisseur environ, puis coupez-la en petits rectangles, que vous ferez frire dans de l'huile très chaude. Égouttez-les sur du papier absorbant. Réchauffez légèrement le miel et mélangez-le à la liqueur avant d'en arroser les beignets.

BEIGNETS FOURRÉS AUX ÉPICES

Vous pouvez préparer une garniture plus légère en mélangeant des fruits ou de l'écorce confits, hachés, avec des épices et un œuf.

Temps : 1 h 30
Facile

200 g de farine
1 cuillerée à soupe d'huile
    d'olive
10 cl de vin blanc
1 pincée de sel
Pour la garniture :
200 g de marrons bouillis,
    pelés et réduits en purée
1 cuillerée à café de miel
1 cuillerée à soupe de cacao
    en poudre
1 cuillerée à café de cannelle
    en poudre
1 cuillerée à soupe d'amandes
    grillées, finement hachées
1 cuillerée à soupe de fruits
    ou d'écorce confits,
    hachés en dés
le zeste d'une demi-orange, râpé
1 cuillerée à soupe de café
    en poudre
1 à 2 cuillerées à soupe
    de liqueur, au choix

Au fur et à mesure que vous faites frire les beignets, réservez-les au chaud.

6 poires
25 cl de cognac
3 cuillerées à soupe de sucre
   semoule
10 cl d'eau
1 cuillerée à soupe d'huile
   d'olive
50 g de farine
1 blanc d'œuf
huile pour friture
1 cuillerée à soupe de sucre
   glace

Pelez et videz les poires à l'aide d'un vide-pomme. Coupez-les en rondelles. Mélangez le cognac avec le sucre et laissez-y macérer les poires pendant 1 heure, en remuant de temps en temps pour que les fruits soient uniformément humectés et parfumés.

Vous pouvez ajouter 10 cl d'eau tiède au cognac sucré : le parfum sera plus délicat, et le sucre se dissoudra mieux.

Préparez la pâte à frire en mélangeant progressivement l'eau et l'huile à la farine. Laissez reposer pendant au moins 45 minutes. Juste avant de faire frire les beignets, incorporez le blanc d'œuf battu en neige à la pâte.

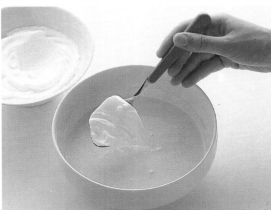

Égouttez les rondelles de poire et épongez-les avec du papier absorbant, ou enrobez-les de sucre glace. Plongez-les dans la pâte par petites quantités à la fois.

Faites frire les rondelles de poire, toujours par petites quantités à la fois, pour maintenir la température de l'huile, qui doit être fumante.

Lorsque les beignets sont dorés et croustillants, sortez-les à l'aide d'une écumoire. Laissez-les égoutter sur du papier absorbant et saupoudrez-les de sucre glace.

Servez les beignets aussitôt, pendant qu'ils sont encore bien chauds.

NIDS D'HIRONDELLES
■ *Utilisez un panier spécial à long manche pour faire frire ces « nids » : la pâte est prise entre le panier intérieur et le panier extérieur, d'où sa jolie forme.*

huile pour friture
1 cuillerée à soupe de sucre glace

Préparez la pâte en mélangeant la farine, l'huile, le vin et le sel : ajustez la quantité de vin en fonction de la sécheresse de la pâte, qui doit pouvoir être roulée en une fine abaisse. Pétrissez soigneusement la pâte avant de l'abaisser et de découper des disques de 6 cm de diamètre environ. Mélangez tous les ingrédients de la garniture. Déposez une grosse cuillerée de ce mélange au centre de chaque disque. Posez un autre disque de pâte par-dessus et soudez, en les pressant, les bords humectés avec un peu d'eau. Faites frire les beignets par petites quantités à la fois jusqu'à ce qu'ils soient dorés et croustillants. Saupoudrez de sucre glace et servez aussitôt.

NIDS D'HIRONDELLES

Temps : 1 heure
Facile

2 œufs
250 g de farine
huile pour friture
100 g de miel liquide
100 g de cerneaux de noix

Mélangez les œufs avec la farine. Abaissez la pâte finement sur le plan de travail légèrement fariné. Farinez la pâte, roulez-la comme vous le feriez pour un roulé à la confiture et coupez-la en fines bandes : cette méthode permet d'obtenir des bandes de pâte d'une largeur régulière. Prenez deux ou trois bandes et formez des spirales au creux de votre main, en pressant les extrémités pour les souder. Déposez-les sur une passette en métal, en enfonçant le centre de la spirale dans le filet. Plongez délicatement la passette dans l'huile très chaude, en utilisant des pinces si besoin, et faites frire les nids jusqu'à ce qu'ils soient dorés et croustillants. (Si vous disposez d'un panier spécial, utilisez-le, pour plus de facilité et de sécurité.) Égouttez-les sur du papier absorbant et, lorsqu'ils sont tous frits, garnissez-les de morceaux de noix et de miel (voir illustration).

BEIGNETS RUBANS

Utilisez le saindoux à la température adéquate : fumant, afin d'obtenir des beignets croustillants et légers.

Temps : 1 heure
Facile

300 g de farine
50 g de sucre semoule
1 œuf + 1 jaune
30 g de beurre
3 cuillerées à soupe de vermouth blanc
1 pincée de sel
saindoux pour la friture
1 cuillerée à soupe de sucre vanillé ou de sucre glace

Versez la farine dans une grande jatte. Faites un puits. Ajoutez le sucre, l'œuf et le jaune, le beurre ramolli, le vermouth et le sel. Incorporez progressivement ces ingrédients à la farine jusqu'à obtention d'une pâte ferme, mais non sèche et dure. Laissez-la reposer pendant 5 mn entre deux assiettes légèrement farinées, puis abaissez-la aussi finement que possible.
A l'aide d'un emporte-pièce cannelé, découpez des rubans dentelés de 2 cm de large et de 15 cm de long environ. Nouez-les en leur milieu sans les serrer, en laissant les extrémités libres (voir illustration pp. 268-269). Faites frire les rubans un par un dans du saindoux très chaud jusqu'à ce qu'ils soient dorés et croustillants (si vous les faites frire à la poêle, retournez-les une fois). Égouttez-les sur du papier absorbant, saupoudrez-les de sucre vanillé et servez aussitôt.

GNOCCHIS SUCRÉS

Le saindoux, qui se conserve bien au réfrigérateur, permet de réaliser d'excellentes fritures, très légères.

Temps : 1 heure
Facile

300 g de farine
2 œufs
50 g de saindoux
2 cuillerées à soupe de sucre semoule

2 cuillerées à café
  de bicarbonate de soude
1 pincée de sel
5 cl de cognac
le zeste d'une citron, râpé
saindoux pour la friture
150 g d'écorce d'orange
  et de cédrat confits
2 cuillerées à soupe de zeste
  d'orange, râpé
200 g de miel liquide

Tamisez la farine sur le plan de travail. Faites un puits. Ajoutez les œufs, la saindoux ramolli, le sucre, le bicarbonate de soude, le sel, le cognac et le zeste de citron. Mélangez bien. Si la pâte est trop sèche ou trop dure, humectez-la en ajoutant un peu de cognac.

Façonnez une boule de pâte, pétrissez-la brièvement, puis abaissez-la sur 1 cm d'épaisseur environ. Coupez l'abaisse en bandes de 1 cm de large, que vous recoupez tous les centimètres, de façon à obtenir des carrés de 1 cm de côté.

Faites chauffer le saindoux, sans le faire fumer (pour vérifier la température, plongez-y un dé de pain : des bulles doivent se former autour), puis faites frire les dés de pâte par petites quantités à la fois. Lorsqu'ils sont légèrement dorés, sortez-les avec une écumoire et égouttez-les. Afin que les gnocchi puissent cuire à l'intérieur sans brûler en surface, la température du bain de friture sera légèrement inférieure à la normale.

Faites fondre le miel à feu doux avec les écorces confites coupées en petits dés et le zeste d'orange râpé, et nappez les gnocchis de ce sirop.

CROQUETTES AUX MACARONS ET A LA RICOTTA

Faites frire ces croquettes dans du beurre, en les retournant, afin qu'elles soient dorées uniformément.

Temps : 45 minutes
Facile

200 g de macarons, émiettés
400 g de ricotta
3 œufs
1 à 2 cuillerées à soupe
  de farine
50 g de sucre semoule
1 cuillerée à café de cannelle
  en poudre
100 g de chapelure
100 g de beurre,
  clarifié si possible (voir p. 133)

A l'aide d'un robot ménager, réduisez les macarons en miettes. Versez-les dans une jatte et ajoutez la ricotta. Mélangez bien. Ajoutez 2 œufs un par un, la farine, le sucre et la cannelle. Lorsque les ingrédients sont intimement mélangés, façonnez des croquettes entre vos paumes, préalablement farinées. Passez-les dans l'œuf restant légèrement battu, puis roulez-les dans la chapelure.

Faites chauffer le beurre dans une poêle. Faites-y frire les croquettes, en les retournant délicatement. Égouttez-les sur du papier absorbant et servez.

BEIGNETS DE CARNAVAL

Temps : 1 heure
Facile

300 g de farine
1 cuillerée à soupe de levure
  chimique
2 œufs
1 cuillerée à soupe d'huile
  d'olive
1 à 2 cuillerées à soupe
  de rhum
50 g de beurre
100 g de sucre semoule
le zeste d'un citron, râpé
1 pincé de sel
50 cl de lait
huile pour friture
1 cuillerée à soupe de sucre
  vanillé

Tamisez la farine avec la levure dans une grande jatte. Faites un puits. Ajoutez les jaunes d'œufs, l'huile, le rhum, le beurre ramolli, le sucre, le zeste de citron et le sel. Incorporez ces ingrédients à la farine, ajoutez les blancs d'œufs battus en neige, puis le lait, et mélangez jusqu'à obtention d'une pâte homogène et lisse.

Formez de longs rouleaux de pâte de 2 cm d'épaisseur environ entre vos paumes. Coupez des tronçons de 2 cm de long et pressez l'un des côtés contre les dents d'une fourchette. Faites frire les beignets par petites quantités à la fois dans de l'huile chaude mais non fumante, afin qu'ils cuisent sans brunir exagérément. Égouttez-les sur du papier absorbant, saupoudrez de sucre vanillé ou de sucre glace et servez.

MACARONS FRITS

Les macarons, préparés avec un mélange d'amandes douces et amères, se prêtent à des emplois très variés.

Temps : 45 minutes
Facile

1 œuf
150 g de farine
10 cl d'eau
200 g de macarons
20 cl de rhum
huile pour friture

Battez l'œuf, puis ajoutez la farine petit à petit, sans cesser de battre vigoureusement. Ajoutez suffisamment d'eau pour obtenir une pâte épaisse qui forme le ruban. Imbibez les macarons de rhum, passez-les dans la pâte à frire et faites-les frire dans de l'huile très chaude. Égouttez-les sur du papier absorbant et servez aussitôt.

BEIGNETS
A LA CRÈME ANGLAISE

Temps : 1 h 15
Facile

2 œufs + 2 jaunes
75 g de farine
50 cl de lait
50 g de sucre semoule
le zeste d'un petit citron, râpé
Pour l'enrobage :
100 g de farine

1 œuf
100 g de chapelure très fine
huile pour friture
1 cuillerée à soupe de sucre
   vanillé

Dans une casserole, battez légèrement les œufs. Mélangez un
peu de lait froid à la farine, puis
ajoutez le reste du lait. Versez
dans la casserole contenant les
œufs battus et faites chauffer à
feu doux, sans cesser de remuer,
pendant 10 minutes environ

après que le mélange a épaissi.
Ajoutez le sucre et le zeste de
citron et mélangez bien. Ôtez du
feu et continuez à remuer
jusqu'à ce que la crème ait un
peu refroidi. Ajoutez les jaunes
d'œufs et remuez pendant quelques instants.

Versez cette crème épaisse sur
un marbre légèrement humecté
d'eau glacée. Laissez la préparation refroidir et se figer.
Coupez-la en rectangles ou en
losanges, que vous passerez
dans la farine, puis dans l'œuf
légèrement battu, avant de les
rouler dans la chapelure. Faites
frire dans de l'huile très chaude. Égouttez les beignets,
saupoudrez-les de sucre vanillé
ou de sucre glace et servez
aussitôt.

BATONNETS PANÉS

Ces bâtonnets légers et déli-
cats, qui fondent dans la bou-
che, sont délicats à préparer,
car ils ont tendance à s'émiet-
ter. Pour pallier cet inconvé-
nient, ajoutez un jaune d'œuf
à la préparation.

Temps : 40 minutes
Assez facile

3 blancs d'œufs
50 g de sucre semoule
le zeste d'un citron, râpé
200 g de chapelure
huile pour friture

Battez les blancs d'œufs en neige
ferme. Ajoutez le sucre, le zeste
de citron et la chapelure. Déposez 1 cuillerée à soupe de ce
mélange entre vos paumes et
roulez la pâte en bâtonnet. Faites frire dans de l'huile très
chaude et égouttez sur du papier
absorbant.

281

Selon la légende, alors qu'il regardait Rome brûler, Néron dégustait un mélange de neige, de miel et de jus de fruits frais. A cette époque, déjà, les nantis pouvaient se délecter des ancêtres de nos modernes sorbets. Ceux-ci peuvent être servis entre les mets, pour rafraîchir le palais, ou à la fin du repas. Grâce aux sorbetières, la confection de sorbets aussi agréables à l'œil qu'au palais est très facile. A défaut, versez la préparation dans un plat peu profond que vous mettez au congélateur. Battez-la ou passez-la de nouveau dans un mixer, ajoutez du blanc d'œuf si la recette l'exige et remettez au congélateur. Répétez cette opération encore une fois.

SORBET AU RAISIN

Pour obtenir un parfum plus prononcé, remplacez le sirop de sucre par 50 cl de jus de raisin, additionné de 250 g de sucre, que vous ferez bouillir 5 minutes.

Temps : 40 minutes
Très facile

250 g de sucre semoule
50 cl d'eau
1 kg de raisin
le jus d'un citron
1 blanc d'œuf

Portez le sucre et l'eau à ébullition et faites bouillir 5 minutes à feu moyen. Laissez refroidir. Lavez et essuyez les raisins, égrappez-les et passez-les au tamis pour extraire le jus. Versez le jus dans un chinois. Mélangez 25 cl de jus avec le jus du citron. Incorporez au sirop de sucre froid et versez dans la sorbetière. Lorsque le sorbet est épaissi, mais pas encore dur, ajoutez le blanc d'œuf battu en neige ferme, puis laissez dans la sorbetière jusqu'à obtention d'une consistance très ferme.

□ Le mot « sorbet » vient de l'arabe. Les Arabes, en effet, ont été les premiers à confectionner ces glaces à l'eau rafraîchissantes et désaltérantes, qui, à l'origine, étaient parfumées avec des agrumes.

□ Les sorbets et glaces à l'eau rafraîchissent et nettoient le palais, parfois dénaturé par des mets trop riches. C'est pourquoi on sert souvent un sorbet entre les plats, la plupart du temps au citron ou à la pomme. Les sorbets doivent toujours être présentés dans de la vaisselle en verre ou en faïence : les coupes métalliques sont à proscrire.

□ Les coupes à glace, les verres à parfait ou les verres à vin de taille moyenne, en cristal de préférence, mettront parfaitement en valeur vos sorbets. La façon la plus simple de les préparer consiste à utiliser une sorbetière, qui assure une température égale et remue le mélange pendant le refroidissement, évitant ainsi la formation de paillettes de glace. A défaut, faites geler vos sorbets et glaces à l'eau dans des bacs à glaçons dont vous aurez ôté les séparations. Remuez fréquemment avec une fourchette, afin de réduire les paillettes au minimum. Il est déconseillé d'augmenter les quantités de sucre indiquées dans ces recettes, car il pourrait se cristalliser, et la consistance du sorbet serait alors plus grossière. Les granités, qui font appel aux mêmes ingrédients de base, sont encore plus faciles et rapides à préparer.

□ Plus légers que les crèmes glacées, les sorbets conviennent souvent mieux pour achever un bon repas. Les sorbets et glaces à l'eau au citron et à la menthe facilitent la digestion, aussi bien entre les plats qu'au dessert.

SORBET A LA PAPAYE ET A LA MANGUE

Selon la variété de papaye employée, la couleur de ce sorbet ira du rose le plus délicat à l'orange. Servez-le entouré de rondelles de kiwi, dans un plat ovale réfrigéré.

Temps : 30 minutes
Très facile

250 g de sucre semoule
3 pamplemousses
100 g de kiwis, pelés
250 g de pulpe de papaye
250 g de pulpe de mangue

Mettez le sucre dans une casserole. Pressez le jus de 2 pamplemousses, ajoutez-le au sucre et faites bouillir pendant 5 minutes. Laissez refroidir. Pressez le pamplemousse restant et mettez le jus dans un robot ménager avec la pulpe des autres fruits. Réduisez en purée lisse et incorporez délicatement au sirop avant de verser dans la sorbetière.

SORBET AU MUSCAT

Cette recette peut servir à préparer des sorbets à l'orange ou au pamplemousse : il suffit de remplacer le vin par du jus de fruits.

Temps : 30 minutes
Très facile

300 g de sucre semoule
6 oranges bien juteuses
4 citrons
10 cl de vin de muscat
  (beaumes de Venise
  par exemple)
1 blanc d'œuf

Mélangez le sucre et le jus de 3 oranges et de 2 citrons dans une casserole. Portez à ébullition et laissez frémir pendant 5 minutes. Laissez refroidir avant d'ajouter le vin et le jus des oranges et citrons restants. Versez dans la sorbetière et laissez prendre pendant le temps requis. Lorsque le sorbet a épaissi, ajoutez le blanc d'œuf battu en neige ferme. Laissez durcir.

SORBET AUX FRUITS DE LA PASSION

Vous pouvez décorer ce sorbet avec des rondelles de fruit de la passion.

Temps : 30 minutes
Très facile

250 g de sucre semoule
4 oranges
600 g de fruits de la passion bien mûrs
1 blanc d'œuf

Dans une casserole, mélangez le sucre au jus de 3 oranges. Portez à ébullition et laissez frémir pendant 5 minutes. Laissez refroidir.
   Évidez les fruits de la passion et passez la pulpe au tamis. Mélangez dans une jatte avec le jus de l'orange restante. Ajoutez le sirop d'orange et mélangez bien. Versez dans la sorbetière. Lorsque le sorbet a épaissi, ajoutez le blanc d'œuf battu en neige ferme, puis laissez tourner encore 5 minutes.

SORBET A LA BANANE

Pour éviter que les rondelles de banane ne noircissent, arrosez-les de jus de citron.

Temps : 30 minutes
Très facile

200 g de pulpe de banane
2 cuillerées à soupe de jus de citron
250 g de sucre semoule
50 cl d'eau
1 blanc d'œuf
1 banane, coupée en rondelles
6 cerises confites

Passez la pulpe de banane au tamis et ajoutez le jus de citron. Portez à ébullition l'eau additionnée du sucre et laissez frémir pendant 5 minutes. Laissez refroidir, puis incorporez à la purée de banane. Versez dans la sorbetière et laissez prendre.

Lorsque le sorbet est épais, mais non dur, incorporez le blanc d'œuf battu en neige ferme, puis laissez tourner la sorbetière encore 5 minutes. Servez le sorbet dans des coupes à glace et décorez d'une rondelle de banane et d'une cerise confite.

SORBET AUX MURES

Un délicieux dessert de fin d'été, que vous décorerez de crème Chantilly.

Temps : 30 minutes
Très facile

250 g de sucre semoule
50 cl d'eau
400 g de mûres
le jus d'un citron
1 blanc d'œuf

Mettez le sucre et l'eau dans une casserole. Portez à ébullition et laissez frémir pendant 5 minutes. Laissez refroidir. Lavez et épongez les mûres, puis passez-les au tamis. Dans une jatte, incorporez le jus de citron à la purée de mûres, puis mélangez au sirop de sucre froid. Versez dans la sorbetière. Lorsque le sorbet a épaissi, incorporez le blanc d'œuf battu en neige ferme, puis laissez tourner la sorbetière pendant 5 minutes.

MELON
■ *Gravure allemande
du XVIIIe siècle.
Les melons qui servent
à confectionner
des desserts doivent être
parfaitement mûrs
et sans aucune tache.*

SORBET
AU CHAMPAGNE

Vous pouvez remplacer le champagne par un bon vin mousseux, blanc ou rosé, et ajouter une pincée de cannelle.

*Temps : 30 minutes
Très facile*

250 g de sucre semoule
50 cl d'eau
50 cl de champagne
le jus de 4 gros citrons
   bien juteux
1 blanc d'œuf

Portez le sucre et l'eau à ébullition. Baissez le feu et laissez frémir pendant 5 minutes. Laissez bien refroidir. Ajoutez le champagne et le jus de citron, en remuant. Versez dans la sorbetière. Lorsque le sorbet a épaissi, incorporez le blanc d'œuf battu en neige ferme. Faites tourner la sorbetière pendant 5 minutes.

SORBET
AU MELON

Faites macérer la pulpe du melon pendant 1 heure dans un peu de vin doux.

*Temps : 30 minutes
Très facile*

200 g de sucre semoule
50 cl d'eau
1 kg de pulpe de melon bien
   mûr
le jus d'un citron

Dans une casserole, faites bouillir le sucre et l'eau, puis laissez frémir pendant 5 minutes. Laissez refroidir. Passez la chair de melon et le jus de citron au mixeur. Incorporez le sirop froid, en remuant délicatement, puis versez dans la sorbetière. Laissez prendre.

SORBET
AUX KIWIS

Coupez les kiwis en deux horizontalement et videz-les de leur pulpe à l'aide d'une cuillère à café : cette méthode est beaucoup plus rapide que de peler les fruits et évite le gaspillage. Pour obtenir un parfum plus prononcé, ne mettez pas de sirop de sucre : utilisez 1 kg de kiwis réduits en purée dans un mixer, filtrée, que vous ferez bouillir avec 200 g de sucre.

*Temps: 40 minutes
Très facile*

1,5 kg de kiwis, pelés
25 cl d'eau
250 g de sucre semoule
2 cuillerées à soupe de jus
   de citron
1 blanc d'œuf

Mettez 1 kg de kiwis et l'eau dans une casserole. Portez à ébullition et laissez frémir pendant 10 minutes. Passez au chinois, puis versez dans une autre casserole contenant le sucre. Portez à ébullition et laissez frémir pendant 5 minutes. Laissez refroidir ce sirop.

Pelez le reste des kiwis. Passez au mixer avec le jus de citron. Incorporez le sirop de kiwis froid. Filtrez, puis versez dans la sorbetière.

Lorsque le sorbet a épaissi, incorporez le blanc d'œuf battu en neige ferme, puis laissez fonctionner la sorbetière encore 5 minutes, jusqu'à ce que le sorbet soit très ferme.

LE MELON

Les melons d'Espagne, d'hiver ou d'Antibes, que l'on trouve toute l'année, ne sont pas aussi savoureux que les melons de Cavaillon, dont la saison est plus courte.

SORBET
A L'ABRICOT

*Temps : 30 minutes
Facile*

650 g d'abricots frais,
   dénoyautés
2 cuillerées à soupe de jus
   de citron
250 g de sucre semoule
30 cl d'eau
1 blanc d'œuf

Pelez les abricots. A l'aide d'un mixer, réduisez-les en purée très lisse avec le jus de citron. Portez le sucre et l'eau à ébullition. Laissez frémir pendant 5 minutes. Ôtez du feu et laissez refroidir. Lorsque le sirop est froid, mélangez-le délicatement à la purée d'abricots et versez le tout dans la sorbetière.

Lorsque le sorbet a épaissi, incorporez le blanc d'œuf battu en neige ferme, puis faites fonctionner la sorbetière encore

SORBET AU CITRON
■ *Ce sorbet est traditionnellement servi entre les plats, afin de rafraîchir le palais derrière un plat très riche et de le préparer à apprécier le suivant. Servez ce sorbet après tout plat de viande en sauce. Une petite quantité par convive suffit.*

Versez le jus dans une casserole, ajoutez le sucre et portez à ébullition. Laissez frémir pendant 5 minutes. Laissez refroidir, puis incorporez la purée d'ananas. Versez dans la sorbetière.

Lorsque le sorbet a épaissi, incorporez le blanc d'œuf battu en neige ferme, puis faites fonctionner la sorbetière encore 5 minutes, jusqu'à ce que le sorbet ait une consistance très ferme. Décorez de dés d'ananas et servez.

SORBET AU CITRON

Temps : 45 minutes
Facile

le jus de 12 citrons
300 g de sucre semoule
25 cl d'eau
1 blanc d'œuf

Lavez soigneusement les citrons, essuyez-les et pressez-les. Pelez soigneusement le zeste de 4 citrons, en veillant à ce qu'il

ne reste pas de peau blanche, amère. Coupez-le en fines bandelettes ou déchiquetez-le, puis mettez-le dans une casserole avec la moitié du jus de citron, le sucre et l'eau. Portez à ébullition et laissez frémir pendant 5 minutes. Filtrez, puis laissez refroidir. Incorporez le jus de citron restant, filtré, puis versez dans la sorbetière.

Lorsque le sorbet a épaissi, incorporez le blanc d'œuf battu en neige ferme, puis faites fonctionner la sorbetière encore 5 minutes, jusqu'à ce que le sorbet ait une consistance très ferme.

SORBET AUX PÊCHES

Hachez quelques amandes mondées ainsi que les aman- des des noyaux de pêche et saupoudrez-en les coupes de sorbet, en ajoutant une pincée de cannelle en poudre.

Temps : 30 minutes
Très facile

3 amandes de noyaux de pêche
250 g de sucre semoule
50 cl d'eau
6 grosses pêches jaunes très juteuses et bien mûres
2 cuillerées à soupe de jus de citron

Pilez les amandes des noyaux de pêche et mettez-les dans une casserole avec le sucre et l'eau. Portez à ébullition et laissez frémir pendant 5 minutes. Laissez refroidir avant de filtrer. Passez au mixer la chair des pêches et le jus de citron filtré. Incorpo-

5 minutes, jusqu'à ce que le sorbet soit très ferme.

SORBET A L'ANANAS

Servez dans des coupes et décorez de crème fouettée légèrement additionnée de sucre glace.

Temps : 30 minutes
Facile

1 ananas bien mûr
2 cuillerées à soupe de jus de citron
le jus de 4 oranges
250 g de sucre semoule
1 blanc d'œuf

Pelez la moitié de l'ananas et coupez-le en tranches, après avoir ôté la partie centrale, plus dure. Passez au mixer avec le jus de citron. Pressez les oranges.

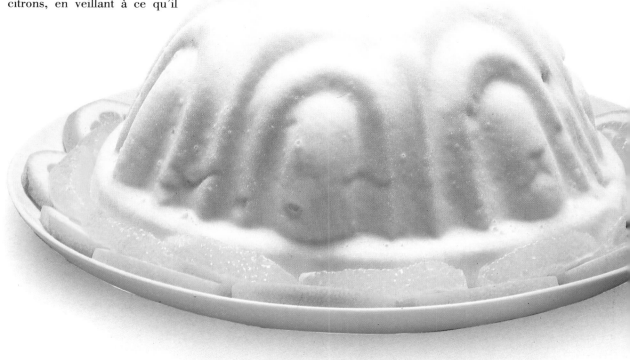

SORBET A L'ORANGE
■ *Vous pouvez servir
ce sorbet avec une sauce
au chocolat chaude :
les saveurs se marient
merveilleusement bien.*

rez le sirop froid et la purée
de fruits. Passez au chinois, de
préférence non métallique,
puis versez dans la sorbetière.
Faites durcir le sorbet dans la
sorbetière.

SORBET A L'ORANGE

*Temps : 30 minutes
     + temps de repos
Facile*

le jus de 8 oranges
le jus de 2 citrons
300 g de sucre semoule
60 cl d'eau
1 blanc d'œuf

Pressez les oranges et les citrons
et passez le jus obtenu au tamis,
en plastique ou en crin. Pelez le
zeste, en veillant à bien ôter la
peau blanche, amère, d'une
orange et coupez-le en bandelettes ou hachez-le menu.

Dans une casserole, portez le
sucre, l'eau et la moitié du jus
d'agrumes à ébullition. Laissez
frémir pendant 5 minutes. Ôtez
du feu et ajoutez aussitôt le zeste
d'orange. Remuez et laissez
reposer pendant 1 heure avant
de filtrer.

Mélangez le reste du jus
d'agrumes et le sirop de fruit filtré. Versez dans la sorbetière.

Lorsque le sorbet a épaissi,
incorporez le blanc d'œuf battu
en neige ferme, puis faites fonctionner la sorbetière encore
5 minutes, jusqu'à ce que le sorbet ait une consistance très
ferme.

SORBET
A LA PASTÈQUE

*Pour donner plus de saveur à
ce sorbet, ajoutez 20 cl de gin.
Ces deux parfums se complè-
tent délicieusement.*

*Temps : 30 minutes
Très facile*

1 kg de chair de pastèque
2 cuillerées à soupe de jus
  de citron
250 g de sucre semoule
1 blanc d'œuf

Épépinez la chair de pastèque,
puis passez-la au mixer avec le
jus de citron filtré. Portez la moitié de cette purée à ébullition
et laissez frémir pendant
10 minutes. Filtrez soigneusement. Versez le jus dans une
casserole contenant le sucre.
Portez à ébullition et laissez frémir pendant 5 minutes. Laissez
refroidir ce sirop. Lorsqu'il est
froid, ajoutez le reste de la purée
de pastèque, remuez bien et versez dans la sorbetière.

Lorsque le sorbet a épaissi,
incorporez le blanc d'œuf battu
en neige ferme, puis faites fonctionner la sorbetière encore
5 minutes, jusqu'à ce que le
sorbet ait une consistance très
ferme.

SORBET
A LA FRAISE

*Servez dans des coupes indi-
viduelles, en réservant quelques fraises pour décorer, que
vous couperez en deux et disposerez comme pour la présentation du sorbet à l'orange
(ci-contre).*

*Temps : 30 minutes
Facile*

300 g de sucre semoule
60 cl d'eau
le jus d'une orange
le jus d'un citron
800 g de belles fraises bien
  mûres, lavées, épongées
  et équeutées

SORBET
AUX GROSEILLES
■ Pour une présentation
de fête, décorez ce
sorbet de groseilles avec
leur queue et de crème
fouettée déposée à l'aide
d'une poche à douille.

Dans une casserole, portez le sucre et l'eau à ébullition. Laissez frémir pendant 5 minutes, puis laissez refroidir. Passez au mixer les fraises et le jus d'agrumes filtré. Mélangez bien avec le sirop. Filtrez, puis versez dans la sorbetière. Faites prendre le sorbet comme à l'habitude.

SORBET AUX FRAMBOISES ET AUX FRAISES DES BOIS

Servez ce sorbet sur un plat et décorez avec quelques fraises et framboises que vous disposerez de manière à former des fleurs, avec une framboise entière au centre.

Temps : 40 minutes
Facile

250 g de sucre semoule
50 cl d'eau
200 g d'abricots bien mûrs,
    dénoyautés
200 g de framboises
200 g de fraises des bois
2 cuillerées à soupe de zeste
    de cédrat confit

Portez le sucre et l'eau à ébullition. Laissez frémir pendant 5 minutes, puis laissez refroidir. Passez les abricots, préalablement pelés, les framboises et les fraises au mixer. Coupez le zeste de cédrat en petits dés. Mélangez le sirop froid, la purée de fruits et le zeste de cédrat, en remuant vigoureusement. Versez dans la sorbetière. Laissez dans l'appareil jusqu'à ce que le sorbet soit très ferme.

SORBET AUX GROSEILLES

Temps : 45 minutes
Facile

500 g de groseilles rouges
200 g de cerises noires
2 cuillerées à soupe de jus
    de citron
300 g de sucre semoule
50 cl d'eau
1 blanc d'œuf

Lavez les fruits, équeutez-les et épongez-les. Dénoyautez les cerises. Passez les fruits et le jus de citron filtré au mixer, puis au tamis.

Dans une casserole, portez le sucre et l'eau à ébullition. Laissez frémir pendant 5 minutes, puis laissez refroidir. Lorsque le sirop est froid, incorporez-le à la purée de fruits. Remuez énergiquement et versez dans la sorbetière.

Lorsque le sorbet a épaissi, incorporez le blanc d'œuf battu en neige ferme, puis faites fonctionner la sorbetière encore 5 minutes, jusqu'à ce que le sorbet ait une consistance très ferme.

CASSIS ET GROSEILLES

Les cassis ont une saveur plus sucrée que les groseilles : ils conviennent donc mieux à la confection de desserts. Plus acides, les groseilles ont un aspect superbe, mais il faut les sucrer, même lorsqu'on les utilise en accompagnement d'une viande rôtie.

SORBET A LA MANDARINE

Ce sorbet se caractérise par sa saveur subtile et délicate. Décorez-le de quartiers de mandarine, caramélisés ou simplement débarrassés de leur fine membrane.

Temps : 30 minutes
    + temps de repos
Facile

12 mandarines
le jus de 2 oranges
2 cuillerées à soupe de jus
    de citron
250 g de sucre semoule
1 blanc d'œuf

Pressez les mandarines, les oranges et le citron. Filtrez le jus. Réservez les zestes. Dans une casserole, portez la moitié de ce jus et le sucre à ébullition, et laissez frémir pendant 5 minutes. Ôtez du feu et ajoutez le zeste de mandarine, coupé en fines bandelettes ou haché menu. Laissez reposer pendant 1 heure.

Filtrez ce jus et mélangez-le avec le jus restant, non sucré. Versez dans la sorbetière.

Lorsque le sorbet a épaissi, incorporez le blanc d'œuf battu

en neige ferme, puis faites fonctionner la sorbetière encore 5 minutes, jusqu'à ce que le sorbet ait une consistance très ferme.

SORBET
A LA CERISE

Coupez quelques cerises en deux, dénoyautez-les et décorez-en le sorbet, servi dans des coupes à glace.

*Temps : 45 minutes
Facile*

700 g de cerises noires
 très mûres
50 cl d'eau
le zeste et le jus d'une orange
2 cuillerées à soupe de jus
 de citron
250 g de sucre semoule
1 cuillerée à café de kirsch
1 blanc d'œuf

Dénoyautez les cerises, puis réduisez-les en purée au mixer. Mettez les noyaux dans une casserole avec 10 cl d'eau, portez à ébullition et laissez frémir pendant 10 minutes. Filtrez le jus d'orange et de citron.

Mettez le sucre dans une casserole avec le jus d'agrumes et le reste de l'eau, portez à ébullition, puis laissez frémir pendant 5 minutes. Ajoutez le zeste d'orange, sans la peau blanche amère, puis laissez refroidir. Ajoutez l'eau des noyaux et filtrez.

Mélangez ce sirop à la purée de cerises et au kirsch, en remuant bien. Versez dans la sorbetière. Lorsque le sorbet a épaissi, incorporez le blanc d'œuf battu en neige ferme, puis faites fonctionner la sorbetière jusqu'à ce que le sorbet ait une consistance très ferme.

GRANITÉ
A L'ORANGE

Spécialité napolitaine, le granité est un dessert très rafraîchissant. La glace doit être pilée très finement. Décorez les portions individuelles de petites bandelettes ou de dés d'écorce d'orange confite, ou d'autres écorces de fruits confits.

*Temps : 15 minutes
Très facile*

5 oranges
100 g de sucre semoule
600 g de glaçons

Pressez les oranges.

Sortez les glaçons du réfrigérateur au moment de les piler. (Vous pourrez effectuer cette opération à l'aide d'un robot ménager, mais vérifiez auparavant que la lame est suffisamment résistante.) Lorsque la glace, très finement pilée, ressemble à de la neige, versez-la dans une jatte, incorporez le jus d'orange et servez dans des verres glacés.

GRANITÉ
A LA MENTHE

Servez ce granité dans des verres hauts et décorez de feuilles de menthe.

*Temps : 10 minutes
Très facile*

600 g de glace
40 cl de sirop de menthe

Pilez finement la glace dans un mixer jusqu'à ce qu'elle ait un aspect neigeux. Incorporez le sirop de menthe, versez dans des verres glacés et servez aussitôt.

GRANITÉ
AU CITRON

L'une des grandes recettes classiques de granité, rafraîchissante, très savoureuse et parfumée. Pour obtenir un goût plus prononcé, vous pouvez ajouter une pincée de zeste de citron finement râpé.

*Temps : 15 minutes
Très facile*

le jus de 6 citrons
100 g de sucre semoule
600 g de glace
12 feuilles de menthe fraîche

Pressez les citrons et filtrez le jus. Faites dissoudre le sucre dans le jus de citron, en remuant. Pilez très finement la glace au mixer, jusqu'à ce qu'elle ait un aspect neigeux. Versez-la dans une jatte et incorporez le jus de citron. Servez dans des verres glacés, en posant deux feuilles de menthe sur le bord du verre ou sur le granité.

GRANITÉ
AU CAFÉ

L'un des plus célèbres granités napolitains. Vous pouvez

remplacer le cacao par du sucre additionné de cannelle en poudre.

*Temps : 15 minutes
Très facile*

100 g de sucre semoule
10 cl de café noir très fort
600 g de glace
25 cl de crème fraîche
1 cuillerée à soupe de cacao
 en poudre

Ajoutez le sucre au café chaud, mélangez bien et laissez refroidir. Lorsque le café est froid, pilez la glace au mixer jusqu'à ce qu'elle prenne une consistance neigeuse. Servez dans des verres ou des coupes glacées. Déposez 1 cuillerée de crème fouettée sur le granité, puis saupoudrez de cacao.

CAFÉ FRAPPÉ

*Temps : 10 minutes
Très facile*

4 tasses de café noir très fort
35 cl de lait
3 à 4 cuillerées à soupe
 de sucre semoule
10 glaçons

Mélangez tous les ingrédients dans un robot ménager jusqu'à ce que la glace ait fondu. Servez dans des verres hauts ou des gobelets glacés.

CHOCOLAT FRAPPÉ

Ce frappé est idéal pour les enfants, qui le dégusteront avec gourmandise pendant les chaleurs estivales.

*Temps : 10 minutes
Très facile*

60 g de lait
6 cuillerées à soupe de cacaco amer
10 glaçons
8 cuillerées à café de sucre semoule
25 cl de crème fouettée sucrée

Mélangez bien tous les ingrédients dans un robot ménager jusqu'à ce que la glace ait disparu. Versez dans des verres à orangeade. Servez aussitôt, en décorant d'un peu de crème fouettée sucrée.

COCKTAIL GLACÉ A L'ORANGE

Cette coupe légère sera servie à la fin d'un repas très riche.

Temps : 30 minutes
Facile

3 oranges
3 cuillerées à soupe de raisins de Smyrne
30 g de beurre
3 cuillerées à soupe de sucre
20 cl de Cointreau
500 g de sorbet à l'orange (voir p. 288)
1 cuillerée à soupe rase de pistaches, décortiquées

Pelez les oranges, séparez les quartiers et ôtez soigneusement la fine membrane qui les recouvre.

Faites gonfler les raisins secs dans de l'eau tiède, puis égouttez-les et épongez-les. Faites fondre le beurre dans une poêle. Ajoutez les quartiers d'orange, faites chauffer 1 minute et saupoudrez de sucre. Versez le Cointreau, ajoutez les raisins secs et faites réduire le liquide à feu vif pendant quelques minutes.

Déposez 3 petites cuillerées de sorbet à l'orange dans chacune des six coupelles glacées. Disposez quelques quartiers d'orange et des raisins secs sur et autour du sorbet, ajoutez un peu de liquide réduit, saupoudrez de pistaches et servez aussitôt.

COUPE GLACÉE A LA MANDARINE

Le mariage des saveurs pour réaliser une coupe glacée est infini, grâce à la multitude des sorbets, crèmes glacées et décorations que l'on peut utiliser.

Temps : 20 minutes
Très facile

2 mandarines confites
4 cuillerées à soupe de sirop de mandarine
2 cuillerées à soupe de liqueur de mandarine
200 g de sorbet au melon (voir p. 286)
200 g de sorbet aux kiwis (voir p. 286)
200 g de sorbet à la mandarine (voir p. 289)
250 g de crème fouettée

Hachez les mandarines confites et plongez-les dans un mélange de liqueur et de sirop de mandarine. Déposez une couche de sorbet au melon au fond de chaque coupelle glacée, puis une couche de sorbet aux kiwis et une couche de sorbet à la mandarine. Déposez la crème fouettée sur le dessus à l'aide d'une poche à douille.

Saupoudrez de 1 cuillerée à soupe de mandarine confite, puis arrosez d'un peu du mélange de sirop et de liqueur. Servez aussitôt.

Selon la tradition, un chef cuisinier, jadis, ne pouvait prétendre à ce titre que s'il maîtrisait parfaitement l'art de la préparation des crèmes glacées. En effet, l'aspect et la saveur des glaces confectionnées à l'ancienne par un spécialiste sont une expérience inoubliable. La préparation des crèmes glacées est accessible à l'amateur, pour peu qu'il n'utilise que des ingrédients de la meilleure qualité possible et de première fraîcheur, et qu'il veille constamment à respecter une hygiène scrupuleuse, car ces derniers sont sujets à contamination. Pour la même raison, il vaut mieux ne pas conserver les glaces maison et les préparer de deux à trois jours au maximum avant de les servir. A défaut de sorbetière, congelez la préparation dans les bacs à glaçons du réfrigérateur, et battez-la deux ou trois fois avant que la glace ait pris.

GLACES • COUPES ET BOMBES GLACÉES

GLACE A LA VANILLE

Sucrée sans être écœurante, crémeuse à souhait et savoureuse, cette glace sera sublimée si vous la servez avec des fruits légèrement acides tels que des fraises ou des framboises.

Temps : 1 heure
+ temps de repos
Très facile

1 gousse de vanille,
  ou 2 cuillerées à dessert
  d'extrait
1 l de lait
8 jaunes d'œufs
200 g de sucre semoule

Portez le lait à ébullition. Hors du feu, plongez-y la gousse de vanille fendue en deux et laissez reposer pendant 1 heure. Faites de nouveau bouillir, puis filtrez. Si vous utilisez de l'extrait de vanille, portez une seule fois le lait à ébullition. Battez énergiquement les jaunes d'œufs avec le sucre (et, éventuellement, l'extrait de vanille) jusqu'à ce le mélange devienne pâle, mousseux et forme le ruban. Incorporez-le au lait chaud, en le versant doucement. Continuez à faire chauffer au bain-marie, sans cesser de remuer avec une cuillère en bois, jusqu'à ce que la crème nappe le dos de la cuillère. Ôtez du feu, versez dans une grande jatte, puis laissez refroidir en remuant de temps en temps. Passez au chinois, versez dans une sorbetière ou dans des bacs à glaçons et mettez au congélateur.

□ *Plus élaborées que les sorbets, les crèmes glacées, sous leur forme moderne, furent inventées au XVIe siècle par deux Florentins : Buontalenti et Ranieri.*

□ *Si vous utilisez une sorbetière, électrique ou non, suivez les indications données par le fabricant. Sinon, versez la préparation dans les bacs à glaçons du réfrigérateur, en enlevant les séparations, ou dans un récipient à congélation. Lorsque la crème commence à prendre, sortez-la du congélateur et remuez-la soigneusement avant de l'y remettre. Répétez cette opération au moins trois fois, plus si possible, alors que la préparation épaissit, puis se solidifie. De cette façon, la crème glacée sera légère et homogène, et vous éviterez que des paillettes de glace n'en gâchent la texture.*

□ *Une crème glacée doit toujours se préparer peu de temps avant d'être servie — le matin pour le soir, par exemple, ou de deux à trois jours à l'avance au maximum. Les fabricants de glaces industrielles veillent à ce que leurs préparations atteignent et conservent une température donnée pendant un certain laps de temps, puis ils les entreposent à des températures extrêmement basses.*

□ *Les glaces maison sont infiniment meilleures et plus économiques que les préparations industrielles. Sortez la crème glacée du congélateur et mettez-la au réfrigérateur 30 minutes avant de la servir, afin d'en améliorer la consistance et la saveur.*

GLACE AU CHOCOLAT

Pour préparer cette glace, utilisez le meilleur chocolat amer. Servez avec de la crème fouettée. Vous pouvez remplacer la vanille en gousse par une cuillerée à soupe d'extrait.

Temps : 1 heure
Très facile

1 l de lait
1 gousse de vanille
150 g de chocolat amer
8 jaunes d'œufs
125 g de sucre semoule

Dans une casserole, portez le lait à ébullition avec la gousse de vanille fendue en deux. Ôtez du feu, enlevez la vanille, et faites-y fondre le chocolat haché en remuant bien avec une cuillère en bois.

Battez les jaunes d'œufs avec le sucre (et l'extrait de vanille, éventuellement) jusqu'à ce que le mélange soit clair et mousseux. Filtrez le lait et incorporez-le lentement, en battant, au mélange œufs-sucre. Faites chauffer au bain-marie, sans cesser de remuer, jusqu'à ce que la préparation soit assez épaisse pour napper le dos de la cuillère. Laissez refroidir, en remuant de temps en temps. Passez au chinois, puis versez dans une sorbetière ou dans des bacs à glaçons.

GLACE AU CAFÉ

Mélangez une cuilllère de grains de café grossièrement moulus à une pincée de chocolat amer finement râpé et saupoudrez-en chaque portion.

Temps : 1 heure
Très facile

1 l de lait
3 cuillerées à soupe de café soluble
8 jaunes d'œufs
250 g de sucre

Portez le lait à ébullition. Faites-y dissoudre le café en remuant délicatement avec une cuillère en bois et ôtez du feu.

Battez les jaunes d'œufs avec le sucre jusqu'à ce que le mélange soit clair et aéré. Incorporez le lait filtré petit à petit, en battant. Faites chauffer au bain-marie, sans cesser de remuer, jusqu'à ce que la préparation soit suffisamment épaisse pour napper le dos de la cuillère. Ôtez du feu et laissez refroidir, en remuant de temps en temps. Passez au chinois. Versez dans une sorbetière ou dans des bacs à glaçons. Congelez.

CRÈME GLACÉE

Préparation de base de la crème glacée.

Temps : 1 heure
Très facile

8 jaunes d'œufs
250 g de sucre semoule
50 cl de lait
50 cl de crème fraîche

Battez les jaunes d'œufs avec le sucre jusqu'à ce que le mélange fasse le ruban.

Dans une casserole, portez le lait et la crème à ébullition, puis incorporez ce mélange, petit à petit, au précédent, en battant. Faites chauffer au bain-marie, sans cesser de remuer, jusqu'à ce que la préparation soit suffisamment épaisse pour que la trace d'un doigt passé sur le dos de la cuillère de bois reste nette. Ôtez du feu et laissez refroidir, en remuant de temps en temps.

Filtrez, versez dans une sorbetière ou des bacs à glaçons, puis réfrigérez, en remuant de temps à autre, jusqu'à ce que la consistance soit très ferme. Transférez dans un moule à bombe glacée ou tout autre récipient de forme adaptée, en tassant la préparation. Servez cette crème glacée seule ou avec une garniture, selon le goût.

GLACE AUX NOISETTES

Vous trouverez de la nougatine aux noisettes dans toutes les bonnes confiseries. Décorez de petites meringues que vous saupoudrerez de cacao.

Temps : 1 h 15
Très facile

250 g de nougatine aux noisettes
1 l de lait
1 gousse de vanille,
   ou 3-4 gouttes d'extrait
8 jaunes d'œufs
180 g de sucre semoule

Réduisez la nougatine en poudre épaisse dans un mortier ou dans un robot ménager. Portez le lait à ébullition avec la gousse de vanille fendue en deux. Battez les jaunes d'œufs avec le sucre (et, éventuellement, l'extrait de vanille) jusqu'à ce que le mélange soit pâle et mousseux. Incorporez le lait chaud filtré petit à petit. Faites chauffer au bain-marie, sans cesser de remuer avec une cuillère en bois, jusqu'à ce que la préparation soit suffisamment épaisse pour napper le dos de la cuillère. Incorporez la nougatine et laissez refroidir.

Versez dans une sorbetière ou dans des bacs à glaçons, sans filtrer, puis congelez jusqu'à ce que la consistance soit très ferme.

GLACE
A LA PISTACHE

Cette glace peut être démoulée sur un plat de service et présentée entourée de rondelles de banane, préalablement arrosées de jus de citron pour éviter qu'elles ne noircissent.

Temps : 1 h 15
Très facile

60 g de pistaches, décortiquées
1 l de lait
1 gousse de vanille,
  ou 2-3 gouttes d'extrait
40 g d'amandes, mondées
8 jaunes d'œufs
250 g de sucre semoule

Dans un mortier, réduisez les pistaches et les amandes en pâte fine, en humectant d'une cuillerée de lait.

Portez le reste du lait à ébullition avec la gousse de vanille fendue en deux. Incorporez la pâte aux pistaches et aux amandes et réservez pendant

LES PISTACHES

Ces délicieuses amandes sont employées dans la cuisine moyen-orientale depuis fort longtemps, dans des préparations sucrées ou salées. Les pistaches salées accompagnent l'apéritif. Pour ôter facilement leur fine peau, plongez-les quelques secondes dans de l'eau bouillante.

20 minutes dans un endroit tiède, ou au four réglé à la température minimale.

Battez les œufs avec le sucre (et, éventuellement, l'extrait de vanille) au bain-marie. Incorpo-

rez le mélange de lait chaud et de pâte d'amandes petit à petit, après avoir ôté la vanille. Mettez le bain-marie à feu moyen et remuez avec une cuillère en bois jusqu'à ce que la préparation commence à napper le dos de la cuillère. Laissez refroidir, en remuant de temps en temps.

Lorsque la préparation est froide, versez-la dans une sorbetière ou dans des bacs à glaçon. Congelez.

GLACE A LA ROSE

Pour varier, vous pouvez utiliser cette recette pour préparer une glace au jasmin. Choisissez de l'huile essentielle et de l'eau de jasmin naturelles de très bonne qualité.

Temps : 1 heure
Très facile

8 jaunes d'œufs
90 cl de crème fraîche
sirop de sucre, préparé
  en faisant bouillir pendant
  5 minutes 10 cl d'eau
  avec 100 g de sucre
le zeste d'un citron, râpé
10 cl d'eau de rose
8 gouttes d'essence de rose

Mettez la crème, les jaunes d'œufs, le sirop de sucre et le zeste de citron dans un robot ménager et mélangez. Vous pouvez également battre vigoureusement au fouet, dans une jatte. Faites chauffer à feu doux, ou au bain-marie, sans cesser de remuer avec une cuillère en bois, jusqu'à ce que la préparation nappe le dos de la cuillère. Ôtez du feu et laissez refroidir, en remuant de temps en temps. Incorporez l'eau ou l'essence de rose, ou un autre parfum, au choix. Versez dans une sorbetière ou dans des bacs à glaçons et congelez.

GLACE AUX AMANDES
■ Pour décorer cette
crème glacée moulée,
vous pouvez déposer,
à la poche à douille,
des rosettes de crème
fouettée autour
de la base et disposer
de petits macarons
sur le dessus.

GLACE AUX NOIX

Décorez cette savoureuse glace de cerneaux de noix.

Temps : 1 h 15
Très facile

75 g de cerneaux de noix
1 l de lait
1 gousse de vanille,
 ou 1 cuillerée à soupe d'extrait
8 jaunes d'œufs
250 g de sucre semoule

Pilez les noix jusqu'à obtention d'une pâte homogène, en ajoutant 1 cuillerée à soupe rase d'eau. Portez le lait à ébullition avec la gousse de vanille fendue en deux. Incorporez la pâte de noix et laissez reposer pendant 20 minutes dans un endroit tiède.

Battez les jaunes d'œufs avec le sucre (et, éventuellement, l'extrait de vanille) jusqu'à ce que le mélange soit très pâle et mousseux. Ajoutez le lait petit à petit, après avoir ôté la vanille, en battant vigoureusement.

Faites chauffer au bain-marie, sans cesser de remuer avec une cuillère en bois, jusqu'à ce que la préparation nappe le dos de la cuillère. Laissez refroidir, en remuant de temps en temps. Lorsque la préparation est froide, versez-la dans une sorbetière ou dans des bacs à glaçons. Congelez jusqu'à ce que la consistance soit ferme.

GLACE AUX AMANDES

Temps : 1 heure
Très facile

1 l de lait
1 gousse de vanille,
 ou 2-3 gouttes d'extrait
75 g d'amandes mondées
8 jaunes d'œufs

Portez le lait à ébullition avec la gousse de vanille fendue en deux. Pilez les amandes avec 1 cuillerée à soupe rase d'eau jusqu'à obtention d'une pâte que vous incorporerez au lait chaud. Laissez reposer hors du feu.

Battez les jaunes d'œufs avec le sucre (et, éventuellement, l'extrait de vanille) jusqu'à ce que le mélange forme le ruban, puis incorporez le mélange de lait chaud et d'amandes, petit à petit, après avoir ôté la vanille. Faites chauffer au bain-marie, sans cesser de remuer avec une cuillère en bois, jusqu'à ce que la préparation commence à napper le dos de la cuillère. Ôtez du feu et laissez refroidir, en remuant de temps en temps. Enlevez la gousse de vanille et versez dans une sorbetière ou dans des bacs à glaçons. Congelez.

GLACE AU THÉ

Cette recette est originaire du Japon. Accompagnez la glace de thé au jasmin ou de thé Lapsang Souchong.

Temps : 1 h 10
Très facile

1 l de lait
1 gousse de vanille,
 ou 2-3 gouttes d'extrait
1 cuillerée à soupe de thé vert
8 jaunes d'œufs
250 g de sucre semoule
4 cuillerées à soupe de cognac

Portez le lait à ébullition avec la gousse de vanille fendue en deux. Ajoutez les feuilles de thé. Couvrez et laissez reposer, hors du feu, pendant 10 minutes.

Filtrez le lait.

Battez les jaunes d'œufs avec le sucre (et, éventuellement, l'extrait de vanille) jusqu'à ce

que le mélange pâlisse et gonfle. Incorporez le lait petit à petit.

Faites chauffer au bain-marie, sans cesser de remuer avec une cuillère en bois, jusqu'à ce que la préparation commence à napper le dos de la cuillère. Ôtez du feu et laissez refroidir, en remuant de temps en temps. Passez au chinois. Incorporez le cognac, puis versez dans une sorbetière ou dans des bacs à glaçons.

GLACE AU CARAMEL

Versez un filet de caramel chaud sur chaque portion de glace.

Temps : 1 h 10
Très facile

1 l de lait
1 gousse de vanille,
  ou 3-4 gouttes d'extrait
250 g de sucre semoule
2 cuillerées à soupe de jus
  de citron
8 jaunes d'œufs

Portez le lait à ébullition avec la gousse de vanille fendue en

deux. Dans une casserole, faites chauffer 180 g de sucre avec deux gouttes de jus de citron, à feu moyen, jusqu'à ce que le sucre fonde et commence à dorer. Incorporez ce caramel au lait bouillant, remuez bien avec une cuillère en bois, puis passez au chinois.

Battez les jaunes d'œufs avec le reste du sucre (et, éventuellement, l'extrait de vanille) jusqu'à ce que le mélange soit très pâle et mousseux. Incorporez le lait parfumé au caramel, petit à petit, sans cesser de battre.

Faites chauffer au bain-marie, en remuant sans arrêt, jusqu'à ce que la préparation commence à napper le dos de la cuillère. Laissez refroidir. Passez au chinois, puis réfrigérez dans une sorbetière ou dans des bacs à glaçons jusqu'à ce que la consistance soit ferme.

GLACE À LA PASTÈQUE

Cette recette est originaire de Sicile où, jadis, on servait cette glace dans un grand

plat, sur une couche de pâte d'amandes.

Temps : 1 heure
Très facile

500 g de pulpe de pastèque
50 cl de crème fraîche
4 jaunes d'œufs
300 g de sucre semoule
50 cl de lait
100 g de chocolat amer
40 g de pistaches, décortiquées
2 cuillerées à soupe d'eau
  de jasmin ou de jus de citron
  vert
1 cuillerée à soupe de cannelle
  en poudre

Réduisez la pulpe de pastèque et la crème en purée très lisse au mixer. Battez les jaunes d'œufs avec le sucre jusqu'à ce que le mélange pâlisse. Incorporez le lait chaud petit à petit. Faites chauffer au bain-marie, sans cesser de remuer avec une cuillère en bois, jusqu'à ce que la préparation épaississe, sans bouillir. Laissez refroidir, en remuant de temps en temps. Incorporez alors le chocolat finement râpé, les pistaches hachées, l'eau de jasmin ou le

jus de citron vert et la cannelle. Mélangez bien et versez dans une sorbetière ou dans des bacs à glaçons. Congelez.

GLACE AUX MARRONS

Servez cette glace dans des coupelles, décorée de rosettes de crème fouettée et saupoudrée de cacao amer.

Temps : 1 h 15
Très facile

1 l de lait
1 gousse de vanille,
  ou 1 cuillerée à soupe d'extrait
8 jaunes d'œufs
100 g de sucre semoule
200 g de crème de marrons
1 cuillerée à soupe rase de rhum
10 cl de crème fraîche

Portez le lait à ébullition avec la gousse de vanille fendue en deux. Battez les jaunes d'œufs avec le sucre (et, éventuellement, l'extrait de vanille) jusqu'à ce que le mélange pâlisse. Incorporez le lait chaud petit à petit, après avoir ôté la vanille. Faites chauffer au bain-marie, sans cesser de remuer avec une cuillère en bois, jusqu'à ce que la préparation nappe le dos de la cuillère. Hors du feu, incorporez progressivement la crème de marrons, en remuant bien.

Lorsque la préparation est froide, ajoutez le rhum, puis la crème fraîche légèrement fouettée. Versez dans une sorbetière ou dans des bacs à glaçons, puis congelez jusqu'à obtention d'une consistance très ferme.

GLACE AU SABAYON

Servez cette glace dans des coupelles, abondamment nappée de sauce au chocolat chaude ou de coulis de fraises.

GLACE AU YAOURT
■ La glace au yaourt illustrée ci-dessous est parfumée au jus de mandarines fraîches. Vous mettrez en valeur la fraîcheur de cette glace en la décorant de feuilles de menthe, de fraises des bois, de groseilles ou de cassis.

Temps : 1 heure
Très facile

50 cl de lait
50 cl de crème fraîche
1 morceau de gousse de vanille,
  ou 2 gouttes d'extrait
1 morceau de zeste de citron
8 jaunes d'œufs
250 g de sucre semoule
20 cl de marsala

Portez le lait à ébullition avec la moitié de la crème, la vanille fendue en deux et le zeste de citron. Battez les jaunes d'œufs et le sucre jusqu'à ce que le mélange soit très pâle. Incorporez le marsala en mince filet, puis le lait chaud filtré. Faites légèrement épaissir au bain-marie, sans cesser de remuer. Remplissez à mi-hauteur une grande jatte d'eau glacée et de glaçons et plongez-y le récipient du bain-marie. Laissez refroidir, en remuant de temps en temps pour que le mélange soit bien aéré. Fouettez énergiquement le reste de la crème fraîche et incorporez-la à la préparation. Lorsque le mélange est homogène, versez-le dans une sorbetière ou dans des bacs à glaçons. Congelez jusqu'à ce que la glace soit dure.

GLACE AU YAOURT

Vous obtiendrez une consistance et une saveur beaucoup plus agréables si vous utilisez du yaourt au lait entier.

Temps : 1 heure
Très facile

50 cl de yaourt bulgare
50 cl de lait
8 jaunes d'œufs
300 g de sucre semoule
1 cuillerée à soupe d'extrait
  de vanille

Dans une casserole, mélangez bien le yaourt avec le lait, puis portez à ébullition. Battez les jaunes d'œufs avec le sucre et l'extrait de vanille jusqu'à obtention d'un mélange pâle et mousseux. Incorporez le mélange de lait et de yaourt chaud petit à petit. Faites épaissir au bain-marie, sans cesser de remuer, sans laisser bouillir. Laissez refroidir, en remuant de temps en temps. Versez dans une sorbetière ou dans des bacs à glaçons et réfrigérez (en remuant éventuellement) jusqu'à ce que la glace soit très ferme.

GLACE AUX RAISINS SECS ET AU PORTO

Temps : 1 h 10
Très facile

150 g de raisins de Smyrne
10 cl de porto
1 l de lait
1 gousse de vanille,
  ou 3-4 gouttes d'extrait
8 jaunes d'œufs
250 g de sucre semoule

Faites gonfler les raisins secs dans de l'eau tiède, puis épongez-les et faites-les tremper dans le porto. Portez le lait à ébullition avec la gousse de vanille fendue en deux. Battez les jaunes d'œufs avec le sucre (et, éventuellement, l'extrait de vanille) jusqu'à ce que le mélange pâlisse et augmente de volume. Sans cesser de battre,

incorporez le lait chaud petit à petit, après avoir ôté la vanille. Faites chauffer au bain-marie, en remuant constamment avec une cuillère en bois, jusqu'à ce que le mélange adhère au dos de la cuillère. Otez du feu et laissez redroidir, en remuant de temps en temps. Passez au chinois. Ajoutez les raisins secs et versez dans une sorbetière ou dans des bacs à glaçons. Congelez.

GLACE AUX MACARONS

Temps : 1 heure
Très facile

1 l de lait
1 gousse de vanille,
  ou 2-3 gouttes d'extrait
100 g de macarons
6 jaunes d'œufs
200 g de sucre semoule

Portez le lait à ébullition avec la gousse de vanille fendue en deux. Pilez les macarons, ou réduisez-les en poudre au mixer. Battez les jaunes d'œufs avec le sucre (et, éventuellement, l'extrait de vanille) jusqu'à ce que le mélange soit très pâle. Ajoutez les macarons pilés, puis le lait chaud, filtré, petit à petit. Faites épaissir au bain-marie, sans cesser de remuer avec une cuillère en bois. Laissez refroidir, en remuant de temps en temps. Lorsque la préparation est froide, versez-la dans une sorbetière ou dans des bacs à glaçons. Réfrigérez.

GLACE AU MIEL

Temps : 1 heure
Très facile

1 l de lait
1 bâton de cannelle
100 g de miel de châtaignier
50 g de macarons, réduits
  en poudre
8 jaunes d'œufs
180 g de sucre semoule

Portez le lait à ébullition avec la cannelle. Hors du feu, incorporez le miel, puis les macarons réduits en poudre. Battez les jaunes d'œufs avec le sucre jusqu'à ce que le mélange pâlisse et mousse, puis incorporez-les au lait chaud, en battant. Faites épaissir au bain-marie, sans cesser de remuer. Laissez refroidir, en remuant de temps en temps. Versez dans une sorbetière ou dans des bacs à glaçons. Congelez.

GLACE A LA NOIX DE COCO

Temps : 1 heure
  + temps de repos
Très facile

1 l de lait
400 g de noix de coco fraîche,
  râpée, ou en poudre
8 jaunes d'œufs
250 g de sucre semoule

Mélangez le lait et la noix de coco dans une casserole et portez à ébullition. Ôtez du feu et laissez reposer pendant 2 heures.
Filtrez au moyen d'une mousseline ou d'un linge très fin : tordez le tissu et recueillez le lait de coco qui s'égoutte. Portez-le à ébullition.
Battez les jaunes d'œufs avec

le sucre jusqu'à obtention d'un mélange pâle et mousseux. Incorporez le lait chaud petit à petit. Sans cesser de remuer avec une cuillère en bois, faites épaissir au bain-marie jusqu'à ce que la préparation nappe le dos de la cuillère. Laissez refroidir, en remuant de temps en temps pour éviter la formation d'une peau. Versez dans une sorbetière ou dans des bacs à glaçons. Congelez.

GLACE A LA FRAISE

Temps : 1 h 15
Très facile

50 cl de lait
le zeste d'un citron, râpé
500 g de fraises bien mûres
50 cl de crème fraîche
4 jaunes d'œufs
300 g de sucre semoule

Portez le lait à ébullition avec le zeste de citron. Essuyez les fraises avec un torchon humide et équeutez-les. Passez-les au mixer, puis au chinois. Laissez reposer quelques minutes avant d'incorporer la crème fouettée. Battez vigoureusement les jaunes d'œufs avec le sucre, puis, lorsque le mélange a pâli et augmenté de volume, incorporez le lait chaud petit à petit. Faites épaissir au bain-marie, sans cesser de remuer et sans laisser bouillir. Versez dans une jatte et laissez refroidir, en remuant de temps en temps pour éviter la formation d'une peau.

Incorporez le mélange à base de fraises et de crème. Versez dans une sorbetière ou dans des bacs à glaçons. Congelez jusqu'à ce que la glace soit très ferme.

Pour 8 à 10 personnes

Pour la glace aux amandes :
  (voir p. 297)
60 g d'amandes, mondées
40 cl de lait
15 cl de crème fraîche
3 jaunes d'œufs
125 g de sucre semoule
1 cuillerée à café de kirsch

Pour la garniture aux marrons :
125 g de crème de marrons
100 g de sucre semoule
5 jaunes d'œufs
1 cuillerée à soupe d'extrait
  de vanille
3 cuillerées à soupe de curaçao
30 cl de crème fouettée
350 g de framboises fraîches
1 à 2 cuillerées à soupe de kirsch
2 cuillerées à soupe
  de sucre semoule

Préparez la glace aux amandes quelques heures à l'avance. Placez un moule à bombe glacée ou une jatte d'une contenance de 2 litres environ pendant 10 minutes au congélateur. Sortez le récipient du congélateur et mettez-le dans un grand récipient rempli de glaçons. Tapissez l'intérieur de glace aux amandes et réservez au congélateur, en couvrant le moule d'un couvercle hermétique ou de papier paraffiné et de papier d'aluminium.

Incorporez le sucre, les jaunes d'œufs et la vanille à la crème de marrons.

Faites épaissir le mélange dans une jatte au bain-marie, sans cesser de remuer. Veillez à ne pas trop chauffer.

Placez cette jatte dans le récipient contenant les glaçons et fouettez jusqu'à ce que la préparation soit complètement froide. Ôtez la jatte, puis ajoutez le curaçao et, petit à petit, la crème fouettée. Congelez (en battant si nécessaire).

Mélangez les framboises avec le sucre et le kirsch. Laissez reposer pendant 15 minutes.

Sortez le moule à bombe et le reste de glace aux amandes du congélateur. Remettez la bombe dans la grande jatte avec de nouveaux glaçons. Remplissez à demi le centre de framboises, ajoutez la glace aux marrons par cuillerées, en laissant de la place pour une couche plus fine de framboises. Nappez du reste de glace aux amandes. Lissez la surface, couvrez de papier paraffiné et fermez le couvercle, ou couvrez hermétiquement de papier d'aluminium. Congelez pendant 4 heures environ.

Pour servir, plongez brièvement le moule à bombe dans de l'eau chaude, puis démoulez sur un plat glacé. Décorez la bombe de framboises.

GLACE TUTTI FRUTTI

Décorez cette glace de feuilles de menthe, de groseilles et de fraises des bois.

*Temps : 1 heure
    + temps de repos
Très facile*

4 jaunes d'œufs
500 g de sucre semoule
50 cl de lait
500 g de fruits mélangés bien
    mûrs, lavés et préparés
2 cuillerées à soupe de jus
    de citron
50 cl de crème fraîche

Portez le lait à ébullition et laissez-le tiédir. Battez les jaunes d'œufs avec le sucre jusqu'à ce que le mélange forme le ruban. Incorporez le lait petit à petit et faites épaissir au bain-marie, sans cesser de remuer et sans laisser bouillir. Passez la pulpe des fruits au mixer. Versez-la dans une grande jatte. Ajoutez le mélange œufs-lait. Laissez reposer et refroidir pendant 1 heure.

Ajoutez le jus de citron et la crème fraîche. Fouettez au batteur électrique pendant 10 minutes, ou un peu plus longuement au fouet. Versez ce mélange léger dans une sorbetière ou dans des bacs à glaçons. Congelez jusqu'à ce que la préparation soit très ferme.

GLACE AU NOUGAT

Saupoudrez chaque portion d'un peu de nougat haché.

*Temps : 1 h 20
Très facile*

1 l de lait
1 gousse de vanille,
    ou 1 cuillerée à café d'extrait
8 jaunes d'œufs
250 g de sucre semoule
350 g de nougat

Versez le lait dans une casserole. Ajoutez la vanille fendue en deux et portez à ébullition. Laissez reposer pendant 20 minutes hors du feu, puis filtrez. (Si vous utilisez de l'extrait de vanille, chauffez simplement le lait, sans le filtrer.) Battez les jaunes d'œufs avec le sucre (et, éventuellement, l'extrait de vanille) jusqu'à ce que le mélange devienne très pâle et augmente nettement de volume. Ajoutez le lait tiède, en battant énergiquement. Faites épaissir au bain-marie, sans cesser de remuer avec une cuillère en bois. Laissez refroidir, en remuant de temps en temps. Hachez le nougat très finement et incorporez-le à la préparation. Versez dans une sorbetière ou dans des bacs à glaçons. Congelez.

GLACE À LA PÊCHE

Servez dans des coupelles avec un peu de crème fouettée saupoudrée de cannelle.

*Temps : 1 h 10
Très facile*

500 g de pulpe de pêches
    jaunes
50 cl de crème fraîche
50 cl de lait
le jus d'un citron
4 jaunes d'œufs
300 g de sucre semoule

Dans un mixer, réduisez la pulpe de pêches avec la crème fraîche en une purée très lisse. Portez le lait à ébullition. Battez les jaunes d'œufs avec le sucre jusqu'à ce que le mélange soit très pâle et mousseux. Incorporez le lait chaud petit à petit. Faites épaissir au bain-marie, sans cesser de remuer, jusqu'à ce que la préparation nappe le dos de la cuillère en bois. Laissez refroidir dans un endroit frais, en remuant de temps en temps. Mélangez bien à la purée de pêche, puis versez dans une sor-

betière ou dans des bacs à glaçons. Congelez jusqu'à ce que la glace soit très ferme.

BOMBE AU CAFÉ

Pour décorer, vous pouvez également ajouter de petites meringues.

*Temps : 20 minutes
    + temps de prise
Facile*

500 g de glace au café
    (voir p. 294)
250 g de crème glacée
    (voir p. 295)
250 g de glace au chocolat
    (voir p. 294)
12 grains de café chocolatés

Mettez un moule à bombe glacée de 15 cm de diamètre équipé d'un couvercle hermétique, ou un moule à pouding doté d'un couvercle, ou un cul-de-poule au congélateur pendant 10 minutes avant de commencer la recette.

BOMBE AU CHOCOLAT
■ *Vous pouvez remplacer la glace à la pistache par des brisures de marrons glacés ou un sabayon. Si vous vous en tenez à la recette originale, saupoudrez la bombe glacée de pistaches hachées.*

Tapissez l'intérieur du moule glacé de glace au café. Remettez au congélateur pendant 5 à 10 minutes. Remplissez de 4 à 6 couches alternées de crème glacée et de glace au chocolat. Fermez avec le couvercle, ou couvrez hermétiquement de papier paraffiné et de papier d'aluminium, puis remettez au congélateur pendant 2 à 3 heures. Au moment de servir, plongez brièvement le moule dans une jatte d'eau chaude et renversez-le sur un plat glacé. Décorez la bombe et servez.

BOMBE AUX FRUITS

Tapissez le moule, ou la jatte, préalablement glacé de rondelles de banane, d'ananas, de kiwi, etc., avant de déposer la glace : vous obtiendrez le plus bel effet lorsque vous retournerez la bombe.

*Temps : 30 minutes
    + temps de repos et de prise
Facile*

100 g de griottes au sirop
100 g de morceaux d'ananas
  au sirop
100 g de pêches au sirop
25 cl de crème fleurette
1 à 2 cuillerées à soupe
  de sucre glace
500 g de glace à la fraise
  (voir p. 301)

Égouttez bien les fruits. Épongez-les avec du papier absorbant pour supprimer toute humidité. Découpez chaque sorte de fruit en très petits dés que vous laisserez égoutter pendant quelques heures dans des passoires différentes. Mettez au congélateur un moule à bombe glacée de 15 à 18 cm de diamètre. Battez la crème avec le sucre jusqu'à ce que le mélange soit très ferme. Incorporez les fruits coupés en dés. Sortez le moule du congélateur et tapissez l'intérieur d'une épaisse couche de glace à la fraise. Remettez au congélateur pendant 10 minutes, puis remplissez le moule du mélange à la crème et aux fruits. Fermez le couvercle ou couvrez hermétiquement de papier paraffiné et de papier d'aluminium. Remettez au congélateur pendant 4 à 5 heures.

Plongez brièvement le moule dans de l'eau chaude pour faciliter le démoulage, puis renversez la bombe sur un plat glacé.

BOMBE AU CHOCOLAT

Pour confectionner une bombe, n'employez pas de la glace sortant directement du congélateur : laissez-la se ramollir légèrement au réfrigérateur avant de l'utiliser.

Temps : 30 minutes
+ temps de prise
Facile

80 g de chocolat pâtissier
25 cl de crème fleurette
1 à 2 cuillerées à soupe
  de sucre glace
500 g de glace au chocolat
  (voir p. 294)
250 g de glace à la pistache
  (voir p. 296)

Mettez un moule à bombe de 15 cm de diamètre au congélateur pendant 10 minutes avant de commencer la recette.

Hachez le chocolat très finement. Battez la crème avec le sucre glace jusqu'à ce que le mélange soit très ferme, puis incoporez le chocolat. Tapissez

le moule glacé de ce mélange. Remettez au congélateur pendant 15 minutes, puis déposez une couche de glace à la pistache sur la première couche. Remettez au congélateur pendant 10 minutes, puis remplissez de glace au chocolat. Fermez avec le couvercle ou couvrez hermétiquement de papier paraffiné et de papier d'aluminium, puis congelez pendant 3 heures.

Plongez le moule dans de l'eau chaude pendant quelques secondes pour faciliter le démoulage, puis renversez la bombe sur un plat glacé.

BOMBE A LA VANILLE

Après avoir démoulé la bombe, nappez-la de chocolat amer fondu. Vous pouvez utiliser une poche à douille munie d'un petit embout.

Temps : 20 mn
+ temps de prise
Facile

400 g de crème fraîche
1 à 2 cuillerées à soupe
  de sucre glace
150 g de meringue, émiettée
500 g de glace à la vanille
  (voir p. 294)

Mettez un moule à bombe de 15 à 18 cm de diamètre au congélateur pendant 10 minutes avant de commencer la recette. Battez vigoureusement la crème fraîche avec le sucre glace. Écrasez la meringue et incorporez les miettes à la crème. Tapissez le moule glacé d'une couche épaisse et régulière de glace à la vanille. Remplissez le moule de mélange à la crème fraîche et à la meringue, puis remettez au congélateur pendant au moins 3 heures.

Plongez brièvement le moule dans de l'eau chaude, puis démoulez la bombe sur un plat glacé.

PARFAIT AU CAFÉ

Temps : 1 h 10
Facile

250 g de sucre semoule
10 cl d'eau
60 g de grains de café, torréfiés
  et moulus
6 jaunes d'œufs
50 cl de crème fleurette
3 cuillerées à soupe de sucre
  glace

Faites chauffer le sucre avec l'eau jusqu'au stade du grand lissé. Hors du feu, ajoutez le café. Laissez refroidir, puis passez au chinois tapissé d'une mousseline. Réchauffez à feu doux (le sirop risque d'épaissir un peu).

Battez vigoureusement les jaunes d'œufs avec 1 à 2 cuillerées à café d'eau. Ajoutez le sirop de sucre chaud petit à petit, en battant rapidement. Continuez à

battre jusqu'à ce que le mélange soit froid. Battez la crème avec le sucre glace, puis, lorsque le mélange est ferme, incorporez à la préparation aux œufs. Versez dans un moule à parfait, ou à savarin, ou à kouglof, couvrez hermétiquement avec le couvercle ou avec des couches de papier paraffiné et de papier d'aluminium, puis congelez pendant 5 à 6 heures.

Plongez brièvement le moule dans de l'eau à température ambiante pour faciliter le démoulage et servez le parfait sur un plat glacé.

PARFAIT AUX NOISETTES

Temps : 1 heure
+ temps de prise
Facile

200 g de noisettes, décortiquées, mondées et légèrement grillées au four
250 g de sucre semoule
10 cl d'eau
6 jaunes d'œufs
50 cl de crème fleurette

Pilez les noisettes pour les réduire en pâte fine. Préparez un sirop de sucre épais en faisant chauffer le sucre avec l'eau jusqu'au stade du grand lissé (déposez une goutte de sirop sur le pouce et appuyez avec l'index : lorsque vous séparez les doigts, ils doivent être liés par un fil de sirop).

Battez vigoureusement les jaunes d'œufs avec 1 à 2 cuillerées à café d'eau, puis ajoutez le sirop de sucre chaud en mince filet, en battant rapidement. Continuez à battre jusqu'à ce que le mélange soit froid. Battez la crème avec le sucre glace, puis, lorsque le mélange est ferme, incorporez à la préparation aux œufs. Versez dans un moule à parfait (voir recette précédente), couvrez hermétiquement avec le couvercle ou avec des couches de papier paraffiné et de papier d'aluminium, puis congelez pendant 5 à 6 heures.

Plongez brièvement le moule dans de l'eau à température ambiante pour faciliter le démoulage et servez le parfait sur un plat glacé.

PARFAIT A L'ABRICOT

Vous pouvez disposer des rondelles de kiwi de façon qu'elles forment un cercle au centre du parfait.

*Temps : 1 heure
  + temps de prise
Facile*

250 g de sucre semoule
10 cl d'eau
6 jaunes d'œufs
250 g d'abricots au sirop
50 cl de crème fleurette

Faites chauffer le sucre avec l'eau jusqu'au stade du grand lissé (voir recette précédente).
Battez vigoureusement les jaunes d'œufs avec 1 à 2 cuillerées à café d'eau, puis ajoutez le sirop de sucre chaud en mince filet, en battant rapidement. Continuez à battre jusqu'à ce que le mélange soit froid. Égouttez les abricots et réduisez-les en purée lisse au mixer. Incorporez cette purée au mélange à base d'œufs, puis ajoutez la crème préalablement fouettée.

Versez dans un moule à parfait. Couvrez hermétiquement avec le couvercle ou avec des couches de papier paraffiné et de papier d'aluminium, puis congelez pendant 5 à 6 heures. Plongez brièvement le moule dans de l'eau à température ambiante pour faciliter le démoulage et servez le parfait sur un plat glacé.

PARFAIT AUX KIWIS

*Temps : 1 heure
  + temps de prise
Facile*

250 g de kiwis
25 cl de marsala
250 g de sucre semoule
10 cl d'eau
6 jaunes d'œufs
60 cl de crème fleurette

Pelez les kiwis, coupez-les en rondelles et faites-les tremper dans le marsala. Préparez un sirop de sucre épais en faisant chauffer le sucre avec l'eau jusqu'au stade du grand lissé (voir Parfait aux noisettes, p. 305). Battez énergiquement les jaunes d'œufs avec 1 à 2 cuillerées à café d'eau, puis ajoutez le sirop de sucre chaud en mince filet, en battant rapidement. Continuez à battre jusqu'à ce que le mélange soit froid. Ajoutez les kiwis égouttés, puis réduits en purée au mixer,

en remuant bien. Fouettez la crème jusqu'à ce qu'elle soit ferme, puis incorporez-la au mélange d'œufs, de sirop et de kiwis.

Versez dans un moule à parfait. Couvrez hermétiquement avec le couvercle ou avec des couches de papier paraffiné et de papier d'aluminium, puis congelez pendant 5 à 6 heures. Plongez brièvement le moule dans l'eau à température ambiante pour faciliter le démoulage et servez le parfait sur un plat glacé.

PARFAIT AU CHOCOLAT

Recouvrez ce parfait de copeaux de chocolat et de rosettes de crème fouettée.

*Temps : 1 heure
  + temps de prise
Facile*

250 g de sucre semoule
10 cl d'eau
125 g de chocolat amer
8 jaunes d'œufs
50 cl de crème fleurette

Préparez un sirop de sucre en faisant chauffer le sucre avec l'eau jusqu'au stade du grand lissé (voir Parfait aux noisettes, p. 305). Ôtez du feu, ajoutez le

chocolat râpé et remuez jusqu'à obtention d'un mélange homogène. Faites chauffer le sirop à feu doux. Battez énergiquement les jaunes d'œufs avec 1 ou 2 cuillerées à café d'eau. Ajoutez le sirop de sucre chaud en mince filet en battant rapidement. Continuez à battre jusqu'à ce que le mélange soit froid. Fouettez la crème jusqu'à ce qu'elle soit ferme, puis incorporez-la délicatement au mélange au chocolat.

Versez dans un moule à parfait. Couvrez hermétiquement avec le couvercle ou avec des couches de papier paraffiné et de papier d'aluminium, puis congelez pendant 5 à 6 heures. Plongez brièvement le moule dans de l'eau à température ambiante pour faciliter le démoulage et servez le parfait sur un plat glacé.

PARFAIT AUX NOIX

Vous pouvez saupoudrer ce parfait de cannelle en poudre et le décorer de violettes candies.

*Temps : 1 heure
   + temps de prise
Facile*

200 g de cerneaux de noix
250 g de sucre semoule
10 cl d'eau
6 jaunes d'œufs
50 cl de crème fleurette

Pilez très finement les noix dans un mortier ou au mixer. Préparez un sirop de sucre en faisant chauffer le sucre avec l'eau jusqu'au stade du grand lissé (voir Parfait aux noisettes, p. 305). Battez les jaunes d'œufs avec 1 à 2 cuillerées à café d'eau. Ajoutez le sirop de sucre chaud en mince filet, sans cesser de battre. Continuez à battre jusqu'à ce que le mélange soit froid. Incorporez délicatement les noix et la crème préalablement fouettée.

Versez dans un moule à parfait. Couvrez hermétiquement avec le couvercle ou avec des couches de papier paraffiné et de papier d'aluminium, puis congelez pendant 5 à 6 heures. Plongez brièvement le moule dans de l'eau à température ambiante pour faciliter le démoulage et servez le parfait sur un plat glacé.

CHARLOTTE GLACÉE AUX FRAMBOISES

Cette charlotte peut également être préparée avec des fraises, des mûres, des groseilles rouges, des myrtilles ou des groseilles à maquereau.

*Temps : 40 minutes
   + temps de prise
Facile*

30 biscuits à la cuiller
25 cl de marsala
700 g de crème glacée
   (voir p. 295)
400 g de framboises
1 cuillerée à soupe de jus
   de citron
150 g de sucre semoule

Rincez un moule à charlotte à l'eau froide, sans l'essuyer. Plongez brièvement les biscuits dans le marsala et recouvrez-en le fond et les bords du moule. Remplissez le moule de glace légèrement ramollie, mais non foudue, en la tassant bien, puis recouvrez avec le reste des biscuits, en pressant délicatement. Couvrez hermétiquement avec du papier d'aluminium et surmontez d'un poids.

Mettez au congélateur pendant 3 à 4 heures.

Au moment de servir, réduisez les framboises en purée au mixer avec le jus de citron, le sucre et 3 cuillerées à soupe du marsala où ont trempé les biscuits (s'il n'en reste plus, ajoutez-en). Plongez le moule pendant quelques secondes dans de l'eau chaude pour faciliter le démoulage et servez la charlotte sur un plat glacé. Présentez la sauce aux framboises à part, dans une saucière.

CHARLOTTE GLACÉE AUX FRUITS

Décorez cette charlotte aux fruits de crème fouettée et de feuilles de menthe.

*Temps : 30 minutes
   + temps de prise
Facile*

150 g de sucre semoule
25 cl d'eau
2 à 3 cuillerées à café
   de Cointreau
16 biscuits à la cuiller
20 cl de crème fleurette
40 g de sucre glace
200 g de petites fraises
200 g de mûres

Faites bouillir le sucre avec l'eau pendant 5 minutes. Laissez légèrement refroidir avant d'ajouter

CHARLOTTE GLACÉE
AU CAFÉ
■ Saupoudrez de cacao
amer, puis décorez
de rosettes de crème
fouettée et de grains
de café, ou de grains
de chocolat.

le Cointreau. Coupez les biscuits en deux dans le sens de la longueur et plongez-les brièvement dans le sirop chaud, avant d'en tapisser un moule à charlotte d'une contenance de 1 litre. Battez la crème froide avec le sucre glace jusqu'à ce que le mélange soit bien ferme.

Remplissez le moule à charlotte en alternant les couches de cette façon : une partie de la crème fouettée, des fraises et des biscuits imbibés de sirop ; la moitié des mûres, puis de nouveau de la crème, et ainsi de suite, en finissant par une couche de biscuits. Recouvrez d'un plat allant au congélateur surmonté d'un poids. Congelez pendant 3 heures environ. Plongez le moule pendant quelques secondes dans de l'eau chaude pour faciliter le démoulage et servez la charlotte sur un plat glacé.

CHARLOTTE GLACÉE
AU CAFÉ

Temps : 30 minutes
*   + temps de prise*
Facile

50 cl de crème fleurette
125 g de sucre semoule
30 cl de café noir très fort
30 biscuits à la cuiller
quelques grains de café
    chocolatés

Battez la crème avec 100 g de sucre jusqu'à ce que le mélange soit ferme. Ajoutez 3 cuillerées à soupe de café, petit à petit, sans cesser de battre. Transférez ce mélange dans un récipient en plastique ou en métal, fermez hermétiquement et mettez au congélateur jusqu'à ce que la préparation prenne.

Sucrez le reste du café.

Passez les biscuits dans le café, et tapissez-en le fond et les bords d'un moule à charlotte. Remplissez le moule du mélange glacé à la crème et au café, en tassant bien. Recouvrez avec le reste de biscuits, préalablement imbibés avec le reste de café. Recouvrez le moule d'une feuille de papier paraffiné, puis d'une assiette surmontée d'un poids. Mettez au congélateur pendant 2 heures.

Plongez le moule dans de l'eau chaude pendant quelques secondes pour faciliter le démoulage de la charlotte glacée. Décorez de grains de café chocolatés.

MOUSSE GLACÉE
AU CHOCOLAT

Temps : 40 minutes
*   + temps de prise*
Facile

308

300 g de gâteau mousseline
  (voir p. 146)
3 cuillerées à soupe de liqueur
  de café
150 g de nougatine
30 cl de crème fleurette
1 cuillerée à soupe de sucre
  glace
500 g de glace au chocolat
  (voir p. 294)

Coupez le gâteau mousseline en fines tranches verticales et tapissez-en le fond et les bords d'un moule à cake ou d'un moule rectangulaire. Arrosez le gâteau avec la liqueur. Pilez la nougatine ou passez-la au mixer pour la réduire en fine poudre ou pâte.

Battez la crème avec le sucre glace jusqu'à ce que le mélange soit ferme, incorporez la nougatine et remplissez à demi le moule avec ce mélange. Recouvrez bien cette garniture d'une feuille de papier paraffiné et d'une feuille de papier d'aluminium découpées aux dimensions voulues. Mettez au congélateur pendant 3 heures.

Sortez le moule du congélateur, ôtez le papier paraffiné et le papier d'aluminium, puis remplissez le moule de glace au chocolat. Déposez une couche de tranches de gâteau sur le dessus, puis remettez au congélateur pendant 3 heures.

Vingt minutes avant de servir, sortez le moule du congélateur. Démoulez la mousse glacée sur un plat glacé et laissez à température ambiante jusqu'au moment de servir.

MOUSSE GLACÉE A L'ANANAS

Temps : 1 h 10
  + temps de prise
Facile

10 tranches d'ananas au sirop
250 g de biscuits à la cuiller
25 cl de porto
6 jaunes d'œufs
170 g de sucre semoule
600 g de mascarpone
  ou d'un autre fromage frais
3 blancs d'œufs

Égouttez bien les tranches d'ananas, en réservant 10 cl de sirop, puis hachez les tranches en très petits dés. Mélangez la moitié du porto avec le sirop d'ananas. Passez-y brièvement les biscuits, dont vous tapissez le fond et les bords d'un moule à charlotte. Battez les jaunes d'œufs avec le sucre jusqu'à ce que le mélange pâlisse et augmente de volume. Incorporez le mascarpone par cuillerées, puis, en remuant avec une cuillère en bois, ajoutez l'ananas. A l'aide d'une spatule en bois ou en plastique, incorporez les blancs d'œufs battus en neige ferme. Remplissez le moule de ce mélange. Passez les biscuits restants dans le mélange de porto et de sirop, puis couvrez-en la préparation dans le moule. Congelez pendant au moins 4 heures.

Démoulez la charlotte 30 minutes avant de servir et laissez-la à température ambiante.

MOUSSE GLACÉE A LA VANILLE

Vous apporterez la touche finale à ce dessert en le nappant généreusement de chocolat amer très chaud.

Temps : 50 minutes
  + temps de prise
Facile

300 g de gâteau mousseline
  (voir p. 146)
25 cl de vin doux
  (beaumes de Venise par
  exemple)
100 g de fruits ou de zestes
  confits, hachés menu
100 g de nougatine
30 g de pistaches, décortiquées
50 g de chocolat pâtissier
50 cl de crème fleurette
3 cuillerées à soupe de sucre
  glace
500 g de glace à la vanille
  (voir p. 294)

Coupez la gâteau mousseline en fines tranches verticales. Arrosez-les d'un peu de vin et tapissez-en le fond et les bords d'un moule creux rectangulaire. Hachez ou pilez les amandes et les pistaches en petits morceaux, mais ne les réduisez pas en pâte. Hachez finement ou râpez grossièrement le chocolat. Battez la crème avec le sucre glace jusqu'à ce que la consistance soit ferme, puis incorporez les amandes, les pistaches, les fruits et le chocolat. Étalez la moitié de la glace à la vanille en couche sur le gâteau, en pressant doucement. Pour la deuxième couche, utilisez le mélange à base de crème. Couvrez avec une feuille de papier paraffiné découpée aux dimensions voulues et mettez au congélateur pendant 3 heures.

Ôtez le papier. Mettez le reste de la glace à la vanille dans le moule, en tassant légèrement. Recouvrez d'une couche de tranches de gâteau arrosées du reste du vin. Remettez au congélateur pendant 3 heures. Vingt minutes avant de servir, démoulez la mousse glacée et laissez-la à température ambiante.

PETITS GLACÉS AU CHOCOLAT

Les enfants raffolent littéralement de cette friandise très simple et rapide à préparer.

Temps : 15 minutes
  + temps de prise
Très facile

100 g de chocolat amer
10 cl d'eau chaude
50 cl de crème fraîche épaisse
50 g de sucre semoule
2-3 gouttes d'extrait de vanille

Brisez le chocolat en petits morceaux, faites-le fondre dans l'eau chaude, en remuant bien, puis incorporez-le à la crème fraîche. Ajoutez le sucre et la vanille, et mélangez. Versez dans de petits moules individuels et réfrigérez.

LES EXTRAITS

N'achetez que des extraits purs. Quelques gouttes suffisent pour donner au plus simple des desserts la saveur et le parfum délicieux de la vanille, de l'orange, du citron ou de l'amande.

MOUSSE GLACÉE A LA FRAISE

*Temps : 20 minutes
    + temps de prise
Facile*

800 g de fraises
15 cl de crème fraîche
100 g de mascarpone
    ou d'un autre fromage frais
250 g de sucre glace

Lavez, épongez et équeutez les fraises. Réservez-en 300 g, puis écrasez le reste avec une fourchette. Incorporez la crème légèrement fouettée, le mascarpone et le sucre. Fouettez ce mélange au batteur électrique ou à la main jusqu'à ce qu'il soit léger et aéré. Chemisez un moule rectangulaire ou un moule à cake de papier paraffiné. Remplissez-le avec le mélange à la fraise et mettez au congélateur pendant 4 heures.

Plongez le moule pendant quelques secondes dans de l'eau chaude pour faciliter le démoulage, retournez-le sur un plat glacé et ôtez le papier paraffiné.

MOUSSE GLACÉE AU CHOCOLAT, AU NOUGAT ET AUX NOIX

*Temps : 30 minutes
    + temps de prise
Facile*

5 jaunes d'œufs
50 g de sucre semoule
50 cl de crème fleurette
50 g de nougat
50 g de chocolat pâtissier
50 g de macarons

Battez les jaunes d'œufs avec le sucre jusqu'à ce que le mélange pâlisse, gonfle et forme le ruban. Battez la crème jusqu'à ce qu'elle soit ferme, puis incorporez-la au mélange d'œufs et de sucre. Brisez le nougat en très petits morceaux, râpez grossièrement le chocolat et émiettez très grossièrement les macarons. Incorporez le tout, petit à petit, au mélange à base de crème. Garnissez un moule rectangulaire ou un moule à cake de papier paraffiné. Remplissez-le de cette préparation et mettez au réfrigérateur pendant au moins 4 heures.

Plongez très brièvement le moule dans de l'eau chaude pour faciliter le démoulage. Démoulez sur un plat glacé. Décorez de rosettes de crème fouettée et de crème au chocolat ainsi que de petits macarons entiers (voir illustration ci-contre). Émiettez quelques macarons et appliquez-les sur les bords de la mousse glacée.

*MOUSSE GLACÉE
AU CHOCOLAT,
AU NOUGAT
ET AUX NOIX*
■ *Après démoulage,
appliquez des miettes
de macarons sur les bords
de la mousse glacée, puis,
avec une poche à douille,
déposez des rosettes
de crème fraîche
et de crème au chocolat.*

COUPES GLACÉES A LA PÊCHE ET AUX AMANDES

*Temps : 30 minutes
Très facile*

3 pêches bien mûres
25 cl de vin doux
  (beaumes de Venise,
  par exemple)
100 g de sucre semoule
600 g de crème glacée
  (voir p. 295)
200 g d'amandes, effilées,
  légèrement grillées au four

Pelez les pêches délicatement, en les ébouillantant si besoin, coupez-les en deux et ôtez le noyau. Faites bouillir le vin avec le sucre à petits bouillons pendant 5 minutes. Ajoutez les demi-pêches et faites-les cuire à feu doux, en les retournant au bout de 5 à 8 minutes et en veillant à ce qu'elles ne soient pas trop cuites. Laissez refroidir dans le sirop. Servez la crème glacée dans des coupelles, puis déposez une demi-pêche égouttée sur la glace. Garnissez d'amandes et servez aussitôt.

COUPES GLACÉES A LA FRAISE

*Temps : 20 minutes
  + temps de prise
Très facile*

50 cl de bon vin blanc
200 g de sucre semoule
500 g de fruits frais, au choix
3 cuillerées à soupe de rhum
600 g de glace à la fraise
  (voir p. 301)

Faites bouillir le vin avec le sucre jusqu'à ce que le mélange ait réduit de moitié. Laissez refroidir avant de répartir dans

six grands verres à vin. Coupez les fruits en petits dés et répartissez-les dans les verres. Mettez au réfrigérateur pendant 2 heures. Au moment de servir, arrosez d'un peu de rhum et déposez 3 ou 4 cuillerées de glace à la fraise dans chaque verre.

COUPES GLACÉES AU GRAND MARNIER

*Temps : 30 minutes
  + temps de prise
Très facile*

600 g de glace tutti frutti
  (voir p. 303)
25 cl de Grand Marnier
400 g de quartiers d'orange
25 cl de crème fleurette

Déposez 3 ou 4 cuillerées de glace dans des coupelles glacées ou de grands verres à vin allant au congélateur. Arrosez chaque portion de Grand Marnier, puis disposez les quartiers d'orange, débarrassés de la fine membrane blanche, de manière décorative. Mettez au congélateur pendant 2 heures. Quinze minutes avant de servir, sortez les coupelles du congélateur et décorez de rosettes de crème fouettée.

COUPES GLACÉES AU CHOCOLAT ET AU RHUM

*Temps : 30 minutes
Très facile*

300 g de gâteau mousseline
  (voir p. 146)
25 cl de rhum
600 g de crème glacée
  (voir p. 295)

200 g de pêches et d'abricots
au sirop
20 cl de sauce au chocolat
(voir p. 50)

Coupez le gâteau mousseline en
fines tranches verticales. Allon-
gez le rhum d'un peu d'eau
froide. Passez-y brièvement les
tranches de gâteau et tapissez-
en le fond de six coupelles.
Déposez 2 ou 3 petites cuillerées
de glace sur chaque tranche de
gâteau, puis un peu de fruits
égouttés et coupés en petits dés.
Assurez-vous que la sauce au
chocolat est bien chaude avant
d'en verser sur chaque portion.

COUPES GLACÉES AUX MERINGUES

*Temps : 15 minutes
+ temps de prise
Très facile*

500 g de plum-cake
(voir p. 182)
500 g de glace à la vanille
(voir p. 294)
25 cl de crème fleurette
6 petites meringues
100 g d'amandes, hachées

Coupez le plum-cake en fines
tranches. Alternez des couches
de gâteau et de glace, en commençant par le gâteau, dans six
coupelles. Mettez-les au congélateur pendant 3 heures.
  Quinze minutes avant de servir, sortez les coupelles du
congélateur. Déposez sur chaque portion des rosettes de
crème fouettée, à l'aide d'une
poche à douille, puis une meringue, et saupoudrez généreusement d'amandes hachées.

CHARLOTTE GLACÉE AUX ABRICOTS
■ *Vous pouvez utiliser cette recette pour confectionner une charlotte glacée aux pêches ou à l'ananas (dans ce dernier cas, supprimez les fruits confits et les raisins secs).*

CHARLOTTE GLACÉE AUX ABRICOTS

Temps : 40 minutes + temps de prise

750 g d'abricots bien mûrs
400 g de sucre semoule
1 cuillerée à soupe de jus de citron
20 cl de crème fraîche
100 g de fruits ou de zestes confits
100 g de raisins de Smyrne
25 cl de rhum
30 biscuits à la cuiller

Lavez, épongez et dénoyautez les abricots. Réduisez-les en purée lisse au mixer. Ajoutez 350 g de sucre, le jus de citron, et mélangez bien. Battez la crème jusqu'à ce qu'elle soit ferme, puis incorporez-la à la purée d'abricots. Mélangez les fruits confits et les raisins secs avec la moitié du rhum. Faites chauffer rapidement l'eau avec le reste du sucre et du rhum, que vous verserez dans un plat peu profond. Lorsque ce liquide est froid, passez-y brièvement chaque biscuit, dont vous tapisserez entièrement le fond et les bords d'un moule à charlotte de 20 à 22 cm de diamètre. Ajoutez, par cuillerées, une partie de la préparation à l'abricot, puis lissez le dessus. Déposez une partie des fruits confits et des raisins secs et recouvrez d'une couche de biscuits imbibés. Alternez ainsi les couches jusqu'à ce que vous ayez utilisé tous les ingrédients, en terminant par une couche de biscuits imbibés. Mettez au congélateur pendant au moins 4 heures.

Deux à 3 heures avant de servir, mettez le moule au réfrigérateur, afin que la charlotte ne soit pas trop dure. Démoulez sur un plat de service glacé au moment de servir.

ANANAS SPLIT

Temps : 30 minutes + temps de prise
Très facile

1 gros ananas
25 cl de kirsch
500 g de glace à la pistache (voir p. 296)
200 g de raisins de Smyrne, pignons et zeste de cédrat confit
25 cl de sauce à la vanille (voir p. 49)

Pelez l'ananas et coupez-le en tranches, en ôtant le cœur fibreux. Coupez les tranches en petits morceaux, que vous mélangerez au kirsch, dans une jatte. Laissez reposer pendant 30 minutes. Mettez 2 ou 3 cuillerées de glace dans six coupelles allant au congélateur et déposez 2 ou 3 cuillerées d'ananas par-dessus. Recouvrez avec une partie des fruits confits et des pignons. Déposez une nouvelle couche d'ananas, puis de fruits et de pignons, et terminez par une couche d'ananas. Nappez chaque portion de sauce à la vanille. Mettez au congélateur pendant 20 à 30 minutes et servez.

SURPRISE AU CHAMPAGNE

Temps : 30 minutes + temps de repos et de prise
Très facile

2 kiwis
1 banane
1 cuillerée à soupe de jus de citron
1 pamplemousse rose
12 litchis frais, pelés et dénoyautés
100 g de fraises des bois

3 cuillerées à soupe de sucre de canne
60 cl de champagne ou de mousseux
200 g de glace à la noix de coco (voir p. 300)
200 g de glace à la pastèque (voir p. 298)
200 g de glace tutti frutti (voir p. 303)

Préparez tous les fruits. Laissez les litchis dénoyautés entiers. Coupez les kiwis et la banane en petits morceaux, puis mélangez-les au jus de citron. Enlevez la fine membrane des quartiers de pamplemousse. Lavez et essuyez les fraises des bois. Mélangez tous les fruits avec le sucre dans une grande jatte. Mettez au réfrigérateur pendant 1 heure.

Répartissez la salade de fruits dans six coupelles. Versez du champagne sur chaque portion. Déposez 1 cuillerée de glace de chaque parfum par-dessus. Versez encore un peu de champagne et servez aussitôt.

LES CLOUS DE GIROFLE

Les boutons de l'Eugenia cariophyllata, arbre à feuillage persistant originaire des « îles des épices » d'Asie du Sud-Est, sont séchés et utilisés de diverses manières. Il faut les employer avec parcimonie, car leur saveur et leur arôme sont très puissants. La poudre vendue dans le commerce est moins aromatique que les clous de girofle frais émiettés.

COUPES GLACÉES A L'ORANGE ET AUX NOIX

*Temps : 40 minutes
  + temps de prise
Très facile*

6 oranges
150 g de sucre semoule
24 cerneaux de noix
1 à 2 cuillerées à soupe
  de curaçao
20 g de crème fleurette
200 g de glace à la fraise
  (voir p. 301)

Découpez le zeste de 2 oranges, sans la peau blanche et amère, en très fines bandelettes. A l'aide d'un couteau très pointu, ôtez la membrane blanche et la membrane translucide des oranges, qui doivent rester entières. Coupez-les en épaisses rondelles, que vous mettrez dans une jatte avec 100 g de sucre et le curaçao. Mélangez bien et mettez au réfrigérateur. Réservez 12 cerneaux de noix et hachez finement le reste. Faites fondre le reste du sucre dans une petite casserole et, à l'aide d'une cuillère en bois, incorporez le zeste haché. Réservez. Juste avant de servir, déposez une couche de glace à la fraise au fond de six coupelles. Répartissez la moitié des rondelles d'orange par-dessus et recouvrez avec la moitié de la crème fouettée. Saupoudrez de noix et de zeste d'orange. Déposez une cuillerée de crème fraîche sur le dessus, entourez de rondelles d'orange coupées en deux, côté incurvé vers le haut, et placez deux cerneaux de noix au centre de la crème.

COUPES GLACÉES AU CAFÉ ET AUX NOIX

*Temps : 35 minutes
Facile*

250 g de noix,
  légèrement grillées au four
100 g de mascarpone
  ou d'un autre fromage frais
2 œufs
100 g de sucre semoule
3 cuillerées à soupe de cognac
600 g de glace au café
  (voir p. 294)
6 cerneaux de noix

Réduisez les noix en pâte dans un mortier ou au mixer, en liant avec 1 cuillerée à soupe de mascarpone. Battez les jaunes d'œufs avec 50 g de sucre jusqu'à ce que le mélange soit très pâle et mousseux. Incorporez la pâte de noix, puis le reste du mascarpone, les blancs d'œufs battus en neige ferme, le reste du sucre et le cognac. Versez ce mélange dans six coupelles. Déposez 2 ou 3 cuillerées de glace au café sur chaque portion, puis décorez de cerneaux de noix.

COUPES GLACÉES AU YAOURT ET A LA PISTACHE

*Temps : 30 minutes
Très facile*

500 g de fruits frais (pêches, bananes, fraises par exemple)
50 cl de yaourt
300 g de crème fleurette
300 g de glace à la pistache
  (voir p. 296)

Lavez, épongez, pelez et coupez en dés tous les fruits. Arrosez la banane d'un peu de jus de citron pour éviter qu'elle ne noircisse. Mettez-les dans une grande jatte non métallique. Versez le yaourt et mélangez soigneusement. Fouettez énergiquement la crème fraîche, sucrez-la, puis incorporez-la au mélange à base de yaourt et de fruits. Répartissez cette préparation dans six coupelles et déposez 1 cuillerée de glace à la pistache sur chaque portion. Servez aussitôt.

COUPES SUNSET

*Temps : 30 minutes
Très facile*

6 pêches mûres
150 g de sucre semoule
4 clous de girofle (facultatif)
1 gousse de vanille,
  ou 2-3 gouttes d'extrait
300 g de crème glacée
  (voir p. 295)
200 g de crème fleurette
150 g de framboises fraîches

Pelez les pêches délicatement, coupez-les en deux et dénoyautez-les. Disposez-les dans une poêle, côté coupé en dessous. Ajoutez le sucre, les clous de girofle, la vanille et un peu d'eau. Couvrez et laissez frémir pendant 15 minutes. Laissez refroidir.

Au moment de préparer les coupes, déposez une grosse cuillerée de glace dans chaque coupelle, puis posez deux demi-pêche égouttées dessus, côté coupé en dessous. A l'aide d'une poche à douille munie d'un embout cannelé, déposez une rosette de crème fouettée sur chaque portion. Décorez de framboises et servez aussitôt.

COUPES AUX MARRONS GLACÉS

Pour réduire l'apport calorique de ce dessert, remplacez le fromage légèrement sucré ou additionné de miel par du yaourt épais.

*Temps : 30 minutes
  + temps de prise
Très facile*

3 jaunes d'œufs
100 g de sucre semoule
300 g de mascarpone
  ou d'un autre fromage frais
le zeste d'une orange, râpé
2 blancs d'œufs
50 g de chocolat amer
6 marrons glacés
25 cl de crème fleurette

Battez les jaunes d'œufs avec le sucre jusqu'à ce que le mélange soit pâle et mousseux, et forme le ruban. Incorporez le mascarpone et le zeste d'orange, puis les blancs d'œufs battus en neige ferme. Répartissez le mélange dans six coupelles et mettez au

pulpe de pastèque, en enlevant autant de graines que vous le pouvez. Déposez-les dans une grande jatte. Recommencez l'opération avec le melon, en ajoutant la pulpe à celle de la pastèque. Pelez les pêches et coupez-les en rondelles, que vous ajouterez dans la jatte, ainsi que les autres fruits, le vin et le sucre. Mettez au réfrigérateur pendant 2 à 3 heures.

Répartissez la salade de fruits dans six coupelles. Déposez une portion de glace aux fruits dessus et décorez d'une cerise.

COUPES GLACÉES AU CHOCOLAT

Pour varier, vous pouvez utiliser de la glace au café ou au sabayon.

Temps : 25 minutes
Très facile

100 g d'amandes pilées
800 g de crème glacée
   (voir p. 295)
100 g de chocolat amer
   ou pâtissier
1 à 2 cuillerées à soupe de lait

Déposez 3 ou 4 cuillerées de glace dans six coupelles, ou dans des grands verres à vin, glacées. Saupoudrez d'amandes. Au bain-marie, faites fondre le chocolat dans du lait. Mélangez bien et versez sur la glace au moment de servir.

---

congélateur pendant 1 heure à 1 h 30, ou au réfrigérateur pendant au moins 3 heures.

Servez saupoudré de chocolat râpé, décoré de rosettes de crème fouettée surmontée d'un marron glacé.

COUPES GLACÉES A LA BANANE

Saupoudrez chaque portion d'une pincée de cannelle et de quelques amandes pilées.

Temps : 30 minutes
*   + temps de prise*
Très facile

6 bananes
25 cl de lait
50 g de sucre semoule
1 cuillerée à soupe de jus
   de citron
20 cl de crème fraîche épaisse
100 g de chocolat amer
4 gâteaux secs

50 g d'amandes, pilées
5 cl de rhum
50 g de raisins de Smyrne
crème fouettée, légèrement
   sucrée (facultatif)

Réduisez les bananes en purée au mixer avec le lait, le sucre et le jus de citron. Incorporez la crème fraîche fouettée. Râpez le chocolat, émiettez les gâteaux secs et mélangez aux amandes pilées. Mélangez les raisins de Smyrne au rhum.

Répartissez le mélange à la banane dans six coupelles. Déposez une couche de mélange au chocolat dessus, puis les raisins soigneusement égouttés et épongés. Décorez de crème fouettée et mettez au réfrigérateur jusqu'au moment de servir.

COUPES ROYALES

Pour obtenir un dessert encore plus léger et rafraîchissant, remplacez la glace aux fruits par du sorbet au citron.

Temps : 30 minutes
*   + temps de prise*
Très facile

1 petite pastèque ou la moitié
   d'une grosse
1 melon bien mûr
3 pêches
100 g de raisin noir
100 g de raisin blanc
100 g de myrtilles bien mûres
100 g de mûres
1/2 bouteille de vin doux
   (beaumes de Venise,
   par exemple)
80 g de sucre
6 grosses cuillerées de glace
   tutti frutti (voir p. 303)
6 cerises au marasquin

A l'aide d'une cuillère parisienne, prélevez des boules de

Les biscuits secs maison
sont, en général, plus
appétissants et meilleurs
que ceux du commerce. Faciles à
préparer, ils se conservent bien dans
des récipients hermétiques. Dans ce
chapitre, vous trouverez également
une sélection de petits fours que vous
pourrez servir à la fin d'un buffet
ou d'un repas de fête, ou encore à
l'heure du thé.

□ Si le succès des biscuits ne s'est jamais démenti, les petits fours sont plutôt réservés pour les grandes occasions. En effet, on les sert souvent seulement à la fin d'un banquet, d'un souper fin ou d'une réception. Cela est bien dommage, car ils permettent de conclure d'une façon très agréable et originale un bon repas, avec le café et les alcools, après un dessert très simple tel qu'une salade de fruits ou une mousse légère — apportant la touche de sucrerie que tant de convives apprécient.

□ Les petits fours peuvent être de véritables œuvres d'art miniatures. Vous pourrez même transformer une boîte contenant vos propres créations en un cadeau original, qui remplacera avantageusement la sempiternelle boîte de chocolats et ravira l'hôtesse qui vous invite.

BATONNETS AU CHOCOLAT

Pour accentuer la saveur et la douceur de ces biscuits, remplacez les cacahuètes par des raisins de Smyrne et 3 cuillerées à soupe de vin doux.

*Temps : 40 minutes
    + temps de réfrigération
Très facile*

300 g de petits-beurre,
   finement écrasés
100 g de cacahuètes
100 g d'amandes, mondées
300 g de chocolat amer
   ou pâtissier
100 g de mascarpone
   ou d'un autre fromage frais
250 g de sucre semoule
1 pincée de sel
Décoration :
100 g de sucre semoule

Écrasez très finement les biscuits. Pilez les cacahuètes et les amandes. Faites fondre le chocolat au bain-marie. A l'aide d'une cuillère en bois, mélangez tous les ingrédients, à l'exception des amandes hachées et du sucre réservé pour la décoration, jusqu'à obtention d'une consistance ferme. Façonnez des bâtonnets de 5 cm de long, que vous roulerez dans les amandes hachées. Dressez les petits gâteaux sur un plat de service et saupoudrez de sucre. Mettez au réfrigérateur jusqu'au moment de servir.

BRUTTI MA BUONI

Ces petits biscuits originaires du nord de l'italie, dont le nom signifie « laids mais bons », ne paient pas de mine mais sont un vrai régal.

*Temps : 40 minutes
Très facile*

360 g de farine
200 g de beurre ramolli
250 g de sucre semoule
2 œufs
1 pincée de sel

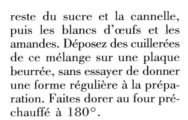

200 g d'amandes, mondées
1 cuillerée à café d'extrait
de vanille
1 cuillerée à café de cannelle
en poudre

Tamisez la farine dans une grande jatte. Faites un puits. Ajoutez le beurre ramolli à température ambiante, 50 g de sucre et les jaunes d'œufs battus avec la vanille et le sucre. Mélangez en incorporant la farine aux autres ingrédients jusqu'à ce que la pâte soit bien homogène.

Faites dorer les amandes au four, puis hachez-les finement. Battez les blancs d'œufs en neige ferme avec le sel. Ajoutez le reste du sucre et la cannelle, puis les blancs d'œufs et les amandes. Déposez des cuillerées de ce mélange sur une plaque beurrée, sans essayer de donner une forme régulière à la préparation. Faites dorer au four préchauffé à 180°.

BISCUITS AU CITRON

Temps : 45 minutes
Très facile

150 g de beurre ramolli
100 g de sucre semoule
le zeste, râpé, et le jus
d'un citron
1 bonne pincée de cannelle
en poudre
2 jaunes d'œufs
1 pincée de sel
250 g de farine
50 g de sucre de canne

Battez le beurre ramolli avec le sucre semoule jusqu'à ce que le mélange pâlisse et devienne crémeux. Ajoutez le zeste et le jus de citron, la cannelle, 1 jaune d'œuf et le sel. Ajoutez la farine tamisée et pétrissez. Formez un rouleau, enveloppez-le dans du papier d'aluminium et mettez-le au réfrigérateur pendant 2 heures.

Battez l'autre jaune d'œuf et badigeonnez-en le rouleau de pâte, puis passez-le dans le sucre de canne, de manière à le recouvrir entièrement. Coupez le rouleau en tranches de 0,5 cm d'épaisseur et posez-les sur des plaques beurrées. Faites cuire au four préchauffé à 200° pendant 15 minutes.

LANGUES-DE-CHAT

Pour confectionner des langues-de-chat au chocolat, ajoutez du cacao amer tamisé et une bonne pincée de cannelle.

Temps : 1 heure
Facile

220 g de beurre ramolli
200 g de sucre glace
1 pincée de sel
6 blancs d'œufs
200 g de farine
3 cuillerées à soupe d'huile
d'olive
150 g de chocolat amer
ou pâtissier

A l'aide d'une cuillère en bois, travaillez le beurre ramolli avec le sucre et le sel jusqu'à ce que le mélange soit très pâle et mou. Incorporez les blancs d'œufs battus en neige ferme et la farine.

A l'aide d'une poche à douille et d'un embout de taille moyenne, déposez le mélange sur une plaque beurrée et farinée en bandes de 10 cm de long, bien espacées les unes des autres. Laissez reposer pendant 10 minutes. Mettez au four préchauffé à 250° pendant 4 à 5 minutes.

Huilez légèrement un rouleau à pâtisserie. Pendant que les biscuits sont encore tièdes, placez-les, dans le sens de la longueur, sous le rouleau, face intérieure contre le rouleau, et pressez de manière à leur donner une forme courbe.

Faites fondre le chocolat au bain-marie, plongez-y un pinceau à pâtisserie et badigeonnez la face courbe des biscuits.

ANNEAUX AU VIN DOUX

Ces biscuits sont délicieux nature ou avec un peu de cannelle. Avant de les cuire, badigeonnez le dessus des anneaux de blanc d'œuf et saupoudrez de cannelle.

Temps : 1 heure
Très facile

250 g de farine
100 g de sucre semoule
30 g de levure chimique
100 g de beurre ramolli
1 œuf
1 pincée de sel
1 à 2 cuillerées à soupe de vin
doux (beaumes de Venise,
par exemple)
125 g de sucre glace

Tamisez la farine sur le plan de travail. Faites un puits. Ajoutez le sucre, la levure, le beurre ramolli coupé en petits morceaux, l'œuf, le sel et le vin. Pétrissez lentement jusqu'à ce que la pâte soit bien homogène.

Détachez des morceaux de pâte. Roulez-les entre vos paumes en façonnant de longs et fins cylindres, puis rapprochez-en les deux extrémités pour former des anneaux, que vous saupoudrerez de sucre glace. Posez-les sur des plaques beurrées et farinées. Faites cuire au four préchauffé à 160° pendant 20 minutes.

BISCUITS EN ÉTOILE
■ Pour façonner
des biscuits de différentes
formes, il existe
de nombreux emporte-
pièce. L'étoile est
un motif traditionnel.

MACARONS AUX AMANDES

Temps : 45 minutes
Très facile

250 g d'amandes
2 blancs d'œufs
1 à 2 cuillerées à soupe
  de farine
2 cuillerées à soupe de sucre
  vanillé
1 cuillerée à soupe de cannelle
  en poudre
le zeste d'un citron, râpé
250 g de sucre semoule
1 pincée de sel

Utilisez de préférence des amandes non mondées. Pilez-les jusqu'à obtention d'une pâte très fine. Battez les blancs d'œufs en neige ferme. Mélangez les amandes, la farine, le sucre vanillé, la cannelle, le zeste de citron râpé, le sucre et le sel, puis incorporez ce mélange aux œufs en neige.

Remuez délicatement, puis détachez la pâte en petits morceaux, que vous roulerez en boules de 2 à 3 cm de diamètre entre vos paumes. Écrasez-les légèrement et posez-les sur une plaque beurrée, en les espaçant bien. Faites cuire au four préchauffé à 180° pendant 25 minutes environ, en veillant à ce que les macarons ne brunissent pas trop.

MACARONS AUX NOISETTES

Temps : 45 minutes
Très facile

200 g de noisettes
250 g de sucre semoule
3 blancs d'œufs
1 pincée de sel
1 noix de beurre
1 cuillerée à soupe de farine

Faites griller légèrement les noisettes au four. Hachez-les finement, mélangez-les avec le sucre, puis incorporez-les aux blancs d'œufs préalablement battus en neige ferme avec le sel. Remuez délicatement et remplissez une poche à douille de ce mélange. Déposez de petites quantités de pâte, en les espaçant bien, sur une plaque beurrée et farinée. Faites cuire au four préchauffé à 180° pendant 30 minutes environ.

BISCUITS DEMI-LUNES

Pour accentuer la saveur de ces biscuits et les rendre plus alléchants, plongez-les dans du chocolat fondu.
Temps : 1 heure
Facile

225 g de farine
50 g de beurre ramolli
50 g de sucre semoule
1 pincée de sel
2 œufs
le zeste d'un citron, râpé
1 à 2 cuillerées à soupe
  de levure chimique

Mélangez la farine, le beurre ramolli, mais non fondu, le sucre, le sel, 1 œuf et 1 jaune, le zeste de citron râpé et la levure. Pétrissez la pâte.

LA MUSCADE

Fraîchement râpée, la graine du fruit du muscadier, Myristica fragrans, *arbre originaire des Moluques, donnera une saveur et un parfum délicats à vos mets salés ou sucrés.*

Abaissez-la et découpez-y des disques de 6 à 7 cm de diamètre que vous couperez en deux. Battez le blanc d'œuf qui reste en neige ferme et déposez-en un peu sur chaque demi-lune. Posez-les sur une plaque beurrée. Mettez au four préchauffé à 180° et faites légèrement dorer pendant 10 minutes environ.

BISCUITS AU MIEL

Ces biscuits sont le révélateur de la qualité du miel utilisé : plus celui-ci sera savoureux, et plus le goût des biscuits sera prononcé.

Temps : 40 minutes
Très facile

120 g de beurre ramolli
80 g de miel liquide
1 œuf
300 g de farine
1 à 2 cuillerées à soupe
    de levure chimique
1 pincée de cannelle en poudre
1 pincée de sel

Faites ramollir le beurre à température ambiante, puis travaillez-le jusqu'à ce qu'il soit très pâle et crémeux. Sans cesser de battre, incorporez progressivement le miel, l'œuf légèrement battu, puis la farine, la levure, la cannelle et le sel tamisés ensemble.
   Façonnez une boule de pâte et laissez-la reposer pendant 20 minutes. Abaissez-la et découpez-la à l'aide d'emporte-pièce de formes diverses. Faites cuire au four préchauffé à 190° pendant 20 minutes.

TOASTINETTES
A LA POMME
ET AU KIRSCH

Temps : 20 minutes
Très facile

100 à 200 g de beurre
12 petites tranches de pain
    de mie
500 g de pommes
25 cl de kirsch
100 g de sucre semoule
3 cuillerées à soupe de cannelle
    en poudre

Faites frire les toasts dans le beurre. Mettez-les sur un plat de service et maintenez-les au chaud. Pelez et videz les pommes, puis coupez-les en rondelles régulières. Faites-les cuire pendant 10 minutes dans le kirsch. Égouttez-les et posez-les sur les toasts. Mélangez le sucre et la cannelle, puis saupoudrez-en les pommes. Servez.

MERINGUES
AUX FRAMBOISES

Temps : 1 heure
*   + temps de cuisson*
*   des meringues*
Assez facile

3 blancs d'œufs
1 pincée de sel
400 g de sucre glace
300 g de framboises
10 cl de crème fraîche

Battez les blancs d'œufs avec le sel en neige très ferme, puis incorporez 300 g de sucre.
   Couvrez une ou plusieurs plaques beurrées de papier d'aluminium. A l'aide d'une poche à douille, déposez-y la meringue en formes ovales aplaties, bien espacées les unes des autres. Faites cuire au four préchauffé

2 blancs d'œufs
200 g de sucre semoule
125 g de pignons
3 cuillerées à soupe de farine
1 pincée de sel

Battez les blancs d'œufs en neige assez ferme, puis incorporez le sucre, les pignons grossièrement hachés, la farine et le sel. Ce mélange doit être épais mais homogène. Étalez-le, à l'aide d'une spatule, sur un marbre légèrement enduit d'huile d'amandes douces en une couche de 5 mm d'épaisseur. Découpez cette pâte en rectangles ou en losanges, puis transférez-les à la spatule sur une plaque à pâtisserie beurrée. Faites dorer au four préchauffé à 180°.

BOUCHÉES AU CHOCOLAT

Vous pouvez accompagner ces petits gâteaux très légers de crème fouettée ou de glace à la vanille.

Temps : 45 minutes
Facile

10 g de beurre ramolli
3 blancs d'œufs
1 pincée de sel
350 g de sucre glace
100 g de cacao
1 cuillerée à soupe de farine

Battez le beurre, ramolli à température ambiante, avec le sel et 300 g de sucre. Incorporez le cacao tamisé, petit à petit, puis la farine. Mettez ce mélange, qui doit être de consistance ferme, dans une poche à douille munie d'un embout de taille moyenne et déposez de petits tas de la taille d'un abricot sur une plaque, en les espaçant bien. Saupoudrez du reste du sucre tamisé et faites cuire au four préchauffé à 150° pendant 1 heure, jusqu'à ce que les gâteaux soient bien secs.

BISCUITS AUX PIGNONS

Pour accentuer la saveur de ces biscuits fondants, vous pouvez les confectionner avec des pistaches.

Temps : 40 minutes
Très facile

à 150°, en laissant la porte très légèrement ouverte : les meringues doivent durcir et sécher sans se colorer. Vérifiez le degré de cuisson en sortant une meringue du four : si elle a durci sur toute son épaisseur, elle est cuite.

Réservez quelques framboises pour la décoration. Écrasez les autres avec une fourchette et incorporez-les à la crème sucrée fouettée, de consistance très ferme. Mettez au réfrigérateur. Dix minutes avant de servir, étalez une couche de crème à la framboise entre deux meringues et déposez une framboise entière sur chaque portion.

322

BISCUITS A LA SEMOULE

Une généreuse pincée de sel est indispensable pour faire ressortir la saveur de ces biscuits très simples, délicieux avec le café.

Temps : 1 heure
Très facile

20 g de levure de bière
1 cuillerée à soupe de miel liquide
200 g de semoule fine
150 g de farine de maïs jaune
150 g de beurre
100 g de sucre semoule
2 œufs
1 cuillerée à soupe de cannelle en poudre
1 bonne pincée de sel

Mélangez intimement la levure avec le miel. Si vous utilisez de la levure sèche, faites-la dissoudre dans 3 cuillerées à soupe d'eau tiède avant d'ajouter le miel. Mélangez le miel à la semoule et façonnez une boule de pâte. Mettez-la dans une jatte, dans un endroit tiède, couverte d'un linge, jusqu'à ce qu'elle ait doublé de volume.

Mélangez le reste des ingrédients et incorporez-les à la boule de pâte levée, en ajoutant un peu d'eau tiède. Détachez des morceaux d'environ 3 cuillerées à soupe de pâte et façonnez-les en boules que vous poserez sur des plaques beurrées, en les espaçant d'au moins 10 cm. A l'aide d'un verre dont vous aurez plongé la base dans de l'eau froide, abaissez les boules de pâte en disques de 1 cm d'épaisseur. Couvrez d'un linge et laissez lever pendant 1 heure environ dans un endroit tiède.

Faites cuire au four préchauffé à 190° pendant 20 minutes environ.

BAISERS DE DAME

Ne faites pas trop cuire ces petits gâteaux, car ils risqueraient de sécher et de durcir. Conservez-les dans une boîte fermant hermétiquement.

Temps : 1 h 20
Facile

100 g d'amandes, mondées
200 g de farine
1 pincée de sel
250 g de sucre semoule
130 g de beurre ramolli
25 cl de cognac
50 g de chocolat amer

Faites dorer brièvement les amandes au four, puis réduisez-les en poudre fine dans un mortier ou au mixer.

Tamisez la farine dans une grande jatte. Faites un puits. Ajoutez les amandes, le sel, le sucre, 100 g de beurre ramolli coupé en petits morceaux et le cognac. Mélangez rapidement ces ingrédients à la farine. Détachez des morceaux de pâte de la taille d'une noix, que vous déposerez sur une plaque beurrée avec le reste du beurre.

Faites cuire au four préchauffé à 200° pendant 20 minutes. Laissez refroidir. Brisez le chocolat en petits morceaux et faites-le fondre au bain-marie (si la plaque de chocolat est trop épaisse, ajoutez 2 à 3 cuillerées à soupe d'eau tiède). Passez la face plate des biscuits dans le chocolat, puis collez-les aussitôt deux par deux, avant que le chocolat n'ait eu le temps de durcir.

PETITS GATEAUX AUX AMANDES GRILLÉES

Ces petits gâteaux très légers peuvent être recouverts de glaçage (voir p. 51).

Temps : 45 minutes
Assez facile

80 g d'amandes, mondées
100 g de sucre semoule
1 pincée de sel
10 blancs d'œufs
10 cuillerées à soupe de sucre glace
40 g de beurre

Faites dorer brièvement les amandes au four, puis réduisez-les en poudre fine avec le sucre et le sel, dans un mortier ou au mixer.

Battez les blancs d'œufs en neige très ferme. Ajoutez la pâte d'amandes délicatement, à l'aide d'une spatule, afin de ne pas faire retomber les blancs. Étalez une feuille de papier d'aluminium légèrement beurrée sur une ou plusieurs plaques à pâtisserie et déposez-y de petits tas de pâte de la taille d'un abricot, en les espaçant bien. Faites cuire au four préchauffé à 180° pendant 30 minutes environ. N'ouvrez pas la porte du four pendant la cuisson. Servez tiède.

BOUCHÉES A LA NOIX DE COCO

Ces petits biscuits croqués en une bouchée trouveront leur place sur un buffet, lors d'une soirée décontractée.

Temps : 40 minutes
*   + temps de réfrigération*
Très facile

100 g de beurre ramolli

200 g de chocolat amer
  ou pâtissier

100 g de sucre glace

3-4 gouttes d'extrait de vanille

2 à 3 cuillerées à café de rhum

2 jaunes d'œufs

1 pincée de sel

100 g de flocons de noix
  de coco

Faites ramollir le beurre à température ambiante. Faites fondre très lentement le chocolat au bain-marie. Ôtez du feu et ajoutez, en remuant à l'aide d'une cuillère en bois, le beurre, le sucre, la vanille, le rhum, puis les jaunes d'œufs, un par un, et le sel. Le mélange doit être lisse et crémeux.

Mettez au refrigérateur jusqu'à ce que le mélange soit assez dur pour être façonné. Rincez-vous les mains sous l'eau froide, puis roulez la pâte entre vos paumes en façonnant de petites boules de la taille d'une cerise (vous pouvez également employer une cuillère parisienne). Roulez ces boules dans les flocons de noix de coco pour bien les enrober et mettez-les dans des caissettes en papier. Réfrigérez jusqu'au moment de servir.

BAISERS AUX AMANDES

Temps : 1 heure
  + temps de réfrigération
Très facile

200 g d'amandes, mondées

150 g de farine

75 g de beurre ramolli

50 g de sucre semoule

1 jaune d'œuf

1 à 2 cuillerées à soupe
  de marsala ou de xérès

1 pincée de sel

50 g de fruits ou de zestes
  confits, hachés

Hachez finement les amandes. Tamisez la farine dans une grande jatte. Faites un puits. Ajoutez le beurre ramolli coupé en petits morceaux, le sucre, le jaune d'œuf, le marsala ou le xérès et le sel. Incorporez rapidement ces ingrédients à la farine, puis, sans cesser de remuer, ajoutez les amandes hachées et les fruits ou les zestes confits. Enveloppez dans du papier d'aluminium et mettez au réfrigérateur pendant 2 heures.

Détachez des morceaux de pâte de la taille d'une grosse cerise, roulez-les entre vos paumes et aplatissez-les légèrement. Posez-les sur une plaque à pâtisserie beurrée et faites cuire au four préchauffé à 200° pendant 20 minutes environ.

BAISERS
AUX AMANDES
■ *Vous pouvez remplacer
les fruits confits
par la même quantité
de chocolat pâtissier
finement haché.*

GATEAUX SECS • PETITS FOURS

BISCUITS AUX FRUITS SECS

*L'eau de fleur d'oranger
donne une délicate saveur à
ces biscuits.*

*Temps : 1 heure
Très facile*

250 g de farine
140 g de beurre ramolli
3 cuillerées à soupe d'eau
  de fleur d'oranger
1 à 2 cuillerées à soupe
  de sucre semoule
1 pincée de cannelle en poudre
1 pincée de sel
100 g de dattes dénoyautées,
  hachées
35 g d'amandes, mondées
35 g de noisettes
35 g de pistaches

Tamisez la farine dans une
grande jatte. Faites un puits.
Ajoutez 100 g de beurre ramolli
à température ambiante et l'eau
de fleur d'oranger. Incorporez
le beurre à la farine et pétrissez
la pâte jusqu'à ce qu'elle soit
ferme, en ajoutant progressivement le sucre, la cannelle et le
sel. Mettez la pâte entre deux
assiettes farinées et laissez reposer. Hachez finement les dattes,
les amandes, les noisettes et les
pistaches, puis ajoutez-leur le
reste du beurre ramolli, en
remuant avec une cuillère en
bois.
  Rincez-vous les mains à l'eau
froide, puis détachez de petits
morceaux de pâte de la taille
d'un abricot. Façonnez-les en
boules et, d'une pression du
pouce, creusez un trou dans
lequel vous pourrez déposer une
petite quantité de mélange aux
fruits et au beurre. Posez-les sur
une plaque légèrement beurrée
et faites cuire au four préchauffé
à 180° pendant 30 minutes.

BARQUETTES AUX MYRTILLES

*De petits moules individuels
à barquettes sont nécessaires
pour réaliser ces délicieuses
tartelettes. Vous pouvez également utiliser d'autres fruits,
tels que cassis, framboises ou
mûres, frais ou au sirop.*

*Temps : 1 h 10
Très facile*

200 g de farine
1 cuillerée à soupe de levure
  chimique
100 g de sucre semoule
100 g de beurre ramolli
3-4 gouttes d'extrait de vanille
1 pincée de sel
200 g de myrtilles
10 cl de crème fouettée

Tamisez la farine avec la levure.
Mélangez bien avec 80 g de
sucre, le beurre ramolli, la
vanille et le sel. Abaissez la pâte
sur 1 cm d'épaisseur.
  Foncez les moules et faites
cuire au four préchauffé à 180°
pendant 30 minutes. Laissez
refroidir. Mélangez les myrtilles
à la crème fouettée et sucrée
avec le reste du sucre, puis
remplissez-en les barquettes.
Réfrigérez rapidement avant de
servir.

BISCUITS A LA CANNELLE

*Vous pouvez remplacer la
cannelle par du zeste de citron
râpé.*

*Temps : 1 heure
Très facile*

250 g de farine
1 cuillerée à soupe de levure
  chimique

LES MYRTILLES

*Fruits de l'été et de l'automne,
les myrtilles supportent bien la
congélation. Les canneberges,
de couleur plus rouge que les
airelles mais d'aspect simi-
laire, sont très acides : on les
utilise pour accompagner des
volailles et du gibier à plume.*

50 g de sucre semoule
100 g de beurre fondu
1 œuf + 1 blanc
3-4 gouttes d'extrait de vanille
1 cuillerée à café de cannelle
  en poudre
1 cuillerée à soupe de crème
  fleurette
1 pincée de sel
50 g de pignons, hachés

Tamisez la farine avec la levure.
Mélangez avec le sucre, le
beurre, l'œuf, la vanille, la cannelle, la crème et le sel. Pétrissez jusqu'à obtention d'une pâte
lisse et ferme, que vous abais-
serez sur 1 cm d'épaisseur. A
l'aide d'un emporte-pièce, de
préférence en forme d'étoile,
découpez des formes dans la
pâte et posez-les sur une plaque
à pâtisserie beurrée. Battez le
blanc d'œuf en neige ferme,
incorporez les pignons hachés et
déposez un peu de ce mélange
au centre de chaque étoile. Faites cuire au four préchauffé à
180° pendant 20 minutes
environ.

PETITS SABLÉS

Temps : 1 h 30
Facile

100 g de beurre ramolli
120 g de sucre semoule
1 jaune d'œuf
le zeste d'1 citron, râpé
1 pincée de sel
250 g de farine

Faites ramollir le beurre à température ambiante et travaillez-le avec 100 g de sucre jusqu'à ce que le mélange soit très pâle et mousseux. Ajoutez l'œuf, le zeste de citron, puis le sel.

Tamisez la farine dans une grande jatte et incorporez-la rapidement au mélange à base de beurre, en ne travaillant pas trop la pâte. Laissez reposer pendant 1 heure dans un endroit frais.

Abaissez la pâte sur 1 cm d'épaisseur environ et découpez-y des étoiles, des triangles, des losanges, etc. Posez ces formes sur une plaque beurrée et faites cuire au four préchauffé à 200° pendant 20 minutes environ. Badigeonnez les biscuits avec un peu d'eau et saupoudrez-les du sucre restant pendant qu'ils sont encore chauds.

PETITS GATEAUX AUX RAISINS SECS

Ces petits gâteaux se conservent bien dans une boîte en métal. Ils sont délicieux avec du café.

Temps : 1 heure
Très facile

150 g de raisins de Smyrne
100 g de beurre
100 g de sucre semoule
3-4 gouttes d'extrait de vanille
2 œufs

■ *Déposez une garniture de crème à la vanille ou au chocolat entre deux petits sablés ronds.*

1 à 2 cuillerées à soupe
   de rhum
1 pincée de sel
200 g de farine
1 cuillerée à soupe de levure
   chimique

Faites gonfler les raisins secs dans de l'eau tiède. Égouttez-les, épongez-les et enrobez-les d'un peu de farine. Battez le beurre, ramolli à température ambiante, avec le sucre et la vanille jusqu'à ce que le mélange soit très pâle. Incorporez les œufs, un par un. Ajoutez le rhum, le sel et la farine tamisée avec la levure, puis les raisins.

Façonnez de grosses cuillerées de ce mélange en boules, que vous posez sur une plaque, en les espaçant bien. Faites cuire au four préchauffé à 180° pendant 20 minutes environ.

BISCUITS A LA CUILLER

Pour réussir ces biscuits, il est impératif de travailler le sucre et les jaunes d'œufs pendant un long moment : le mélange doit être pâle et crémeux, et former un ruban lorsqu'on soulève le fouet au-dessus de la jatte.

Temps : 1 h 15
Facile

125 g de sucre glace
   + pour le saupoudrage
6 œufs
1 cuillerée à café d'extrait
   de vanille
125 g de farine
quelques gouttes de jus
   de citron, ou 1 pincée
   de crème de tartre

Beurrez et farinez deux plaques à pâtisserie, ou davantage.

Battez le sucre tamisé avec les jaunes d'œufs et l'extrait de vanille jusqu'à ce que le mélange soit très pâle et mousseux (cette opération peut prendre jusqu'à 30 minutes si vous employez un fouet manuel). Tamisez progressivement la farine et incorporez-la au mélange petit à petit, en alternant avec les blancs d'œufs battus en neige très ferme. (Vous pouvez battre les blancs avec quelques gouttes de jus de citron ou une pincée de crème de tartre, afin qu'ils restent bien aérés.)

Remplissez une poche à douille munie d'un embout de 5 mm de la pâte obtenue et déposez des bandes de pâte de 10 cm de long sur les plaques,

en les espaçant bien. A l'extrémité de chaque biscuit, soulevez rapidement l'embout en le ramenant en arrière pour éviter la formation d'une traînée. Saupoudrez généreusement de sucre glace, laissez reposer pendant 5 minutes, puis saupoudrez encore de sucre. Si vous êtes sûr de vous, retournez la plaque et tapotez-la doucement, à deux reprises, pour faire tomber l'excédent de sucre (si la consistance de votre pâte est correcte, elle ne devrait pas tomber).

Faites cuire au four préchauffé à 180° pendant 15 minutes environ, en laissant la porte entrouverte. Les biscuits doivent être bien secs et d'une couleur beige doré.

Ces biscuits peuvent paraître simples et sans fioritures, mais leur saveur est extraordinaire !

150 g d'amandes, mondées
150 g de beurre ramolli
50 g de sucre glace
3 cuillerées à soupe de marsala
200 g de farine

Laissez ramollir le beurre à température ambiante pendant 45 minutes au moins avant de commencer la recette. Hachez grossièrement les amandes et faites-les dorer brièvement au four, en veillant à ne pas les laisser foncer. Travaillez le beurre ramolli avec le sucre jusqu'à ce que le mélange soit très pâle et mousseux. Incorporez le marsala en mince filet. Ajoutez, petit à petit, la farine et les amandes, en remuant bien.

Façonnez en « pain » rectangulaire et laissez reposer pendant 30 minutes. Divisez le pain en quatre portions et façonnez-les en tronçons allongés, que vous couperez en petites sections.

Entre vos paumes préalablement rincées à l'eau froide, formez de petits rouleaux de pâte plus épais au milieu qu'aux extrémités, puis ramenez celles-ci de manière à former des croissants.

Disposez les demi-lunes sur une plaque beurrée. Faites cuire au four préchauffé à 160-170° pendant 15 à 20 minutes, en veillant à ne pas laisser les biscuits trop brunir.

BONBONS
AUX MARRONS GLACÉS
■ *Ces friandises très sucrées peuvent remplacer les chocolats après le dîner.*

MERINGUES
AUX AMANDES

Vous pouvez servir ces meringues avec une crème à la vanille ou au chocolat, ou avec un sabayon chaud.

Temps : 1 h 15
Facile

100 g d'amandes, mondées
3 blancs d'œufs
200 g de sucre glace

Faites dorer brièvement les amandes au four, puis hachez-les finement. Battez les blancs d'œufs avec la moitié du sucre en neige très ferme, en incorporant, petit à petit, le reste du sucre. Le mélange doit être extrêmement ferme. Ajoutez les amandes hachées.

Déposez de grandes cuillerées de ce mélange dans de petites caissettes en papier et faites cuire au four préchauffé à environ 160° pendant 30 minutes à 1 heure, en laissant la porte entrouverte, jusqu'à ce que les meringues aient séché et durci.

BONBONS
AUX MARRONS
GLACÉS

Temps : 40 minutes
Très facile

300 g de brisures de marrons
   glacés
1 noix de beurre ramolli
3 cuillerées à soupe de rhum
100 g de sucre gros grains
100 g de chocolat amer,
   finement râpé
50 g de noisettes, finement
   hachées
50 g d'amandes, finement
   hachées

Passez les brisures de marrons glacés au tamis. Mélangez intimement avec le beurre ramolli, le rhum et le sucre gros grains.

Rincez-vous les mains à l'eau froide et détachez des morceaux de ce mélange de la taille d'une cerise. Roulez-les en boules entre vos paumes. Passez un tiers de boulettes dans le cholocat râpé, un tiers dans les noisettes hachées et le reste dans les amandes hachées. Déposez ces boulettes dans des caissettes en papier et disposez-les en damier sur un grand plat.

TARTELETTES
A LA CRÈME
AU CAFÉ

Vous pouvez employer d'autres garnitures : de la crème pâtissière parfumée à la fleur d'oranger, de la crème anglaise au chocolat ou du sabayon, par exemple.

Temps : 1 heure
Facile

100 g de beurre ramolli
200 g de farine
2 jaunes d'œufs
50 g de sucre semoule
1 pincée de sel
Garniture :
25 cl de café très fort
100 g de sucre semoule
4 jaunes d'œufs
200 g d'amandes en poudre

Travaillez le beurre ramolli à température ambiante et coupé en petits morceaux avec la farine du bout des doigts. Incorporez les jaunes d'œufs, le sucre et le sel. Beurrez légèrement de petits moules à tartelettes. Abaissez finement la pâte et foncez-en les moules. Remplissez les tartelet-

tes aux deux tiers de la garniture que vous préparerez ainsi : faites bouillir le café avec le sucre pendant 5 minutes ; ôtez du feu et laissez refroidir avant d'incorporer les œufs, un par un, en battant vigoureusement, puis les amandes piïées. Faites dorer au four préchauffé à 180°. Démoulez les tartelettes encore chaudes et laissez refroidir.

BISCUITS
AU CHOCOLAT

Pour confectionner des biscuits au café, remplacez le cacao par 3 cuillerées à soupe de café en poudre dissoutes dans 3 cuillerées à soupe d'eau.

Temps : 45 minutes
Très facile

250 g de farine
50 g de beurre ramolli
  et coupé en petits morceaux
80 g de sucre semoule
1 œuf
1 cuillerée à soupe de levure
  chimique
10 cl de lait
1 pincée de sel
50 g de cacao amer

Tamisez la farine dans une grande jatte. Faites un puits. Ajoutez tous les ingrédients, à l'exception du cacao, et incorporez-les intimement à la farine jusqu'à ce que le mélange soit bien lisse. Divisez la pâte en trois portions. Incorporez le cacao à l'une d'elles. Abaissez chaque portion aussi finement que possible, sans déchirer l'abaisse. Posez les abaisses l'une sur l'autre, de manière à former un « sandwich » avec la pâte chocolatée au milieu. Rou-

FOURRÉS
A LA CONFITURE
■ Vous pouvez remplacer la confiture par des fruits secs mélangés, que vous humecterez de jus de citron et saupoudrerez de sucre. Pour gagner du temps, utilisez de la pâte toute prête. Découpez-y des cercles à l'emporte-pièce, sur lesquels vous déposez 1 cuillerée de confiture avant de les replier pour former un chausson.

lez légèrement les trois abaisses ensemble. Coupez la pâte en rectangles de 2 cm × 5. Déposez-les sur une plaque beurrée et farinée. Faites cuire au four préchauffé à 180°.

FOURRÉS A LA CONFITURE

Temps : 1 h 15
Facile

30 g de levure de boulanger
2 cuillerées à café de miel liquide
10 cl d'eau
300 g de farine
50 g de sucre semoule
2 œufs
60 g de beurre ramolli
le zeste d'un citron, râpé
1 pincée de sel
200 g de confiture, au choix

Délayez doucement la levure avec le miel et l'eau tiède jusqu'à ce qu'elle soit bien dissoute. Si vous utilisez de la levure sèche, faite-la dissoudre dans l'eau tiède pendant 5 à 10 minutes avant d'ajouter le miel.

Tamisez la farine dans une grande jatte. Faites un puits. Ajoutez le mélange de levure et de miel petit à petit, en ajoutant un peu d'eau tiède si besoin, afin d'obtenir une pâte ferme. Façonnez la pâte en boule, couvrez d'un linge et laissez reposer pendant 15 minutes dans un endroit tiède.

Incorporez les œufs, le beurre ramolli, le zeste de citron et le sel. Abaissez la pâte sur 1 cm d'épaisseur environ. Découpez-y des rectangles de 6 cm × 12 et déposez un peu de confiture au centre de chaque rectangle. Pliez la pâte en triangles, en repliant les bords qui dépassent au-dessus et au-dessous, puis pincez-les pour éviter que la confiture ne s'écoule. Posez les triangles sur une plaque beurrée, couvrez d'un linge et laissez lever. Faites cuire au four préchauffé à 180° jusqu'à ce que les fourrés soient bien dorés.

LES CONFITURES

Utilisez toujours des confitures d'une excellente qualité pour préparer vos desserts et pâtisseries, car ils ne supportent pas la médiocrité. Les produits maison sont, sans doute, les mieux adaptés.

SURPRISES A LA RICOTTA

Ces surprises seront encore plus légères si vous remplacez les fruits confits par du chocolat râpé.

Temps : 20 minutes
Très facile

400 g de ricotta
100 g de sucre semoule
100 g de fruits ou de zestes confits
150 g de macarons, finement pilés

Battez la ricotta avec le sucre à l'aide d'une cuillère en bois. Incorporez les fruits ou les zestes confits coupés en petits dés. Façonnez cette préparation en

BISCUITS AUX NOIX
■ Vous pouvez remplacer
le zeste d'orange confit
par 50 g de figues
sèches hachées.

forme de petits œufs, que vous roulerez dans les miettes de macarons. Déposez-les sur un plat de service et mettez au réfrigérateur pendant au moins 2 heures.

PETITS CROISSANTS SECS

Vous pouvez remplacer le cacao par 3 cuillerées à café d'extrait de vanille.

Temps : 50 minutes
Très facile

250 g de farine

200 g de farine de maïs jaune
150 g de sucre semoule
10 g de cacao amer
1 pincée de sel
2 œufs + 2 jaunes
50 g de miel
250 g de beurre ramolli

Dans une grande jatte, mélangez les deux sortes de farine avec le sucre, le cacao et le sel.

Faites un puits. Ajoutez les œufs, les jaunes d'œufs, le miel, puis le beurre ramolli à température ambiante et coupé en très petits morceaux. Mélangez bien, couvrez la jatte d'un linge et laissez reposer pendant 1 heure.

A l'aide d'une poche à douille munie d'un gros embout, déposez ce mélange sur une plaque beurrée, en le divisant en tronçons de 8 cm de long, de forme légèrement incurvée. Faites cuire au four préchauffé à 200° pendant 20 minutes environ. Laissez refroidir avant de servir.

BISCUITS AUX NOIX

Temps : 1 heure
Très facile

300 g de farine
1 pincée de sel
50 g de zeste d'orange confit, haché
10 g de graines d'anis (facultatif)
100 g de noix, pilées
1 cuillerée à soupe de cannelle en poudre
10 cl d'eau
300 g de sucre semoule

Dans une grande jatte, mélangez la farine avec le sel, le zeste d'orange finement haché, les graines d'anis écrasées et les noix pilées, puis ajoutez la cannelle. Faites chauffer le sucre et l'eau à petits bouillons jusqu'à ce que le sirop épaississe sans se colorer.

Incorporez le sirop aux ingrédients contenus dans la jatte. Versez cette pâte ferme sur un plan fariné et pétrissez-la pour la lisser. Abaissez-la sur 1 cm d'épaisseur, puis découpez-la selon diverses formes, à l'aide de petits emporte-pièce fantaisie, que vous déposerez sur une plaque beurrée et farinée. Faites cuire au four préchauffé à 180 ° pendant 30 minutes environ. Les biscuits doivent être fermes et secs, mais non colorés.

PETITS BISCUITS AU RHUM

Saupoudrez ces biscuits de cacao au sortir du four et laissez-les refroidir avant de servir.

Temps : 1 heure
Très facile

100 g de raisins de Smyrne
100 g de beurre ramolli
100 g de sucre semoule
2 œufs
3 cuillerées à soupe de rhum
200 g de farine
1 pincée de sel
50 g de pignons, finement hachés
50 g de fécule ou de Maïzena
1 cuillerée à soupe de levure chimique

Faites gonfler les raisins secs dans de l'eau tiède. Égouttez-les, épongez-les et passez-les dans un peu de farine. Battez le beurre ramolli à température ambiante jusqu'à ce qu'il soit pâle et crémeux. Ajoutez le sucre et battez vigoureusement. Incorporez les œufs, un par un, puis le rhum, la farine, le sel, les raisins secs, les pignons finement hachés et la fécule ou la Maïzena tamisée avec la levure.

Beurrez et farinez une plaque. Détachez de petits morceaux de la préparation de la taille d'une cerise, roulez-les entre vos paumes et aplatissez-les. Déposez-les sur la plaque, en les espaçant bien, et faites cuire au four préchauffé à 180° pendant 20 minutes environ.

PETITS GATEAUX DE RIZ

Temps : 1 h 15
Très facile

300 g de riz rond
1 l de lait
140 g de sucre semoule
60 g de beurre
60 g de zeste de cédrat confit, finement haché
1 pincée de sel
8 cl de rhum
4 œufs

Mélangez le riz avec le lait chaud et faites chauffer au bain-marie, en remuant de temps en temps. Lorsque le riz est à moitié cuit, ajoutez le sucre, le beurre, le zeste finement haché et le sel. Lorsque le riz est bien tendre et a absorbé tout le lait, versez-le dans une jatte. Laissez refroidir et incorporez le rhum, les jaunes d'œufs, puis les blancs battus en neige ferme à l'aide d'une spatule en bois.

Beurrez de petits moules individuels ou des ramequins. Remplissez-les de ce mélange et faites cuire au four préchauffé à 180°, au bain-marie, pendant 40 minutes.

CROUSTILLANTS AU MIEL

Temps : 40 minutes
Très facile

600 g de miel épais
3 jaunes d'œufs
1 pincée de bicarbonate de soude
100 g d'amandes, mondées
50 g de farine
1 noix de beurre

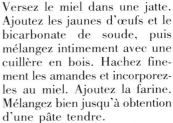

Versez le miel dans une jatte. Ajoutez les jaunes d'œufs et le bicarbonate de soude, puis mélangez intimement avec une cuillère en bois. Hachez finement les amandes et incorporez-les au miel. Ajoutez la farine. Mélangez bien jusqu'à obtention d'une pâte tendre.

Roulez des portions de pâte entre vos paumes farinées, sur un plan de travail fariné, en formant de longs cylindres aplatis de 5 cm de large environ. Déposez-les sur une plaque beurrée et faites dorer au four préchauffé à 180°. Sortez du four et laissez refroidir. Coupez chaque rouleau en tranches de 1 cm d'épaisseur environ.

CHOUX A LA CRÈME

Vous pouvez garnir ces choux de crème pâtissière, de crème au chocolat, au café, ou de sabayon. Saupoudrez-les de sucre glace tamisé ou recouvrez-les d'un glaçage (voir p. 51).

Temps : 1 h 15
Facile

25 cl d'eau
1 pincée de sel
50 g de beurre
200 g de farine
6 œufs + 2 jaunes
50 g de sucre semoule
3 cuillerées à soupe de farine
1 morceau de zeste de citron
50 cl de lait
1 cuillerée à soupe de sucre glace

Faites bouillir l'eau avec le sel. Ajoutez le beurre et ôtez du feu lorsqu'il est fondu. Versez la farine tamisée d'un seul soup et remuez vigoureusement avec une cuillère en bois. Remettez à feu doux, sans cesser de

333

*BISCUITS
A LA NOIX DE COCO*
■ *Ces biscuits, très appréciés
dans le nord de l'Europe,
accompagnent à merveille
le thé ou le café.*

remuer, jusqu'à ce que le
mélange se décolle des bords de
la casserole

Ôtez du feu, continuez à
remuer pendant quelques minutes, puis ajoutez les œufs légèrement battus, un par un, en
remuant bien entre chaque
adjonction. Laissez reposer pendant 10 minutes.

Déposez de petits tas de cette
pâte à choux sur une plaque
couverte de papier sulfurisé
beurré, ou utilisez une poche à
douille munie d'un embout de
taille moyenne. Faites cuire au
four préchauffé à 220° pendant
15 minutes, sans ouvrir la porte
pendant la cuisson. Ménagez
une entaille horizontale dans
chaque chou et laissez refroidir.

Préparez la crème pâtissière
en suivant la recette donnée
pour les Tartelettes à l'abricot
(p. 336). Lorsque celle-ci est
froide, fourrez chaque chou, par
la fente, à l'aide d'une poche à
douille. Saupoudrez de sucre
glace et servez.

BISCUITS
A LA NOIX DE COCO

*Temps : 1 heure
Facile*

500 g de farine
300 g de sucre semoule
1 pincée de sel
350 g de beurre
le zeste d'un citron, râpé
4 jaunes d'œufs
200 g de noix de coco
   en poudre

Mélangez la farine avec le sucre
et le sel dans une jatte. Faites
un puits. Ajoutez le beurre
fondu au bain-marie, le zeste de
citron râpé, les jaunes d'œufs et
la noix de coco. Mélangez bien,
mais avec légèreté.

POMME
■ Gravure extraite
d'un traité du XIXᵉ siècle.
Les pommes, qui servent
à préparer un grand
nombre de desserts, sont
en outre très précieuses
dans le cadre d'un
régime alimentaire sain.

Abaissez la pâte sur 1 cm d'épaisseur environ et découpez-y des disques à l'aide d'un emporte-pièce. Déposez-les sur une plaque beurrée, en les espaçant bien. Faites cuire au four préchauffé à 180° pendant 30 minutes environ.

PROFITEROLES

Ce dessert est plus léger que les choux garnis de crème pâtissière. Vous pouvez remplacer le sucre caramélisé par du chocolat fondu.

Temps : 1 h 15
Facile

1 fournée de choux (voir p. 333)
25 cl de crème fraîche
3 cuillerées à soupe de sucre
   glace
100 g de sucre semoule
1 cuillerée à soupe de jus
   de citron

Préparez les choux, entaillez-les horizontalement pour laisser s'échapper la vapeur et laissez-les refroidir. Battez la crème bien froide dans une jatte, froide également, jusqu'à ce qu'elle ait une consistance très ferme. Ajoutez le sucre glace et remplissez les choux de cette crème à l'aide d'une poche à douille. Disposez-les au fur et à mesure en pyramide.
Faites chauffer le sucre semoule avec le jus de citron jusqu'à ce que la teinte soit légèrement dorée et arrosez-en aussitôt la pyramide de choux.

TARTELETTES
A LA CONFITURE

Ces tartelettes appétissantes seront très appréciées à l'heure du thé.

Temps : 1 heure
Très facile

300 g de farine
150 g de beurre
100 g de sucre semoule
1 cuillerée à soupe d'eau
   de fleur d'oranger
1 jaune d'œuf
200 g de confiture à la fraise

Pour la pâte, suivez la recette indiquée pour les Tartelettes à l'abricot (p. 336). Laissez-la reposer dans un endroit frais, puis abaissez-la sur 1 cm d'épaisseur environ.
Utilisez les trois quarts de la pâte pour foncer de très petits moules à tartelettes. Faites fondre lentement la confiture, ajoutez-y l'eau de fleur d'oranger et étalez un peu de ce mélange sur le fond de chaque tartelette. Coupez le reste de la pâte en bandelettes très étroites, que vous disposerez en treillage sur les tartelettes. Faites dorer au four préchauffé à 180°.

CROISSANTS

Temps : 1 h 15
Assez facile

400 g de farine
1 cuillerée à café de sel
2 cuillerées à soupe de sucre
  semoule
30 g de levure de boulanger
2 cuillerées à café de miel
  liquide
1 œuf + 1 jaune
100 g de beurre ramolli
10 cl de lait
1 cuillerée à soupe de sucre
  gros grains

Tamisez la farine sur le plan de travail. Ajoutez le sel et le sucre. Faites un puits. Dans une petite jatte, mélangez la levure avec le miel (si vous utilisez de la levure sèche, faites-la dissoudre dans 2 cuillerées à soupe d'eau tiède, laissez reposer pendant 5 à 10 minutes, puis ajoutez le miel) et incorporez ce mélange à la farine. Ajoutez l'œuf, le jaune d'œuf, 2 cuillerées à soupe de beurre ramolli coupé en petits morceaux et le lait. Mélangez du bout des doigts, puis incorporez la farine petit à petit. Pétrissez vigoureusement jusqu'à ce que la pâte soit ferme et élastique. Façonnez une boule, mettez-la dans une jatte farinée, couvrez d'un torchon et laissez lever dans un endroit tiède jusqu'à ce que la pâte ait doublé de volume.

Roulez la pâte sur un plan de travail légèrement fariné à l'aide d'un rouleau à pâtisserie fariné. Déposez le reste du beurre ramolli au centre de cette abaisse assez épaisse. Repliez les quatre coins vers le centre, de façon qu'ils se recouvrent comme une envelopppe. Enveloppez dans du papier d'aluminium ou du film adhésif et réfrigérez pendant 20 minutes. Roulez de nouveau et renouvelez l'opération de pliage. Réfrigérez. Roulez et pliez encore une fois. Réfrigérez une dernière fois, puis étalez la pâte en une fine abaisse de 3 mm d'épaisseur environ. Coupez-la en dix-huit carrés et chacun d'eux en deux triangles, que vous roulerez de la base vers la pointe. Donnez une forme incurvée aux extrémités et posez les croissants sur une plaque beurrée. Saupoudrez du sucre gros grains et faites cuire au four préchauffé à 200° pendant 20 minutes environ. Servez les croissants au sortir du four ou réchauffez-les brièvement s'ils ont eu le temps de refroidir.

TARTELETTES
A L'ABRICOT

Ces délicates tartelettes peuvent être accompagnées d'un vin doux, à l'issue d'un dîner entre amis.

Temps : 1 h 30
Facile

250 g de farine
1 pincée de sel
100 g de beurre
le zeste d'un citron, râpé
2 jaunes d'œufs
100 g de sucre semoule
Garniture :
2 jaunes d'œufs
3 cuillerées à soupe de sucre
  semoule + 70 g pour le sirop
1 cuillerée à soupe de farine
50 cl de lait
500 g d'abricots très mûrs
3 cuillerées à soupe de rhum
100 g de macarons, pilés
200 g de confiture d'abricots

Tamisez la farine et le sel dans une grande jatte. Faites un puits. Ajoutez le beurre fondu, le zeste

CROISSANTS
■ Dégustés nature,
chauds ou fourrés
de confiture de pêches,
d'abricots ou de cerises,
les croissants demeurent
l'un des meilleurs
accompagnements
du café du petit déjeuner.

de citron, le sucre et les jaunes d'œufs. Mélangez brièvement, en pétrissant le moins possible la pâte avant de la rouler en une fine abaisse. A l'aide d'un emporte-pièce, découpez de petits disques de pâte et tapissez-en des moules à tartelettes légèrement beurrés. Couvrez d'une petite feuille de papier sulfurisé et remplissez de haricots secs. Faites cuire à blanc au four préchauffé à 180° pendant 15 minutes environ.

Préparez la garniture : battez les jaunes d'œufs avec le sucre jusqu'à ce que le mélange pâlisse. Incorporez la farine, petit à petit, puis 10 cl de lait froid. Portez le reste du lait à ébullition et ajoutez-le au mélange en mince filet. Faites chauffer à feu doux, sans cesser de remuer, jusqu'à ce que la crème soit sur le point de bouillir. Ôtez du feu et laissez refroidir.

Ôtez les haricots et le papier des tartelettes cuites et refroidies. Démoulez-les et remplissez-les à moitié de garniture. Pelez et dénoyautez les abricots. Déposez un demi-abricot sur la garniture de chaque tartelette, côté coupé au-dessus.

Faites chauffer le sucre avec le rhum jusqu'à ce que le sucre soit complètement dissous. Incorporez les macarons pilés et remplissez les creux des demi-abricots de ce mélange. Faites fondre la confiture d'abricots filtrée avec 3 cuillerées à soupe d'eau chaude et nappez-en généreusement les tartelettes à l'aide d'un pinceau à pâtisserie.

NUAGES AU CHOCOLAT

Ces biscuits décoreront agréablement vos crèmes et coupes glacées, mais ils sont également très bons tout seuls.

Temps : 45 minutes
Très facile

6 œufs
40 g de chocolat râpé
250 g de sucre semoule
80 g de farine

Battez les jaunes d'œufs avec le sucre jusqu'à ce que le mélange soit très pâle et mousseux. Ajoutez le chocolat finement râpé et les blancs d'œufs battus en neige ferme. Incorporez la farine tamisée. Déposez des cuillerées de ce mélange dans de petites caissettes en papier et faites cuire au four préchauffé à 190°.

ANNEAUX AUX GRAINES DE CUMIN

Vous pouvez remplacer les graines de cumin par des graines de pavot.

Temps : 40 minutes
Très facile

2 cuillerées à café de levure chimique
10 cl de lait
300 g de farine
50 g de saindoux
1/2 cuillerée à café de sel
1 noix de beurre
8 cl d'huile
75 g de sucre semoule
2 cuillerées à café de graines de cumin

Faites dissoudre la levure dans du lait. Versez la farine dans une jatte. Faites un puits. Ajoutez le lait et les autres ingrédients. Mélangez brièvement, mais suffisamment pour que les ingrédients soient bien mêlés.

Divisez le mélange en trois portions. Roulez chacune d'elle avec la paume sur le plan de travail, de manière à former de longs rouleaux de 2 cm d'épaisseur environ. Coupez des tronçons de 22 cm de long, puis faites se rejoindre les extrémités pour former des anneaux. Disposez-les sur une plaque beurrée et farinée. Faites cuire au four préchauffé à 180° pendant 15 à 20 minutes. Les anneaux seront encore un peu mous au sortir du four, mais ils deviendront croustillants en se refroidissant.

CHOUX SUCRÉS

Légers et aérés, ces choux rappellent les meringues. A l'aide d'une poche à douille, donnez-leur une forme de rosette ou de biscuit à la cuiller.

Temps : 40 minutes
Très facile

100 g de farine
1 pincée de sel
3 œufs
300 g de sucre semoule
1 noix de beurre

Tamisez la farine et le sel dans une jatte. Battez les jaunes d'œufs jusqu'à ce qu'ils deviennent pâles et mousseux. Battez les blancs en neige ferme avec la moitié du sucre. Mélangez la farine au reste du sucre et incorporez petit à petit ce mélange aux jaunes d'œufs. Ajoutez délicatement les blancs en neige et, à l'aide d'une poche à douille, déposez la pâte en bandes de 3 cm de long sur une plaque beurrée. Faites cuire au four préchauffé à 180° pendant 15 minutes et laissez refroidir avant de décoller les choux à l'aide d'une spatule.

337

CANNOLI SICILIENS

Temps : 2 heures
Assez facile

Pâte :
500 g de farine
1 jaune d'œuf
1 pincée de cannelle en poudre
50 g de sucre semoule
50 g de saindoux
1 cuillerée à soupe de café
1 cuillerée à café de cacao
1 cuillerée à soupe de jus
  de citron
huile pour friture
Garniture :
500 g de ricotta
150 g de sucre semoule
150 g de chocolat pâtissier,
  râpé
50 g de fruits ou de zestes
  confits, finement hachés
le zeste d'un citron, râpé

Mélangez tous les ingrédients de la pâte et pétrissez-la bien. Façonnez-en de petits morceaux en roulé ovale et laissez reposer dans un endroit frais, ou enveloppez-les et mettez-les au réfrigérateur pendant quelques heures. Enroulez-les ensuite autour de petits tubes métalliques à cannoli, puis faites-les frire dans de l'huile très chaude jusqu'à ce qu'ils croustillent et prennent une couleur brun doré. Laissez égoutter sur du papier absorbant.

Battez la ricotta avec le sucre. En remuant, ajoutez le chocolat râpé, les fruits confits hachés finement et le zeste de citron râpé.

Lorsque les cannoli sont froids, dégagez-les des tubes et remplissez-les délicatement du mélange à base de ricotta juste avant de servir : cette garniture moelleuse dans ce cornet croustillant est irrésistible.

TRESSES AU CHOCOLAT

Vous pouvez également abaisser la pâte et la découper en des formes très diverses : cœurs, étoiles, losanges, etc.

Temps : 40 minutes
Très facile

250 g de beurre ramolli
150 g de sucre semoule
200 g de chocolat amer
1 pincée de sel
1 œuf
500 g de farine

Réservez une noix de beurre, ramolli à température ambiante, et battez le reste avec le sucre jusqu'à obtention d'un mélange pâle et mousseux. Brisez le chocolat en petits morceaux et faites-le fondre au bain-marie avant de l'incorporer au mélange beurre-sucre. Ajoutez le sel, puis, petit à petit, l'œuf légèrement battu et la farine tamisée.

Formez de fins rouleaux de 10 cm de long environ et tressez-les par trois, comme des nattes, en pinçant les extrémités. Posez les tresses sur une plaque beurrée et faites cuire au four préchauffé à 180° pendant 20 minutes.

BISCUITS AUX NOIX DE PÉCAN

Temps : 45 minutes
Très facile

6 œufs
100 g de sucre semoule
50 g de farine
1 pincée de sel
200 g de noix de pécan,
  hachées
1 noix de beurre
100 g d'amandes, mondées

Battez les jaunes d'œufs avec le sucre jusqu'à ce que le mélange soit presque blanc. Ajoutez la farine tamisée et le sel. Incorporez les blancs d'œufs battus en neige, puis les noix hachées menu. Déposez de grandes cuillerées de cette préparation sur une plaque beurrée.

Faites cuire au four préchauffé à 180° pendant 20 minutes. Déposez une amande mondée sur chaque biscuit, en appuyant très légèrement, puis remettez au four pendant quelques minutes.

CROQUANTS AU CHOCOLAT

Ces biscuits deviennent durs et croustillants en refroidissant : il faut donc les couper en carrés pendant qu'ils sont encore tièdes, à l'aide d'un couteau pointu plongé dans de l'eau froide.

Temps : 45 minutes
Très facile

150 g de beurre
150 g de chocolat amer
2 œufs
200 g de sucre semoule
80 g de cacahuètes nature,
  hachées
100 g de farine
1 pincée de sel

Réservez une noix de beurre et faites fondre le reste au bain-marie avec le chocolat cassé en petits morceaux. Laissez brièvement refroidir avant d'incorporer les œufs, un par un, puis le sucre. Ajoutez les cacahuètes finement hachées. Tamisez la farine avec le sel et incorporez-la petit à petit.

Beurrez une plaque avec le beurre réservé. Étalez la pâte sur

5 mm d'épaisseur et faites cuire au four préchauffé à 180° pendant 30 minutes. Laissez reposer quelques minutes, puis coupez le biscuit encore tiède en rectangles.

TARTELETTES AUX PRUNEAUX

Pour gagner du temps, utilisez des pruneaux n'exigeant pas de trempage préalable, ou remplacez-les par des fruits frais tels que de grosses fraises.

Temps : 45 minutes
Très facile

300 g de pâte sablée
  (voir p. 56)
1 noix de beurre
20 gros pruneaux
80 g de sucre semoule
2 clous de girofle (facultatif)
200 g de marmelade d'oranges

Abaissez la pâte assez finement. Tapissez-en 20 petits moules à tartelettes légèrement beurrés. Piquez le fond avec une fourchette et remplissez de haricots secs. Faites cuire à blanc au four préchauffé à 180° pendant environ 20 minutes, puis laissez refroidir.

Faites cuire les pruneaux dans un peu d'eau avec le sucre et les clous de girofle. Lorsque les fruits sont bien tendres, égouttez-les et laissez refroidir.

Démoulez délicatement les tartelettes sur un plat de service, après avoir ôté les haricots. Garnissez-les chacune avec un pruneau.

CANNOLI SICILIENS
■ Les cannoli doivent être
garnis de ricotta au dernier
moment, pour éviter que
la pâte ne se ramollisse.
Pour cuire, la pâte doit être
enroulée autour de cornets
spéciaux en aluminium
(voir recette page ci-contre).

PETITS FOURS
■ Grâce aux petits fours,
la pâtisserie peut s'affirmer
comme l'un des beaux-arts.
Ils sont en effet l'occasion
pour le pâtissier de créer
de véritables œuvres
d'art, en jouant avec
les formes et les couleurs.

BARQUETTES AUX FIGUES

Bien imbibées, puis cuites avec de la crème fraîche et du sucre, les figues constituent une garniture délicate et savoureuse, que l'on peut également utiliser pour confectionner des tartes.

*Temps : 1 heure
Très facile*

400 g de figues sèches
200 g de farine
2 jaunes d'œufs
200 g de sucre semoule
100 g de beurre ramolli
1 cuillerée à café de zeste
  de citron, râpé
10 cl de crème fraîche

Faites ramollir les figues pendant plusieurs heures dans de l'eau tiède. Tamisez la farine dans une jatte. Faites un puits. Ajoutez les jaunes d'œufs, la moitié du sucre, le beurre ramolli coupé en petits morceaux, dont vous aurez réservé une noix, et le zeste de citron. Mélangez bien. Façonnez une boule de pâte, couvrez d'un linge et laissez reposer dans un endroit frais pendant 30 minutes environ.

Enduisez de petits moules à barquettes avec le beurre réservé et tapissez-les de pâte finement abaissée. Piquez le fond avec une fourchette et remplissez de haricots secs. Faites légèrement dorer au four préchauffé à 180°

Ôtez les haricots secs et laissez refroidir les barquettes avant de les démouler délicatement et de les disposer sur un plat de service.

Égouttez les figues. Faites-les cuire à feu doux avec le reste du sucre et la crème fraîche pendant 10 minutes à partir du moment où la crème atteint l'ébullition, puis passez-les au chinois. Lorsque la préparation est froide, garnissez-en chaque barquette.

BARQUETTES AUX CASSIS

Vous pouvez remplacer les cassis par des fraises, de la banane, des mûres ou des framboises.

*Temps : 1 heure
Facile*

300 g de farine
100 g de sucre semoule
170 g de beurre
2 jaunes d'œufs
1 pincée de sel
300 g de cassis
100 g de confiture
  de framboises
  ou de gelée de groseilles

Mélangez la farine avec le sucre, le beurre fondu, les jaunes d'œufs et le sel. Abaissez la pâte obtenue sur 2 cm d'épaisseur

Foncez des moules à barquettes avec la pâte. Posez du papier sulfurisé sur le fond, remplissez de riz ou de haricots secs et faites cuire à blanc au four préchauffé à 180°. La pâte ne doit pas se colorer.

Ôtez les haricots et le papier. Démoulez les barquettes et garnissez-les de cassis. Nappez de confiture, passée au chinois, ou de gelée.

BOULETTES DE RICOTTA A LA NOIX DE COCO

Plus légères que le chocolat, vous servirez ces boules de ricotta à la fin d'un dîner raffiné, en guise de truffes.

*Temps : 20 minutes
Très facile*

100 g de beurre ramolli
300 g de ricotta
200 g de cacao
1 noix de coco râpée
100 g de sucre semoule

Travaillez le beurre ramolli à température ambiante jusqu'à ce qu'il devienne pâle et mousseux. Incorporez la ricotta petit à petit, puis le cacao. En remuant bien, ajoutez la moitié de la noix de coco, puis le sucre.

Façonnez cette préparation en boulettes de la taille d'une cerise, que vous roulez dans le reste de la noix de coco pour bien les enrober. Réfrigérez jusqu'au moment de servir.

MONTS-BLANCS MINIATURES

Si vous utilisez de la crème de marrons, déposez-la simplement sur le gâteau, sans ajouter de lait, de vanille ou de sucre.

Temps : 1 heure
Très facile

300 g de gâteau mousseline
  (voir p. 146)
500 g de marrons,
  ou 300 g de crème
  de marrons
50 cl de lait
1 cuillerée à café d'extrait
  de vanille
100 g de sucre semoule
10 cl de crème fraîche

Coupez le gâteau mousseline horizontalement en tranches fines, puis, à l'aide d'un emporte-pièce de la taille du fond des caissettes, découpez de petits disques de gâteau, que vous déposerez dans chaque caissette.

Ôtez la peau des marrons. Faites-les cuire pendant 15 minutes dans une grande quantité d'eau bouillante. Égouttez-les et ôtez la fine membrane qui les recouvre. Si les marrons se brisent, cela n'est pas grave. A feu doux, réduisez-les en purée épaisse avec le lait et la vanille, après les avoir écrasés avec une fourchette. Sans cesser de remuer, ajouter le sucre. Passez cette purée au chinois.

A l'aide d'une poche à douille, déposez un peu de purée sur chaque disque de gâteau. Fouettez la crème fraîche et déposez-en une rosette sur la préparation. Réfrigérez avant de servir.

FEUILLETÉS AUX MARRONS GLACÉS

Ces tartelettes appétissantes sont minuscules. Elles sont donc idéales pour une réception ou après un bon dîner, avec d'autres petits fours.

Temps : 2 heures
Facile

300 g de pâte feuilletée
  (voir p. 86)
1 noix de beurre
20 marrons glacés
20 cl de crème fraîche
100 g de sucre glace
1 cuillérée à soupe de cacao

Préparez la pâte feuilletée et abaissez-la sur un plan de travail légèrement fariné. Découpez-y des formes ovales ou rondes, puis foncez de très petits moules à barquettes ou à tartelettes, d'une taille juste suffisante pour contenir un marron glacé. Déposez quelques haricots secs dans chaque barquette. Faites cuire au four préchauffé à 180° pendant 15 minutes environ. Ôtez les haricots.

Lorsque les barquettes sont froides, démoulez-les, puis déposez un marron glacé dans chacune d'elles. Fouettez la crème fraîche avec le sure et, avec une poche à douille, déposez un peu de crème sucrée autour de chaque marron. A l'aide d'une petite passette, saupoudrez de cacao et disposez les barquettes sur un plat de service.

Savoir s'il convient de servir des vins avec le dessert, et si oui lesquels, n'est pas une question à laquelle il est facile de répondre. En effet, il s'agit toujours d'un point de vue personnel, qui sera le fruit d'expériences répétées — et très agréables !

Si vous choisissez le vin le plus approprié, il mettra en valeur la saveur de vos gâteaux et autres desserts. Sinon, il en masquera le goût ou empêchera vos convives d'apprécier pleinement des mets à la préparation desquels vous aurez consacré beaucoup de temps et d'efforts. Il est souvent difficile de sélectionner le vin propre à accompagner certains desserts : ainsi, pour les sorbets aux fruits, qui sont acides, il faut retenir un vin qui « corrige » cette acidité au palais, ou tout au moins l'atténue.

Les gourmets et sommeliers du monde entier débattent depuis fort longtemps ce sujet, sans être jamais parvenus, par bonheur, à un verdict sans appel. Le conseil le plus sensé, et le plus prosaïque, que l'on puisse donner est de choisir les vins les plus capiteux pour accompagner de riches préparations sucrées et de réserver les vins plus légers pour les desserts plus simples. Il ne faut pas oublier, toutefois, qu'un bon verre d'eau minérale froide rafraîchira un palais qui risque d'être gâté par des saveurs un peu écœurantes à la longue, ni qu'un verre d'un excellent vin de dessert peut également être dégusté seul, pour lui-même, à la fin d'un bon repas.

Pour être sûr de ne pas commettre d'impair, on s'en tiendra à la pratique habituelle, qui consiste à servir des vins blancs mousseux avec les tartes, flans et autres pâtisseries, et des vins légers, rouges ou rosés, avec les desserts à base de fruits ; quant aux vins blancs élaborés à partir de raisins de vendange tardive et ayant plusieurs années de bouteille, et aux bons vins de liqueur, ils accompagnent les biscuits et desserts très légers (mousses et soufflés).

Le champagne

C'est l'un des vins les plus célèbres du monde, et probablement le produit d'exportation fran-çais le plus connu. De nombreux autres pays, dont les États-Unis (Californie), l'Italie et l'Autriche, produisent des vins mousseux selon la méthode champenoise, mais ces derniers, s'ils sont parfois très bons, n'ont encore jamais atteint le niveau d'excellence habituel chez le produit originel, qui seul a droit à l'appellation de « champagne ». Synonyme de fête et de luxe dans le monde entier, ce vin peut être assemblé à partir de raisins blancs ou noirs. Le champagne millésimé, composé à partir des vins d'une année exceptionnelle, est le meilleur et le plus coûteux — l'appellation « cuvée spéciale » est plus prestigieuse encore, qui honore un vin constitué de raisins spécialement sélectionnés. Toute la gamme des champagnes est déclinée en brut (le plus sec), sec et demi-sec.

Le champagne doit être servi froid, mais non glacé : on le sert souvent trop frappé. Le champagne brut, qui accompagne à la perfection des mets très divers, est particulièrement adapté à la vogue actuelle des desserts frais et légers. On recommandera le champagne pour les tartes, pâtisseries, soufflés et desserts à base de crème. Il est parfait avec la plupart des crèmes glacées.

Le vin Santo

Ce magnifique vin de dessert toscan n'est exporté qu'en quantités limitées. Vin blanc (il en existe du rouge, mais il est moins courant) aromatique, il est produit avec des raisins — Trebbiano et Malvasia — vendangés lorsqu'ils sont très mûrs, puis étalés sur des nattes de paille ou accrochés dans des greniers aérés. Les différentst types de *vino santo* peuvent être très doux, demi-secs ou secs. Dans leur région d'origine, on les boit avec de petits biscuits croustillants aux amandes, que l'on y trempe.

L'origine du nom « vino santo » (vin saint) est mal définie et donne lieu à trois hypothèses : utilisé comme vin de messe lors de la peste de 1384, il aurait permis la guérison de plusieurs malades ; Cosme de Médicis en aurait offert au cardinal Bessarione, archevêque de Nicée, qui, en retour, lui aurait fait le présent de vin de Xanthos ; enfin, plus simplement peut-être, cette appellation serait due au fait que ce vin était souvent mis en bouteilles juste avant Noël.

Le madère

S'il est aujourd'hui moins en vogue qu'autrefois, un madère de bonne qualité est toujours délicieusement doux, comme le climat de l'île dont il tire son nom. Le meilleur madère, le Malmsey, vieillit en fûts pendant au moins vingt ans avant d'être mis en bouteilles et commercialisé. Il est produit à partir de raisins de cépage Malvasia (malvoisie), et se distingue par sa douceur, sa couleur ambrée et son arôme légèrement fumé. Il accompagne merveilleusement les desserts les plus riches. Il faut souvent le commander, car la production est limitée. Parmi les autres bons madères, citons le Sercial (sec), le Verdhelo (au goût très franc) et le Bual (demi-doux).

Le xérès

Ce vin tire son nom de la ville andalouse de Jerez de la Frontera, centre de l'industrie du xérès en Espagne. Seules les grappes les plus mûres entrent dans son élaboration : elles sont mises à sécher sur des plates-formes de terre battue sous le chaud soleil d'Espagne — des paillassons sont étalés sur les raisins pendant la nuit pour les protéger de la rosée.

Le xérès, qui vieillit longuement dans des fûts de chêne, représente l'exemple classique de la méthode de fortification des vins appelée « solera ». Le xérès sec (*fino*) est un excellent apéritif, qui stimule l'appétit. Il convient de le servir très froid. L'amour des Britanniques pour le xérès (« sherry ») demi-sec (*amontillado*) a contribué à la popularisation de ce vin à travers le monde. Les xérès « cream », très doux, peuvent avoir une couleur très pâle, mais ils entrent dans la catégorie *Oloroso* des xérès sombres et lourds, dont la saveur évoque les noix ; ces deux derniers types de xérès sont parfaits comme vins de dessert : ils apportent une touche chaleureuse aux poudings à base de fruits secs ou frais.

Le muscat (moscato)

Si le champagne est le plus célèbre vin mousseux de France, le moscato, plus particulièrement lorsqu'il sert à élaborer l'asti spumante, fait la fierté de l'Italie. Ce vin de dessert possède un beau bouquet et une douceur naturelle provenant de la forte teneur en fructose de raisins de cépage muscat. Vin blanc pétillant, l'asti spumante accompagne bien toutes sortes de desserts. Des vins de muscat tranquilles sont produits dans d'autres régions d'Italie, mais ils sont élaborés différemment : les raisins sont soumis à un séchage partiel sur des claies d'osier. Ce vin est généralement doré, avec des nuances ambrées. On le sert avec les cassates, les cannoli ou les desserts à base de fruits cuits. La France produit également de délicieux muscats, dont le somptueux muscat de Beaumes-de-Venise.

Le marsala

En 1773, un Anglais, John Woodhouse, s'aperçut que le nord-ouest de la Sicile se prêtait à la production des matières premières pouvant servir à l'élaboration d'un vin de liqueur, et il entreprit de produire du marsala. Ce vin aromatique au corps généreux se montre à la hauteur des desserts très riches, et même du chocolat : il est quasi indispensable dans la composition des sabayons. Le meilleur des marsalas est le *vergine*, vieilli au moins cinq ans en fût de bois.

La vinification du marsala fait appel à l'adjonction de moût cuit très concentré, ajouté en quantités très précises au moût fermenté, qui donne à ce vin sa couleur et sa saveur très chaudes, son bouquet franc et aromatique. Ce vin était déjà populaire en Grande-Bretagne à la fin du XVIIIe siècle ; après que l'amiral Nelson en eut commandé une importante quantité alors que la flotte britannique mouillait au large de la Sicile, le marsala commença à rivaliser avec le madère. En dehors de l'Italie et de la Grande-Bretagne, le marsala est assez peu connu — des marsalas de qualité inférieure sont parfois employés pour préparer certaines sauces, l'une servant à napper les escalopes de veau. Le marsala sec est un bon apéritif, à servir frais (10°), tandis que le doux doit être servi à température ambiante (18°).

Le porto

Le porto, qui fait honneur à son pays d'origine, le Portugal, est un vin de liqueur titrant 18 ou 20° d'alcool : en effet, on ajoute de l'alcool vinique au vin rouge ou au moût partiellement fermenté, afin d'interrompre le processus de fermentation. Le porto est ensuite mis à vieillir pendant deux à quatre ans (selon la qualité du millésime) avant d'être mis en bouteilles. Un porto millésimé de qualité exceptionnelle peut vieillir cinquante ans ou plus.

Il existe de nombreux types de porto qui se distinguent par leurs appellations anglaises (la Grande-Bretagne a toujours été le principal pays importateur de porto Vintage : les vieux portos y sont très appréciés après un bon dîner), qui vont du Ruby (le moins coûteux) au Tawny (blend — mélange — de bonne qualité) et au meilleur de tous, le Vintage.

Le sauternes

Ce sublime vin de dessert atteint parfois la perfection dans ce domaine. Produit dans la région bordelaise, le sauternes se caractérise par sa robe jaune paille, son bouquet très développé et sa saveur équilibrée. Roi des vins et vin des rois, le sauternes devrait être réservé aux desserts d'une grande délicatesse, tels que les soufflés ou les pâtisseries, tartes et flans les plus aériens. Le sauternes est élaboré à partir des raisins les plus mûrs, laissés sur le cep jusqu'à ce que la pourriture noble vienne les flétrir : c'est ce qui donnera à ce vin sa subtilité et son arôme sans pareils. Les vendanges durent deux mois : les raisins sont cueillis grain à grain par des vendangeurs spécialisés, qui savent exactement à quel moment ils sont prêts.

Amandes

Douces ou amères, selon la variété de l'arbre (*Prunus amygdalus*). Le fruit ressemble à l'abricot, bien que la chair de l'amande soit verte, dure et non comestible. Originaires du bassin méditerranéen oriental, les amandes sont très utiles en pâtisserie : elles entrent, depuis l'Antiquité, dans la composition de nombreuses recettes. L'amandier est l'arbre du verger à la floraison la plus précoce. Dès janvier, ses branches peuvent se couvrir de fleurs, ce qui le rend très vulnérable aux gelées. La majeure partie de la production mondiale des amandes douces provient d'Espagne, d'Italie et de Californie, mais leur culture est répandue dans d'autres régions. Les amandes amères sont produites principalement dans le sud de la France, en Afrique du Nord, en Sicile et en Sardaigne. Lorsqu'elles sont réduites en poudre ou additionnées d'eau, elles libèrent un poison, l'acide cyanhydrique. C'est pourquoi il ne faut jamais les consommer crues (cela vaut également pour les noyaux de pêches). Le fait de les dorer au four détruit le poison. On emploie parfois des feuilles de pêcher pour atténuer leur parfum, mais il faut faire bouillir le liquide dans lequel elles ont trempé. Il vaut mieux utiliser des amandes douces, ou prendre d'infinies précautions avec les amandes amères. Avant de faire griller des amandes, faites-les blanchir, pelez-les, étalez-les sur une plaque à pâtisserie et passez-les à four moyen jusqu'à ce qu'elles soient légèrement dorées. Veillez à ne pas prolonger la cuisson, car elles ont tendance à brûler très facilement. On peut caraméliser des amandes en les mélangeant avec du sucre fondu et caramélisé (100 g d'amandes pour 300 g de sucre). Lorsqu'elles sont réduites en poudre fine, elles peuvent remplacer la farine d'amandes que l'on utilise parfois en pâtisserie. Cette poudre sert également à confectionner la pâte d'amandes.

Bain - marie

Méthode utilisée pour faire cuire des aliments qui ne peuvent l'être directement sur une source de chaleur. Il existe des casseroles spéciales, mais n'importe quelle jatte résistant à la chaleur pouvant s'adapter sur l'une des vôtres conviendra. Il est préférable que le récipient contenant la préparation ne soit pas en contact avec l'eau. Cette méthode peut également être utilisée pour la cuisson au four. Veillez, dans ce cas, à ne pas trop remplir le récipient contenant l'eau bouillante ; celle-ci doit arriver à mi-hauteur du récipient contenant la préparation. Le bain-marie est très pratique pour faire cuire certains aliments, les faires fondre, les liquéfier ou les faire chauffer.

Balance

En pâtisserie, les proportions des ingrédients doivent être scrupuleusement respectées. Si vous ne possédez pas de balance, vous devrez estimer approximativement le poids des ingrédients en fonction de leur volume. Ainsi, une cuillerée à soupe rase de farine pèse 10 g, une cuillerée à café de sel, 5 g. Aux États-Unis, ce problème a été résolu grâce à des tasses et à des cuillères graduées. Les proportions des ingrédients sont exprimées en volume : cela évite l'utilisation de la balance.

Beurre

Mélange de matières grasses et de lactose, comprenant une petite quantité de protéines et de sels minéraux que l'on obtient en battant la crème du lait. Le beurre est un ingrédient essentiel de la pâtisserie et peut rarement être remplacé par une autre matière grasse sans que le résultat final ne perde en saveur, en consistance et en apparence. Utilisez toujours du beurre frais, de la meilleure qualité, et ne soyez pas tenté de réaliser des économies en remplaçant une partie du beurre par de la margarine, par exemple.

Sortez le beurre du réfrigérateur 1 heure environ avant de l'utiliser : il sera ainsi plus facile à travailler et s'éclaircira en s'aérant plus rapidement.

Café

Le café dégage un goût et un parfum extraordinaires. Il se prête à de nombreuses recettes de desserts : glaçages, garnitures de gâteaux, crèmes, mousses, glaces. Pour vos pâtisseries, utilisez du café soluble de très bonne qualité. Si vous employez du café fraîchement moulu, donnez la préférence aux variétés de Costa Rica et de Colombie, les plus aromatiques. Vous pouvez également utiliser de l'extrait de café.

Cannelle

C'est l'écorce séchée, aromatique et dorée du *Cynamomum zeylanicum*, arbre appartenant à la famille des Lauriers. Bien qu'on puisse s'en procurer sous la forme de bâton, c'est en poudre qu'elle est le plus couramment utilisée. Achetez-la très fraîche et ne la conservez pas trop longtemps. Utilisée en petites quantités, elle apportera une petite note chaleureuse et épicée à de nombreux desserts, sirops et liqueurs.

Caraméliser

Lorsqu'on fait chauffer du sucre seul ou avec de l'eau, on obtient un caramel qui devient progressivement plus foncé. Le caramel très foncé à l'arôme légèrement brûlé et amer est utilisé pour colorer les sauces, les sirops et les liqueurs. Pour caraméliser l'intérieur d'un moule, passez celui-ci au four ; dans une casserole, faites chauffer à feu doux 100 g de sucre avec 1 cuillerée à soupe d'eau ; dès que le sirop commence à dorer, ôtez-le du feu et versez-le dans le moule chaud, que vous inclinerez dans tous les sens, de façon que tout l'intérieur soit recouvert de caramel.

De nombreux cuisiniers préparent leur caramel directement dans le moule. Dans ce cas, il importe de se protéger les mains, de disposer d'une source de chaleur au gaz et d'être vigilant.

Chocolat

C'est un mélange de sucre, de cacao, de beurre de cacao et de lait en poudre. La fève de cacao provient d'un arbre originaire d'Amazonie, aujourd'hui cultivé dans les régions tropicales d'Amérique, aux Philippines, à Sri Lanka, à Java et en Afrique de l'Ouest. Ces fèves, extraites des cabosses qui contiennent également une pulpe blanchâtre, subissent une phase de fermentation, puis de séchage. Elles sont ensuite torréfiées, puis broyées, opérations au cours desquelles elles se transforment en une pâte. Certains ingrédients sont ajoutés à cette pâte, afin d'obtenir différents types de chocolat : chocolat amer, chocolat de couverture, chocolat pâtissier, chocolat au lait et toutes les variantes mises au service de l'industrie du chocolat.

Le chocolat de couverture, le chocolat des professionnels, est la variété qui convient le mieux à la confection de glaçages. Il s'agit d'un produit très riche en beurre de cacao, que vous pouvez éventuellement remplacer par du chocolat noir d'excellente qualité. Évitez les chocolats de ménage ou à cuire, difficiles à travailler, qui risquent de conduire à une détérioration du goût et de la consistance du dessert fini.

Cassez le chocolat en morceaux et faites-le fondre au bain-marie, en le remuant avec une cuillère en bois. Lorsque vous utilisez du chocolat de couverture, veillez à n'y introduire aucune goutte d'eau, car il pourrait devenir impossible de le travailler.

Clous de girofle

Ce sont les boutons séchés par le soleil du giroflier, arbre tropical originaire des Moluques. Les clous de girofle présentent des vertus médicinales et favorisent la conservation de la viande. En pâtisserie, il est préférable de les utiliser avec parcimonie, car leur puissant arôme n'est pas toujours apprécié de tous les palais.

Colorant

Les colorants alimentaires jouent un rôle important dans la décoration de certains desserts. Ne les utilisez qu'en petite quantité et choisissez toujours des produits d'origine naturelle, végétale, ne contenant pas de produits chimiques. Vous pouvez remplacer le colorant jaune en faisant dissoudre un peu de safran dans de l'eau bouillante. Utilisez du caramel foncé pour colorer en brun (ou du café et du chocolat si le parfum du dessert le permet). Un peu de sirop de menthe remplacera avantageusement du colorant vert.

Coriandre

Cette plante appartenant à la famille des Ombelliféracées, originaire d'Europe du Sud et du Moyen-Orient, est aujourd'hui cultivée dans diverses régions du globe jouissant d'un climat de type méditerranéen. Les graines sont utilisées entières ou moulues et apportent aux préparations culinaires — plats salés, marinades, gâteaux, biscuits et certaines liqueurs telles que la chartreuse — un arôme puissant et chaleureux. Les feuilles, qui ressemblent à celles du persil, sont également utilisées en cuisine.

Crème

Matière grasse du lait dont on fait le beurre, qui se dépose à la surface du lait lorsqu'on le laisse reposer. La crème jaune pâle et épaisse que l'on trouve dans les crémeries ou dans certaines fermes vendant leurs produits au public est généralement obtenue en laissant reposer le lait avant de l'écrémer. La crème industrielle est le plus souvent le résultat d'une séparation mécanique (on fait tourner le lait, et la crème se sépare sous l'effet de la force centrifuge). Pour obtenir une crème fouettée bien ferme, réfrigérez la crème, mais aussi les ustensiles que vous utiliserez pour la battre (jatte et fouet) : elle montera d'autant plus vite.

Délayer

Mélanger une substance avec un liquide, afin d'éviter la formation de grumeaux (farine, fécule de pomme de terre, Maïzena, arrow-root, etc.) lorsqu'un agent épaississant est ajouté à un liquide chaud ou froid. On emploie généralement de l'eau ou du lait, mais des jus de fruits, du vin ou d'autres liquides peuvent convenir. Cette préparation froide est incorporée au contenu de la casserole ou de la jatte devant être épaissi.

Ébullition

Lorsqu'on porte à ébullition du sirop de sucre, il convient de surveiller très attentivement la cuisson : en effet, à partir d'un certain degré, la température s'élève très rapidement. Si vous souhaitez faire réduire un sirop ou une sauce, aux fruits notamment, faites frémir le liquide à feu très doux, en ne le faisant bouillir que le temps nécessaire à l'évaporation d'un peu d'eau sous forme de vapeur ; le contenu de la casserole s'épaissira progressivement.

Farine

Elle peut être obtenue à partir de nombreuses céréales ou légumes. C'est la farine de blé que l'on utilise le plus couramment en pâtisserie, mais d'autres farines ou fécules — de riz, de pomme de terre, d'orge, de maïs ou de seigle — entrent également dans la composition de certains desserts. Le grain de blé comporte trois parties : le germe, l'intérieur blanc et amidonné, ou albumen, et l'enveloppe ou son. Le germe est riche en substances azotées et corps gras. Les parties purifiées de l'albumen (la semoule), produites lors de la mouture initiale des grains de blé, sont très riches en amidon et contiennent une importante proportion de calcium, de phosphore, de sels minéraux et de vitamines. D'autres opérations de meunerie conduisent à l'élaboration de farines plus ou moins fines, selon qu'elles font l'objet de plusieurs tamisages.

La farine utilisée par les boulangers est riche en protéines et en gluten, et présente un grand pouvoir d'absorption des liquides. La farine à gâteaux, en revanche, comprend moins de gluten et de protéines.

La Maïzena et la fécule de pomme de terre sont fréquemment employées en pâtisserie, car elles confèrent aux pâtes et autres appareils une légèreté et un moelleux incomparables.

Flamber

On fait chauffer l'alcool — sans le porter à ébullition, afin de ne pas éliminer l'alcool qui permet d'allumer la flamme — avant de le faire flamber. Cette méthode est très impressionnante et rencontre toujours un vif succès auprès des convives à qui l'on sert des crêpes, une charlotte ou un pouding à l'anglaise. Choisissez de l'alcool de bonne qualité et faites flamber votre dessert à table : vous recueillerez les félicitations de vos invités.

Fouets et batteurs

Vous avez le choix entre plusieurs ustensiles : le fouet métallique, le fouet mécanique avec poignée, le batteur électrique ou le robot équipé d'un bol mélangeur et d'un batteur. Les batteurs électriques facilitent le travail du cuisinier, bien que la plupart des professionnels préfèrent monter leurs blancs en neige dans une jatte en cuivre à l'aide d'un fouet en acier — attention : aucun aliment ne doit être laissé plus de 30 minutes dans un récipient en cuivre, au risque de devenir toxique ; la jatte doit être parfaitement propre, toute trace de vert-de-gris devant être éliminée —, car une réaction inoffensive intervient au contact du cuivre, qui facilite et accélère la montée des blancs en neige. N'oubliez pas que la crème se fouette plus facilement lorsqu'elle est très froide, ainsi que le fouet et la jatte.

Veillez à toujours bien nettoyer vos ustensiles. Les aliments peuvent, en effet, facilement se coincer entre les pièces en rotation ou entre les fils métalliques d'un fouet.

Four

L'un des conseils les plus pertinents que l'on puisse donner à une ménagère est d'apprendre à connaître son four. La partie la plus chaude d'un four traditionnel au gaz ou électrique se situe en haut du four. Ne remplissez pas trop le four de plats différents, car la circulation d'air doit se faire correctement si on veut que les aliments cuisent de façon uniforme ; pour la même raison, les plaques à pâtisserie ou les lèche-frites — qui peuvent servir pour faire cuire un plat au bain-marie — ne doivent pas être trop ajustées sur les parois.

Les appareils à chaleur tournante présentent une température uniforme en tout point du four, et les temps de cuisson sont légèrement réduits par rapport à ceux préconisés pour les fours traditionnels ; de même, les températures doivent être réglées à des niveaux inférieurs. L'un des avantages de ce type d'appareil tient en ce qu'il est possible de faire cuire deux gâteaux ou deux fournées de biscuits en même temps, l'un au-dessus de l'autre, alors que dans un four classique, la cuisson n'est pas uniforme pour les deux gâteaux. Si vous avez l'impression que le thermostat de votre four n'indique pas la température exacte, vous pouvez la tester avec un thermomètre à viande et faire réviser l'appareil si besoin est.

Si vous utilisez un four traditionnel, il est important de le préchauffer à l'avance. Les appareils à chaleur tournante exigent beaucoup moins de temps pour atteindre la température souhaitée. N'oubliez pas de lisser la surface d'un gâteau avant de l'enfourner, car certaines pâtes restent telles qu'on les a versées dans le moule. Un four bien éclairé équipé d'une porte transparente constitue un atout important : vous aurez moins tendance à ouvrir la porte pour vérifier le degré de cuisson du plat.

Graissage

Le seul moyen de s'assurer que la pâte n'adhère pas au moule consiste à graisser soigneusement le fond et les bords du récipient utilisé. Sauf indication contraire, on utilise du beurre pour graisser les moules à pâtisserie. Vous pouvez employer un morceau de beurre collé dans son papier d'emballage, mais il est encore plus facile de faire fondre une ou deux noix de beurre au bain-marie et d'enduire le moule à l'aide d'un pinceau. Ainsi, vous serez assuré que chaque recoin du moule est correctement beurré : cela est particulièrement utile pour les moules aux formes originales. Fréquemment, il est recommandé de fariner le moule préalablement beurré. Cette indication sera donnée dans les recettes.

Lait

Le lait de vache est couramment utilisé en pâtisserie. Il s'agit d'un aliment complet sous forme liquide, contenant des graisses émulsifiées, des protéines, du lactose, des minéraux — du calcium principalement —, des vitamines et une importante proportion d'eau. Il est préférable d'utiliser du lait entier pour la préparation des crèmes glacées. Pour la plupart des autres recettes, il vaut mieux également employer du lait non écrémé, bien que, dans certains cas, le lait demi-écrémé puisse tout à fait convenir. Le lait en poudre ou en conserve n'est pas recommandé pour préparer les recettes données dans ce livre. Utilisez toujours du lait très frais, non parfumé, et ce surtout si vous préparez une glace. Conservez-le donc au réfrigérateur, à l'écart de certains aliments au goût très prononcé.

Levure

La levure est un champignon unicellulaire qui se développe à un rythme très rapide dans des conditions particulières. Elle réagit au contact de l'amidon et du sucre présents dans une pâte en produisant du gaz carbonique, qui permet de faire lever la pâte. En pâtisserie, on utilise de la levure de boulanger fraîche ou de la levure séchée. La première doit être conservée au réfrigérateur et utilisée aussi rapidement que possible. La seconde agit moins rapidement et doit donc reposer plus longtemps dans de l'eau tiède, avant d'être incorporée à la pâte. La plupart des boulangers préfèrent la levure fraîche. Cet ingrédient est particulièrement riche en vitamine B.

Liqueurs

Les liqueurs, vins et autres alcools utilisés en pâtisserie sont généralement assez doux. Parmi les plus couramment employés, citons : le kirsch, le marasquin, le Grand Marnier, le curaçao et l'amaretto. Lorsqu'une recette exige l'emploi de rhum, choisissez du rhum brun jamaïcain. Le cognac doit être de très bonne qualité. Les vins doux apporteront à vos desserts un goût caractéristique : ne négligez jamais la qualité des produits utilisés.

Margarine

L'utilisation de la margarine à la place du beurre est courante dans certaines boulangeries ou pâtisseries industrielles, mais il est déconseillé d'imiter cette pratique lorsque vous confectionnez des gâteaux maison, car leur goût et leur consistance en souffrent beaucoup.

Miel

C'est l'agent sucrant le plus anciennement connu de l'homme. Le miel produit par les abeilles qui recueillent le nectar de certaines fleurs se cristallise moins rapidement que celui élaboré à partir d'autres variétés de plantes : ainsi, l'acacia et la bruyère donnent du miel qui ne se cristallise pas. Si votre miel a tendance à se cristalliser, faites-le chauffer au bain-marie pendant 30 minutes environ. Le miel est utilisé pour la fabrication du nougat, de certains caramels et bonbons. Sauf indication contraire, le miel utilisé dans nos recettes est du miel liquide.

Moules

De formes et de tailles variées, les différents moules à pâtisserie sont si nombreux qu'il serait impossible de tous les décrire. Achetez des moules de qualité. Pour choisir la taille, souvenez-vous que la pâte ne doit pas dépasser les deux tiers de la hauteur des bords. Les pâtes à gâteaux riches ou les pâtes à pain cuisent particulièrement bien dans des moules robustes, en acier. Les gâteaux légers, les biscuits de Savoie et les pâtes à tarte cuisent mieux et plus rapidement dans des moules légers, plus fins, car la chaleur pénètre plus rapidement. Les moules à revêtement non adhésif sont très pratiques, mais le Téflon finit toujours par se décoller, et vous devrez donc les renouveler régulièrement. Les moules s'ouvrant sur le côté, pour libérer le fond amovible, facilitent le démoulage des gâteaux fragiles.

Œufs

Choisissez toujours des œufs d'une extrême fraîcheur. Conservez-les au réfrigérateur, à l'écart des aliments au goût trop prononcé ou de la viande crue. Les coquilles sont poreuses et peuvent laisser pénétrer les odeurs ainsi que certains micro-organismes. Pour cette raison, il est important de les débarrasser de toute saleté avant de les stocker. Il n'est pas possible de congeler des œufs dans leur coquille. En revanche, la congélation du jaune et du blanc séparé, ou de l'œuf battu, est possible. Fouettez-les de préférence avec du sel ou du sucre, selon l'usage que vous en ferez une fois décongelés, en prévoyant 1 cuillerée à café de sel ou de sucre par douzaine d'œufs. Congelez-les dans des récipients appropriés. Pour vérifier la fraîcheur d'un œuf, plongez-le dans un récipient d'eau froide : s'il est frais, il tombe au fond ; s'il flotte partiellement et reste vertical, l'extrémité arrondie émergeant de l'eau, il ne l'est plus.

Pour battre des jaunes d'œufs entrant dans la composition d'un gâteau — crème pâtissière, crème anglaise —, fouettez-les jusqu'à ce qu'ils commencent à éclaircir et à mousser, et ce d'autant plus qu'ils sont additionnés de sucre : le volume augmente et la préparation obtenue fait le ruban. Une bonne façon de stabiliser les protéines des blancs d'œufs battus en neige consiste à ajouter un peu de crème de tartre ou un mince filet de jus de citron. Les œufs montent plus rapidement et restent bien fermes.

Papier

Parmi les types de papier les plus utiles en pâtisserie, citons : le papier sulfurisé ou paraffiné, le papier siliconé, le papier à pâtisserie. Le papier paraffiné, comme son nom l'indique, est recouvert d'une fine couche de paraffine, qui empêche les aliments d'adhérer à la feuille. Le papier kraft vous rendra parfois de grands services : c'est, en effet un excellent isolant dont vous pourrez, par exemple, recouvrir les moules lorsque vous souhaitez que le contenu ne cuise pas trop vite. Un sac en papier peut servir à fariner les raisins secs que vous aurez mis à l'intérieur, en le secouant et en maintenant le sac bien fermé.

Pétrissage

C'est l'une des opérations culinaires les plus anciennement connues de l'homme : on la pratique certainement depuis que l'on fabrique du pain. Le pétrissage sert non seulement à mêler intimement les ingrédients, mais il permet également de développer l'élasticité du gluten présent dans la farine, conférant ainsi au pain une consistance agréable. Si le pétrissage est suffisamment énergique, il n'est pas nécessaire de le prolonger au-delà de 10 minutes. Avec un peu d'expérience et d'entraînement, vous apprendrez à reconnaître à quel moment la pâte est correctement pétrie.

Pignons

Ces graines sont utilisées en cuisine depuis l'époque romaine. Leur goût rappelle celui des amandes, mais leur consistance est plus moelleuse. Légèrement grillés, ils présentent un arôme encore plus prononcé — attention, ils brûlent très facilement. Ils proviennent du pin pignon, espèce d'arbre typiquement méditerranéenne. Aujourd'hui, on extrait les pignons des coquilles de façon mécanique : les pommes de pin sont rassemblées pendant l'hiver, stockées jusqu'à l'été, puis elles sont étalées au soleil afin de libérer les pignons qu'elles contiennent en s'ouvrant.

Pinceau à pâtisserie

Un pinceau en poils de sanglier est idéal pour la pâtisserie courante, mais certaines tâches délicates — glaçage d'une tarte aux fruits cuits ou de pâtes fragiles — méritent d'être réalisées avec un pinceau en plumes d'oie. Lorsque vous avez fini de l'utiliser, lavez le pinceau très soigneusement à la main avec un peu de détergent, afin que les poils ne s'abîment pas.

Poche à douille

Ces ustensiles sont indispensables en pâtisserie : les opérations de décoration sont plus rapides, plus précises et plus faciles. Achetez un vaste assortiment d'embouts, simples et cannelés, afin de disposer du bon diamètre selon la décoration voulue. Les sacs sont réalisés en toile (difficile à nettoyer), en Nylon ou en plastique ; les embouts sont en métal ou en plastique. Si vous avez une seringue à décorer, il est inutile d'acquérir une poche à douille. En outre, vous pouvez réaliser votre propre poche à douille avec du papier fort.

Pochoirs

Ces ustensiles sont très commodes lorsque vous devez décorer des gâteaux, car ils assurent la réalisation d'un motif symétrique. Les pochoirs sont utilisés pour parsemer de sucre glace ou de cacao la surface d'un gâteau. Vous pouvez acheter des pochoirs tout faits ou les confectionner vous-mêmes en papier, en carton ou en plastique.

Réduire

Cette opération consiste à faire bouillir une sauce ou un jus, afin de l'épaissir ou d'en concentrer l'arôme par évaporation et d'en diminuer le volume. Ce processus est d'autant plus rapide que la casserole est large.

Réfrigérateur

Ne réfrigérez jamais des aliments bouillants, ni même tièdes : il faut faire refroidir les aliments le plus rapidement possible, puis les mettre au réfrigérateur une fois qu'ils sont bien froids. N'oubliez pas qu'il est important de placer la crème, le lait, le beurre et les œufs à l'écart de denrées à l'odeur prononcée, afin qu'ils n'en prennent pas le goût. Éloignez-les également de la viande ou de pièces de volaille crue, afin d'éviter tout risque de contamination. Assurez-vous que votre réfrigérateur fonctionne bien et réglez le thermostat en fonction des changements de temps, si ceux-ci affectent la température de votre cuisine. Si votre réfrigérateur n'est pas équipé d'un système de dégivrage automatique, n'oubliez pas de le dégivrer régulièrement, afin que son rendement reste optimal. Évitez d'ouvrir et de refermer la porte du réfrigérateur trop souvent, surtout s'il renferme des denrées périssables. Enfin, sachez que bien que l'air froid ait tendance à descendre, le freezer est toujours situé dans la partie supérieure de l'appareil. C'est pourquoi la partie la plus froide du réfrigérateur se situe en haut et non en bas de l'appareil.

Rouleau à pâtisserie

Chaque pâtissier a un type de rouleau préféré. Celui-ci peut être en bois — en hêtre le plus souvent —, avec ou sans poignées — les professionnels préfèrent le modèle sans poignées. Il existe également des rouleaux à pâtisserie que l'on remplit d'eau froide ou glacée. Ceux-ci sont réalisés en porcelaine, marbre ou verre, et outre leur côté esthétique, ils ne présentent pas véritablement d'avantages.

Sorbetières

Il existe deux types de sorbetières : la sorbetière manuelle et la sorbetière électrique. La première consiste en un seau en bois comprenant un récipient dans lequel des pales tournent sous l'action d'une manivelle située à l'extérieur du seau. Le seau est rempli de glace et de gros sel — qui permet d'abaisser la température de la glace —, afin de refroidir la crème ou le sorbet tout en le remuant. Les inconvénients de ce type de sorbetière sont de deux ordres : premièrement, il faut veiller à ce qu'aucun grain de sel ne tombe dans la préparation ; deuxièmement, l'opération qui consiste à remuer la glace devient, à mesure que celle-ci prend, de plus en plus difficile.

Il existe différentes tailles et formes de sorbetières électriques, mais le principe de base reste le même. Un critère à prendre en compte lors de l'achat de votre appareil concerne la capacité des bacs. Vérifiez également qu'ils peuvent être séparés du bloc moteur, afin d'être lavés facilement. En effet, la propreté des ustensiles est primordiale lorsqu'on prépare de la glace.

À défaut de sorbetière, vous pourrez confectionner de délicieux sorbets et crèmes glacées en versant la préparation de base dans un bac à glaçons ou une petite jatte que vous placerez ensuite au congélateur. Il vous suffira de vérifier régulièrement la glace et de la remuer dès qu'elle commencera à épaissir. Répétez cette opération plusieurs fois jusqu'à ce qu'elle soit difficile à réaliser — en raison de la fermeté de la glace. Vous éviterez ainsi la formation de cristaux, qui gâcheraient la consistance veloutée et crémeuse de votre dessert.

Spatule

Indispensable en pâtisserie. Les plus utiles sont les spatules en caoutchouc, qui conviennent particulièrement bien pour incorporer des blancs en neige ou de la crème fouettée à un appareil. Elles sont en outre très pratiques pour racler le fond des jattes. Ne mettez pas ces ustensiles au lave-vaisselle et utilisez un déter-gent doux pour les nettoyer. Les spatules en bois sont également très pratiques. Les spatules en métal servent surtout à lisser la pâte dans le moule — en les plongeant dans de l'eau froide si besoin — et pour étaler un glaçage sur un gâteau — plongez-les alors dans de l'eau chaude.

Sucre

Sans sucre, la pâtisserie n'existerait pas. Avant l'introduction du sucre de betterave, la seule source de sucre provenait des cannes à sucre. Toutefois, le miel est utilisé dans les recettes sucrées depuis des siècles. Le sucre de canne présente un goût particulier, très agréable ; son pouvoir édulcorant est moindre que celui du sucre de betterave. Celui-ci, en revanche, ne fait que sucrer les aliments, il ne les parfume absolument

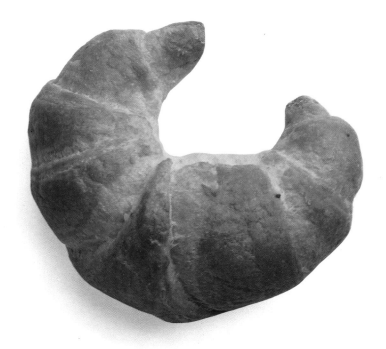

pas. Le sucre de canne est originaire d'Asie tropicale. La légende veut que les Polynésiens l'utilisent depuis les temps les plus reculés. Il était très certainement connu des Indiens. Les Perses (vers 510 avant J.-C.) et les Grecs faisaient référence à une substance s'approchant du sucre, bien que son apparence fût très différente de celle du produit que nous connaissons aujourd'hui. Au Moyen Age, le sucre était réservé aux classes aisées de la société ; vers la fin du XVᵉ siècle, des plantations de sucre de canne furent plantées aux Canaries, puis, au siècle suivant, au Brésil. Ce n'est qu'à la fin du XVIIIᵉ siècle que le sucre devint plus abordable.

En 1747, un chimiste allemand découvrit que l'on pouvait extraire du sucre de la betterave. A partir de 1811, les Français reprirent ces travaux de recherche, interrompus entre-temps, afin de pallier les effets du blocus continental.

Depuis quelques années, on parle beaucoup de l'importance de limiter la ration de sucre consommée chaque jour ; comme pour la plupart des choses de la vie, tout est affaire de modération. Si votre régime alimentaire est bien équilibré et se compose de plats préparés chez vous, il n'y a aucune raison de penser que la consommation de desserts maison risque de nuire à votre santé. Tout est dans la mesure. Déguster en compagnie d'amis ou de membres de votre famille les desserts préparés à partir des recettes de ce livre vous procurera un immense plaisir qui ne devrait pas être gâché par des scrupules non fondés.

Tamis et passoires

Lorsque vous devez passer des fruits, notamment des fruits acides, utilisez toujours un tamis ou une passoire non métallique, afin d'éviter toute réaction chimique. Vous aurez besoin de tamis de différentes tailles : l'expérience vous enseignera lesquels sont les plus commodes. Lavez toujours ces ustensiles très soigneusement après chaque utilisation.

Vanille

Il s'agit des fruits du vanillier, arbre originaire du Mexique dont l'arôme et le goût sont étonnants. Les gousses sont cueillies alors qu'elles sont encore à peine mûres et plongées dans de l'eau bouillante avant d'être séchées au soleil. Les cristaux de vanille qui se forment au cours de cette opération donnent à la gousse tout son parfum et toute sa saveur. En pâtisserie, on utilise la gousse de vanille ou l'extrait.

Vous pouvez préparer votre propre sucre vanillé en mettant deux ou trois gousses dans un bocal de sucre semoule pendant une à deux semaines. La vanille de synthèse ne peut en aucune manière concurrencer le produit naturel.

INDEX

Crédits photographiques

Les éditeurs tiennent à remercier les personnes et organismes suivants qui
les ont autorisés à reproduire les photos de cet ouvrage :
Adriano Brusaferri (studio Adna), Milan
Riccardo Marcialis, Milan
Franco Pizzochero, Milan
Prima Press, Milan
Luigi Volpe Mad. Figaro, Milan
page 161 : Hisashi Kudo, Tokyo

Ils remercient également Sonia Fedrizzi, Milan, qui a réalisé les séquences
filmées et Shogakukan, Tokyo, qui a réalisé celles des pages 72, 118, 132,
150, 160, 186, 192, 196, 224, 232, 254, 328, ainsi que Ketto Cattaneo,
Bergame, pour les gravures anciennes.

Ils tiennent aussi à remercier Franco Pizzochero qui a photographié les
tableaux des pages :
6-7 : Vincenzo Campi, *La cucina*, Pinacoteca di Brera, Milan (Scala)
22-23 : Patricia Barton, *La venditrice di canditi*, Pro Arte
Lugano (Ricciarini)
36-37 : détail de *Feast offered to Emperor Charles IV*,
Bibliothèque Nationale, Paris
54-55 : Pieter Claesz, *Still Life with Pie and Glass of Wine*,
Musée national des Beaux-Arts, Budapest
84-85 : Jan Davidszoon I de Heem, *Still Life*, Musée du Louvre,
Paris (Ricciarini)
112-113 : Jean-Baptiste-Siméon Chardin, *Nature morte au gâteau* Musée du
Louvre, Paris (Ricciarini)
144-145 : Pietro Fabris, *Colazione sulla spiaggia*, Biblioteca Nazionale,
Naples (Scala)
176-177 : Edmund Tarbell, *My Family*, Hirschl and Adler Galleries,
New York
210-211 : Jean-Baptiste-Siméon Chardin, *Les débris d'un déjeuner* Musée du
Louvre, Paris (Ricciarini)
242-243 : Vincenzo Campi, *La venditrice di frutta*, Pinacoteca di Brera,
Milan
268-269 : M. De Vito, *Venditore di pasticciotti*, Museo Nazionale di San
Martino, Naples (Ricciarini)
282-283 : Olga Costa, *The Fruit Seller*, Museum of Modern Art,
Mexico City
292-293 : Matteo Pelliccia, *Il gelataio*, Museo Nazionale di San Martino,
Naples (Ricciarini)
316-317 : peinture sur bois du XVIIIe siècle, Museo Poldi Pezzoli,
Milan (Ricciarini)

Remerciements

Les éditeurs adressent leurs vifs remerciements aux organismes suivants
qui ont fourni le matériel des photos :
Christofle
Bernardaud, Limoges
Cristalleria artistica La Piana
Croff, Milan
Cristallerie Daum
Koivu, Milan
La Galerie, Milan
La Rinascente, Milan
Pisapia Fiore, Milan